欧洲藏汉籍目录丛编

Catalogues of Ancient Chinese Classics in Europe

张西平　主　编

谢　辉　林发钦　副主编

文化公所
Hall de Cultura

SPM
南方出版传媒
广东人民出版社
·广州·

图书在版编目（CIP）数据

欧洲藏汉籍目录丛编 5 / 张西平主编，谢辉、林发钦副主编. —澳门：文化公所；—广州：广东人民出版社，2020.1

ISBN 978-99981-36-66-3（中国澳门）

ISBN 978-7-218-13891-6（中国内地）

Ⅰ．①欧…　Ⅱ．①张…　②谢…　③林…　Ⅲ．①古籍—图书目录—汇编—欧洲　Ⅳ．①Z838

中国版本图书馆CIP数据核字（2019）第228770号

欧洲藏汉籍目录丛编 5

张西平　主编　谢辉、林发钦　副主编

出 版 人：肖风华

策划编辑：梁　茵

编　　辑：赵香玲　王俊辉　李永新

出　　版：文化公所　广东人民出版社

发　　行：文化公所

　　　　　电　邮：macau.publish@gmail.com

　　　　　网　址：www.macau-publish.com

印　　刷：广东鹏腾宇文化创新有限公司

开　　本：787毫米×1092毫米　1/16

印　　张：256　字　数：4760千

版　　次：2020年1月第1版

印　　次：2020年1月第1次印刷

定　　价：MOP360.00

Catalogue des Livres Chinois, Coréens, Japonais, etc （3）

中韩日文图书目录（3）

Huitième Section : ÉCOLE THIEN-THAI

6484.— I.

大乘止觀法門

Ta cheng tchi koan fa mẹn;
sous-titre :

南嶽思大禪師曲授心要

Nan yo seu ta chạn chi khiu cheou sin yao.

Mahāyāna çamatha vipaçyanā dharmaparyāya.

Par Hoei-seu († 577), maître de Tchi-yi qui fonda l'école Thien-thai. Édition du Leng-yen seu (1667).

4 livres. — Bunyiu Nanjio 1542.

— II.

諸法無諍三昧法門

Tchou fa oou tcheng san mei fa mẹn.

Sarvadharmāraṇasamādhi dharmaparyāya.

Par le même. Lecture des caractères difficiles. Édition des mêmes lieu et date.

2 livres. — Bunyiu Nanjio 1543.

Grand in-8. Bonne gravure. 1 vol. demi-rel., au chiffre de la République Française.

Nouveau fonds 4056.

6485-6486. 摩訶止觀

Mo ho tchi koan.

Mahāçamatha vipaçyanā.

Traité de Tchi-tchẹ ta-chi rédigé par son disciple Koan-ting ; le traité est de 594. Lecture des caractères difficiles. Édition de Leng-yen seu (1644), complétée en 1689.

20 livres. — Bunyiu Nanjio 1538.

Grand in-8. Bonne gravure ; le dernier feuillet est relié à l'envers. 2 vol. demi-rel., au chiffre de la République Française.

Nouveau fonds 4049, 4050.

6487-6489. 止觀輔行傳弘決 (sic)

Tchi koan fou hing tchhoan hong kiue.

Commentaire de l'ouvrage précédent.

Par Tchan-jan. Préface de 765 ou 766. Lecture des caractères rares. Édition de Leng-yen seu (1637-1639).

40 livres. — Bunyiu Nanjio 1539.

Grand in-8. Bonne gravure. 3 vol. demi-rel., au chiffre de la République Française.

Nouveau fonds 4053 à 4055.

6490-6496. 摩訶止觀輔行傳宏 (alias 弘) 決 (sic)

Mo ho tchi koan fou hing tchhoan hong kiue.

Même ouvrage revu par Tchhoan-teng, bonze de Thien-thai ; préface par le même (1626). Édition de Tsi-chan à Yue-tchheng (1814-1816).

10 livres comprenant chacun plusieurs sections.

Grand in-8. 7 vol. demi-rel., au chiffre de Louis-Philippe.

Nouveau fonds 2294 à 2300.

6497. 大乘止觀法門釋要

Ta cheng tchi koan fa men chi yao.

Explication du Mahāyāna çamatha vipaçyanā dharmaparyāya.

Par Tchi-hiu. Préface écrite pour Tsoen-chi (1000) pour le Mahāyāna çamatha, etc. Postface par Tchang Tshang-chou.

4 livres. — Cf. n° 6484, art. I.

Grand in-8. 1 vol. demi-rel., au chiffre de la République Française.

Nouveau fonds 4284.

6498. 摩訶止觀貫義科

Mo ho tchi koan koan yi khoo.

Explication en tableaux du Mo ho tchi koan.

Ouvrage de Thien-khi hoo-chang, complété et imprimé par les soins de son disciple Ling-yao. Préface de ce dernier (1682?).

2 livres.

Grand in-8. Gravure médiocre. 1 vol. demi-rel., au chiffre de la République Française.

Nouveau fonds 4051.

6499. — I.

修習止觀坐禪法要

Sieou si tchi koan tsoo chan fa yao ; alias :

童蒙止觀

Thong mong tchi koan ; alias :

小止觀

Siao tchi koan.

Importance de la pratique de la méditation extatique.

Par Tchi-yi. Préface par Yuen-tchao, de Hang-tcheou (1095).

1 livre. — Bunyiu Nanjio 1540.

— II.

始終心要

Chi tchong sin yao.

Début et fin de l'importance du cœur.

C'est vraisemblablement le traité de Tchan-jan attribué ici à King-khi tsoen-tche.

1 feuillet. — Cf. n° 6095, art. VII.

— III.

止觀坐禪法要記

Tchi koan tsoo chan fa yao ki.

Résumé des moyens de pratiquer la méditation extatique.

Par Tchhen Koan Yong-tchong, nom posthume Tchong-sou (dynastie des Song).

2 feuillets.

— IV.

天台止觀統例

Thien thai tchi koan thong li.

Règles de la méditation extatique, de l'école Thien-thai.

Par Liang Sou 'An-ting, vers 784.

6 feuillets.

A la suite lecture des caractères difficiles; édition de la bonzerie de Leng-yen (1666).

— V.

止觀義例

Tchi koan yi li.

Commentaire du Mo ho tchi koan.

Par Tchan-jan.

2 livres. — Bunyiu Nanjio 1541.

Édition de Leng-yen (1666).

Grand in-8. Bonne gravure. 1 vol. demi-rel., au chiffre de la République Française.

Nouveau fonds 4052.

6500.— I.

修習止觀坐禪法要

Sieou si tchi koan tsoo chan fa yao.

Même ouvrage qu'au n° 6499, art. I.

— II.

始終心要

Chi tchong sin yao.

Même ouvrage qu'au n° 6499, art. II.

— III.

止觀坐禪法要記

Tchi koan tsoo chạn fa yao ki.

Même ouvrage qu'au n° 6499, art. III.

— IV.

天台止觀統例

Thien thai tchi koan thong li.

Même ouvrage qu'au n° 6499 art. IV.

A la fin, lecture des caractères difficiles. Édition de Hai-tchhoang seu (1797).

Grand in-8. Papier blanc. 1 vol. demi-reliure.

Nouveau fonds 642.

6501. ## 釋禪波羅蜜次第 法門

Chi chạn po lo mi tsheu ti fa mẹn.

Explication de la doctrine de la dhyāna-pāramitā.

Par Tchi-tchẹ ta-chi, rédigé et revu par ses disciples Fa-chen et Koan-ting. Préface. Lecture des caractères rares. Édition de Miao-tẹ 'an (1590).

10 livres. — Bunyiu Nanjio 1571.

Grand in-8. Bonne gravure. 1 vol. demi-rel., au chiffre de la République Française.

Nouveau fonds 3885.

6502. — I.

法界次第初門

Fa kiai tsheu ti tchhou mẹn.

La première porte du degré du Dharmadhātu.

Par Tchi-tchẹ ta-chi, avec préface. Lecture des caractères difficiles. Édition de Miao-tẹ 'an au Tshing-liang chan (1591).

3 livres (6 sections). — Bunyiu Nanjio 1572.

— II.

方等三昧行法

Fang teng san mei hing fa.

Règles pour la pratique du vaipulya-samādhi.

Par le même, rédigé par son disciple Koan-ting; préface du bonze Tsoẹn-chi (998-1022). Liste des signes rares. Édition du bonze Tchhẹ-oei Yin-khai (1661).

1 livre. — Bunyiu Nanjio 1573.

— III.

淨 土 十 疑 論
Tsing thou chi yi loẹn.

Traité sur dix doutes au sujet de la Terre Pure.

Par le même. Préface de Yang Kie Oou-oei-tseu (1076); postface de Tchhen Koan (1093). Liste des signes rares. Édition de Leng-yen seu (1664).

1 livre. — Bunyiu Nanjio 1574.

Grand in-8. Bonne gravure. 1 vol. demi-rel., au chiffre de la République Française.

Nouveau fonds 3879.

6503. — I.

Tsing thou chi yi loẹn.

Même ouvrage qu'au n° précédent, art. III; mêmes préfaces. Édition de Hoei-khing seu à Kou-sou (1586 ou 1646).

1 livre. — Bunyiu Nanjio 1574.

— II.

念 佛 三 昧 寶 王 論 并 序
Nien fo san mei pao oang loẹn ping siu.

Traité sur les Bouddhas passés, présents et futurs.

Texte et préface par le bonze Fei-si, de Tshao-thang seu, à Tseu-ko chan (époque des Thang). Édition de Kin-ling (1586 ou 1646).

3 livres.

— III.

淨 土 生 無 生 論
Tsing thou cheng oou cheng loẹn.

Traité sur la réalité ou non réalité de la renaissance en Su-khāvatī.

Par le bonze Tchhoan-teng Yeou-khi ta-chi. Postface postérieure à 1587 (?). Édition du bonze Tcheng-tchi (1586 ou 1646).

13 feuillets.

Grand in-8. 1 vol. demi-rel., au chiffre de la République Française.

Nouveau fonds 4135.

6504. 四 教 義
Seu kiao yi.

Sens des quatre divisions de l'enseignement.

Par Tchi-yi. Édition de King-chan (1661).

6 livres. — Bunyiu Nanjio 1569.

Grand in-8 Bonne gravure. 1 vol. demi-rel., au chiffre de la République Française.

Nouveau fonds 4087.

6505. 天台四教儀集註

Thien thai seu kiao yi tsi tchou.

Commentaire sur le Thien thai seu kiao yi.

Texte avec tableaux, figures, notes, etc., par le bonze Mong-joęn ; ouvrage composé en 1334. Gravé à la bonzerie de Leng-yen à Kia-hing (1650, 1651). Lecture des caractères difficiles.

10 livres. — Bunyiu Nanjio 1635 ; cf. Bunyiu Nanjio 1551.

Grand in-8. 1 vol. demi-rel., au chiffre de la République Française.
Nouveau fonds 352.

6506.

Thien thai seu kiao yi tsi tchou.

Double.

Grand in-8. 1 vol. demi-rel., au chiffre de la République Française.
Nouveau fonds 4088.

6507. — I.

四教集註節義

Seu kiao tsi tchou tsie yi.

Sens abrégé du Thien thai seu kiao yi.

Explication livre par livre du n° précédent. Par le bonze Ling-yao, de la bonzerie Tshing-liang au

Tchę-kiang. Préface de l'auteur (1678 ?). Tableau récapitulatif (6 feuillets).

1 livre.

— II.

釋籤緣起序指明

Chi tshien yuen khi siu tchi ming.

Guide pour l'explication.

Par le même, surnom Tshiuen-tchang. Postface par Ling-cheng.

1 livre.

— III.

象林眞禪師語錄

Siang lin tchen chạn chi yu lou.

Œuvres et entretiens du bonze Siang-lin Tchen.

Nom de l'auteur : Khieou, de Soei-tcheou, vivait en 1654. Préface par son disciple Miao-sin (1659) ; ouvrage gravé par un autre disciple, Tchao-choei, à Leng-yen seu (1700).

1 livre.

— IV.

玉眉亮禪師語錄

Yu mei liang chạn chi yu lou.

Œuvres et entretiens du bonze Yu-mei Liang.

L'auteur vivait en 1669. L'ouvrage a été préparé par Khong-mi. Préface par Chen Thing-mai, de Kia-hoo (1690).

1 livre.

— V.

卓峰和尚語錄

Tcho fong hoo chang yu lou.

Œuvres et entretiens du bonze Tcho-fong.

Autre nom : Sing-kie, de la famille Tchheng, né en 1625. Ouvrage préparé par son disciple Tsong-oei. Préfaces par Tchhao-yuen Tan-yai, de Min-phou (1695) et par Kien-li (1696).

1 livre.

— VI.

冰絃法禪師語錄

Ping sien fa chạn chi yu lou.

Propos du bonze Ping-sien Fa.

2 feuillets.

— VII.

慶雲炳禪師語錄

Khing yun ping chạn chi yu lou ; alias :

衡山和尚語錄

Heng chan hoo chang yu lou.

Œuvres et entretiens du bonze Khing-yun Ping.

Auteur : autre nom, Heng-chan hoo-chang (1611-1680). Ouvrage préparé par Tsong-oei, disciple médiat de l'auteur. Préfaces par les mêmes qu'à l'art. V (1695, 1696).

1 livre.

— VIII.

塔銘

Tha ming.

Inscription du stūpa du bonze Khing-yun Ping.

Par le bonze Sing-thong.

3 feuillets.

Grand in-8. 1 vol. demi-rel., au chiffre de la République Française.
Nouveau fonds 4187.

6508. 觀心論疏

Koan sin loẹn sou.

Commentaire du Koan sin loẹn.

Le traité est de Tchi-yi; le commentaire est de son disciple Koan-ting. Lecture des mots rares. Édition de Leng-yen seu (1664).

5 livres. — Bunyiu Nanjio 1575.

Grand in-8. Bonne gravure ; le feuillet 18 du livre 5 est manuscrit. 1 vol. demi-rel., au chiffre de la République Française.

Nouveau fonds 4139.

6509. — I.

十不二門指要鈔

Chi pou eul men tchi yao tchhao.

Commentaire du Chi pou eul men.

Par le bonze Tchi-li. Préface par Tsoen-chi (998-1022) ; l'ouvrage daterait des années 990-994. Lecture des caractères rares. Édition de Leng-yen seu (1664).

2 livres. — Bunyiu Nanjio 1582.

— II.

金剛錍

Kin kang pi.

Le stylet de diamant.

Traité métaphysique par Tchan-jan. Préface et tableaux résumés par Tsing-yo, bonze de Yun-kien (époque des Song). Liste des caractères rares. Édition du bonze Tchhe-oei Yin-khai (1661).

1 livre. — Bunyiu Nanjio 1583.

— III.

法智遺編觀心二百問

Fa tchi yi pien koan sin eul po oen.

Deux cents questions sur le Koan sin loen sou.

Entretiens de Ki-tchong disciple médiat (998-1022), ayant eu lieu en 1007. Liste des caractères rares. Édition de 1604 ou 1664.

1 livre. — Bunyiu Nanjio 1584 ; cf. n° 6508.

— IV.

天台傳佛心印記

Thien thai tchhoan fo sin yin ki.

Sur la transmission de la Buddha hṛdaya mudrā, de l'école Thien-thai.

Par le bonze Hoai-tse, de Hou-khi (dynastie des Yuen).

10 feuillets. — Bunyiu Nanjio 1586.

— V.

淨土境觀要門

Tsing thou king koan yao men.

Introduction à la méditation de la terre pure.

Par le même.

8 feuillets. — Bunyiu Nanjio 1587.

— VI.

一心三觀

Yi sin san koan.

Triple méditation du cœur unique.

Probablement par le même. Lecture des signes difficiles. Édition de Leng-yen seu (1664).

1 feuillet.

Grand in-8. Bonne gravure. 1 vol. demi-rel., au chiffre de la République Française.

Nouveau fonds 3902.

6510. 傳佛心印記註

Tchhoan fo sin yin ki tchou.

Commentaire de la transmission de la Buddha hṛdaya mudrā.

Par le bonze Oei-tsẹ (*sic*) de Hou-khi (vers 1342); commentaire par Tchhoan-teng, de Yeou-khi. Préface par ce dernier (1627). Historique et transmission de la doctrine, par Fong Mong-tcheng, de Tsoei-li. Édition de Leng-yen seu (1680).

76 feuillets. — Cf. nº précédent, art. IV.

Grand in-8. 1 vol. demi-rel., au chiffre de la République Française.

Nouveau fonds 4177.

6511. 龍舒淨土集

Long chou tsing thou tsi.

Recueil sur la Terre Pure, par Long-chou.

Auteur : Oang Ji-hieou Long-chou qui vivait en 1160-1162. Portrait de l'auteur avec éloge au verso. Préface (1658) par le bonze Tao-tou, de Lo-feou. Recueil méthodique de textes, traités, récits de miracles, etc. Édition de Hai-tchhoang (1658).

10 livres + supplément.

In-4. Papier blanc. 1 vol. demi-rel., au chiffre de Louis-Philippe.

Nouveau fonds 622 A.

6512. — I.

重刊龍舒增廣淨土文
Tchhong khan long chou tseng koang tsing thou oen.

Recueil sur la Terre Pure, par Long-chou.

Même ouvrage qu'au nº précédent, édition augmentée. Portrait de l'auteur, avec éloge au verso. Préface par Liu Chi-choẹ (1316); préfaces non datées de Tchang Hiao-siang et de Liu Yuen-yi.

11 livres + supplément.

— II.

超 脫 輪 迴 捷 徑。念 佛 報 應 因 緣。普 勸 修 持。口 業 勸 戒

Tchhao thoo loen hoei tsie king. Nien fo pao ying yin yuen. Phou khiuen sieou tchhi. Kheou ye khiuen kiai.

Préceptes moraux et formules d'invocation, résumés en tableaux.

2 feuillets.

— III.

龍 舒 直 音
Long chou tchi yin.

Prononciation des caractères difficiles, par Long-chou.

1 feuillet.

Postface (1593), par Lou Koang-tsou Oou-thai kiu-chi.

Grand in-8. 1 vol. demi-rel., au chiffre de la République Française.
Nouveau fonds 4171.

6513. 廬 山 蓮 宗 寶 鑑
Liu chan lien tsong pao kien.

Miroir de l'école du lotus.

Par Phou-tou, religieux de Liu-chan (1314). Texte, figures et tableaux. Préface sans date par Tshien Chi-cheng. Lecture des caractères difficiles. Édition de Leng-yen seu (1643, 1644).

10 livres. — Bunyiu Nanjio 1651.

Grand in-8. Bonne gravure. 1 vol. demi-rel., au chiffre de la République Française.
Nouveau fonds 4228.

6514. 淨 土 指 歸 集
Tsing thou tchi koei tsi.

Guide méthodique de la Terre Pure.

Par le bonze Ta-yeou, de Oou-kiun. Section explicative des caractères difficiles. Postfaces par le bonze Te-siang (1393) et par le bonze Yun-tchong (1394). Édition de Leng-yen seu (1671).

2 livres.

Grand in-8. Bonne gravure. 1 vol. demi-rel., au chiffre de la République Française.
Nouveau fonds 4152.

6515. 歸 元 直 指 集
Koei yuen tchi tchi tsi.

Guide pour revenir à l'origine.

Collection relative au Paradis occidental par le bonze Yi-yuen Tsong-pęn, avec préface de l'auteur (1553); préface par Fou-yin-tchai, de Tan-yun (1553); gravé à la bonzerie de Leng-yen, à Kiahing (1675). Préface de 1675. Table des matières.

— I (livre 1).

念佛正信往生文

Nien fo tcheng sin oang cheng oen.

Sur la renaissance en Sukhāvatī par la méditation du Bouddha.

Extrait du Lien tsong pao kien.

Feuillets 6, 7. — Cf. n° 6513.

— II (livre 1).

尊崇三寶教法篇

Tsoęn tchhong san pao kiao fa phien.

Sur la vénération des Trois Joyaux.

Feuillets 8 à 12.

— III (livre 1).

孝養父母報恩文

Hiao yang fou mou pao 'en oen.

Sur le respect des parents.

Tiré du Lien tsong pao kien.

Feuillets 12, 13. — Cf. n° 6513.

— IV (livre 1).

行脚求師開示序

Hing khio khieou chi khai chi siu.

Entrée dans la vie religieuse.

Souvenirs de Tsong-pęn, de la famille Tchhen, de Seu-ming.

Feuillets 14 à 21.

— V (livre 1).

開示參禪龜鏡文

Khai chi tshan chạn koei king oen.

Sur la méditation.

Feuillets 21 à 25.

— VI (livre 1).

禪宗淨土難易說

Chạn tsong tsing thou nan yi choę.

Sur les difficultés et facilités de la Terre Pure.

Feuillets 25 à 28.

— VII (livre 1).

辨明邪正決疑文

Pien ming sie tcheng kiue yi oen.

Distinction du correct et du pervers.

Par Ming-kiao ta-chi.

Feuillets 28 à 33. — Cf. n° 6478, art. II.

— VIII (livre 1).

勸發眞正大願決定往生說

Khiuen fa tchen tcheng ta yuen kiue ting oang cheng choę.

Conseil de faire des vœux pour assurer la renaissance.

Par Tsheu-tchao tsong-tchou.

Feuillets 33 à 36. — Cf. n° 6478, art. CIV.

— IX (livre 1).

慈照宗主示念佛人發願偈并序

Tsheu tchao tsong tchou chi nien fo jen fa yuen kie ping siu.

Gāthā de Tsheu-tchao tsong-tchou sur la méditation du Bouddha et sur les vœux.

Feuillets 36 à 38. — Voir article précédent.

— X (livre 1).

天台智者大師勸人專修淨土

Thien thai tchi tchę ta chi khiuen jen tchoan sieou tsing thou.

Conseils de Tchi-tchę ta chi sur la préparation à la Terre Pure.

Auteur : Tchi-yi.

Feuillets 38 à 40.

— XI (livre 1).

永明壽禪師戒無證悟人勿輕淨土

Yong ming cheou chạn chi kiai oou tcheng oou jen oou khing tsing thou.

Conseils de Tchi-kio chạn-chi relatifs à la Terre Pure.

Auteur : Tchi-kio Yen-cheou.

Feuillets 40, 41. — Cf. n° 6478, art. XXVIII.

— XII (livre 1).

長蘆賾禪師勸參禪人兼修淨土

Tchhang lou tchę chạn chi khiuen tshan chạn jen kien sieou tsing thou.

Conseils de Tchę chạn-chi de Tchhang-lou, pour la méditation et pour la préparation à la Terre Pure.

Ce bonze vivait en 1089.

Feuillets 41 à 43. — Cf. n° 6478, art. CXL.

— XIII (livre 1).

龍舒王居士勸人徑修淨土

Long chou oang kiu chi khiuen jen king sieou tsing thou.

Conseil de se préparer directement à la Terre Pure, par Oang Long-chou.

Auteur : Oang Ji-hieou.

Feuillets 43 à 46. — Cf. n° 6511.

— XIV (livre 1).

丞相鄭清之勸修淨土文

Tchheng siang tcheng tshing tchi khiuen sieou tsing thou oen.

Conseil de se préparer à la Terre Pure, par le ministre Tcheng Tshing-tchi.

Feuillets 46, 47.

— XV (livre 1).

辨明六祖大師西方淨土

Pien ming lou tsou ta chi si fang tsing thou.

Discussion sur la nature de la Terre Pure occidentale d'après le sixième patriarche.

Par Tsong-pẹn.

Feuillets 47 à 49.

— XVI (livre 1).

諸祖指歸淨土文

Tchou tsou tchi koei tsing thou oen.

Opinions des patriarches sur la Terre Pure.

Feuillets 49 à 54.

— XVII (livre 1).

諸經指歸淨土文

Tchou king tchi koei tsing thou oen.

Textes des sūtra au sujet de la Terre Pure.

Feuillets 54 à 59.

— XVIII (livre 1).

阿彌陀佛因地事理說

'O mi tho fo yin ti chi li choẹ.

Traité au sujet du Bouddha Amitābha.

Réponses de Tsong-pẹn.

Feuillets 59 à 62.

— XIX (livre 1).

龍舒口業勸戒文

Long chou kheou ye khiuen kiai oen.

Sur la récitation des noms du Bouddha, traité par Oang Long-chou.

Feuillets 62, 63. — Cf. ci-dessus, art. XIII.

— XX (livre 1).

辨明三教大理贊翌治化論

Pien ming san kiao ta li tsan yi tchi hoa loẹn.

Traité pour établir que les trois religions concourent à la civilisation.

Feuillets 63 à 67.

— XXI (livre 1).

毒峯善禪師三教一理述

Tou fong chạn chạn chi san kiao yi li chou.

Traité de l'unité du principe des trois religions, par Chạn chạn-chi de Tou-fong.

Feuillets 67 à 71.

— XXII (livre 1).

姚少師佛法不可滅論

Yao chao chi fo fa pou kho mie loẹn.

Traité de la perpétuité de la loi bouddhique, par le précepteur en second Yao.

Feuillets 71 à 73.

— XXIII (livre 1).

靜齋劉學士三教平心論

Tsing tchai lieou hio chi san kiao phing sin loẹn.

Traité impartial sur les trois religions, par Lieou Tsing-tchai.

Auteur : Lieou Mi.

Feuillets 73 à 79. — Cf. n° 6444.

— XXIV (livre 1).

北齊黃門侍郎歸心辨惑篇

Pẹ tshi hoang mẹn chi lang koei sin pien hoẹ phien.

Traité sur la conversion du cœur et la discussion des doutes, par un chi-lang des Tshi du nord.

Par Yen Tchi-thoei Tseu-fẹn (né en 531).

Feuillets 79 à 84.

— XXV (livre 1).

三教眞如本性說

San kiao tchen jou pẹn sing choẹ.

De la conformité des trois religions à la nature primitive de l'homme.

Feuillets 85, 86.

— XXVI (livre 1).

東坡學士飲食說

Tong pho hio chi yin chi choẹ.

Traité de la boisson et de la nourriture, par Tong-pho.

Par Sou Chi (1036-1101).

Feuillets 86 à 88.

— XXVII (livre 1).

優曇祖師戒殺文

Yeou than tsou chi kiai cha oen.

Traité contre le meurtre de ce qui a vie, par le patriarche Yeou-than.

Feuillets 88, 89.

— XXVIII (livre 1).

佛印禪師戒殺文

Fö yin chạn chi kiai cha oen.

Traité contre le meurtre de ce qui a vie, par Fo-yin chạn-chi.

Feuillet 89.

— XXIX (livre 1).

眞歇禪師戒殺文

Tchen hie chạn chi kiai cha oen.

Traité contre le meurtre de ce qui a vie, par Tchen-hie chạn-chi.

Feuillets 89, 90.

— XXX (livre 1).

普菴祖師戒殺文

Phou'an tsou chi kiai cha oen.

Traité contre le meurtre de ce qui a vie, par Phou-'an tsou-chi.

Feuillet 90.

— XXXI (livre 1).

身爲苦本覺悟早修

Chen oei khou pẹn kio oou tsao sieou.

Le corps étant la racine de la douleur, il faut s'éveiller à la vie morale.

Feuillets 90 à 94.

— XXXII (livre 1).

三大聖人決疑文

San ta cheng jen kiue yi oen.

Traités pour dissiper les doutes, au sujet de trois saints hommes.

Extraits des sūtra.

Feuillets 94 à 96.

— XXXIII (livre 1).

萬宗禪師直指篇

Oan tsong chạn chi tchi tchi phien.

Guide direct, de Oan-tsong chạn-chi.

Feuillets 96 à 99.

— XXXIV (livre 1).

龍華三會略要說

Long hoa san hoei lio yao choẹ.

Résumé de la troisième assemblée de Long-hoa.

Extraits des sūtra par Yi-yuen Tsong-pẹn.

Feuillets 99 à 102.

— XXXV (livre 1).

宗鏡要語

Tsong king yao yu.

Principes du Tsong king lou.

Par Yen-cheou, de Yong-ming.

Feuillets 102 à 104. — Cf. Bunyiu Nanjio 1489 ; n° 6478, art. XCVII.

— XXXVI (livre 1).

禮佛發願文

Li fo fa yuen oen.

Vœux en honneur du Bouddha.

Feuillets 104 à 107.

— XXXVII (livre 1).

淨土成佛

Tsing thou tchheng fo.

Devenir Bouddha en Sukhā-vatī.

Tiré du Lien tsong pao kien. — Cf. n° 6513.

Feuillet 108.

— XXXVIII (livre 1er, supplément).

西方詩集百首

Si fang chi tsi po cheou ; alias :

西方百詠普告諸賢

Si fang po yong phou kao tchou hien.

Cent poésies sur le Paradis occidental.

Par Tsong-pẹn ; 84 pièces de quatre heptasyllabes.

Feuillets 108 à 116 (manquent deux feuillets).

— XXXIX (livre 2).

辨 明 異 端

Pien ming yi toan.

Discussion des croyances hétérodoxes.

Précédée d'une introduction. Dialogue entre Oang Tchong Khẹphing, de Thai-yuen, et Khong-kou chạn-chi.

Feuillets 1, 2.

— XL (livre 2).

辨 明 楊 墨

Pien ming yang mẹ.

Discussion de Yang Tchou et de Mẹ Ti.

Dialogue des mêmes.

Feuillets 2 à 4.

— XLI (livre 2).

辨 明 盧 無 寂 滅

Pien ming hiu oou tsi mie.

Discussion du vide et du nirvāṇa.

Dialogue des mêmes.

Feuillets 4 à 6.

— XLII (livre 2).

辨 明 鬼 神 情 狀

Pien ming koei chen tshing tchoang.

Sur les esprits.

Dialogue des mêmes.

Feuillets 6 à 8.

— XLIII (livre 2).

辨 明 天 誅 雷 擊

Pien ming thien tchou lei ki.

Discussion de la foudre comme châtiment céleste.

Dialogue des mêmes.

Feuillets 8 à 10.

— XLIV (livre 2).

君 臣 名 儒 學 佛

Kiun tchhen ming jou hio fo.

Sur les princes, ministres, lettrés célèbres qui ont étudié le bouddhisme.

Dialogue des mêmes.

Feuillets 10 à 12.

— XLV (livre 2).

儒 宗 叅 究 禪 宗

Jou tsong tshan kieou chạn tsong.

Sur les lettrés qui approfon-
dissent la doctrine du dhyăna.

Dialogue des mêmes.

Feuillets 12 à 19.

— XLVI (livre 2).

學 佛 謗 佛
Hio fo pang fo.

Étudier et calomnier le Bouddha.

Dialogue des mêmes.

Feuillets 19 à 22.

— XLVII (livre 2).

從 人 謗 佛。附 己 見 謗 佛
*Tshong jen pang fo ; fou ki kien
pang fo.*

Calomnier le Bouddha de soi-
même, ou à l'imitation d'autrui.

Dialogue des mêmes.

Feuillets 22 à 23.

— XLVIII (livre 2).

破 不 信 因 果
Pho pou sin yin koo.

Réfutation du doute relatif à
la loi du karman.

Feuillets 23 à 26.

— XLIX (livre 2).

破 不 信 地 獄
Pho pou sin ti yu.

Réfutation du doute relatif à
l'enfer.

Feuillets 26 à 28.

— L (livre 2).

地 獄 輪 廻 異 類 說
Ti yu loen hoei yi lei choe.

Des différents enfers qui
alternent.

Extrait des classiques confu-
cianistes.

Feuillets 28 à 31.

— LI (livre 2).

辨 明 升 降 託 胎
Pien ming cheng kiang tho thai.

Discussion de la naissance
dans une classe d'êtres plus ou
moins élevée.

Feuillets 31 à 34.

— LII (livre 2).

辨 明 梁 武 定 業
Pien ming liang oou ting ye.

Discussion au sujet de la destinée de Oou-ti des Liang.

Par le ministre Tchang Chang-ying.

Feuillets 34 à 36.

— LIII (livre 2).

辨明東西界域

Pien ming tong si kiai yu.

Sur les régions d'orient et d'occident.

Réponse de Miao-ming chan-chi.

Feuillets 36, 37.

— LIV (livre 2).

辨明三教經典

Pien ming san kiao king tien.

Sur les livres fondamentaux des trois religions.

Réponse du même.

Feuillets 37 à 39.

— LV (livre 2).

辨明三教至道

Pien ming san kiao tchi tao.

Sur le principe des trois religions.

Traité débutant comme un sūtra.

Feuillets 39 à 44.

— LVI (livre 2).

辨明三教優劣勸修淨土論

Pien ming san kiao yeou liue khiuen sieou tsing thou loen.

En discernant le fort et le faible des trois religions, enga-ger à se préparer à la Terre Pure.

Réponse de Yi-yuen Tsong-pen.

Feuillets 44 à 48.

— LVII (livre 2).

辨明三教聖人前後降生頌

Pien ming san kiao cheng jen tshien heou kiang cheng song.

Poésie à l'éloge des saints des trois religions qui ont paru suc-cessivement.

Feuillet 48.

— LVIII (livre 2).

辨明精氣神

Pien ming tsing khi chen.

Discussion des termes tsing, khi, chen.

D'après le Hiuen tsong tchi tchi.

Feuillets 48, 49.

— LIX (livre 2).

離相顯性往生淨土說

Li siang hien sing oang cheng tsing thou choẹ.

Sur la renaissance des femmes en Terre Pure.

Par Yi-yuen Tsong-peṇ.

Feuillets 49 à 51.

— LX (livre 2).

身雖出家不求淨土說

Chen soei tchhou kia pou khieou tsing thou choẹ.

Sur les religieux qui n'aspirent pas à la Terre Pure.

Exposé du bonze Thien-jou.

Feuillets 51 à 53.

— LXI (livre 2).

裴相國身心虛僞說

Phei siang koẹ chen sin hiu oei choẹ.

Sur le vrai corps et le vrai esprit, par le ministre Phei.

Auteur : Phei Hieou.

Feuillets 53, 54.

— LXII (livre 2).

龍舒居士孅殺說

Long chou kiu chi yao cha choẹ.

Sur le meurtre des animaux, traité par Oang Long-chou.

Feuillet 54. — Cf. n° 6511.

— LXIII (livre 2).

理事圓頓說

Li chi yuen toeṇ choẹ.

Sur la conduite des affaires et sur la connaissance parfaite.

Feuillets 55, 56.

— LXIV (livre 2).

爲君子說

Oei kiun tseu choẹ.

Traité du sage.

Par Oang Long-chou.

Feuillets 56, 57. — Cf. n° 6511.

— LXV (livre 2).

情說

Tshing choẹ.

Sur les passions.

Par Oang Long-chou.

Feuillet 57.

— LXVI (livre 2).

小因果說

Siao yin koo choẹ.

Petit traité des causes et des effets.

Par le même.

Feuillets 57, 58.

— LXVII (livre 2).

二天人說

Eul thien jen choe.

Sur les deux deva.

Par le même.

Feuillet 58.

— LXVIII (livre 2).

勸修備說

Khiuen sieou pei choe.

Traité du perfectionnement moral.

Par le même.

Feuillet 58.

— LXIX (livre 2).

寄庫功德說

Ki khou kong te choe.

Sur les mérites.

Par le même.

Feuillets 58, 59.

— LXX (livre 2).

過現未來三大劫說

Koo hien oei lai san ta kie choe.

Sur le passé, le présent et l'avenir.

Feuillets 59, 60.

— LXXI (livre 2).

尸迦羅越六方禮經

Chi kia lo yue lou fang li king.

Sūtra sur l'adoration des six directions, adressé à Sigâlava.

Version de 'An Chi-kao (période 25-220).

Feuillets 60 à 63. — Bunyiu Nanjio 555.

— LXXII (livre 2).

永明壽禪師警世文

Yong ming cheou chan chi king chi oen.

Avertissement au monde du bonze Yen-cheou, de Yong-ming.

Feuillets 63 à 65. — Cf. nº 6478, art. XCVII.

— LXXIII (livre 2).

圓修淨土決疑論

Yuen sieou tsing thou kiue yi loen.

Traité contre les doutes à propos de la Terre Pure.

Tiré des sūtra.

Feuillets 66 à 77.

— LXXIV (livre 2).

天 地 神 明 戒 殺 文
Thien ti chen ming kiai cha oen.

Pour les sacrifices au ciel, à la terre, aux esprits, il ne faut pas tuer.

Par Tsong-pẹn.

Feuillets 77, 78.

— LXXV (livre 2).

事 親 大 孝 戒 殺 文
Chi tshin ta hiao kiai cha oen.

Pour servir les parents, il ne faut pas tuer.

Feuillets 78 à 80.

— LXXVI (livre 2).

待 客 解 嘲 戒 殺 文
Tai kho kiai tchao kiai cha oen.

Pour traiter un hôte, il ne faut pas tuer.

Feuillets 80, 81.

— LXXVII (livre 2).

分 產 解 冤 戒 殺 文
Fẹn tchhan kiai yuen kiai cha oen.

Quand on partage des biens on qu'on se réconcilie, il ne faut pas tuer.

Feuillets 81, 82.

— LXXVIII (livre 2).

慶 生 報 本 戒 殺 文
Khing cheng pao pẹn kiai cha oen.

A l'occasion des fêtes anniversaires de naissance, il ne faut pas tuer.

Feuillets 82, 83 (le feuillet 82 est double, le feuillet 83 manque).

— LXXIX (livre 2).

許 願 保 安 戒 殺 文
Hiu yuen pao 'an kiai cha oen.

Pour accomplir un vœu, il ne faut pas tuer.

Feuillets 83 à 85.

— LXXX (livre 2).

救 患 詔 祭 戒 殺 文
Kieou hoan yẹn tsi kiai cha oen.

Lorsqu'on supplie les esprits pour détourner le malheur, il ne faut pas tuer.

Feuillets 85, 86.

— LXXXI (livre 2).

利益亡人戒殺文

Li yi oang jen kiai cha oen.

Pour l'avantage des défunts, il ne faut pas tuer.

Feuillets 86, 87.

— LXXXII (livre 2).

預修超薦戒殺文

Yu sieou tchhao tsien kiai cha oen.

Pour avancer en mérite, il ne faut pas tuer.

Feuillets 87 à 89.

— LXXXIII (livre 2).

慈心不殺放生文

Tsheu sin pou cha fang cheng oen.

Un cœur miséricordieux ne tue pas et libère ce qui a vie.

Feuillet 89 à 91.

— LXXXIV (livre 2).

普勸戒殺決疑文

Phou khiuen kiai cha kiue yi oen.

Pour lever tous les doutes au sujet de la défense de tuer.

Feuillets 91, 92.

— LXXXV (livre 2).

太上東嶽垂訓文

Thai chang tong yo tchhoei hiun oen.

Instructions du dieu du Tong-yo.

Feuillets 92, 93. — Cf. n° 5673, art. VI.

— LXXXVI (livre 2).

紫盧元君戒諭文

Tseu hiu yuen kiun kiai yu oen.

Instructions de Tseu-hiu yuen kiun.

Feuillets 93, 94.

— LXXXVII (livre 2).

康節先生勸善文

Khang tsie sien cheng khiuen chan oen.

Exhortation au bien par le lettré Khang-tsie.

Peut être Çhao Yong (1011-1077).

Feuillet 94.

— LXXXVIII (livre 2).

無際大師心藥方

Oou tsi ta chi sin yo fang.

Instructions morales de Oou-tsi ta-chi.

Feuillets 94, 95.

— LXXXIX (livre 2).

勸行忍辱撮要

Khiuen hing jen jou tshoo yao.

Conseil de supporter les injures.

Feuillets 95 à 97.

— XC (livre 2).

勸人敬惜字紙

Khiuen jen king si tseu tchi.

Conseil de respecter les papiers couverts de caractères.

Feuillets 97, 98. — Cf. n° 5678, art. XX.

— XCI (livre 2).

勸修西方淨土

Khiuen sieòu si fang tsing thou.

Conseil de se préparer à la Terre Pure.

Par Oang Long-chou.

Feuillets 98, 99. — Cf. n° 6511.

— XCII (livre 2).

普勸修持淨土

Phou khiuen sieou tchhi tsing thou.

Conseil général de s'attacher à la Terre Pure.

Par le même.

Feuillets 99, 100.

— XCIII (livre 2).

預辦淨土資糧

Yu pan tsing thou tseu liang.

Conseil de se préparer des ressources pour la Terre Pure.

Par le même.

Feuillets 100, 101.

— XCIV (livre 2).

臨終正念往生

Lin tchong tcheng nien oang cheng.

A l'article de la mort, méditer la renaissance en Terre Pure.

Dialogue de Tchi-koei-tseu et du bonze Chan-tao.

Feuillets 101 à 103.

— XCV (livre 2).

臨終三疑

Lin tchong san yi.

Trois doutes à l'article de la mort.

Par Tsheu-tchao tsong-tchou.

Feuillet 103. — Cf. plus haut, art. VIII.

— XCVI (livre 2).

臨終四闕
Lin tchong seu koan.

A l'article de la mort, quatre obstacles à la renaissance.

Du même.

Feuillets 103, 104.

— XCVII (livre 2).

淨業疏式
Tsing ye sou chi.

Supplique au Bouddha pour entrer en Terre Pure.

Feuillets 104 à 106.

— XCVIII (livre 2).

行願流通
Hing yuen lieou thong.

Formation de vœux.

Feuillets 106, 107.

— XCIX (livre 2, supplément).

山居百詠聊述鄙懷
Chan kiu po yong liao chou pi hoai.

Cent poésies d'un solitaire.

100 pièces de quatre vers heptasyllabes par Tsong-pẹn ; 1 pièce supplémentaire.

Feuillets 107 à 117.

Lecture des caractères difficiles (feuillets 117 à 121).

Grand in-8. 1 vol. demi-rel., au chiffre de Napoléon III.
Nouveau fonds 1319.

6516. 重梓歸元直指集
Tchhong tseu koei yuen tchi tchi tsi.

Même ouvrage, nouvelle édition ; gravée à la bonzerie de Hai-tchhoang (1762) ; préface nouvelle par Thang Oei-sin Siue-liu tao-jen, de Yun-kien.

— I (livre 1).

Nien fo tcheng sin oang cheng oen.

Nº 6515 art. I.
Feuillets 1 à 3.

— II (livre 1).

Tsoẹn tchhong san pao kiao fa phien.

Nº 6515 art. II.
Feuillets 3 à 7.

— III (livre 1).

Hiao yang fou mou pao 'en oen.

No 6515 art. III.
Feuillets 7 à 9.

— IV (livre 1).

Hing khio khieou chi khai chi siu.

No 6515 art. IV.
Feuillets 9 à 16.

— V (livre 1).

Khai chi tshan chạn koei king oen.

No 6515 art. V.
Feuillets 16 à 20.

— VI (livre 1).

Chạn tsong tsing thou nan yi choẹ.

No 6515 art. VI.
Feuillets 20 à 23.

— VII (livre 1).

Pien ming sie tcheng kiue yi oen.

No 6515 art. VII.
Feuillets 23 à 28.

— VIII (livre 1).

Khiuen fa tchen tcheng ta yuen kiue ting oang cheng choẹ.

No 6515 art. VIII.
Feuillets 28 à 31.

— IX (livre 1).

Tsheu tchảo tsong tchou chi nien fo jen fa yuen kie ping siu.

No 6515 art. IX.
Feuillets 31 à 34.

— X (livre 1).

Thien thai tchi tchẹ ta chi khiuen jen tchoan sieou tsing thou.

No 6515 art. X.
Feuillets 34 et 35.

— XI (livre 1).

Yong ming cheou chạn chi kiai oou tcheng oou jen oou khing tsing thou.

No 6515 art. XI.
Feuillets 35 à 37.

— XII (livre 1).

Tchhang lou tchẹ chạn chi khiuen tshan chạn jen kien sieou tsing thou.

No 6515 art. XII.
Feuillets 37 à 39.

— XIII (livre 1).

龍舒王居士勸人徑修
淨土文

Long chou oang kiu chi khiuen jen king sieou tsing thou oen.

Nº 6515 art. XIII.
Feuillets 39 à 42.

— XIV (livre 1).

Tchheng siang tcheng tshing tchi khiuen sieou tsing thou oen.

Nº 6515 art. XIV.
Feuillets 42, 43.

— XV (livre 1).

辯明六祖大師西方淨土

Pien ming lou tsou ta chi si fang tsing thou.

Nº 6515 art. XV.
Feuillets 43, 44.

— XVI (livre 1).

Tchou tsou tchi koei tsing thou oen.

Nº 6515 art. XVI.
Feuillets 44 à 50.

— XVII (livre 1).

Tchou king tchi koei tsing thou oen.

Nº 6515 art. XVII.
Feuillets 50 à 55.

— XVIII (livre 1).

'O mi tho fo yin ti chi li choẹ.

Nº 6515 art. XVIII.
Feuillets 55 à 58.

— XIX (livre 1).

Long chou kheou ye khiuen kiai oen.

Nº 6515 art. XIX.
Feuillets 58, 59.

— XX (livre 1er supplément).

西方百詠

Si fang po yong.

Nº 6515, art. XXXVIII; les 100 pièces sont au complet.
Feuillets 59 à 69.

— XXI (livre 2).

辯明三教大理贊翊治化論

Pien ming san kiao ta li tsan yi tchi hoa loẹn.

Nº 6515, art. XX.
Feuillets 1 à 5.

— XXII (livre 2).

Tou fong chạn chạn chi san kiao yi li chou.

Nº 6515, art. XXI.
Feuillets 5 à 9.

— XXIII (livre 2).

Yao chao chi fo fa pou kho mie loẹn.

Nº 6515, art. XXII.
Feuillets 9, 10.

— XXIV (livre 2).

Tsing tchai lieou hio chi san kiao phing sin loẹn.

Nº 6515, art. XXIII.
Feuillets 10 à 16.

— XXV (livre 2).

北齊黃門侍郎歸心辯惑篇

Pẹ tshi hoang mẹn chi lang koei |sin pien hoẹ phien.

Nº 6515, art. XXIV.
Feuillets 16 à 22.

— XXVI (livre 2).

San kiao tchen jou pẹn sing choẹ.

Nº 6515, art. XXV.
Feuillets 22 à 24.

— XXVII (livre 2).

Tong pho hio chi yin chi choẹ.

Nº 6515, art. XXVI.
Feuillets 24, 25.

— XXVIII (livre 2).

Yeou than tsou chi kiai cha oen.

Nº 6515, art. XXVII.
Feuillets 25, 26.

— XXIX (livre 2).

Fo yin chạn chi kiai cha oen.

Nº 6515, art. XXVIII.
Feuillets 26, 27.

— XXX (livre 2).

Tchen hie chạn chi kiai cha oen.

Nº 6515, art. XXIX.
Feuillet 27.

— XXXI (livre 2).

Phou 'an tsou chi kiai cha oen.

Nº 6515, art. XXX.
Feuillets 27, 28.

— XXXII (livre 2).

Thien ti chen ming kiai cha oen.

Nº 6515, art. LXXIV.
Feuillets 28 à 30.

— XXXIII (livre 2).

Chi tshin ta hiao kiai cha oen.

Nº 6515, art. LXXV.
Feuillets 30, 31.

— XXXIV (livre 2).

Tai kho kiai tchao kiai cha oen.

Nº 6515, art. LXXVI.
Feuillets 31, 32.

— XXXV (livre 2).

Fẹn tchhan kiai yuen kiai cha oen.

N° 6515, art. LXXVII.
Feuillets 32, 33.

— XXXVI (livre 2).

Khing cheng pao pẹn kiai cha oen.

N° 6515, art. LXXVIII.
Feuillets 33 à 35.

— XXXVII (livre 2).

Hiu yuen pao 'an kiai cha oen.

N° 6515, art. LXXIX.
Feuillets 35, 36.

— XXXVIII (livre 2).

救患諂 (*pour* 諂) 祭戒殺文

Kieou hoan thao (pour yen) tsi kiai cha oen.

N° 6515, art. LXXX.
Feuillets 36, 37.

— XXXIX (livre 2).

Li yi oang jen kiai cha oen.

N° 6515, art. LXXXI.
Feuillets 37 à 39.

— XL (livre 2).

Yu sieou tchhao tsien kiai cha oen.

N° 6515, art. LXXXII.
Feuillets 39 à 41.

— XLI (livre 2).

Tsheu sin pou cha fang cheng oen.

N° 6515, art. LXXXIII.
Feuillets 41, 42.

— XLII (livre 2).

Phou khiuen kiai cha kiue yi oen.

N° 6515, art. LXXXIV.
Feuillets 42 à 44.

— XLIII (livre 2).

Chen oei khou pẹn kio oou tsao sieou.

N° 6515, art. XXXI.
Feuillets 44 à 47.

— XLIV (livre 2).

Yong ming cheou chạn chi king chi oen.

N° 6515, art. LXXII.
Feuillets 47, 48.

— XLV (livre 2).

Yuen sieou tsing thou kiue yi loẹn.

— LVII (livre 3).

Kiun tchhen ming jou hio fo.

N° 6515, art. XLIV.
Feuillets 10 à 12.

— LVIII (livre 3).

Jou tsong tshan kieou chan tsong.

N° 6515, art. XLV.
Feuillets 12 à 19.

— LIX (livre 3).

Hio fo pang fo.

N° 6515, art. XLVI.
Feuillets 19 à 22.

— LX (livre 3).

Tshong jen pang fo ; fou ki kien pang fo.

N° 6515, art. XLVII.
Feuillets 22, 23.

— LXI (livre 3).

Pho pou sin yin koo.

N° 6515, art. XLVIII.
Feuillets 23 à 26.

— LXII (livre 3).

Pho pou sin ti yu.

N° 6515, art. XLIX.
Feuillets 26 à 29.

— LXIII (livre 3).

Ti yu loẹn hoei yi lei choẹ.

N° 6515, art. L.
Feuillets 29 à 31.

— LXIV (livre 3).

辯明升降託胎

Pien ming cheng kiang tho thai.

N° 6515, art. LI.
Feuillets 31 à 34.

— LXV (livre 3).

Pien (辯) *ming liang oou ting ye.*

N° 6515, art. LII.
Feuillets 34 à 36.

— LXVI (livre 3).

Pien (辯) *ming tong si kiai yu.*

N° 6515, art. LIII.
Feuillets 36 à 38.

— LXVII (livre 3).

Pien (辯) *ming san kiao king tien.*

N° 6515, art. LIV.
Feuillets 38 à 39.

— LXVIII (livre 3).

Pien (辯) *ming san kiao tchi tao.*

Nº 6515, art. LV.
Feuillets 39 à 44.

— LXIX (livre 3).

Pien (辯) *ming san kiao yeou liue khiuen sieou tsing thou loẹn.*

Nº 6515, art. LVI.
Feuillets 44 à 48.

— LXX (livre 3).

Pien (辯) *ming san kiao cheng jen tshien heou kiang cheng song.*

Nº 6515, art. LVII.
Feuillet 48.

— LXXI (livre 3).

Pien (辯) *ming tsing khi chen.*

Nº 6515, art. LVIII.
Feuillets 48, 49.

— LXXII (livre 3).

Li siang hien sing oang cheng tsing thou choẹ.

Nº 6515, art. LIX.
Feuillets 49 à 51.

—LXXIII (livre 3).

Chen soei tchhou kia pou khieou tsing thou choẹ.

Nº 6515, art. LX.
Feuillets 52, 53.

— LXXIV (livre 3).

Phei siang koẹ chen sin hiu oei choẹ.

Nº 6515, art. LXI.
Feuillets 53, 54.

— LXXV (livre 3).

Long chou kiu chi yao cha choẹ.

Nº 6515, art. LXII.
Feuillets 54, 55.

— LXXVI (livre 3).

Li chi yuen toẹn choẹ.

Nº 6515, art. LXIII.
Feuillets 55 à 57.

— LXXVII (livre 3).

Oei kiun tseu choẹ.

Nº 6515, art. LXIV.
Feuillet 57.

— LXXVIII (livre 3).

Tshing choẹ.

Nº 6515, art. LXV.
Feuillets 57 et 58.

— LXXIX (livre 3).

Siao yin koo choẹ.

N° 6515, art. LXVI.
Feuillet 58.

— LXXX (livre 3).

Eul thien jen choę.

N° 6515, art. LXVII.
Feuillet 58.

— LXXXI (livre 3).

Khiuen sieou pei choę.

N° 6515, art. LXVIII.
Feuillet 58.

— LXXXII (livre 3).

Ki khou kong tę choę.

N° 6515, art. LXIX.
Feuillets 58, 59.

— LXXXIII (livre 3).

Koo hien oei lai san ta kie choę.

N° 6515, art. LXX.
Feuillets 59, 60.

— LXXXIV (livre 3).

Chi kia lo yue lou fang li king.

N° 6515, art. LXXI.
Feuillets 60 à 64.

— LXXXV (livre 3).

Thai chang tong yo tchhoei hiun oen.

N° 6515, art. LXXXV.
Feuillet 64.

— LXXXVI (livre 3).

Tseu hiu yuen kiun kiai yu oen.

N° 6515, art. LXXXVI.
Feuillets 64, 65.

— LXXXVII (livre 3).

Khang tsie sien cheng khiuen chạn oen.

N° 6515, art. LXXXVII.
Feuillets 65, 66.

— LXXXVIII (livre 3).

Oou tsi ta chi sin yo fang.

N° 6515, art. LXXXVIII.
Feuillet 66.

— LXXXIX (livre 3).

Khiuen hing jen jou tshoo yao.

N° 6515, art. LXXXIX.
Feuillets 66 à 68.

— XC (livre 3).

勸人敬惜字紙文
Khiuen jen king si tseu tchi oen.

N° 6515, art. XC.
Feuillets 68 et 69.

— XCI (livre 3).

Khiuen sieou si fang tsing thou.

Nº 6515, art. XCI.
Feuillet 69, 70.

— XCII (livre 3).

Phou khiuen sieou tchhi tsing thou.

Nº 6515, art. XCII.
Feuillets 70, 71.

— XCIII (livre 3).

預辦淨土資糧

Yu pan tsing thou tseu liang.

Nº 6515, art. XCIII.
Feuillets 71, 72.

— XCIV (livre 3).

Lin tchong tcheng nien oang cheng.

Nº 6515, art. XCIV.
Feuillets 72 à 74.

— XCV (livre 3).

Lin tchong san yi.

Nº 6515, art. XCV.
Feuillet 74.

— XCVI (livre 3).

Lin tchong seu koan.

Nº 6515, art. XCVI.
Feuillets 74 et 75.

— XCVII (livre 3).

Tsing ye sou chi.

Nº 6515, art. XCVII.
Feuillets 75 à 77.

— XCVIII (livre 3).

Hing yuen lieou thong.

Nº 6515, art. XCVIII.
Feuillets 77, 78.

— XCIX (livre 3, supplément).

Chan kiu po yong liao chou pi hoai.

Nº 6515, art. XCIX.
Feuillets 78 à 88.

Petit in-8. Papier blanc. 1 vol. demi-rel., au chiffre de Louis-Philippe.
Nouveau fonds 55.

6517. 淨土資糧全集

Tsing thou tseu liang tshiuen tsi.

Recueil de textes sur la Terre Pure.

Formé par Tchoang Koang-hoan, de Tsoei-li; publié par Tchou-hong, Lien-tchhi chan-chi, de Hang-tcheou. Postface par Khieou Yun-fong Kou-yin (1593); postface par le compilateur, Tchoang Koang-hoan Fou-tchen (1598); postface par Tchoang Fang-lin. Portrait du compilateur. Texte et commentaire. Lecture des caractères diffi-ciles.

Livres 4 à 6.

Grand in-8. Gravé en caractères semi-cursifs. 1 vol. cartonnage.
Nouveau fonds 4668.

6518. 西方直指
Si fang tchi tchi.

Guide du Paradis Occidental.

Recueil par Yi-nien kiu-chi, de Lou-thien. Préface non datée ; table des trois livres. Introduction par Koan Tchi-tao Tseu-teng (1606).

3 livres.

Grand in-8. Manque le 1er feuillet de la préface. 1 vol. demi-rel., au chiffre de la République Française.
Nouveau fonds 3982.

6519. 淨土捷要
Tsing thou tsie yao; sous-titre :

雙徑錄
Choang king lou.

Principes de la doctrine de la Terre Pure.

Par Tę-tsing de Han-chan. Note finale par Tchong-tai Ting-li (1636). Réédition de Hai-tchhoang (1762).

9 feuillets.

Petit in-8. Papier blanc. 1 vol. demi-reliure.
Nouveau fonds 86.

6520. — I.
懷淨土詩
Hoai tsing thou chi.

Vers faits en pensant à la Terre Pure.

5 feuillets. — Cf. n° 6527, art. XIII et XIV.

— II.
徑山語風老人嗣臨濟第三十世雪嶠信大禪師道行碑
King chan yu fong lao jen seu lin tsi ti san chi chi siue kiao sin ta chạn chi tao hing pei.

Inscription funéraire du bonze Siue-kiao Sin, 30e génération de l'école Lin-tsi.

Nom du bonze : Yuen-sin, surnoms Siue-thing, Siue-kiao, Tshing-chi-oong, Yu-fong; de la famille Tchou, de Yin (1571-1647). Le texte est par un ami Than Tcheng-mę, de Fou-tcheng, docteur en 1628.

52 feuillets (incomplet à la fin).

Grand in-8. Bonne gravure. 1 vol. demi-rel., au chiffre de la République Française.

Nouveau fonds 4154.

___

6521. — I.

師子林天如和尚淨土或問

Chi tseu lin thien jou hoo chang tsing thou hoę oen.

Questions sur la Terre Pure, du bonze Thien-jou, de Chi-tseu lin.

Rassemblées par Chan-yu. Gravé à la bonzerie de Hai-tchhoang à Canton (1658).

Feuillets 1 à 57. — Cf. nº 6527, art. XV.

— II.

四質傳

Seu tchi tchoan.

Biographies de quatre bonzes.

Vie de Ming-tao Yin-chạn, du Ho-nan, datée de 1716. — Vie de Tshing-khien Koei-tchen, du Tchę-kiang, datée de 1728. — Vie de Chi-hien Seu-tshi, de Sou-tcheou, datée de 1729. — Vie de Miao-yin-’an, de Chao-hing, datée de 1756.

Préface non datée par Tsheu-tsong; postface (1756) par Sin-’an de Liu-fong.

Feuillets 58 à 66.

Petit in-8. 1 vol. demi-reliure.
Nouveau fonds 87.

6522. — I.

Chi tseu lin thien jou hoo chang tsing thou hoę oen.

— II.

Seu tchi tchoan.

Double.

1 vol. demi-rel. au chiffre de Louis-Philippe.
Nouveau fonds 53.

___

6523. 蓮藏
Lien tsang.

Collection du Lotus.

Préfaces de 1669 et 1668; historique de l'ouvrage (1672) par Kou Ji-yong; autres notices du même (1681 et 1698). Table des matières, ne coïncidant pas avec le volume.

— I.

佛說大阿彌陀經

Fo choę ta ’o mi tho king.

Même ouvrage qu'au nº 5817, art. VIII; formules de purification. Texte. Postface de Khong-chang Fa-khi (1249).

2 livres.

— II.

佛 說 觀 無 量 壽 佛 經

Fo choę koan oou liang cheou fo king.

Même ouvrage qu'au n° 5813, art. II. Préface de Kou Ji-yong (1669).

21 feuillets.

— III.

觀 法 探 要

Koan fa tshai yao.

Principes des règles du dhyāna.

Par Hoai-tsę, bonze de Hou-khi (dynastie des Yuen).

5 feuillets. — Cf. n° 6509, art. V.

— IV.

大 方 廣 佛 華 嚴 經 普 賢 行 願 品

Ta fang koang fo hoa yen king phou hien hing yuen phin.

Buddhāvataṃsaka mahāvaipulya sūtra samantabhadra praṇidhānādhyāya.

Prière finale.

18 feuillets. — Cf. n° 5899, art. III.

— V.

大 方 廣 佛 華 嚴 經 淨 行 品

Ta fang koang fo hoa yen king tsing hing phin.

Chapitre du Buddhāvataṃsaka mahāvaipulya sūtra, sur les œuvres pures.

Préface par Kou Ji-yong (1689).

10 feuillets. — Cf. n°ˢ 5888-5891.

— VI.

往 生 集

Oang cheng tsi.

Recueil sur la renaissance en Sukhāvatī.

Exemples de fidèles qui ont été sauvés. Par Tchou-hong; revu par Kou Ji-yong. Table : 3 livres formant 9 sections. Préface de l'auteur (1584).

Livre 1ᵉʳ seul.

Petit in-8. 1 vol. demi-rel., au chiffre de Napoléon III.

Nouveau fonds 1327.

6524. — I.

淨 土 警 語

Tsing thou king yu.

Conseils pour la Terre Pure.

Par Hing-tshẹ Tsie-lieou de la famille Tsiang, de Yi-hing (fin des Ming). Un double feuillet manuscrit, placé après le titre, donne une courte biographie copiée par Kiu Yong (1841).

33 feuillets.

— II.

起一心精進念佛七期規式

Khi yi sin tsing tsin nien fo tshi khi koei chi.

Règles des sept époques de la méditation du Bouddha.

Par le même, de Phou-jen yuen à Yu-chan. Notice finale par Oong Chou-yuen Pao-lin, de Tchhang-chou (1697). Édition de Kou-sou (1832).

13 feuillets.

Grand in-8. Bonne gravure; titre noir sur papier teinté. 1 vol. demi-rel., au chiffre de Napoléon III.

Nouveau fonds 1479.

———

6525. — I.

念佛徃生西方公據

Nien fo oang cheng si fang kong kiu.

Sur la renaissance au paradis occidental par la méditation du Bouddha.

Préface du compilateur, le bonze Chang-hong (1748). Frontispice et neuf feuillets doubles de scènes diverses.

Texte, 1 feuillet.

— II.

普勸修行文

Phou khiuen sieou hing oen.

Conseils de perfectionnement.

Texte avec quelques notes.

4 feuillets.

— III.

佛說阿彌陀經

Fo choẹ 'o mi tho king.

Même ouvrage qu'au n° 5734, art. III.

6 feuillets.

— IV.

拔一切業障根本得生淨土陀羅尼

Pa yi tshie ye tchang ken pẹn tẹ cheng tsing thou tho lo ni.

Même ouvrage qu'au n° 5734, art. IV.

1 feuillet.

— V.

十念法

Chi nien fa.

Dix méditations.

— VI.

佛讚

Fo tsan.

Éloge du Bouddha.

2 feuillets.

— VII.

九品蓮臺圖

Kieou phin lien thai thou.

Figures des terrasses de lotus.

Illustrations avec titres et légendes.

6 feuillets doubles.

— VIII.

死心和尙淨土文

Seu sin hoo chang tsing thou oen.

Traité de la Terre Pure par le bonze Seu-sin.

2 feuillets.

— IX.

論念佛持法

Loẹn nien fo tchhi fa.

Sur le moyen de méditer le Bouddha.

3 feuillets.

— X.

論念佛勝利

Loẹn nien fo cheng li.

Sur les avantages de méditer le Bouddha.

Texte, commentaire et exemples.

4 feuillets.

— XI.

徃生事蹟

Oang cheng chi tsi.

Récits de renaissances.

2 feuillets.

— XII.

念阿彌陀佛生西方極樂世界說

Nien 'o mi tho fo cheng si fang ki lo chi kiai choẹ.

Traité sur la renaissance dans le Paradis Occidental par la méditation du Bouddha Amitābha.

4 feuillets.

— XIII.

念阿彌陀佛臨終決疑說

Nien 'o mi tho fo lin tchong kiue yi choẹ.

Traité sur la résolution des doutes au moment de la mort par la méditation du Bouddha Amitābha.

1 feuillet.

— XIV.

錫明居士念佛二宜三不可說

Si ming kiu chi nien fo eul yi san pou kho choẹ.

Traité des deux convenances et des trois disconvenances de la méditation du Bouddha, par le lettré Si-ming.

Texte et notes.

3 feuillets.

— XV.

雲棲勸戒殺放生文

Yun tshi khiuen kiai cha fang cheng oen.

Traité de la bonzerie de Yun-tshi, défendant de tuer les animaux et prescrivant de les mettre en liberté.

2 feuillets.
Cf. n° 6449.

— XVI.

雲棲六齋月齋圖說

Yun tshi lou tchai yue tchai thou choẹ.

Traité avec figures sur les périodes d'abstinence de la bonzerie de Yun-tshi.

2 feuillets.

A la fin date, noms des bienfaiteurs.

Petit in-8. Illustré, gravure soignée. 1 vol. demi reliure.

Nouveau fonds 96.

6526. — I.

Nien fo oang cheng si fang kong kiu.

Même ouvrage qu'au n° 6525. Préface du bonze Chang-hong (1748); préface non datée par Tchang Tshiuen de Thiao-khi. Préface de Tchha Jạn (1804) pour la présente réédition faite à Canton. Illustrations.

Texte du premier article.

1 feuillet.

— II.

普勸修行文

Phou khiuen sieou hing oen.

Voir n° 6525, art. II.
4 feuillets.

— III.

佛 說 阿 彌 陀 經

Fo choę 'o mi tho king.

Voir n° 6525, art. III.
5 feuillets.

— IV.

拔 一 切 業 障 根 本 得 生 淨 土 陀 羅 尼

Pa yi tshie ye tchạng ken pẹn tẹ cheng tsing thou tho lo ni.

Voir n° 6525, art. IV.
2 feuillets.

— V.

十 念 法

Chi nien fa.

Voir n° 6525, art. V.
1 feuillet.

— VI.

念 佛 儀 式

Nien fo yi chi.

Règles rituelles pour la méditation du Bouddha.

Analogue au n° 6525 art. VI.

— VII.

九 品 蓮 臺 圖

Kieou phin lien thai thou.

Illustrations différentes du n° 6525 art. VII, avec note finale.

12 feuillets doubles.

— VIII.

死 心 和 尙 淨 土 文

Seu sin hoo chang tsing thou oen.

Voir n° 6525, art. VIII.
2 feuillets.

— IX.

論 念 佛 持 法

Loẹn nien fo tchhi fa.

Voir n° 6525, art. IX.
4 feuillets.

— X.

論 念 佛 勝 利

Loẹn nien fo cheng li.

Voir n° 6525, art. X.
2 feuillets.

— XI.

往 生 事 蹟

Oang cheng chi tsi.

Voir nº 6525, art. XI.
2 feuillets.

— XII.

念阿彌陀佛生西方極樂世界說

Nien 'o mi tho fo cheng si fang ki lo chi kiai choę.

Voir nº 6525, art. XII.
3 feuillets.

— XIII.

念阿彌陀佛臨終決疑說

Nien 'o mi tho fo lin tchong kiue yi choę.

Voir nº 6525, art. XIII.
1 feuillet.

— XIV.

錫明居士念佛二宜三不可說

Si ming kiu chi nien fo eul yi san pou kho choę.

Voir nº 6525, art. XIV.
2 feuillets.

— XV.

雲棲勸戒殺放生文

Yun tshi khiuen kiai cha fang cheng oen.

Voir nº 6525, art. XV.
2 feuillets.

— XVI.

雲棲六齋月齋圖說

Yun tshi lou tchai yue tchai thou choę.

Voir nº 6525, art. XVI ; le texte diffère à la fin.
3 feuillets.

— XVII.

逐月禮

Tchou yue li.

Cérémonies pour chaque mois.

5 feuillets.

Liste de bienfaiteurs.

Grand in-8. Titre noir sur jaune. 1 vol. demi-reliure.
Nouveau fonds 655.

———————

6527. 蓮宗輯要

Lien tsong tsi yao.

Recueil de textes importants de l'école du Lotus.

Préface (1780) et avertissement de Ta-tsing; préface (1794) signée par le vieillard de Kia-phing. Table. Édition de Hai-tchhoang (1801).

— I (livre 1).

阿彌陀經略解原序

O mi tho king lio kiai yuen siu.

Explication abrégée du Sukhā-vatīvyūha sūtra, préface.

Cette préface est placée en tête du volume, avant les préfaces générales.

— II (livre 1).

阿彌陀經略解

'O mi tho king lio kiai.

Explication abrégée du Sukhā-vatīvyūha sūtra.

Notes et commentaires par le bonze Tao-phai, de Kou-chan.

Cf. nº 5734, art. III.

— III (livre 1).

拔一切業障根本得生淨土陀羅尼

Pa yi tshie ye tchang ken pen te cheng tsing thou tho lo ni.

Courte préface; texte en transcription du sanscrit, puis en chinois; traduction.

Nº 5734, art. IV.

— IV (livre 1).

佛說阿彌陀經疏鈔

Fo choe 'o mi tho king sou tchhao.

Commentaire sur le Sukhāva-tīvyūha sūtra.

Par Tchou-hong, de la bonzerie de Yun-tshi. Préface non datée.

Cf. nº 5814, art. II.

— V (livre 1).

佛說阿彌陀經要解

Fo choe 'o mi tho king yao kiai.

Explication du Sukhāvatī-vyūha sūtra.

Par Tchi-hiu; avec commentaire par Yeou-khi ta-chi Yuen-thong.

Cf. nº 5823.

— VI (livre 1).

大佛頂首楞嚴經

Ta fo ting cheou leng yen king.

Mahābuddhoṣṇīṣa çūraṅgama sūtra.

Explication par Tchi-hiu, commentaire par Yuen-thong.

Nº 6007.

— VII (livre 1).

往生淨土行願門

Oang cheng tsing thou hing yuen men.

Traité sur le vœu d'aller renaître en Sukhāvatī.

Composé en 998-1022, par le bonze Tsheu-yun Tsoęn-chi.

Bunyiu Nanjio 1514.

— VIII (livre 2).

淨土十疑論
Tsing thou chi yi loęn.

Par Tchi-tchę ta-chi († 597). Préface non datée.

Nᵒ 6502, art. III.

— IX (livre 2).

唐飛錫法師念佛三昧寶王論
Thang fei si fa chi nien fo san mei pao oang loęn.

Cf. nᵒ 6503, art. II.

— X (livre 2).

優曇和尙蓮宗寶鑑
Yeou than hoo chang lien tsong pao kien.

Miroir de l'école du Lotus, par le bonze Yeou-than.

Cf. nᵒˢ 6513 ; 6515, art. XXVII.

— XI (livre 2).

龍舒淨土文
Long chou tsing thou oęn.

Traités sur Sukhāvatī, de Long-chou.

Auteur : Oang Ji-hieou.

Cf. nᵒˢ 6511 ; 6515, art. XIII.

— XII (livre 2).

龍舒增廣淨土文
Long chou tseng koang tsing thou oen.

Autres traités sur Sukhāvatī par Long-chou.

— XIII (livre 2).

中峯本禪師懷淨土詩
Tchong fong pęn chan chi hoai tsing thou chi.

Poésies du bonze Tchong-fong, en pensant à Sukhāvatī.

Auteur : Thien-mou tchong-fong koę-chi.

Cf. nᵒ 6520, art. I.

— XIV (livre 2).

楚石琦禪師懷淨土詩
Tchhou chi khi chan chi hoai tsing thou chi ; alias :

西齋淨土詩
Si tçhai tsing thou chi.

Poésies du bonze Chi-khi de Tchhou, en pensant à Sukhāvatī.

Cf. n° 652o, art. I.

— XV (livre 2).

師子林天如和尚淨土 或問

Chi tseu lin thien jou hoo chang tsing thou hoẹ oen ; alias :

天如則禪師淨土或問

Thien jou tsẹ chạn chi tsing thou hoẹ oen.

Questions sur Sukhāvatī, du bonze Thien-jou Tsẹ.

Texte réuni par le bonze Chạn-yu, avec postface.

Cf. n° 6521, art. I.

— XVI (livre 2).

妙叶禪師寶王三昧念 佛直指

Miao hie chạn chi pao oang san mei nien fo tchi tchi.

Guide du bonze Miao-hie pour la méditation du Bouddha.

Compilé par Miao-hie, de Seu-ming.

Cf. n° 6474, art. I.

— XVII (livre 2).

淨土生無生論

Tsing thou cheng oou cheng loẹn.

Traité sur la réalité ou non-réalité de la renaissance en Sukhāvatī.

Par le bonze Tchhoan-teng, de Yeou-khi.

Cf. n° 65o3, art. III.

— XVIII (livre 2).

續淨土生無生論

Siu tsing thou cheng oou cheng loẹn.

Suite au traité précédent.

Par Tao-phai, de Kou-chan.

— XIX (livre 2).

西方合論

Si fang ho loẹn.

Traité du Paradis occidental.

Par Yuen Hong-tao ; préface sans date de Yuen Tsong-tao.

— XX (livre 2).

幽溪無盡大師淨土法 語

Yeou khi oou tsin ta chi tsing thou fa yu.

Entretiens religieux de Oou-tsin ta-chi de Yeou-khi, au sujet de Sukhāvatī.

Cf. plus haut, art. XVII.

— XXI (livre 2).

抱樸蓮禪師示念佛法語

Phao pho lien chạn chi chi nien fo fa yu.

Instructions du bonze Phao-pho Lien, sur la méditation du Bouddha.

— XXII (livre 2).

聞谷大師示念佛法語

Oen kou ta chi chi nien fo fa yu.

Instructions de Oen-kou ta-chi sur la méditation du Bouddha.

— XXIII (livre 2).

雲門和尚淨土迫頂法語

Yun mẹn hoo chang tsing thou tchoei ting fa yu.

Entretiens religieux du bonze Yun-mẹn sur Sukhāvatī.

— XXIV (livre 2).

紫栢老人示念佛法語

Tseu po lao jen chi nien fo fa yu.

Instructions du vieillard Tseu-po sur la méditation du Bouddha.

Comparer nᵒ 3761.

— XXV (livre 2).

省庵法師念佛著魔辯

Sing 'an fa chi nien fo tchou mo pien.

Discussion de Sing-'an sur la méditation du Bouddha et la manifestation de Māra.

— XXVI (livre 2).

永明壽禪師念佛法語

Yong ming cheou chạn chi nien fo fa yu.

Entretiens religieux du bonze Yong-ming Cheou sur la méditation du Bouddha.

Auteur : Yen-cheou.

— XXVII (livre 2).

大佑大師淨土法語

Ta yeou ta chi tsing thou fa yu.

Entretiens religieux du bonze Ta-yeou sur Sukhāvatī.

Cf. nᵒ 6514.

— XXVIII (livre 2).

憨山大師淨土法語

Han chan ta chi tsing thou fa yu.

Entretiens religieux de Han-chan ta-chi sur Sukhāvatī.

Cf. nᵒ 6519.

— XXIX (livre 2).

草菴現禪師淨土法語

Tshao 'an hien chạn chi tsing thou fa yu.

Entretiens religieux du bonze Tshao-'an Hien sur Sukhāvatī.

— XXX (livre 2).

念佛訣

Nien fo kiue.

Conseil de méditer le Bouddha.

— XXXI (livre 2).

自若深禪師淨土法語

Tseu jo chen chạn chi tsing thou fa yu.

Entretiens religieux du bonze Tseu-jo Chen sur Sukhāvatī.

— XXXII (livre 2).

永覺賢禪師淨土法語

Yong kio hien chạn chi tsing thou fa yu.

Entretiens religieux du bonze Yong-kio Hien sur Sukhāvatī.

— XXXIII (livre 2).

木陳忞禪師阿彌陀佛贊

Mou tchhen min chạn chi 'o mi tho fo tsan.

Éloge du Bouddha Amitābha par le bonze Mou-tchhen Min.

— XXXIV (livre 2).

舍利寶塔圖

Chẹ li pao tha thou.

Figure d'un stūpa à reliques.

Avec légende au verso.

— XXXV (livre 2).

釋迦如來眞身舍利寶塔傳

Chi kia jou lai tchen chen chẹ li pao tha tchoan.

Histoire des stūpa contenant les reliques véritables du Bouddha.

Par le bonze Tsan-ning († 1001).

— XXXVI (livre 2).

舍利寶塔緣起

Chẹ li pao tha yuen khi.

Origine des stūpa.

Par le bonze Tchhoan-teng, de Yeou-khi.

Cf. plus haut, art. XVII.

— XXXVII (livre 2).

阿育王山廣利禪寺碑銘序

'O yu oang chan koang li chạn seu pei ming siu.

Inscription de la bonzerie de Koang-li, dans la montagne d'Açoka.

Par Song Lien (1310-1381); cette bonzerie est située sur le territoire de Yin, préfecture de Ning-po. A la fin notice de Ta-tsing; liste de donateurs (1801). Gravé à Hai-tchhoang.

Grand in-8. Papier blanc. 1 vol. demi-rel., au chiffre de Louis-Philippe.

Nouveau fonds 623 A.

Neuvième Section : ÉCOLE AVATAMSAKA

6528. — I.

注華嚴法界觀門

Tchou hoa yen fa kiai koan mẹn.

Commentaire sur la méditation du dharmadhātu, d'après le Buddhāvatamsaka sūtra.

Par Tsong-mi, bonze de Koei-fong. Le texte est de Tou Fa-chọen, fondateur de l'école Avatamsaka († 640). Préface par Phei Hieou.

1 livre. — Bunyiu Nanjio 1596; cf. nos 5884 à 5901.

— II.

佛遺教經論疏節要

Fo yi kiao king lọen sou tsie yao.

Commentaire abrégé du çāstra sur le sūtra des dernières instructions du Bouddha.

Par Tjyeng-ouen, Coréen, bonze à Tsin-choei (entre 960 et 1127); notes par Tchou-hong (dynastie des Ming). Préface de l'empereur Thai-tsong des Thang. Postface de Tchou-hong. Édition de Hoa-tchheng seu (1612).

1 livre. — Bunyiu Nanjio 1597; cf. Bunyiu Nanjio 1209. Cf. aussi nº 5955, art. III.

Grand in-8. Bonne gravure. 1 vol. demi-rel., au chiffre de la République Française.

Nouveau fonds 3802.

6529. — I.

華嚴法界玄鏡

Hoa yen fa kiai hiuen king.

Exposé du dharmadhātu d'après le Buddhāvataṃsaka sūtra.

Par Tchheng-koan, du Tshing-liang chan; commentaire du n° 6528, art. I.

2 livres. — Bunyiu Nanjio 1598.

— II.

般若波羅蜜多心經略疏

Pan ję po lo mi to sin king lio sou.

Commentaire abrégé sur le Prajñāpāramitā hṛdaya sūtra.

Par Fa-tsang (702). Postface par Tchang Yue, contemporain. Lecture des caractères difficiles. Édition de King-chan (1661).

1 livre. — Bunyiu Nanjio 1599; cf. n° 5733, art. II.

— III.

般若心經略疏連珠記

Pan ję sin king lio sou lien tchou ki.

Commentaire du commentaire abrégé sur le Prajñā etc.

Par Chi-hoei, bonze de Yu-fong († 946). Notice finale par le bonze Hoei-sin (1165). Édition de 1661.

2 livres. — Bunyiu Nanjio 1600.

Grand in-8. Bonne gravure. 1 vol. demi-rel., au chiffre de la République Française.
Nouveau fonds 3798.

6530. 華嚴一乘教義分齊章

Hoa yen yi cheng kiao yi fen tshi tchang.

Traité sur la doctrine de l'ekayāna dans le Buddhāvataṃsaka sūtra.

Par Fa-tsang († 712). Lecture des signes rares. Édition de Leng-yen seu (1663, 1664).

4 livres. — Bunyiu Nanjio 1591; cf. n°ˢ 5884 à 5901.

Grand in-8. Bonne gravure; frontispice (1 feuillet double). 1 vol. demi-rel., au chiffre de la République Française.
Nouveau fonds 3800.

6531. — I.

華嚴經明法品內立三寶章

Hoa yen king ming fa phin nei li san pao tchang.

Traité sur le Triratna expliqué dans le Buddhāvataṃsaka sūtra.

Par Fa-tsang. Lecture des mots difficiles. Édition de Leng-yen seu (1663).

2 livres — Bunyiu Nanjio 1592 ; cf. nᵒˢ 5884 à 5901.

— II.

修華嚴奧旨妄盡還源觀

Sieou hoa yen 'ao tchi oang tsin hoan yuen koan.

Traité sur le sens profond du Buddhāvataṃsaka sūtra.

Par le même. Édition de Tsi-tchao 'an (1606).

1 livre. — Bunyiu Nanjio 1593.

— II.

原人論
Yuen jen loẹn.

Traité sur l'homme originel.

Par Tsong-mi. Édition de Hing-cheng oan-cheou chạn-seu de King-chan (1595).

4 chapitres. — Bunyiu Nanjio 1594.

— IV.

華嚴經旨歸
Hoa yen king tchi koei.

Idée générale du Buddhāvataṃsaka sūtra.

Par Fa-tsang. Lecture des caractères difficiles. Édition de Leng-yen seu (1664).

1 livre. — Bunyiu Nanjio 1595.

Grand in-8. Bonne gravure. 1 vol. demi-rel., au chiffre de la République Française.

Nouveau fonds 3799.

———

6532. — I.

華嚴原人論科
Hoa yen yuen jen loẹn khoo.

Tableau résumant le traité sur l'homme originel.

6 feuillets.

— II.

華嚴原人論
Hoa yen yuen jen loẹn.

Traité sur l'homme originel, de l'école Avataṃsaka.

Même ouvrage qu'au nᵒ précédent, art. III. Préface et texte annoté. Postface par Li Choẹn-fou Phing-chan kiu-chi.

— III.

華嚴原人論解
Hoa yen yuen jen loẹn kiai.

Explication du traité sur l'homme originel.

Par le bonze Yuen-kio, de la bon-zerie de Ta-khai-yuen à Tchhang-

'an; préface de l'auteur (1322). Texte et notes. Édition de Tsi-tchao 'an (1609).

3 livres. — Bunyiu Nanjio 1633.

Grand in-8. Bonne gravure. 1 vol. demi-rel., au chiffre de la République Française.

Nouveau fonds 3795.

6533. — I.

Hoa yen yuen jen loẹn khoo.

— II.

Hoa yen yuen jen loẹn.

— III.

Hoa yen yuen jen loẹn kiai.

Double du n° précédent, art. I, II et III.

1 vol. demi-rel., au chiffre de la République Française.

Nouveau fonds 3796.

———

6534. — I.

華嚴七字經題法界觀 三十門頌

Hoa yen tshi tseu king thi fa kiai koan san chi mẹn song; alias :

通玄記

Thong hiuen ki.

Commentaire sur les vers relatifs au dharmadhātu d'après le Buddhāvataṃsaka sūtra.

Les vers sont de Koang-tchi ta-chi Pẹn-song, de Yi-mẹn chan (1088). Commentaire par Tsong-tchan (1224). Édition de Leng-yen seu (1664).

2 livres (le feuillet 35 du livre 2 est manuscrit). — Bunyiu Nanjio 1656; cf. n⁰ˢ 6528, art. I; 6529, art. I.

— II.

大明仁孝皇后夢感佛 說第一希有大功德 經

Ta ming jen hiao hoang heou mong kan fo choẹ ti yi hi yeou ta kong tẹ king.

Même ouvrage, mêmes préfaces et postfaces qu'au n° 6446, art. I; édition de Leng-yen seu (1667).

Grand in-8. Bonne gravure. 1 vol. demi-rel., au chiffre de la République Française.

Nouveau fonds 3801

6535. — I.

華嚴宗法界緣起綱要

Hoa yen tsong fa kiai yuen khi kang yao.

Principes de l'existence (dharmadhātu) d'après l'école Avataṃsaka.

Précédé d'une introduction générale par Tẹ-tshing de Han-chan (1620).

4 feuillets. — Cf. n° 6529, art. I.

— II.

大乘起信論直解

Ta cheng khi sin loẹn tchi kiai.

Explication du Mahāyāna çraddhotpāda çāstra.

D'après le commentaire de Fa-tsang, par Tẹ-tshing.

2 livres. — Cf. n°⁵ 6293, art. II et III ; 6294.

Grand in-8. Papier blanc. 1 vol. demi-rel., au chiffre de Louis-Philippe.

Nouveau fonds 628 A.

6536. 法界安立圖

Fa kiai 'an li thou.

Tableaux et légendes du monde de la loi (dharmadhātu).

Le texte est accompagné de notes. Par le bonze Jen-tchhao, de Yen–chan. Préface de Tseng Koang-ta pour la réédition faite à Hai-tchhoang seu (1679).

6 livres.

In-4. Papier blanc. 1 vol. demi-rel., au chiffre de Louis-Philippe.

Nouveau fonds 629.

CHAPITRE XVII : BOUDDHISME (HAGIOGRAPHIE, ETC.)

Première Section : HAGIOGRAPHIE HINDOUE

6537. 阿育王傳
'O yu oang tchoan.

Açokāvadāna.

Version par 'An Fa-khin. Lecture des caractères difficiles.

5 livres. — Bunyiu Nanjio 1459.

Grand in-8. Bonne gravure; frontispice (1 feuillet double). 1 vol. demi-rel., au chiffre de la République Française.
Nouveau fonds 4059.

6538. 阿育王經
'O yu oang king.

Açoka rāja sūtra.

Version du même texte par Saṅghapāla. Édition de Tsi-tchao 'an (1610), réédition de 1682.

10 livres. — Bunyiu Nanjio 1343.

Grand in-8. Bonne gravure; frontispice (1 feuillet double). 1 vol. demi-rel., au chiffre de la République Française.
Nouveau fonds 4060.

6539. 釋迦譜
Chi kia pou.

Histoire des Çākya.

Texte avec notes compilé par Seng-yeou, religieux chinois (500). Lecture des caractères rares. Édition de Hoa-tchheng seu (1632).

10 livres — Bunyiu Nanjio 1468.

— I (livre 1).

釋迦始祖劫初刹利相承姓緣譜
Chi kia chi tsou kie tchhou tchha li siang tchheng sing yuen pou.

Premiers ancêtres du Bouddha.

Extrait du Dīrghāgama sūtra.

6 feuillets. — Cf. nᵒˢ 6153-6154.

— II (livre 1).

釋迦賢劫初姓瞿曇緣譜

Chi kia hien kie tchhou sing kiu than yuen pou.

Ancêtres du nom de Gautama.

Extrait du Dvādaça viharaṇa sūtra (traduction de Kālodaka, Occidental, 392).

3 feuillets. — Cf. Bunyiu Nanjio 1374.

— III (livre 1).

釋迦六世祖始姓釋迦氏緣譜

Chi kia lou chi tsou chi sing chi kia chi yuen pou.

Sixième ancêtre du Bouddha, portant le premier le nom de Çākya.

Extrait du Dīrghāgama sūtra.

3 feuillets. — Cf. nos 6153-6154.

— IV (livre 1 (19 feuillets) à 5).

釋迦降生釋種成佛緣譜

Chi kia kiang cheng chi tchong tchheng fo yuen pou.

Incarnation et vocation du Bouddha.

Extrait de l'Atītapratyutpanna hetuphala sūtra.

Cf. nº 6183.

— V (livre 6).

釋迦在七佛末種姓衆數同異譜

Chi kia tsai tshi fo mo tchong sing tchong chou thong yi pou.

Race, famille, nombre d'assemblées des sept Bouddhas.

Extrait du Dīrghāgama sūtra.

4 feuillets. — Cf. Bunyiu Nanjio 542 (?).

— VI (livre 6).

釋迦同三千佛緣譜

Chi kia thong san tshien fo yuen pou.

Origine des trois mille Bouddhas.

Extrait du Bhaiṣajyarāja bhaiṣajyasamudgati sūtra (?).

2 feuillets. — Cf. nº 6110, art. XVIII.

— VII (livre 6).

釋迦內外族姓名譜

Chi kia nei oai tsou sing ming pou.

Parents et alliés du Bouddha.

Extrait du Dīrghāgama sūtra.

2 feuillets. — Cf. nᵒˢ 6153-6154.

— VIII (livre 6).

釋迦弟子姓釋緣譜

Chi kia ti tseu sing chi yuen pou.

Disciples du nom de Çākya.

Extrait de l'Ekottarāgama sūtra.

1 feuillet. — Cf. Bunyiu Nanjio 543.

— IX (livre 6).

釋迦四部名聞弟子譜

Chi kia seu pou ming oen ti tseu pou.

Disciples célèbres des quatre sections.

Extrait de l'Ekottarāgama sūtra.

8 feuillets. — Cf. Bunyiu Nanjio 543.

— X (livre 6).

釋迦從弟調達出家緣記

Chi kia tsong ti thiao ta tchhou kia yuen ki.

Profession du disciple Devadatta.

Extrait du Madhyametyutka sūtra.

3 feuillets. — Cf. Bunyiu Nanjio 556.

— XI (livre 6).

釋迦從弟阿那律跋提出家緣記

Chi kia tsong ti 'o na liu po thi tchhou kia yuen ki.

Profession des disciples Aniruddha et Bhadrika.

Extrait du Dharmagupta vinaya.

2 feuillets. — Cf. Bunyiu Nanjio 1120, 1163; nᵒ 6271.

— XII (livre 6).

釋迦從弟孫陀羅難陀出家緣記

Chi kia tsong ti soen tho lo nan tho tchhou kia yuen ki.

Profession du disciple Sundarananda.

Extrait du Lalitavistara sūtra.

7 feuillets. — Cf. nᵒ 6181.

— XIII (livre 7).

釋迦子羅云出家緣記

Chi kia tseu lo yun tchhou kia yuen ki.

Profession de Rāhula, fils du Bouddha.

Extrait de l'Adbhuta dharmaparyāya sūtra.

6 feuillets. — Cf. Bunyiu Nanjio 260.

— XIV (livre 7).

釋迦姨母大愛道出家緣記

Chi kia yi mou ta 'ai tao tchhou kia yuen ki.

Profession de Mahāprajāpatī, tante du Bouddha.

Extrait du Madhyametyukta sūtra.

4 feuillets. — Cf. Bunyiu Nanjio 556.

— XV (livre 7).

釋迦父淨飯王泥洹記

Chi kia fou tsing fan oang ni yuen ki.

Nirvāṇa du roi Çuddhodana, père du Bouddha.

Extrait du Çuddhodana rāja parinirvāṇa sūtra.

7 feuillets. — Cf. Bunyiu Nanjio 732.

— XVI (livre 7).

釋迦母摩訶摩耶夫人記

Chi kia mou mo ho mo ye fou jen ki.

Mahāmāyā, mère du Bouddha.

Extrait du Trayastriṃçatparivarta sūtra.

3 feuillets. — Cf. nº 6086, art. II.

— XVII (livre 7).

釋迦姨母大愛道泥洹記

Chi kia yi mou ta 'ai tao ni yuen ki.

Nirvāṇa de Mahāprajāpatī, tante du Bouddha.

Extrait du Buddhamātṛparinirvāṇa sūtra.

4 feuillets. — Cf. Bunyiu Nanjio 651.

— XVIII (livre 7).

釋迦種滅宿業緣記

Chi kia tchong mie sou ye yuen ki.

Histoire de Viḍūḍabha.

Extrait du Dīrghāma sūtra.

11 feuillets. — Cf. nᵒˢ 6153-6154.

— XIX (livre 8).

釋迦竹園精舍緣記

Chi kia tchou yuen tsing chę yuen ki.

Le vihāra Kalandaka.

Extrait du Dharmagupta vinaya.

3 feuillets. — Cf. Bunyiu Nanjio 1120, 1163; n° 6271.

— XX (livre 8).

釋迦祇洹精舍緣記

Chi kia khi yuen tsing chẹ yuen ki.

Le vihāra Jetavana.

Extrait du Damamūka sūtra.

12 feuillets. — Cf. Bunyiu Nanjio 1322.

— XXI livre 8.

釋迦髮爪塔緣記

Chi kia fa tchao tha yuen ki.

Le stūpa du cheveu et de l'ongle.

Extrait du Sarvāstivāda vinaya.

1 feuillet. — Cf. n°s 6254-6257.

— XXII, livre 8.

釋迦天上四塔緣記

Chi kia thien chang seu tha yuen ki.

Les quatre stūpa célestes.

Extrait du Tsi king tchhao.

1 feuillet. — Cf. n°s 6126; 6184-6185; 6187, art. I.

— XXIII, livre 8.

優填王造釋迦栴檀像記

Yeou thien oang tsao chi kia tchạn than siang ki.

La statue du Bouddha faite par ordre d'Udayana rāja.

Extrait de l'Ekottarāgama sūtra.

2 feuillets. — Cf. Bunyiu Nanjio 543.

— XXIV, livre 8.

波斯匿王造釋迦金像記

Po seu ni oang tsao chi kia kin siang ki.

La statue du Bouddha faite par ordre du roi Prasenajit.

Extrait du même sūtra.

1 feuillet.

— XXV, livre 8.

阿育王弟出家造釋迦石像記

'O yu oang ti tchhou kia tsao chi kia chi siang ki.

Le frère du roi Açoka entre en religion et fait une statue du Bouddha.

Extrait du Khieou li lao yu king.

3 feuillets.

— XXVI, livre 8.

釋迦留影在石室記

Chi kia lieou ying tsài chi chi ki.

L'ombre laissée par le Bouddha dans une chambre en pierre.

Extrait du Buddhadhyāna samādhi sūtra.

3 feuillets. — Cf. Bunyiu Nanjio 430 (?).

— XXVII, livre 9.

釋迦雙樹般涅槃記

Chi kia choang chou pan nie phan ki.

Nirvāṇa du Bouddha.

Extrait du Mahāparinirvāṇa sūtra.

24 feuillets. — Cf. nos 5954, art. I ; 5956-5958.

— XXVIII, livre 9.

釋迦八國分舍利記

Chi kia pa koẹ fẹn chẹ li ki.

Partage des reliques du Bouddha entre huit royaumes.

Extrait des Mahāparinirvāṇa sūtra.

5 feuillets. — Cf. no 5954, art. I et II ; Bunyiu Nanjio 552.

— XXIX, livre 9.

釋迦天上龍宮舍利寶塔記

Chi kia thien chang long kong chẹ li pao tha ki.

Les stūpa des reliques du Bouddha dans le ciel et le Nāgaloka.

Extrait du Garbha sūtra.

1 feuillet. — Cf. Bunyiu Nanjio 433.

— XXX, livre 9.

釋迦龍宮佛髭塔記

Chi kia long kong fo tseu tha ki.

Le stūpa du poil de moustache du Bouddha dans le Nāgaloka.

Extrait de l'Açoka rāja sūtra.

3 feuillets. — Cf. nos 6538.

— XXXI, livre 10.

阿育王造八萬四千塔記

'O yu oang tsao pa oan seu tshien tha ki.

Les quatre-vingt-quatre mille stūpa construits par Açoka rāja.

Extrait des Saṃyuktāgama sūtra.

23 feuillets. — Cf. Bunyiu Nanjio 544; n°s 6155, art. I et II.

— XXXII, livre 10.

釋迦獲八萬四千塔宿緣記

Chi kia ho pa oan seu tshien tha sou yuen ki.

L'origine des quatre-vingt-quatre mille stūpa.

Extrait du Damamūka sūtra.

2 feuillets. — Cf. Bunyiu Nanjio 1322.

— XXXIII, livre 10.

釋迦法滅盡緣記

Chi kia fa mie tsin yuen ki

Sur l'extinction de la loi du Bouddha.

Extrait des Saṃyuktāgama sūtra.

4 feuillets. — Cf. Bunyiu Nanjio 544; n° 6155, art. I et II.

— XXXIV, livre 10.

釋迦法滅盡相記

Chi kia fa mie tsin siang ki.

Sur l'extinction de la loi du Bouddha.

Extrait du Dharmavināça sūtra.

2 feuillets. — Cf. n° 6120, art. VIII.

Grand in-8. Bonne gravure. 1 vol. demi-rel., au chiffre de la République Française.

Nouveau fonds 4062.

———————

6540. — I.

釋迦氏譜

Chi kia chi pou.

Histoire des Çākya.

Par Tao-siuen (665). Lecture des signes difficiles.

2 livres. — Bunyiu Nanjio 1469.

— II.

釋迦方誌

Chi kia fang tchi.

Mémoire sur l'Inde.

Par le même (vers 657). Lecture des caractères difficiles.

3 livres. — Bunyiu Nanjio 1470.

Grand in-8. 1 vol. demi-rel., au chiffre de la République Française.

Nouveau fonds 4061.

6541. — I.

釋迦氏譜

Chi kia chi pou.

Même ouvrage qu'au n^o précédent, art. I. Préface par Chi Koutchheng (1542). Lecture des caractères difficiles.

— II.

佛祖授受世次圖

Fa tsou cheou cheou chi tsheu thou.

Tableau de la succession des patriarches et chefs d'école.

Depuis le Bouddha. Par Fang-tsiu Oou-tchheng, de Kao-min ; préface de Chi Kou-tchheng (1542).

Grand in-8. Bonne gravure ; frontispice (1 feuillet double), 1 vol. demi-rel., au chiffre de Napoléon III.

Nouveau fonds 1149.

6542. 釋迦如來成道記

Chi kia jou lai tchheng tao ki.

Mémorial de la vie et de la vocation du Bouddha.

Par Oang Pou, de Thai-yuen (époque des Thang). Commentaire par Tao-tchheng, autre nom Hoei-oou ta-chi, de Tshien-thang. Préface par Ming-te pour une réédition (1578). Réédition moderne de Lo-feou.

42 feuillets.

Petit in-8. Papier blanc. 1 vol. demi-reliure.

Nouveau fonds 94.

Deuxième Section : CONTROVERSES, ETC.

6543-6544. 弘明集

Hong ming tsi.

Collection d'écrits relatifs au bouddhisme.

Réunis vers 520 par le bonze Seng-yeou, de la famille Yu, de Pheng-tchheng ; préface et postface du même. Listes des caractères difficiles. Édition de Hoa-tchheng seu (1616, 1617) ; réédition de 1678.

14 livres. — Cat. imp., liv. 145, f. 1 ; Bunyiu Nanjio 1479.

— I, livre 1 (6543).

理惑論

Li hoe loen ; alias :

蒼梧太守牟子博傳

Tshang oou thai cheou meou tseu po tchoan.

Explication des doutes.

Par Meou Yong, surnom Tseu-yeou, de Pei-hai (période 58-76).

Feuillets 1 à 22.

— II, livre 1 (6543).

正誣論

Tcheng oou loẹn.

Contre les calomnies.

Par un auteur inconnu.

Feuillets 22 à 30.

— III, livre 2 (6543).

明佛論

Ming fo loẹn ; alias :

神不滅論

Chen pou mie loẹn.

Sur l'immortalité des deva.

Par Tsong Ping, surnom Chao-oen, de Nan-yang (375-443).

— IV, livre 3 (6543).

與宗居士書。答何衡陽書

Yu tsong kiu chi chou. Ta ho heng yang chou.

Correspondance de Tsong Ping et de Ho Tchheng-thien.

Tsong Ping, voir art. III. Ho Tchheng-thien, originaire de Tong-hai.

Feuillets 1 à 14.

— V, livre 3 (6543).

喻道論

Yu tao loẹn.

Explication de la doctrine.

Par Soẹn Tchho, surnom Hing-kong, de Tchong-tou (ɪvᵉ siècle).

Feuillets 14 à 20.

— VI, livre 4 (6543).

達性論。釋達性論

Ta sing loẹn. Chi ta sing loẹn.

Explication du sing.

Traité de Ho Tcheng-thien (voir art. IV). Réponse de Yen Yen-tchi, surnom Yen-nien, de Lin-yi (384-456). Répliques de l'un et de l'autre.

Feuillets 1 à 20.

— VII, livre 5 (6543).

更生論

Keng cheng loẹn.

Sur la renaissance des êtres.

Par Lo Han, surnom Kiun-tchang, de Koei-yang, contemporain de Hoan Oen (312-373). Réponse de Soẹn Cheng, surnom 'An-koẹ, de Tchong-tou (ɪvᵉ siècle).

Feuillets 1 et 2.

— VIII, livre 5 (6543).

神不滅論

Chen pou mie loẹn.

Sur l'immortalité des deva.

Par Tcheng Tao-tseu (dynastie des Song, 420-479).

Feuillets 2 à 7.

— IX, livre 5 (6543).

新論形神

Sin loẹn hing chen.

Sur la figure des deva.

Par Hoan Than (dynastie des Tsin, 265-420).

Feuillets 7 à 9.

— X, livre 5 (6543).

沙門不敬王者論

Cha mẹn pou king oang tchẹ loẹn.

Les religieux n'ont pas à témoigner de respect au souverain.

Traité comprenant une préface et cinq sections, postérieur à 402 ; par le bonze Hoei-yuen, de la famille Kia, de Yen-mẹn (333-416).

Feuillets 9 à 19.

— XI, livre 5 (6543).

沙門袒服論

Cha mẹn tan fou loẹn.

Sur la coutume des religieux de se découvrir l'épaule.

Par le même religieux.

Feuillets 19 et 20.

— XII, livre 5 (6545).

難袒服論。荅何鎮南

Nan tan fou loẹn. Ta ho tchen nan.

Objections de Ho Tchen-nan au traité précédent. Réponse à Ho Tchen-nan.

La réponse est de Hoei-yuen.

Feuillets 20 à 22.

— XIII, livre 5 (6543).

明報應論并問

Ming pao ying loẹn ping oen.

Sur la rétribution, traité et questions.

Traité de Hoei-yuen.

Feuillets 22 à 26.

— XIV, livre 5 (6543).

三報論

San pao loẹn.

Sur la rétribution.

Du même.

Feuillets 26 à 28.

— XV, livre 6 (6543).

釋駁論并序

Chi po loẹn ping siu.

Explications et réfutations.

Traité du bonze Tao-heng, écrivant peu après 405.

Feuillets 1 à 9.

— XVI, livre 6 (6543).

正二教論

Tcheng eul kiao loẹn.

Corrections au traité sur les deux religions.

Contre un traité taoïste intitulé Yi hia loẹn. Par Ming Seng-chao, surnom Tchheng-lie, de Phing-yuen (fin des Song et début des Tshi).

Feuillets 9 à 14.

— XVII, livre 6 (6543).

門論

Mẹn loẹn.

Contre la confusion des deux religions.

Par Tchang Yong, surnom Seu-Koang, de Oou-hien, fonctionnaire à la fin des Song.

Feuillets 14 et 15.

— XVIII, livre 6 (6543).

難張長史門論并問荅三首

Nan tchang tchang chi mẹn loẹn ping oen ta san cheou.

Objections au Mẹn loẹn, avec réponse et réplique en trois pièces.

Par Tcheou Yong, surnom Yen-loẹn, de Kien-khang, contemporain de Khong Tchi-koei (fin du Vᵉ siècle).

Feuillets 15 à 24.

— XIX, livre 6 (6543).

與顧道士書。折夷夏論

Yu kou tao chi chou. Tchẹ yi hia loẹn.

Lettres au tao-chi Kou : réfutation du Yi hia loẹn.

Deux lettres de Sie Tchen-tchi.

Feuillets 24 à 29.

— XX, livre 7 (6543).

難顧道士夷夏論并書

Nan kou tao chi yi hia loẹn ping chou.

Objections au Yi hia loẹn du tao-chi Kou : deux lettres.

Par Tchou Tchao-tchi, de Tshien-thang (époque des Song et des Tshi).

Feuillets 1 à 10.

— XXI, livre 7 (6543).

駁顧道士夷夏論并書

Po kou tao chi yi hia loẹn ping chou.

Réfutation du Yi hia loẹn.

Par le bonze Hoei-thong (époque des Song).

Feuillets 10 à 15.

— XXII, livre 7 (6543).

戎華論折顧道士夷夏論

Jong hoa loẹn tchẹ kou tao chi yi hia loẹn.

Sur les barbares et les Chinois : pour réfuter le Yi hia loẹn.

Par le bonze Seng-min (époque des Song).

Feuillets 15 à 19.

— XXIII, livre 8 (6543).

辯惑論并序

Pien hoẹ loẹn ping siu

Discussion des doutes et préface.

Par le bonze Hiuen-koang; texte et notes.

11 sections, feuillets 1 à 6.

— XXIV, livre 8 (6543).

滅惑論

Mie hoẹ loẹn.

Extinction des doutes.

Contre le San pho loẹn, Traité des trois objections, œuvre d'un tao-chi, faussement attribuée à Tchang Yong (art. XVII). Auteur : Lieou Hie, surnom Yen-hoo, de Tong-koan (époque des Liang, entre 502 et 520).

Feuillets 7 à 14.

— XXV, livre 8 (6543).

釋三破論

Chi san pho loẹn.

Solution des trois objections.

Traité par le bonze Seng-choẹn, en 19 articles.

Feuillets 14 à 21.

— XXVI, livre 9 (6543).

立神明成佛義記。并沈績序注

Li chen ming tchheng fo yi ki.
Ping chen tsi siu tchou.

Sur l'arrivée à l'état de Bouddha. Avec préface et notes de Chen Tsi.

Traité de l'empereur Oou-ti (502-549), nom et postnom Siao Yen, surnom Chou-ta, né en 464.

Feuillets 1 à 4.

— XXVII, livre 9 (6543).

難神滅論并序

Nan chen mie loẹn ping siu.

Objections au Chen mie loẹn et préface.

Traité par Siao Tchhen, surnom Yen-yu (début du vɪᵉ siècle). Le Chen mie loẹn, Sur l'état périssable des deva, est dû à Fan Tchen, surnom Tseu-tchen, de Nan-hiang, fonctionnaire au début de la période 502-519.

Feuillets 4 à 15.

— XXVIII, livre 9 (6543).

難神滅論并啓詔

Nan chen mie loẹn ping khi tchao.

Objections au Chen mie loẹn et rescrit impérial.

Traité par Tshao Seu-oen.

Feuillets 15 à 17.

— XXIX, livre 9 (6543).

荅曹舍人并啓詔

Ta tshao chẹ jen ping khi tchao.

Réponse à Tshao Seu-oen et rescrit impérial.

Réponse de Fan Tchen.

Feuillets 17 à 20.

— XXX, livre 9 (6543).

重難神滅論

Tchhong nan chen mie loẹn.

Nouvelles objections au Chen mie loẹn.

Par Tshao Seu-oen.

Feuillets 20 à 22.

— XXXI, livre 10 (6543).

敕荅臣下神滅論

Tchhi ta tchhen hia chen mie loẹn.

Réponse impériale au Chen mie loẹn.

Par l'empereur Oou (502-549).

Feuillet 1.

— XXXII, livre 10 (6543).

與王公朝貴書．并六十二人荅

Yu oang kong tchhao koei chou. Ping lou chi eul jen ta.

Lettre aux princes, ducs et seigneurs de la Cour. Avec 62 réponses.

Lettre du bonze Fa-yun (début des Liang).

Feuillets 1 à 30.

— XXXIII, livre 11 (6544).

荅宋文帝讚楊佛教事

Ta song oen ti tsan yang fo kiao chi.

Réponse à l'éloge du bouddhisme de l'empereur Oen ti des Song.

Cet empereur a régné de 424 à 453 ; réponse postérieure à 435, par Ho Chang-tchi, surnom Yen-te, fonctionnaire des Song.

Feuillets 1 à 5.

— XXXIV, livre 11 (6544).

答李奕州書．與道高法師書

Ta li kiao tcheou chou. Yu tao kao fa chi chou.

Lettres de Li Miao et du bonze Tao-kao.

Époque des Song (420-479).

Feuillets 5 à 9.

— XXXV, livre 11 (6544).

答李奕州書

Ta li kiao tcheou chou.

Réponse à Li Miao.

Par le bonze Fa-ming (époque des Song).

Feuillets 9 à 11.

— XXXVI, livre 11 (6544).

與孔中丞書．答蕭司徒書

Yu khong tchong tchheng chou. Ta siao seu thou chou.

Lettres de Siao Tseu-liang et de Khong Tchi-koei.

Siao Tseu-liang, surnom Yun-ying, second fils de Oou-ti des Tshi (règne 482-493). Khong Tchi-koei, alias Koei, surnom Te-tchang, de Chan-yin.

Feuillets 12 à 17.

— XXXVII, livre 11 (6544).

與恒標二公勸罷道書．答秦主書

Yu heng piao eul kong khiuen pa tao chou. Ta tshin tchou chou.

Correspondance avec Tao-heng et Tao-piao. Réponse au seigneur de Tshin.

Yao Lio, désigné comme seigneur de Tshin, douteux d'autre part (début du vᵉ siècle); Tao-heng et Tao-piao, deux bonzes.

Feuillets 17 à 19.

— XXXVIII, livre 11 (6544).

與鳩摩羅耆婆書

Yu kieou mo lo khi pho chou.

Lettre à Kumārajīva.

Lettre de Yao Lio à ce religieux, présent chez les Tshin de 402 jusque vers 412.

Feuillets 19 et 20.

— XXXIX, livre 11 (6544).

與僧遷等書

Yu seng tshien teng chou.

Lettre à Seng-tshien et autres.

De Yao Lio. Réponse de Seng-lio et autres.

Feuillets 20 à 22.

— XL, livre 11 (6544).

與遠法師書。荅桓南郡書

Yu yuen fa chi chou. Ta hoan nan kiun chou.

Lettre au bonze Hoei-yuen et réponse à Hoan Hiuen.

Hoei-yuen, voir art. X. Hoan Hiuen, surnom King-tao, de Long-khang (369-404).

Feuillets 22, 23.

— XLI, livre 11 (6544).

辭劉剌史舉秀才書。答僧巖法師書

Seu lieou tsheu chi kiu sieou tshai chou. Ta seng yen fa chi chou.

Lettre à Lieou Kiun-po et réponse au bonze Seng-yen.

Feuillets 23 à 27.

— XLII livre 12 (6544).

與釋道安書

Yu chi tao'an chou.

Lettre au bonze Tao-'an.

Lettre de Si Tsho-tchhi, surnom Yen-oei, de Siang-yang, contemporain de Hoan Oen (312-373); la lettre cite l'année 365. Elle est précédée d'une note par Seng-yeou, auteur de la compilation.

Feuillets 1, 2.

— XLIII, livre 12 (6544).

與張新安論孔釋書。答譙王論孔釋書

Yu tchang sin 'an loẹn khong chi chou. Ta tshiao oang loẹn khong chi chou.

Lettre à Tchang Sin-'an et réponse à Tshiao Oang.

Par Tshiao Oang et Tchang Sin-'an.

Feuillets 2, 3.

— XLIV, livre 12 (6544).

與沙門論踞食書

Yu cha mẹn loẹn kiu chi chou.

Lettre à des bonzes sur la coutume de manger accroupi.

De Tcheng Tao-tseu.

Feuillets 3, 4.

— XLV, livre 12 (6544).

與王司徒諸公論沙門踞食書．答范伯倫諸檀越書

Yu oang seu thou tchou kong loẹn cha mẹn kiu chi chou. Ta fan po loẹn tchou than yue chou.

Lettre à Oang seu-thou et autres, sur la coutume des bonzes de manger accroupi. Réponse à Fan Thai et autres dānapati.

Lettres de Fan Thai, surnom Po-loẹn, de Choẹn-yang (vivait en 423); des bonzes Hoei-yi et autres.

Feuillets 4 à 6.

— XLVI, livre 12 (6544).

重荅法師慧義等書

Tchhong ta fa chi hoei yi teng chou.

Nouvelle réponse aux bonzes Hoei-yi et autres.

De Fan Thai.

Feuillet 7.

— XLVII livre 12 (6544).

與生觀二法師書

Yu cheng koan eul fa chi chou.

Lettre aux deux bonzes Cheng et Koan.

De Fan Thai.

Feuillets 7, 8.

— XLVIII, livre 12 (6544).

論沙門踞食表

Loẹn cha mẹn kiu chi piao.

Adresses à l'empereur sur la coutume des bonzes de manger accroupis.

Trois pièces de Fan Thai.

Feuillets 8 à 11.

— XLIX, livre 12 (6544).

奏沙門不應盡敬表有序。代晉成帝沙門不應盡敬詔

Tseou cha men pou ying tsin king piao yeou siu. Tai tsin tchheng ti cha men pou ying tsin king tchao.

Adresses et décret impérial au sujet des marques de respect qui ne doivent pas être données par les bonzes.

Cinq pièces. Le décret est rendu au nom de Tchheng-ti (325-342). Adresses de Ho Tchhong, surnom Tsheu-tao; de Yu Ping, surnom Ki-kien, de Ma-ling (un de ses frères, Liang, mourut en 340); ces adresses datent environ de 340.

Feuillets 11 à 14.

— L, livre 12 (6544).

與八座論沙門敬事書

Yu pa tsoo loen cha men king chi chou.

Lettre aux ministres sur les marques de respect dues par les bonzes.

Lettre de Hoan Hiuen (art. XL) et réponse de Hoan Khien et au-

tres. Hoan Khien, surnom King-tsou, de Long-khang (vers 402).

Feuillets 14 et 15.

— LI, (livre 12 (6544).

與王中令難沙門應敬王事

Yu oang tchong ling nan cha men ying king oang chi.

Objections à Oang Mi sur les marques de respect dues par les bonzes.

Diverses pièces de Hoan Hiuen et de Oang Mi, surnom Tchi-yuen, de Lin-yi.

Feuillets 15 à 25.

— LII, livre 12 (6544).

與遠法師書
Yu yuen fa chi chou.

Correspondance entre Hoan Hiuen et le bonze Hoei-yuen.

Feuillets 25 à 29.

— LIII, livre 12 (6544).

許沙門不致禮詔
Hiu cha men pou tchi li tchao.

Décrets autorisant les bonzes à ne pas donner de marques de respect.

Plusieurs pièces émanant de Hoan Hiuen, Pien Seu-tchi, Yuen Kho-tchi, Ma Fan.

Feuillets 29 à 31.

— LIV, livre 12 (6544).

與僚屬沙汰僧衆教

Yu liao chou cha thai seng tchong kiao.

Examen de la doctrine des bonzes adressé aux ministres.

Par Hoan Hiuen.

Feuillets 31, 32.

— LV, livre 12 (6544).

與桓太尉論料簡沙門書

Yu hoan thai oei loẹn liao kien cha mẹn chou.

Lettre à Hoan thai-oei sur le dénombrement des bonzes.

Du bonze Hoei-yuen (art. X).

Feuillets 32, 33.

— LVI, livre 12 (6544).

與桓太尉論州符求沙門名籍書

Yu hoan thai oëi loẹn tcheou fou khieou cha mẹn ming tsi chou.

Lettre au même sur la même question.

De bonze Tchi-toẹn (399).

Feuillets 33, 34.

— LVII, livre 12 (6544).

啓齊武帝論檢試僧事

Khi tshi oou ti loẹn kien chi seng chi.

Rapport à l'empereur Oou des Tshi (482-493) sur l'inspection des affaires bouddhiques.

Par le bonze Tao-cheng.

Feuillets 34, 35.

— LVIII, livre 13 (6544).

奉法要

Fong fa yao.

Ce qui est important pour l'observance de la loi bouddhique.

Par Khi Tchhao, surnom King-hing, de Kin-hiang (dynastie des Tsin).

Feuillets 1 à 12.

— LIX, livre 13 (6544).

庭誥二章

Thing khi eul tchang.

Deux pièces pour une enquête de cour.

Par Yen Yen-tchi (art. VI).

Feuillets 12, 13.

— LX, livre 13 (6544).

日燭

Ji tchou.

Le flambeau solaire.

Par Oang Kai.

Feuillets 13 à 19.

— LXI, livre 14 (6544).

檄太山文

Hi thai chan oen.

Adresse au Thai-chan.

Par le bonze Tchou Tao-choang.

Feuillets 1 à 4.

— LXII, livre 14 (6544).

檄魔文

Hi mo oen.

Adresse à Māra.

Par le bonze Tchi-tsing.

Feuillets 4 à 9.

— LXIII, livre 14 (6544).

破魔露布文

Pho mo lou pou oen.

Dépêche ouverte pour subjuguer Māra.

Par le bonze Pao-lin.

Feuillets 9 à 13.

Grand in-8. Bonne gravure; frontispice (1 feuillet double). 1 vol. demi-rel., au chiffre de la République Française.
Nouveau fonds 4109.

1 vol. cartonnage.
Nouveau fonds 4679.

6545-6546. 廣弘明集

Koang hong ming tsi.

Collection étendue de textes relatifs au bouddhisme.

Par Tao-siuen, nom Tshien, originaire de Tan-thou, bonze à la montagne Tchong-nan (Soei et Thang). Préface de l'auteur. Texte et notes sur la prononciation à la fin de chaque livre. Édition de Tsi-tchao 'an (1611). Recueil méthodique, divisé de la manière suivante :

(6545) sur le recours à la vraie foi, livres 1 à 4.

(6545) contre les doutes. livres 5 à 15.

(6546) sur les vertus du Bouddha, livres 16 à 19.

(6546) sur le sens du dharma, livres 20 à 25.

(6546) sur l'action du sangha, livres 26 à 29.

(6546) sur la miséricorde, livres 3o et 31.

(6546) sur les **commandements**, livres 32 à 34.

(6546) sur le bonheur, livre 35.

(6546) sur le repentir, livre 36.

(6546) sur le retour universel, livres 37 à 4o.

Cat. imp., liv. 145, f. 2 (3o livres). — Bunyiu Nanjio 1481.

Grand in-8. Bonne gravure ; frontispice (1 feuillet double). Manquent les livres 21 à 25 et 31 à 35. 2 vol. demi-rel., au chiffre de la République Française

Nouveau fonds 4194, 4195.

———

6547. — I.

集古今佛道論衡實錄

Tsi kou kin fo tao loẹn heng chi lou.

Collection de mémoires sur les controverses entre bouddhistes et taoïstes.

Par Tao-síuen (661-664) ; préface de l'auteur. Lecture des caractères difficiles.

4 livres. — Bunyiu Nanjio 1471.

— II.

續集古今佛道論衡

Siu tsi kou kin fo tao loẹn heng.

Supplément à la collection précédente.

Par Tchi-cheng (730).

23 feuillets. — Bunyiu Nanjio 1472.

Grand in-8. Bonne gravure. 1 vol. demi-rel., au chiffre de la République Française.

Nouveau fonds 4137.

6548. 集神州塔寺三寶感通錄

Tsi chen tcheou tha seu san pao kan thong lou.

Mémoires sur l'influence du Triratna dans les monastères de Chine.

Par Tao-siuen ; même ouvrage qu'au n° 1874, art. III.

3 livres (le 3ᵉ en 2 sections). — Bunyiu Nanjio 1484.

Grand in-8. Bonne gravure. 1 vol. demi-rel., au chiffre de la République Française.

Nouveau fonds 261.

———

6549. 集沙門不應拜俗等事

Tsi cha mẹn pou ying pai sou teng chi.

Collection de pièces sur la question du salut des bonzes aux laïques.

Recueillies par le bonze Yen-tshong (662) ; préface de la même époque par le prince de Thai-yuen, Yin-yong Chao-oei. Édition de Leng-yen seu (1662).

Bunyiu Nanjio 1480.

1re section, pièces anciennes, précédées d'une introduction.

— I (livre 1).

晉尙書令何充等執沙門不應敬王者奏并序

Tsin chang chou ling ho tchhong teng tchi cha men pou ying king oang tche tseou ping siu.

Rapports au trône de Ho Tchhong, président du Conseil privé, et autres sur les marques de respect qui ne sont pas dues par les religieux au souverain.

Trois rapports (340).

Feuillets 4, 5 et 7.

— II (livre 1).

車騎將軍庾冰爲成帝出令沙門致敬詔

Kiu khi tsiang kiun yu ping oei tchheng ti tchhou ling cha men tchi king tchao.

Ordre aux religieux de manifester leur respect, donné par Yu Ping, maréchal de Kiu-khi, au nom de l'empereur Tchheng.

Deux ordres en réponse à l'art. I.

Feuillets 4 et 6.

— III (livre 1).

太尉桓玄與八座桓謙等論道人應致敬事書并序

Thai oei hoan hiuen yu pa tsoo hoan khien teng loen tao jen ying tchi king chi chou ping siu.

Avis du grand maréchal Hoan Hiuen, adressé au ministre Hoan Khien et autres, sur les marques de respect dues par les religieux.

En date de 402. Hoan Hiuen, de 369 à 404.

Feuillet 7.

— IV (livre 1).

八座等答桓玄明道人不應致敬事書

Pa tsoo teng ta hoan hiuen ming tao jen pou ying tchi king chi chou.

Réponse du ministre et autres à Hoan Hiuen : il n'y a pas lieu pour les religieux de donner des marques de respect.

Feuillet 8.

— V (livre 1).

桓玄與中書令王謐論沙門應致敬事書

Hoan hiuen yu tchong chou ling oang mi loẹn cha mẹn ying tchi king chi chou.

Avis de Hoan Hiuen adressé au Président du Conseil privé Oang Mi sur les marques de respect dues, etc.

Feuillet 9.

— VI (livre 1).

王謐答桓玄明沙門不應致敬事書

Oang mi ta hoan hiuen ming cha mẹn pou ying tchi king chi chou.

Réponse de Oang Mi à Hoan Hiuen : il n'y a pas lieu, etc.

Feuillet 9.

— VII (livre 1).

桓玄難王謐不應致敬事

Hoan hiuen nan oang mi pou ying tchi king chi.

Objections de Hoan Hiuen à Oang Mi.

Trois pièces.

Feuillets 10, 14, 17.

— VIII (livre 1).

王謐答桓玄應致敬難

Oang mi ta hoan hiuen ying tchi king nan.

Réponses de Oang Mi aux objections de Hoan Hiuen.

Trois pièces.

Feuillets 11, 15, 18.

— IX (livre 1).

桓玄與廬山法師慧遠使述沙門不致敬王者意書并遠答往反

Hoan hiuen yu liu chan fa chi hoei yuen chi chou cha mẹn pou tchi king oang tchẹ yi chou ping yuen ta oang fan.

Correspondance de Hoan Hiuen avec le bonze Hoei-yuen au sujet des marques de respect.

Hoei-yuen, de la famille Kia (333-416).

A la suite, lecture des caractères difficiles.

Feuillet 19.

1re section, pièces anciennes (suite).

— X (livre 2).

晉廬山釋慧遠沙門不敬王者論并序

Tsin liu chan chi hoei yuen cha men pou king oang tchę loen ping siu.

Dissertation de Hoei-yuen sur les marques de respect non données par les religieux.

Postérieure à 402.

5 sections (feuillet 1).

— XI (livre 2).

僞楚桓玄許沙門不致禮詔

Oei tchhou hoan hiuen hiu cha men pou tchi li tchao.

Décret rendu par Hoan Hiuen, empereur de Tchhou, pour autoriser les religieux à ne pas accomplir les rites de respect.

Décret de Ta-heng, 2e année, 12e lune (fin de 404 ou début de 405).

Feuillet 10.

— XII (livre 2).

侍中卞嗣之等執沙門應敬奏。桓楚答

Chi tchong pien seu tchi teng tchi cha men ying king tseou. Hoan tchhou ta.

Rapport du conseiller Pien Seu-tchi et autres sur les marques de respect dues par les religieux. Réponses de Hoan, empereur de Tchhou.

4+3 pièces, l'une est datée de Yong-chi, 1re année, 12e lune (fin de 403 ou début de 404).

Feuillet 11.

— XIII (livre 2).

宋孝武帝抑沙門致拜事

Song hiao oou ti yi cha men tchi pai chi.

Hiao oou ti, des Song, oblige les religieux à saluer.

Pièce de 462.

Feuillet 13.

— XIV (livre 2).

夏赫連勃勃令沙門致拜事

Hia hę lien pou pou ling cha men tchi pai chi.

Hę-lien Pou-pou, de Hia, ordonne aux religieux de saluer.

Pièce de 419.

Feuillet 14.

— XV (livre 2).

齊武帝論沙門抗禮事

Tshi oou ti loẹn cha mẹn khang li chi.

Avis de Oou-ti, des Tshi, sur la résistance des religieux aux rites.

En date de 483-493.

Feuillet 14.

— XVI (livre 2).

隋煬帝勅沙門致拜事。興善寺沙門明瞻答

Soei yang ti tchhi cha mẹn tchi pai chi. Hing chạn seu cha mẹn ming tchạn ta.

Yang-ti, des Soei, ordonne aux religieux de saluer. Réponse de Ming-tchạn.

En date de 605-616.

Feuillet 15.

— XVII (livre 2).

洛濱翻經館沙門釋彥悰福田論并序

Lo pin fan king koan cha mẹn chi yen tshong fou thien loẹn ping siu.

Dissertations de Yen-tshong Fou-thien, bonze du Fan-king koan.

Feuillets 15 à 23.

Suivis de la lecture des signes difficiles.

2e section, avis contraires au salut fait par les religieux, précédés d'une introduction.

— XVIII (livre 3).

制沙門等致拜君親勅

Tchi cha mẹn teng tchi pai kiun tshin tchhi.

Ordre aux religieux de saluer les princes et leurs parents.

En date de 664.

Feuillet 2.

— XIX (livre 3).

大莊嚴寺僧威秀等上沙門不合拜俗表

Ta tchoang yen seu seng oei sieou teng chang cha mẹn pou ho pai sou piao.

Rapport pour établir que les religieux ne doivent pas saluer les laïques, présenté par Oei-sieou et autres religieux de Ta-tchoang-yen seu.

En date de 662, 4e lune, 21e jour.

Feuillet 2.

— XX (livre 3).

西明寺僧道宣等上雍州牧沛王賢論沙門不應拜俗事啓

Si ming seu seng tao siuen teng chang yong tcheou mou phei oang hien loẹn cha mẹn pou ying pai sou chi khi.

Rapport de Tao-siuen et autres religieux de Si-ming seu présentant l'avis du prince de Phei, que les religieux ne doivent pas, etc.

En date de 662, 4ᵉ lune, 25ᵉ jour.

Feuillet 4.

— XXI (livre 3).

西明寺僧道宣等上榮國夫人楊氏請論沙門不合拜俗等事啓

Si ming seu seng tao siuen teng chang yong koẹ fou jen yang chi tshing loẹn cha mẹn pou ho pai sou teng chi khi.

Rapport de Tao-siuen, etc., présentant la prière et l'avis de la princesse de Yong, que les religieux ne doivent pas, etc.

Daté de 662, 4ᵉ lune, 27ᵉ jour. La princesse de Yong était mère de l'impératrice.

Feuillet 5.

— XXII (livre 3).

西明寺僧道宣等序佛教隆替事簡諸宰輔等狀

Si ming seu seng tao siuen teng siu fo kiao long thi chi kien tchou tsai fou teng tchoang.

Rapport de Tao-siuen, etc. faisant l'historique de la religion bouddhique.

Feuillet 6.

— XXIII (livre 3).

中臺司禮太常伯隴西王博叉 (*alias* 又) 大夫孔志約等議狀

Tchong thai seu li thai chang po long si oang po yeou (alias tchha) ta fou khong tchi yo teng yi tchoang.

Avis formulé par le prince de Long-si, Khong Tchi-yo, etc.

Feuillet 12.

— XXIV (livre 3).

司元太常伯竇德玄少常伯張山壽等議狀

Seu yuen thai chang po teou tẹ hiuen chao chang po

tchang chan cheou teng yi tchoang.

Avis formulé par Teou Tę-hiuen, Tchang Chan-cheou, etc.

Feuillet 13.

— XXV (livre 3).

司戎太常伯護軍鄭欽泰員外郎秦懷恪等議狀

Seu jong thai chang po hou kiun tcheng khin thai yuen oai lang tshin hoai kho teng yi tchoang.

Avis formulé par Tcheng Khin-thai, Tshin Hoai-kho, etc.

Feuillet 13.

— XXVI (livre 3).

司刑太常伯城陽縣開國侯劉祥道等議狀

Seu hing thai chang po tchheng yang hien khai koę heou lieou siang tao teng yi tchoang.

Avis formulé par Lieou Siang-tao et autres.

Feuillet 18.

A la suite, lecture des caractères difficiles.

2ᵉ section, avis contraires au salut des religieux (suite).

— XXVII (livre 4).

中御府少監護軍高藥尚等議狀

Tchong yu fou chao kien hou kiun kao yo chang teng yi tchoang.

Avis formulé par Kao Yo-chang et autres.

Feuillet 2.

— XXVIII (livre 4).

內侍監給事王泉博士胡玄亮等議狀

Nei chi kien ki chi oang tshiuen po chi hou hiuen liang teng yi tchoang.

Avis formulé par Oang Tshiuen, Hou Hiuen-liang, etc.

Feuillet 2.

— XXIX (livre 4).

奉常寺丞劉慶道主簿郝處傑等議狀

Fong chang seu tchheng lieou khing tao tchou pou ho tchhou kie teng yi tchoang.

Avis formulé par Lieou Khing-tao, Ho Tchhou-kie, etc.

Feuillet 3.

— XXX (livre 4).

詳刑寺丞王千石司直
張道邃等議狀

Siang hing seu tchheng oang tshien chi seu tchi tchang tao soẹn teng yi tchoang.

Avis formulé par Oang Tshien-chi, Tchang Tao-soẹn, etc.

Feuillet 4.

— XXXI (livre 4).

司稼寺卿梁孝仁太倉
署令趙行本等議狀

Seu kia seu khing liang hiao jen thai tshang chou ling tchao hing pẹn teng yi tchoang.

Avis formulé par Liang Hiao-jen, Tchao Hing-pẹn, etc.

Feuillet 5.

— XXXII (livre 4).

外府寺卿韋思齊主簿
賈舉等議狀

Oai fou seu khing oei seu tchai tchou pou kia kiu teng yi tchoang.

Avis formulé par Oei Seu-tchai, Kia Kiu, etc.

Feuillet 5.

— XXXIII (livre 4).

繕工監太監劉審禮監
作上官突厥等議狀

Chạn kong kien thai kien lieou chen li kien tso chang koan thou kiue teng yi tchoang.

Avis formulé par Lieou Chen-li, Chang-koan Thou-kiue, etc.

Feuillet 6.

— XXXIV (livre 4).

司成舘大司成令狐德
棻等議狀

Seu tchheng koan ta seu tchheng ling hou tẹ fẹn teng yi tchoang.

Avis formulé par Ling-hou Tẹ-fẹn et autres.

Feuillet 6.

— XXXV (livre 4).

司成寺舘守宣業范義
頠等議狀

Seu tchheng seu koan cheou siuen ye fan yi kiun teng yi tchoang.

Avis formulé par Fan Yi-kiun et autres.

Feuillet 7.

— XXXVI (livre 4).

左衛大將軍張延師等議狀

Tso oei ta tsiang kiun tchang yen chi teng yi tchoang.

Avis formulé par Tchang Yen-chi et autres.

Feuillet 7.

— XXXVII (livre 4).

右衛長史崔修業等議狀

Yeou oei tchang chi tshoei sieou ye teng yi tchoang.

Avis formulé par Tshoei Sieou-ye et autres.

Feuillet 8.

— XXXVIII (livre 4).

左驍衛長史王玄策騎曹蕭灌等議狀

Tso hiao oei tchang chi oang hiuen tshẹ khi tshao siao koan teng yi tchoang.

Avis formulé par Oang Hiuen-tshẹ, Siao Koan et autres.

Feuillet 8.

— XXXIX (livre 4).

左(alias 右)武衛長史孝昌縣公徐慶等議狀

Tso (alias yeou) oou oei tchang chi hiao tchhang hien kong siu khing teng yi tchoang.

Avis formulé par Siu Khing et autres.

Feuillet 10.

— XL (livre 4).

右威衛將軍李晦等議狀

Yeou oei oei tsiang kiun li hoei teng yi tchoang.

Avis formulé par Li Hoei et autres.

Feuillet 11.

— XLI (livre 4).

左戎衛大將軍懷寧縣公杜君綽等議狀

Tso jong oei ta tsiang kiun hoai ning hien kong tou kiun tchho teng yi tchoang.

Avis formulé par Tou Kiun-tchho et autres.

Feuillet 12.

— XLII (livre 4).

左金吾衛將軍上柱國開國侯權善才等議狀

Tso kin oou oei tsiang kiun

chang tchou koẹ khai koẹ heou khiuen chạn tshai teng yi tchoang.

Avis formulé par Khiuen Chạn-tshai et autres.

Feuillet 12.

— XLIII (livre 4).

右奉宸衛將軍辛弘亮等議狀

Yeou fong chen oei tsiang kiun sin hong liang teng yi tchoang.

Avis formulé par Sin Hong-liang et autres.

Feuillet 12.

— XLIV (livre 4).

右春坊主事謝壽等議狀

Yeou tchhoẹn fang tchou chi sie cheou teng yi tchoang.

Avis formulé par Sie Cheou et autres.

Feuillet 13.

— XLV (livre 4).

馭僕寺大夫王思泰丞牛夳璋等議狀

Yu pou seu ta fou oang seu thai tchheng nieou hiuen tchang teng yi tchoang.

Avis formulé par Oang Seu-thai, Nieou Hiuen-tchang, etc.

Feuillet 15.

— XLVI (livre 4).

萬年縣令源誠心等議狀

Oan nien hien ling yuen tchheng sin teng yi tchoang.

Avis formulé par Yuen Tchheng-sin et autres.

Feuillet 16.

— XLVII (livre 4).

長安縣尉崔道默等議狀

Tchhang 'an hien oei tshoei tao mẹ teng yi tchoang; alias :

長安縣丞王方則崔道默等議狀

Tchhang 'an hien tchheng oang fang tsẹ tshoei tao mẹ teng yi tchoang.

Avis formulé par Oang Fang-tsẹ, Tshoei Tao-mẹ, etc.

Feuillet 16.

— XLVIII (livre 4).

沛王府長史皇甫公義文學陳至德等議狀

Phei oang fou tchang chi hoang

fou kong yi oen hio tchhen tchi tẹ teng yi tchoang.

Avis formulé par Hoang-fou Kong-yi, Tchhen Tchi-tẹ, etc.

Feuillet 17.

— XLIX (livre 4).

周王府長史源直心參軍元思敬等議狀

Tcheou oang fou tchang chi yuen tchi sin tshan kiun yuen seu king teng yi tchoang.

Avis formulé par Yuen Tchi-sin, Yuen Seu-king, etc.

Feuillet 17.

3e section, avis favorables au salut fait par les religieux, précédés d'une introduction.

— L (livre 5).

左威衛長史崔安都錄事沈玄明等議狀

Tso oei oei tchang chi tshoei 'an tou lou chi chen hiuen ming teng yi tchoang.

Avis formulé par Tshoei'An-tou, Chen Hiuen-ming, etc.

Annoté.

Feuillet 3.

— LI (livre 5).

右清道衛長史李洽等議狀

Yeou tshing tao oei tchang chi li hia teng yi tchoang.

Avis formulé par Li Hia et autres.

Annoté.

Feuillet 5.

— LII (livre 5).

長安縣令張松壽等議狀

Tchhang 'an hien ling tchang song cheou teng yi tchoang.

Avis formulé par Tchang Song-cheou et autres.

Annoté.

Feuillet 5.

— LIII (livre 5).

中臺司列少常伯楊思玄司績大夫楊守拙等議狀

Tchong thai seu lie chao chang po yang seu hiuen seu tsi ta fou yang cheou tchoẹ teng yi tchoang.

Avis formulé par Yang Seu-Hiuen, Yang Cheou-tchoẹ, etc.

Annoté

Feuillet 6.

— LIV (livre 5).

司平太常伯閻立本等議狀

Seu phing thai chang po yen li pẹn teng yi tchoang.

Avis formulé par Yen Li-pẹn et autres.

Annoté.

Feuillet 6.

— LV (livre 5).

蘭臺祕閣局郎中李淳風等議狀

Lan thai pi ko kiu lang tchong li choẹn fong teng yi tchoang.

Avis formulé par Li Choẹn-fong et autres.

Annoté.

Feuillet 7.

— LVI (livre 5).

太常寺博士呂才等議狀

Thai chang seu po chi liu tshai teng yi tchoang.

Avis formulé par Liu Tshai et autres.

Annoté.

Feuillet 7.

— LVII (livre 5).

司宰寺丞豆盧鍊等議狀

Seu tsai seu tchheng teou lou kien teng yi tchoang.

Avis formulé par Teou Lou-kien et autres.

Annoté.

Feuillet 9.

— LVIII (livre 5).

司衛寺卿楊思儉等議狀

Seu oei seu khing yang seu kien teng yi tchoang.

Avis formulé par Yang Seu-kien et autres.

Annoté.

Feuillet 9.

— LIX (livre 5).

司馭寺丞韓處玄等議狀

Seu yu seu tchheng han tchhou hiuen teng yi tchoang.

Avis formulé par Han Tchhou-hiuen et autres.

Annoté.

Feuillet 10.

— LX (livre 5).

詳刑寺少卿元大士等議狀

Siang hing seu chao khing yuen ta chi teng yi tchoang.

Avis formulé par Yuen Ta-chi et autres.

Annoté.

Feuillet 11.

— LXI (livre 5).

司 (alias 同) 文寺丞謝祐等議狀

Seu (alias thong) oen seu tchheng sie yeou teng yi tchoang.

Avis formulé par Sie Yeou et autres.

Annoté.

Feuillet 11.

— LXII (livre 5).

內府監丞柳元貞等議狀

Nei fou kien tchheng lieou yuen tcheng teng yi tchoang.

Avis formulé par Lieou Yuen-tcheng et autres.

Annoté.

Feuillet 12.

— LXIII (livre 5).

司津監李仁方等議狀

Seu tsin kien li jen fang teng yi tchoang.

Avis formulé par Li Jen-fang et autres.

Annoté.

Feuillet 12.

— LXIV (livre 5).

右武衛兵曹參軍趙崇素等議狀

Yeou oou oei ping tshao tshan kiun tchao tchhong sou teng yi tchoang.

Avis formulé par Tchao Tchhong-sou et autres.

Annoté.

Feuillet 12.

— LXV (livre 5).

右戎衛長史李義範等議狀

Yeou jong oei tchang chi li yi fan teng yi tchoang.

Avis formulé par Li Yi-fan et autres.

Annoté

Feuillet 13.

— LXVI (livre 5).

右金吾衛將軍薛孤吳仁長史劉文琮等議狀

Yeou kin oou oei tsiang kiun sie kou oou jen tchang chi lieou oen tshong teng yi tchoang.

Avis formulé par Sie Kou, Lieou Oen-tshong, etc.

Annoté.

Feuillet 13.

— LXVII (livre 5).

右監門衛中郎將熊亥逸等議狀

Yeou kien men oei tchong lang tsiang hiong hiuen yi teng yi tchoang.

Avis formulé par Hiong Hiuen-yi et autres.

Annoté.

Feuillet 14.

— LXVIII (livre 5).

端尹府端尹李寬等議狀

Toan yin fou toan yin li khoan teng yi tchoang.

Avis formulé par Li Khoan et autres.

Annoté.

Feuillet 14.

— LXIX (livre 5).

左春坊中護賀蘭敏之贊善楊全節等議狀

Tso tchhoen fang tchong hou ho lan min tchi tsan chan yang tshiuen tsie teng yi tchoang.

Avis formulé par Ho-lan Min-tchi, Yang Tshiuen-tsie, etc.

Annoté.

Feuillet 14.

— LXX (livre 5).

右春坊中護郝處俊贊善楊思正等議狀

Yeou tchhoen fang tchong hou ho tchhou tsiun tsan chan yang seu tcheng teng yi tchoang.

Avis formulé par Ho Tchhou-tsiun, Yang Seu-tcheng, etc.

Annoté.

Feuillet 15.

— LXXI (livre 5).

司更寺丞張約等議狀

Seu king seu tchheng tchang yo teng yi tchoang.

Avis formulé par Tchang Yo et autres.

Annoté.

Feuillet 15.

— LXXII (livre 5).

左典戎衛倉曹王思九等議狀

Tso tien jong oei tshang tshao oang seu kieou teng yi tchoang.

Avis formulé par Oang Seu-kieou et autres.

Annoté.

Feuillet 16.

— LXXIII (livre 5).

右典戎衛將軍斛斯敬則等議狀

Yeou tien jong oei tsiang kiun hou seu king tsę teng yi tchoang.

Avis formulé par Hou-seu King-tsę et autres.

Annoté.

Feuillet 16.

— LXXIV (livre 5).

左司禦衛長史馬大師等議狀

Tso seu yu oei tchang chi ma ta chi teng yi tchoang.

Avis formulé par Ma Ta-chi et autres.

Annoté.

Feuillet 16.

— LXXV (livre 5).

右司禦衛長史崔崇業等議狀

Yeou seu yu oei tchang chi tshoei tchhong ye teng yi tchoang.

Avis formulé par Tshoei Tchhong-ye et autres.

Annoté.

Feuillet 17.

— LXXVI (livre 5).

左清道衛長史蔣真胄等議狀

Tso tshing tao oei tchang chi tsiang tchen tcheou teng yi tchoang.

Avis formulé par Tsiang Tchen-tcheou et autres.

Annoté.

Feuillet 18.

— LXXVII (livre 5).

左崇掖衛長史竇尚義等議狀

Tso tchhong yi oei tchang chi teou chang yi teng yi tchoang.

Avis formulé par Teou Chang-yi et autres.

Annoté.

Feuillet 18.

— LXXVIII (livre 5).

右崇掖衛長史李行敏等議狀

Yeou tchhong yi oei tchang chi li hing min teng yi tchoang.

Avis formulé par Li Hing-min et autres.

Annoté.

Feuillet 18.

— LXXIX (livre 5).

左奉裕衛長史丘神靜等議狀

Tso fong yu oei tchang chi khieou chen tsing teng yi tchoang.

Avis formulé par Khieou Chen-tsing et autres.

Annoté.

Feuillet 19.

— LXXX (livre 5).

右奉裕衛率韋懷敬等議狀

Yeou fong yu oei choai oei hoai king teng yi tchoang.

Avis formulé par Oei Hoai-king et autres.

Annoté.

Feuillet 20.

— LXXXI (livre 5).

雍州司功劉仁叡等議狀

Yong tcheou seu kong lieou jen joei teng yi tchoang.

Avis formulé par Lieou Jen-joei et autres.

Annoté.

Feuillet 21.

3e section, avis favorables au salut des religieux, suite.

— LXXXII (livre 6).

普光寺沙門玄範質拜議狀

Phou koang seu cha men hiuen fan tchi pai yi tchoang.

Examen de la question du salut des religieux, par le bonze Hiuen-fan, de Phou-koang seu.

Feuillet 2.

— LXXXIII (livre 6).

中臺司禮太常伯隴西王博乂等執議奏狀

Tchong thai seu li thai chang po long si oang po tchha teng tchi yi tseou tchoang.

Rapport du prince de Long-si et autres.

Feuillet 6.

— LXXXIV (livre 6).

今 上 停 沙 門 拜 君 詔

Kin chang thing cha men pai kiun tchao.

Ordre de l'empereur régnant suspendant l'obligation pour les bonzes de saluer le souverain.

En date de 662, 6e lune, 8e jour,

Feuillet 8.

— LXXXV (livre 6).

京 邑 老 人 程 士 頤 等 上 請 出 家 子 女 不 拜 親 表

King yi lao jen tchheng chi yong teng chang tshing tchhou kia tseu niu pou pai tshin piao.

Rapport présenté par les vieillards Tchheng Chi-yong et autres, demandant que les religieux et religieuses ne saluent pas leurs parents.

Date de 662, 6e lune, 21e jour.

Feuillet 9.

— LXXXVI (livre 6).

直 東 臺 馮 神 德 上 請 依 舊 僧 尼 等 不 拜 親 表 并 上 佛 道 先 後 事

Tchi tong thai fong chen te chang tshing yi kieou seng ni teng pou pai tshin piao ping chang fo tao sien heou chi.

Rapport présenté par Fong Chen-te, demandant que les religieux et religieuses continuent à ne pas saluer leurs parents et exposant l'historique du bouddhisme.

En date de 662, 7e lune, 10e jour.

Feuillet 10.

— LXXXVII (livre 6).

西 明 寺 僧 道 宣 等 重 上 榮 國 夫 人 楊 氏 請 論 不 合 拜 親 啓

Si ming seu seng tao siuen teng tchkhong chang yong koe fou jen yang chi tshing loen pou ho pai tshin khi.

Rapport de Tao-siuen et autres religieux de Si-ming seu, présentant de nouveau la prière et l'avis de la princesse de Yong, que les religieux ne doivent pas saluer leurs parents.

Daté de 662, 8e lune, 13e jour.

Feuillet 11. — Cf. plus haut, art. XXI.

— LXXXVIII (livre 6).

大莊嚴寺僧威秀等上僧尼請依內教不拜爹母表

Ta tchoang yen seu seng oei sieou teng chang seng ni tsing yi nei kiao pou pai fou mou piao.

Rapport de Oei-sieou et autres religieux de Ta-tchoang-yen seu, présentant la prière des religieux et religieuses qui demandent à ne pas saluer leurs père et mère.

En date de 662, 8ᵉ lune, 21ᵉ jour.

Feuillet 11.

— LXXXIX (livre 6).

玉華宮寺譯經沙門靜邁等上僧尼拜爹母有損表

Yu hoa kong seu yi king cha men tsing mai teng chang seng ni pai fou mou yeou soen piao.

Rapport de Tsing-mai et autres religieux traducteurs, de Yu-hoa-kong seu, exposant qu'il y a

inconvénient à ce que les religieux et religieuses saluent leurs père et mère.

Daté de 662, 8ᵉ lune, 25ᵉ jour.

Feuillet 12.

— XC (livre 6).

襄州禪居寺僧崇拔上請僧尼爹母同君上不受出家男女致拜表

Siang tcheou chan kiu seu seng tchhong pa chang tshing seng ni fou mou thong kiun chang pou cheou tchhou kia nan niu tchi pai piao.

Rapport de Tchhong-pa, religieux de Siang-tcheou, demandant que les père et mère, comme les princes et supérieurs des religieux et religieuses, ne reçoivent pas le salut de leurs fils et filles entrés en religion.

En date de 662, 7ᵉ lune, 25ᵉ jour.

Feuillet 13.

Grand in-8 Bonne gravure. 1 vol. demi-rel., au chiffre de la République Française.

Nouveau fonds 4084.

Troisième Section : RECUEILS COLLECTIFS

6550-6552. 古尊宿語錄

Kou tsoen sou yu lou.

Entretiens des anciens stha-vira de l'école dhyāna

L'ordre ne semble pas rigou-reusement chronologique ; le pre-mier personnage cité semble être Ta-hoei chan-chi, du Nan-yo, de la famille Tou, de Kin-tcheou, né en 677 ; les derniers entretiens seraient de 1176. Œuvre de Tsi-tsang-tchou, religieux de l'époque des Song (1127-1280). Édition de Hoa-tchheng seu (1613-1637).

48 livres. — Bunyiu Nanjio 1659.

Grand in-8. 3 vol. demi-rel., au chiffre de la République Française.
Nouveau fonds 4222 à 4224.

6553. 人天眼目

Jen thien yen mou.

Extraits méthodiques relatifs aux cinq écoles.

Collection de morceaux, notes, poésies, etc., rassemblés par Hoei-yen Tchi-tchao, de Yue-chan ; pré-face de l'auteur (1188). Édition de Leng-yen seu (1646?)

Livre 1 : école de Lin-tsi.
Livre 2 : école de Yun-men.
Livre 3 : écolë de Tshao-tong.
Livre 4 : école de Koei-yang.
Livre 5 : école de Fa-yen.
Livre 6 : mélanges des diverses écoles.

Grand in-8. Bonne gravure. 1 vol. demi-rel., au chiffre de la République Française.
Nouveau fonds 4176.

6554. 佛法金湯編

Fo fa kin thang pien.

Biographies bouddhiques.

Recueil de biographies chi-noises depuis les Tcheou jusqu'à la fin des Yuen ; composé par le bonze Sin-thai, de Koai-ki, revu par le bonze Tchen-tshing, de Thien-thai. Préfaces par Sou Po-heng Oou-oen kiu-chi (1393), par Cheou-jen (1391), par Tshing-siun (1391). Introduction par Tsong-le (même époque). Réédition donnée par Jou-sing, de Thien-thai, avec une préface (1600) ; le recueil pri-mitif était en 10 livres.

16 livres.

Grand in-8. Gravure en caractères semi-cursifs. 1 vol. demi-rel., au chiffre de la République Française.
Nouveau fonds 4164.

6555-6556. 禪宗正脈
Chan tsong tcheng me.

Succession correcte de l'école dhyāna.

Recueil d'extraits relatifs aux bonzes de cette école, par le bonze Jou-kin, de Kia-hoo. Introduction par le compilateur (1489). Préface par Tcheou Kan, de Hang-tcheou (1490). Préceptes pour la lecture de l'ouvrage. Liste des caractères rares. Édition de Hoa-tchheng seu (1614, 1615).

20 livres. — Bunyiu Nanjio 1641.

Grand in-8. Bonne gravure; frontispice (1 feuillet double). 2 vol. demi-rel., au chiffre de la République Française.
Nouveau fonds 4234, 4235.

6557. 兜率龜鏡集
Teou choai koei king tsi.

Recueil de mélanges.

Par Hong-tsan Tsai-san, de Koang-tcheou. Notice sur l'ouvrage par Khai-kio (1671). Lecture des signes difficiles.

Livre 1er : biographies bouddhiques.
Livre 2 : morceaux et extraits.
Livre 3 : biographies (feuillet 1-19) ; puis extraits.

Grand in-8. 1 vol. demi-rel., au chiffre de la République Française.
Nouveau fonds 4168.

6558. — I.
曹溪一滴
Tshao khi yi ti.

Mélanges bouddhiques.

Recueil d'exemples, de paroles, de compositions en prose et en vers, formé par le bonze Tcheou-li, de Miao-fong. Préface par Thao Kong Oou-hio kiu-chi, du Tien-nan (1636). Introduction de Koo Yun-li. Table : 9 livres.

Livre 1, feuillets 1-17 seulement.

— II.
雲山夢語摘要
Yun chan mong yu tche yao.

Propos et dissertations de Mong-'an.

Autre nom de ce personnage : Tcheou-li, de Miao-fong chan, époque des Ming. Introduction par Koo Yun-li Li-khing.

Livre 9 de l'ouvrage précédent (art. I), subdivisé en 2 sections.

— III.
紀業
Ki ye.

Souvenirs.

Peut-être par Tcheou-li ; on y relève la date de 1631.

8 feuillets.

Grand in-8. 1 vol. demi-rel., au chiffre de la République Française.

Nouveau fonds 4170.

6559. 五家語錄
Oou kia yu lou.

Propos des chefs des cinq Ecoles.

— I.
臨濟宗旨
Lin tsi tsong tchi.

Principes de l'école de Lin-tsi.

Par le bonze Hoei-hong, surnom Po-'an kiu-chi (époque des Ming).

9 feuillets.

— II.
五宗源流圖
Oou tsong yuen lieou thou.

Origine et développement des cinq Ecoles.

Tableaux et légendes.

— III.
Oou kia yu lou.

潙仰宗
Koei yang tsong.

Écoles de Koei-chan et de Yang-chan.

Texte et notes par Yu-fong Yuen-sin, bonze de King-chan ; sur les bonzes Ling-yeou, de Fou-tcheou, et Hoei-tsi, de Chao-tcheou.

2 sections.

— IV.
Oou kia yu lou.

臨濟宗
Lin tsi tsong.

École de Lin-tsi.

Texte et notes par Hoei-jan ; sur le bonze Yi-hiuen, de Tshao-tcheou.

— V.
Oou kia yu lou.

曹洞宗
Tshao tong tsong.

Écoles de Tong-chan et de Tshao-chan.

Texte et notes, incomplet au début ; sur les bonzes Pen-tsi, de Fou-tcheou, et Liang-kiai de Choei-tcheou.

2 sections.

— VI.

Oou kia yu lou.

雲門宗

Yun mẹn tsong.

École de Yun-mẹn.

Texte et notes par Ming-chi ta-chi Cheou-kien ; sur le bonze Oen-yen, de Chao-tcheou.

— VII.

Oou kia yu lou.

法眼宗

Fa yen tsong.

École de Fa-yen.

Texte et notes par Yu-fong Yuen-sin ; sur le bonze Oen-yi, de Kin-ling.

L'ouvrage a été compilé par Koo Tcheng-tchong Ying-tchi, surnom Oou-ti ti-tchou, de Hai-ning. Édition de la bonzerie de Kou-mei à King-chan (1665).

Grand in-8. Bonne gravure. 1 vol. demi-rel., au chiffre de la République Française.

Nouveau fonds 265.

6560-6562.

Oou kia yu lou.

Double du précédent, débutant par une préface signée par Teng Oei-chan, de Oou-mẹn et qui manque dans l'autre exemplaire.

— I (6559).

Oou tsong yuen lieou thou.

— II (6559).

Lin tsi tsong tchi.

— III (6559).

Lin tsi tsong.

— IV (6559).

Koei yang tsong.

— V (6560).

Tshao tong tsong.

Par Yu-fong Yuen-sin.

— VI (6560).

Fa yen tsong.

— VII (6561).

Yun mẹn tsong.

3 vol. demi-rel., au chiffre de la République Française.

Nouveau fonds 4162, 4161, 4160.

—————

6563. — I.

先覺宗乘

Sien kio tsong cheng.

Exemples tirés de la vie des laïques.

Par le bonze Yuen-sin Yu-fong lao-jen, et par Koo Ying-tchi ; préface du premier (1690).

5 livres.

— II.

優婆夷志

Yeou po yi tchi.

Exemples des femmes bouddhistes.

Par les mêmes.

17 feuillets.

— III.

帝王問道錄

Ti oang oen tao lou.

Exemples des souverains bouddhistes.

Par les mêmes ; à la fin, note de Koo Ying-tchi (1665).

21 feuillets.

Grand in-8. 1 vol. demi-rel., au chiffre de la République Française.
Nouveau fonds 4174.

6564. 普陀別菴禪師同門錄

Phou tho pie 'an chạn chi thong mẹn lou.

Sur divers religieux de Phou-tho.

Appartenant à la 17ᵉ génération de l'école de Lin-tsi. Par Hong-sieou. Préface par Tchhao-yuen Tan-yai de Pou-yang (1691).

3 livres.

Grand in-8. Incomplet de quelques feuillets. 1 vol. demi-rel., au chiffre de la République Française.
Nouveau fonds 4304.

6565. — I. 禪宗心印

Chạn tsong sin yin.

Historique du bouddhisme.

Depuis la naissance du Bouddha jusqu'aux Song ; biographies de patriarches et de bonzes. Par Tsi-hoei Tsing-soẹn, de Si-chan.

20 livres (manquent le livre 4 et les feuillets 1 à 6 du livre 7).

— II.

禪宗心印附錄

Chạn tsong sin yin fou lou.

Supplément.

Notes relatives au bouddhisme et au taoïsme.

2 livres.

— III.

菩薩靈驗記

Phou sa ling yen ki.

Mémorial de faits miraculeux bouddhiques et taoïstes.

2 livres.

Petit in-8. Manuscrit sur papier à cadres bleus. 1 vol. demi-rel., au chiffre de Napoléon III.

Nouveau fonds 1139.

Quatrième Section : **RECUEILS INDIVIDUELS**

6566. 佛果圜悟禪師碧巖集

Fo koo yuen oou chan chi pi yen tsi.

Œuvres religieuses du bonze Yuen-oou.

Préface par Phou tchao (1128); postface par Oou-tang, élève de l'auteur, originaire de Hieou-meou (1125). Impression dirigée par Oou Tseu-hong, surnom Yuen-'an, de Mo-ling (xvii° s. ?)

10 livres.

Grand in-8. 1 vol. demi-rel., au chiffre de la République Française.

Nouveau fonds 4242.

6567. 斷橋玅倫和尙語錄

Toan khiao miao loen hoo chang yu lou.

Œuvres et entretiens de Toan-khiao Miao-loen hoo-chang.

Recueillis par Oen-pao, Chan-tsing et autres. Préface pour la

réédition, par Hiang Khien, de Phing-chan (1692). L'auteur vivait en 1241.

1 livre.

Grand in-8. 1 vol. demi-rel., au chiffre de la République Française.

Nouveau fonds 4300.

6568. 雪巖和尙住潭州龍興寺語錄

Siue yen hoo chang tchou than tcheou long hing seu yu lou; alias :

雪巖語錄
Siue yen yu lou.

Œuvres et entretiens de Siue-yen hoo-chang à Than-tcheou.

Recueillis par ses disciples Tchao-jou, Hi-ling et autres. L'auteur vivait en 1253. Édition de Leng-yen seu (1645).

2 livres.

Grand in-8. 1 vol. demi-rel., au chiffre de la République Française.

Nouveau fonds 4296.

6569. — I.

元高峯大師語錄

Yuen kao fong ta chi yu lou.

Entretiens et œuvres de Kao-fong ta-chi, des Yuen.

Réédition de la bonzerie de Ling-yin, avec préface par Tchou-hong (1599).

1 livre.

— II.

行狀

Hing tchoang.

Biographie.

Par Tsou-yong. Le bonze Kao-fong Yuen-miao était de la famille Siu, de Oou-kiang (1238-1295).

— III.

Hing tchoang.

Autre biographie.

Sans signature.

— IV.

塔銘

Tha ming.

Inscription.

Par Kia Tchi-soen.
A la fin, lecture des caractères difficiles.

In-4. 1 vol. demi-rel., au chiffre de Napoléon III.
Nouveau fonds 1285.

6570. — I.

元高峯大師語錄

Yuen kao fong ta chi yu lou.

Œuvres et entretiens de Kao-fong ta-chi, des Yuen.

Préface de Tchou-hong (1599). Édition de Leng-yen seu (1667).

80 feuillets. — Voir n° précédent, art. I.

— II.

Hing tchoang.

Feuillets 80 et 81. — Voir n° 6569, art. II.

— III.

Hing tchoang.

Feuillets 81 à 87. — Voir n° 6569, art. III.

— IV.

Tha ming.

Feuillets 87 à 90. — Voir n° 6569, art. IV.

Grand in-8. 1 vol. demi-rel., au chiffre de la République Française.
Nouveau fonds 4307.

6571-6572. 天目中峯和尚廣錄

Thien mou tchong fong hoo chang koang lou.

Propos et œuvres du bonze Tchong-fong, de Thien-mou.

Sermons, entretiens, hymnes, etc., recueillis et publiés (1321-1323) par son disciple Tsheu-tsi et présentés à l'empereur. Rapport à l'empereur (1334), par le bonze Chạn-ta Mi-ti-li; ordre (1334) de comprendre cet ouvrage dans le Tripiṭaka. Préface composée par ordre impérial par Kie Hi-seu. Préface par Siu Yi-khwei pour la réédition de 1387. Frontispice au recto du premier feuillet. Lecture des caractères difficiles. Impression de la bonzerie de Yun-lin.

30 livres. — Bunyiu Nanjio 1533.

In-4. 2 vol. demi-rel.; au chiffre de Louis-Philippe.
Nouveau fonds 685.

6573-6574.

Thien mou tchong fong hoo chang koang lou.

Même ouvrage, édition plus grande que la précédente; frontispice légèrement différent.

Grand in-8. Papier blanc. 2 vol. demi-rel., au chiffre de Napoléon III.
Nouveau fonds 1439, 1440.

6575.

Thien mou tchong fong hoo chang koang lou.

Double du précédent.

Grand in-8. 1 vol. demi-rel., au chiffre de la République Française.
Nouveau fonds 4314.

6576. 天目中峯禪師垂示法語

Thien mou tchong fong chạn chi tchhoei chi fa yu.

Instructions du bonze Tchong-fong, de Thien mou.

Extraits des nos 6571-6572. Préface de Si Thẹ-khou (1751). Édition de Hai-tchhoang seu.

In-4. Papier blanc. 1 vol. demi-reliure.
Nouveau fonds 636.

_____

6577. — I.

妙明真覺無見覩和尚住華頂善興禪寺語錄

Miao ming tchen kio oou kien tou hoo chang tchou hoa ting chạn hing chạn seu yu lou.

Œuvres et entretiens de Oou-hien Tou hoo-chang résidant à la bonzerie de Chạn-hing.

Réunis par Tchi-tou, de la bonzerie de Fou-lin à Tchhou-tcheou; gravés de nouveau par Oou-tsin, de Kin-ming seu à Kia-hing. Préface de Than Tcheng-mẹ (1657); préface par Hoang Tsin (1357).

2 livres.

— II.

無見覩和尙塔銘

Oou hien tou hoo chang tha ming.

Inscription du bonze Oouhien.

Nom religieux Sien-tou, de la famille Ye, de Thien-thai (1265-1334). Postface par Hing-toan (1334).

3 feuillets.

— III.

無趣老人語錄

Oou tshiu lao jen yu lou.

Œuvres et entretiens de Oou-tshiu lao-jen.

Ce personnage, né en 1491, de la famille Chi, de Kia-hoo, a pour nom religieux Jou-khong, pour surnom Tsing-tchai; mort en 1580 ou 1581. Œuvres réunies par Sing-tchhong. Deux préfaces non datées.

40 feuillets.

— IV.

無趣老人行狀

Oou tshiu lao jen hing tchoang.

Vie de Jou-khong.

Par Sing-hiu.

2 feuillets.

— V.

金光明懺法補助儀

Kin koang min tchhan fa pou tsou yi.

Règles additionnelles pour la confession du Suvarṇa prabhāsa sūtra.

Traité du bonze Tsoẹn-chi, revu par Tchi-hiu. Édition datée de 1634.

21 feuillets. — Bunyiu Nanjio 1512; cf. n° 6019.

— VI.

金光明經空品

Kin koang ming king khong phin.

Chapitre Khong du Suvarṇa prabhāsa sūtra.

3 feuillets. — Cf. n° 6019.

— VII.

占察善惡業報經行法

Tchạn tchha chạn 'o ye pao king hing fa.

Pratique du sūtra sur la divination.

Par Tchi-hiu.

23 feuillets. — Cf. n° 6120, art. II.

— VIII.

讚禮地藏菩薩懺願儀

Tsan li ti tsang phou sa tchhan yuen yi.

Rituel en l'honneur de Kṣitigarbha bodhisattva.

Par Tchi-hiu; suivi d'une notice de 1637.

11 feuillets. — Cf. n° 6131.

— IX.

灌頂梵天神策經

Koan ting fan thien chen tshę king.

Dhāraṇī des plans merveilleux de Brahmadeva.

Extrait du Mahābhiṣekarddhidhāraṇī sūtra (version de Po Çrimitra).

19 feuillets. — Cf. n° 6203, art. X.

— X.

傅大士傳

Fou ta chi tchoan.

Vie de Fou ta-chi.

Originaire de Oou-tcheou, né en 497, nom séculier Hi, nom religieux Chạn-hoei ta-chi.

3 feuillets.

Bonne gravure.

— XI.

占察善惡業報經

Tchạn tchha chạn 'o ye pao king.

Même ouvrage qu'au n° 6120, art. II.

2 livres.

Grand in-8. 1 vol. demi-rel., au chiffre de la République Française.
Nouveau fonds 4191.

6578. — I.

慧文正辯佛日普照元叟端禪師語錄

Hoei oen tcheng pien fo ji phou tchao yuen seou toan chạn chi yu lou.

Œuvres et entretiens de Toan chạn-chi.

Recueillis par les disciples Fa-lin, Chi-koo et autres. Préfaces par Yong Yu-tsi (1341) et pour une nouvelle édition par Song Lien (1374). Postface par Miao-tao (1343). Édition de Tsi-tchao 'an (1607).

8 livres.

— II.

塔銘

Tha ming.

Inscription du stūpa.

Par Hoang Tsin. Le bonze Hing-toan, surnom Yuen-seou, de la famille Ho, de Lin-hai, a vécu de 1255 à 1341.

5 feuillets.

Grand in-8. 1 vol. demi-rel., au chiffre de la République Française.

Nouveau fonds 4252.

6579. — I.

龍翔笑隱訢禪師語錄

Long siang siao yin hin chạn chi yu lou.

Œuvres et entretiens de Siao-yin Hin chạn-chi.

Nom religieux Ta-hin, de la famille Tchhen, de Kieou-kiang (né en 1284). Préface par Than Tcheng-mẹ (1656). Œuvres recueillies par les disciples Thing-tsiun, Hoei-than, Tchong-fou et autres.

4 livres.

— II.

元廣智全悟大禪師大中大夫住大龍翔集慶釋教宗主兼領五山寺笑隱訢公行道記有贊

Yuen koang tchi tshiuen oou ta chạn chi tà tchong ta fou tchou ta long siang tsi khing

chi kiao tsong tchou kien ling oou chan seu siao yin hin kong hing tao ki yeou tsan.

Inscription funéraire en l'honneur de Siao-yin Hin chạn-chi.

Par Yu Tsi.

7 feuillets (impression défectueuse).

— III.

元太中大夫廣智全悟大禪師住持大龍翔集慶寺釋教宗主兼領五山寺訢公塔銘并序

Yuen thai tchong ta fou koang tchi tshiuen oou ta chạn chi tchou tchhi ta long siang tsi khing seu chi kiao tsong tchou kien ling oou chan seu hin kong tha ming ping siu.

Inscription du stūpa du même.

Par Hoang Tsin.

Feuillets 7 à 11.

Grand in-8. 1 vol. demi-rel., au chiffre de la République Française.

Nouveau fonds 4275.

6580. # 佛日普照慧辯楚石禪師語錄

Fo ji phou tchao hoei pien tchhou chi chạn chi yu lou.

Œuvres et entretiens d'un bonze de Fo-ji Phou-tchao.

Nom religieux Fan-khi, surnom Tchhou-chi et Than–yao, de la famille Tchou, de Ming-tcheou (1296-1370). Préface par Song Lien, de Kin-hoa; préface par Tshien Oei-chạn Khiu-kiang kiu-chi (1367). Édition de Miao-tẹ 'an, au Oou-thai chan (1590). Œuvres recueillies par Tsou-koang et autres.

20 livres.

Grand in-8. 1 vol. demi-rel., au chiffre de la République Française.
Nouveau fonds 4241.

6581. 徑山南石和尙語錄

King chan nan chi hoo chang yu lou.

Œuvres et entretiens de Nan-chi hoo-chang.

Publiés par ses disciples Tsong-mi, Miao-mẹn et autres. Préface de Yao Koang-hiao (1413). L'auteur vivait en 1372. Edition de 1640.

4 livres.

Grand in-8. 1 vol. demi-rel., au chiffre de la République Française.
Nouveau fonds 4298.

6582. — I.

瑞巖怒中和尙語錄

Choei yen chou tchong hoo chang yu lou.

Œuvres et entretiens du bonze Choei-yen Chou-tchong.

Recueillis par le disciple Tsong-fou et autres. Préface par Song Lien, de Kin-hoa (1374). Édition de King-chan (1598).

6 livres.

— II.

天台空室慍禪師行業記

Thien thai khong chi yun chạn chi hing ye ki.

Vie de Yun chạn-chi, de Thien-thai.

Par Song Lien. Le bonze Oou-yun, surnoms Chou-tchong et Khong-chi, était de la famille Tchhen, de Lin-hai (1309-1386).

6 feuillets.

Grand in-8. 1 vol. demi-rel., au chiffre de la République Française.
Nouveau fonds 4294.

6583. — I.

呆庵莊禪師語錄

Hing 'an tchoang chạn chi yu lou.

Œuvres et entretiens de Hing-'an Tchoang chạn-chi.

Recueillis par Hoei-khi, Tchi-yue et autres. Édition de Kou-sou (1630).

8 livres.

— II.

塔 銘 有 序
Tha ming yeou siu.

Inscription du stūpa.

Sans nom d'auteur ni date. Le bonze Hing-'an, nom religieux Phou-tchoang, surnommé King-tchong, était de la famille Yuen, de Thai-sien (1347-1403).

4 feuillets.

Grand in-8. 1 vol. demi-rel., au chiffre de la République Française.
Nouveau fonds 4267.

6584. — I.

壽 昌 無 明 和 尙 語 錄
Cheou tchhang oou ming hoo chang yu lou.

Œuvres et entretiens de Oou-ming hoo-chang.

Nom religieux Hoei-king, sur-nom Oou-ming, de la famille Phei, de Fou-tcheou (✝ 1618). Préface par Hoang Toan-po (1637). Publication du disciple Yuen-lai.

2 livres.

— II.

題 無 明 和 尙 眞 贊 幷 引
Thi oou ming hoo chang tchen tsan ping yin.

Éloge de Oou-ming hoo-chang.

Par Han-chan lao-jen.

1 feuillet.

— III.

新 城 壽 昌 無 明 經 禪 師 塔 銘 有 序
Sin tchheng cheou tchhang oou ming king chạn chi tha ming yeou siu.

Inscription du stūpa de Oou-ming King chạn-chi.

Par Tẹ-tshing, de Han-chan (1620). Édition de Tsi-tchao 'an (1637).

7 feuillets.

Grand in-8. 1 vol. demi-rel., au chiffre de la République Française.
Nouveau fonds 4305.

6585. 憨 山 老 人 夢 遊 全 集
Han chan lao jen mong yeou tshiuen tsi; alias :

憨大師法語

Han ta chi fa yu.

Instructions religieuses du vieillard de Han-chan.

Notées par Fou-chan, de Tong-hai. Cette première édition, gravée à Kiang-tcheou, est vraisemblablement celle de 1621.

5 livres. — Comparer nos 3764-3767 et nos 990-991.

Grand in-8. Premiers feuillets déchirés. 1 vol. demi-rel., au chiffre de la République Française.

Nouveau fonds 4198.

6586. 黄檗隱元禪師語錄

Hoang pe yin yuen chan chi yu lou.

Entretiens et œuvres de Yin-yuen chan-chi.

Recueillis par Hai-ning, Jou-phei et autres. Portrait de l'auteur (vers 1637). Préfaces par Than Tcheng-me (1656), par Thang Chi-tsi (1642), etc. Édition de Leng-yen seu (1653).

16 livres.

Grand in-8. 1 vol. demi-rel., au chiffre de la République Française.

Nouveau fonds 4262.

6587. 象田即念禪師語錄

Siang thien tsi nien chan chi yu lou.

Œuvres et entretiens de Siang-thien Tsi-nien chan-chi.

Notés par Tsing-tchhi, réunis par Pen-tchi. Préface de Lou Hong-ye (1644). L'auteur vivait en 1639.

4 livres.

Grand in-8. 1 vol. demi-rel., au chiffre de la République Française.

Nouveau fonds 4259.

6588. 浮石禪師諸會語錄

Feou chi chan chi tchou hoei yu lou.

Œuvres et entretiens de Feou-chi chan-chi.

Recueillis par les disciples Hing-siun et autres. Préfaces par Than Tcheng-me (1662), par Tshien Khien-yi (1662). Postface non datée. L'auteur vivait en 1639.

10 livres.

Grand in-8. 1 vol. demi-rel., au chiffre de la République Française.

Nouveau fonds 4254.

6589. 入就瑞白禪師語錄

Jou tsieou choei po chạn chi yu lou.

Œuvres et entretiens de Jou-tsieou Choei-po chạn-chi.

Ce personnage, nom religieux Ming-siue, surnoms Choei-po et Jou-tsieou, était de la famille Yang, de Thong-tchheng (1584-1641). Portrait avec éloge. Plusieurs préfaces, une de 1643, une par Oou Ying-fang (1649). Postface par Tsi-yun (1649). Édition de 1649.

Livre préliminaire + 18 livres.

Grand in-8. 1 vol. demi-rel., au chiffre de la République Française.
Nouveau fonds 4263.

6590. — I.

密雲禪師語錄

Mi yun chạn chi yu lou.

Œuvres et entretiens de Mi-yun chạn-chi.

Nom religieux Yuen-oou, de la famille Tsiang, de King-khi (1566-1642). Édition préparée par Tao-min, avec un rapport du même (1660). Préface par un disciple, Hoang Toan-po (1632).

12 livres.

— II.

天童密雲禪師悟公塔銘

Thien thong mi yun chạn chi oou kong tha ming.

Inscription du stūpa de Mi-yun Oou chạn-chi.

Par Tshien Khien-yi.

5 feuillets.

— III.

明天童密雲悟和尚行狀

Ming thien thong mi yun oou hoo chang hing tchoang.

Vie de Mi-yun Oou hoo-chang.

Par son disciple Tao-min.

9 feuillets.

Grand in-8. 1 vol. demi-rel., au chiffre de la République Française.
Nouveau fonds 4292.

6591. 三峯藏和尚語錄

San fong tsang hoo chang yu lou.

Œuvres et entretiens de San-fong Tsang hoo-chang.

Publiés par son disciple Hong-tchhou. Préface par Hiong Khai-yuen (1644); autre préface par Hoa-yen Yu lao seng (1691).

16 livres.

Grand in-8. 1 vol. demi-rel., au chiffre de la République Française.

Nouveau fonds 4302.

6592. 靈機觀禪師語錄

Ling ki koan chan chi yu lou.

Œuvres et entretiens de Ling-ki Koan chan-chi.

Réunis par ses disciples Tsi-fang, Hai-khien, Tchi-phei, Tchhao-hi, etc. Préface par Ta-tchen. L'auteur vivait en 1644.

Livre préliminaire + 6 livres (manquent les appendices de la fin).

Grand in-8. 1 vol. demi-rel.. au chiffre de la République Française.

Nouveau fonds 4288.

6593. 石雨禪師法檀

Chi yu chan chi fa than.

Œuvres et entretiens de Chi-yu chan-chi.

Recueillis par le bonze Tsing-tchou. Auteur : Chang-ming (1593-1648), de la famille Tchhen, de Kia-chan. Préfaces par Khi Pieou-kia, de Chan-yin, et par Hoang Toan-po, surnom Hai-'an tao-jen. En tête, portrait de l'auteur.

20 livres.

Grand in-8. Bonne gravure. 1 vol. demi-rel., au chiffre de la République Française.

Nouveau fonds 4116.

6594. — I.

錦屏破石卓禪師雜著

Kin phing pho chi tcho chan chi tsa tchou.

Œuvres diverses de Pho-chi Tcho chan-chi.

Recueillies par Tchhao-chang. L'auteur, de la famille Tchhen, portait le nom de Oou-tcho (1609-1653).

5 feuillets.

Bonne gravure.

— II.

智譚正禪師住安陸府西來禪寺語錄

Tchi than tcheng chan chi tchou 'an lou fou si lai chan seu yu lou.

Œuvres et entretiens de Tchi-than Tcheng chan-chi pendant son séjour à 'An-lou.

Recueillis par ses disciples Chang-neng et Chang-yong. Le bonze Tchi-than vivait en 1680. Édition de Leng-yen seu (1684).

25 feuillets.

Bonne gravure.

— III.

皇明金剛新異錄

Hoang ming kin kang sin yi lou.

Nouveau recueil des miracles du Vajra, rédigé sous les Ming.

De la période Hong-tchi (1488-1505) à la période Tchhong-tcheng (1628-1644). Par Oang Khi-long, de Sieou-choei. Deux préfaces par l'auteur, surnom Tsai-cheng kiuchi. Édition de Leng-yen seu.

27 feuillets. — Cf. nos 5728 et suivants.

— IV.

大笑禪師語錄

Ta siao chạn chi yu lou.

Œuvres et entretiens de Ta-siao chạn-chi.

Recueillis par Khong-tshing et Khong-yong. Préfaces par Hong Thou-koang Mei-tcha et par Chen Khẹ-tchai (1690); autre préface de de 1692. Le bonze Ta-siao, de la famille Lou de Yo-tchhi, a vécu de 1573 à 1625.

3 livres.

Bonne gravure.

— V.

藥師三昧行法

Yo chi san mei hing fa.

Pratique de la samādhi de Bheṣajyaguru.

Par le bonze Cheou-teng, de Thien-khi. Préface de l'auteur (1664).

23 feuillets. — Cf. nº 6103, art. I et II.

Grand in-8. 1 vol. demi-rel., au chiffre de la République Française.
Nouveau fonds 4189.

6595. 西來秀野林禪師語錄

Si lai sieou ye lin chạn chi yu lou.

Œuvres et entretiens de Sieou-ye Lin chạn-chi.

Réunis par son disciple Tsoei-tcheng et autres. Préface par Fang Chou-tchoang Khi-thien (1661); préface pour la présente réédition par Lieou Yu-lin (1678). L'auteur est de la famille Tcheou, de Tchheng-tou, né en 1614.

Livre préliminaire + 3 livres.

Grand in-8. 1 vol. demi-rel., au chiffre de la République Française.
Nouveau fonds 4285.

6596. 曹溪大休珠禪師六會語錄

Tshao khi ta hieou tchou chạn chi lou hoei yu lou.

Œuvres et entretiens de Ta-hieou Tchou chạn-chi.

Recueillis par Koang-hi et autres. Préface par Than Tcheng-mẹ, surnoms Tao-yi kiu-chi et Sao-'an (1658).

12 livres et annexes (manquent les annexes).

Grand in-8. 1 vol. demi-rel., au chiffre de la République Française.
Nouveau fonds 4280.

6597. 林野奇禪師語錄
Lin ye khi chạn chi yu lou.

Œuvres et entretiens de Lin-ye Khi chạn-chi.

Réunis par le disciple Hing-mi et autres. Préfaces par Tshao Hiun (1648), par Than Tcheng-mẹ (1658), par Oang Thing (1648).

8 livres.

— II.

天童林野奇和尚行狀
Thien thong lin ye khi hoo chang hing tchoang.

Vie de Lin-ye Thong-khi.

Le bonze Thong-khi était de la famille Tshai, de Tchhong-khing (né en 1595). Par Tshao Hiun.

7 feuillets.

— III.

天童林野奇禪師塔銘
Thien thong lin ye khi chạn chi tha ming.

Inscription du stūpa de Lin-ye Thong-khi.

Par Tao-min; postface de Hing-mi (1658).

4 feuillets.

Grand in-8. 1 vol. demi-rel., au chiffre de la République Française.
Nouveau fonds 4297.

6598. 天界覺浪盛禪師語錄
Thien kiai kio lang cheng chạn chi yu lou.

Œuvres et entretiens de Kio-lang Cheng chạn-chi.

Ce bonze était de la famille Tchang, de Min-phou (1592-1659). Préface par Tshien Khien-yi (1658). Œuvres recueillies par les disciples Ta-tchheng et Ta-khi.

12 livres.

Grand in-8. 1 vol. demi-rel., au chiffre de la République Française.
Nouveau fonds 4248.

6599. — I.
千山剩人可和尚塔銘
Tshien chan cheng jen kho hoo chang tha ming.

Inscription du stūpa de Cheng-jen Kho hoo-chang.

Par Tshi-hien Han-chi, de Liuchan.

Feuillets 6 à 10 (après les préfaces).

— II.

奉天遼陽千山剩人可禪師塔碑銘

Fong thien liao yang tshien chan cheng jen kho chạn chi tha pei ming.

Inscription du stūpa.

Le bonze Han-kho, surnoms Tsou-sin et Cheng-jen, était de la famille Han, de Hoei-tcheou (1611-1659). Par Ho Yu, de Yin-tcheou.

Feuillets 11 à 15.

— III.

千山剩人和尚語錄

Tshien chan cheng jen hoo chang yu lou.

Œuvres et entretiens de Cheng-jen hoo-chang.

Réunis par ses disciples Kin-liu et Kin-yeou. Préfaces par Pẹ-li tshiao-jen (1654); par Mou-tchai (1654); préface pour une réédition (1690). Portrait de l'auteur. Lettre officielle de 1652.

6 livres.

Grand in-8. 1 vol. demi-rel., au chiffre de la République Française.
Nouveau fonds 4295.

6600. 靈瑞尼祖揆符禪師妙湛語錄

Ling choei ni tsou koei fou chạn chi miao tchan yu lou.

Entretiens à Miao-tchan, de Koei-fou chạn-chi.

Recueillis par Chi-tchao, Yo-lin et autres. Préface par Mi-'an kiuchi Li Mou. Auteur antérieur à 1660.

5 livres.

Grand in-8. 1 vol. demi-rel., au chiffre de la République Française.
Nouveau fonds 4266.

6601. — I.

長慶空隱獨和尚墖銘

Tchhang khing khong yin tou hoo chang tha ming.

Inscription du stūpa de Khong-yin Tou hoo-chang.

Par Tshien Khien-yi. Le bonze Tao-tou, surnoms Tsong-pao et Khong-yin, était de la famille Lou, de Nan-hai (1600-1661).

4 feuillets.

— II.

長慶老和尚行狀

Tchhang khing lao hoo chang hing tchoang.

Vie du bonze de Tchhang-khing.

Par son disciple Han-chi.

4 feuillets.

— III.

長慶空隱獨和尚語錄

Tchhang khing khong yin tou hoo chang yu lou.

Œuvres et entretiens de Khong-yin Tou hoo-chang.

Réunis par un disciple médiat, Kin-chi. Préface de l'auteur, préface de Han-chi, non datées.

2 livres.

Grand in-8. 1 vol. demi-rel., au chiffre de la République Française.
Nouveau fonds 4299.

6602. — I.

顯聖三宜盂禪師語錄

Hien cheng san yi yu chạn chi yu lou.

Œuvres et entretiens de San-yi Yu chạn-chi.

Réunis par son disciple Tsing-fan, de Hien-cheng seu. Introduction non datée; préface par Koang-joẹn Tao-min (1648?).

1 t livres.

— II.

雲門顯聖愚菴盂禪師塔銘

Yun mẹn hien cheng yu 'an yu chạn chi tha ming.

Inscription du stūpa de Yu-'an Yu chạn-chi.

Ce bonze était de la famille Ting, de Tshien-thang, nom religieux Ming-yu, surnom San-yi (1599-1665). Inscription rédigée par Tao-min Hong-kio chạn-chi.

8 feuillets.

Grand in-8. 1 vol. demi-rel., au chiffre de la République Française.
Nouveau fonds 4244.

6603. 天童弘覺忞禪師語錄

Thien thong hong kio min chạn chi yu lou.

Œuvres et entretiens de Hong-kio Min chạn-chi.

Publiés par les disciples Hien-khiuen et autres. Hong-kio Tao-min vivait vers 1665.

Livres 16 à 20.

Grand in-8. 1 vol. cartonnage.
Nouveau fonds 4682.

6604. 蓮峯禪師語錄

Lien fong chạn chi yu lou.

Œuvres et entretiens de Lien-fong chạn-chi.

Réunis par son disciple Sing-chen et autres. Préface par Tchhao-phei (1666). Édition de Leng-yen seu (1692).

10 livres.

Grand in-8, 1 vol. demi-rel., au chiffre de la République Française.

Nouveau fonds 4303.

6605. — I.

東山破峯重禪師語錄

Tong chan pho fong tchong chạn chi yu lou.

Œuvres et entretiens de Pho-fong Tchong chạn-chi.

Réunis par ses disciples Tchhoan-hoei et autres. Préface par Koan Cheng-kho Tẹ-yu Ki-eul, de Yu (1683).

2 livres.

— II.

破峯重禪師塔銘

Pho fong tchong chạn chi tha ming.

Inscription du stūpa de Pho-fong Tchong chạn-chi.

Nom religieux Phou-tchong, de la famille Yo (1626-1667). Par Li Tchao- siang. Édition de Leng-yen seu (1683).

4 feuillets.

— III.

普明石關禪師語錄

Phou ming chi koan chạn chi yu lou.

Œuvres et entretiens de Chi-koan chạn-chi.

Recueillis par ses disciples Fang-koei et autres. Préface par Lou Koang-hiu Ying-hou (1680). L'auteur vivait en 1667.

1 livre.

— IV.

祖亮禪師語錄

Tsou liang chạn chi yu lou.

Œuvres et entretiens de Tsou-liang chạn-chi.

Recueillis par son disciple Koang-hoo. L'auteur vivait en 1690.

1 livre (22 feuillets).

— V.

平湖德藏禪寺語錄

Phing hou tẹ tsang chạn seu yu lou.

Œuvres et entretiens de la bonzerie de Tę-tsang.

Se rapportant au même bonze que l'art. IV (1694).

1 livre (24 feuillets).

— VI.

衡州開峰密行忍禪師語錄

Heng tcheou khai fong mi hing jen chạn chi yu lou.

Œuvres et entretiens de Mi-hing Jen chạn-chi.

Recueillis par ses disciples médiats Ming-koang, Ming-tchen et autres. Préface par Tchhę Yi-tao Yin-yao (1719?). L'auteur était de la famille Kou, de Yi-liang, au Yun-nan. Édition de Kia-hing.

3 livres.

— VII.

中興寺嗣燈和尚胤禪師語錄

Tchong hing seu seu teng hoo chang yin chạn chi yu lou.

Œuvres et entretiens de Seu-teng Yin chạn-chi.

Réunis par ses disciples médiats Jou-yu, Jou-tshong. Préface de 1694, par Tchou-lang Tchhę-

cheng. L'auteur était de la famille Lieou, de Fou-choęn, nom religieux Yuen-yin. Édition de Leng-yen seu.

Forme le 4ᵉ livre de l'art. VI.

Grand in-8. 1 vol. demi-rel., au chiffre de la République Française.
Nouveau fonds 4291.

6606. — I.

無依道人錄

Oou yi tao jen lou.

Entretiens de Oou-yi tao-jen.

Recueillis par son disciple Hong-liang et par le bonze Tchhao-oou. Préface du bonze Seng-kien (1667). Oou-yi tao-jen, nom, postnom, surnom Siu Tchhang-tchi Kin-tcheou.

2 livres (incomplet à la fin d'un supplément).

Gravure médiocre.

— II.

無相大師行狀

Oou siang ta chi hing tchoang.

Vie de Oou-siang ta-chi.

Autre nom : Hiuen-kio chạn-chi, originaire de Yong-kia, de la famille Tai (époque des Thang). Auteur Yang Yi (974-1030).

1 feuillet.

Bonne gravure.

— III.

禪宗永嘉集

Chan tsong yong kia tsi.

Collection de Yong-kia, relative à la doctrine.

Par Hiuen-kio chan-chi. Préface de Oei Tsing (époque des Thang). Lecture des caractères difficiles.

32 feuillets. — Cf. Bunyiu Nanjio 1585.

Bonne gravure.

— IV.

永嘉證道歌

Yong kia tcheng tao ko.

Poésie sur la connaissance.

Par Hiuen-kio. Lecture des caractères difficiles. Édition de Leng-yen seu (1667).

Feuillets 33 à 37.

Bonne gravure.

— V.

天然是禪師梅花詩

Thien jan chi chan chi mei hoa chi.

Poésies sur les fleurs de prunier.

Par le bonze Thien-jan, réunies par son disciple Kin-pien. Préface non datée de Oang Thing.

21 feuillets. — Voir n° 3769.

— VI.

天然是禪師雪詩

Thien jan chi chan chi siue chi.

Poésies sur la neige.

Par le même, réunies par Kin-pien. Préface par Kin-siuen Lou Chi-kiai. Édition de Leng-yen seu.

Feuillets 23 à 41.

— VII.

普明寺牧牛圖頌

Phou ming seu mou nieou thou song.

Planches et poésies au sujet du bœuf que l'on fait paître, de Phou-ming seu.

Préface par Tchou-hong (1609); préface par To-li tao-jen Yen Ta-tshan. La table est datée de 1662. Dix pièces de poésie, chacune avec une illustration. Auteur : Phou-ming chan-chi.

Feuillets 5 à 9.

— VIII.

眞寂和尙和牧牛圖頌

Tchen tsi hoo chang hoo mou nieou thou song.

Poésies sur les mêmes rimes, par Tchen-tsi hoo-chang.

Nom religieux Koang-yin, sur-nom Oen-kou.

2 feuillets.

Caractères semi-cursifs.

— IX.

報恩和尚和牧牛圖頌

Pao 'en hoo chang hoo mou nieou thou song.

Poésies sur les mêmes rimes, par Pao-'en hoo-chang.

Nom religieux Yuen-sieou, sur-nom Thien-yin.

2 feuillets.

Caractères semi-cursifs.

— X.

東塔和尚和牧牛圖頌

Tong tha hoo chang hoo mou nieou thou song.

Poésies sur les mêmes rimes, par Tong-tha hoo-chang.

Nom religieux Hai-ming, sur-nom Pho-siao.

2 feuillets.

Caractères semi-cursifs.

— XI.

萬如禪師和牧牛圖頌

Oan jou chạn chi hoo mou nieou thou song.

Poésies sur les mêmes rimes, par Oan-jou chạn-chi

Nom religieux Thong-oei.

2 feuillets.

Caractères semi-cursifs.

— XII.

東塔浮石禪師和牧牛圖頌

Tong tha feou chi chạn chi hoo mou nieou thou song.

Poésies sur les mêmes rimes, par Tong-tha Feou-chi chạn-chi.

Nom religieux Thong-hien.

2 feuillets.

Caractères semi-cursifs.

— XIII.

玉林和尚和牧牛圖頌

Yu lin hoo chang hoo mou nieou thou song.

Poésies sur les mêmes rimes, par Yu-lin hoo-chang.

Nom religieux Thong-sieou.

2 feuillets

Caractères semi-cursifs.

— XIV.

箬庵禪師和牧牛圖頌

Jo 'an chạn chi hoo mou nieou thou song.

Poésies sur les mêmes rimes, par Jo 'an chạn-chi.

Nom religieux Thong-oen.

2 feuillets

Caractères semi-cursifs.

— XV.

山茨禪師和牧牛圖頌

Chan tsheu chạn chi hoo mou nieou thou song.

Poésies sur les mêmes rimes, par Chan-tsheu chạn-chi.

Nom religieux Thong-tsi.

2 feuillets

Caractères semi-cursifs.

— XVI.

桐月菴禪師和牧牛圖頌

Thong yue 'an chạn chi hoo mou nieou thou song.

Poésies sur les mêmes rimes, par Thong-yue-'an chạn-chi.

Nom religieux Miao-yong, surnom Hiuen-oei.

2 feuillets.

Caractères semi-cursifs.

— XVII.

一指菴禪師和牧牛圖頌

Yi tchi 'an chạn chi hoo mou nieou thou song.

Poésies sur les mêmes rimes, par Yi-tchi-'an chạn-chi.

Nom religieux Ming-hai, surnom Hiang-tchhoang.

2 feuillets

Caractères semi-cursifs.

— XVIII.

轆轤道人嚴大參和牧牛圖頌

To li tao jen yen ta tshan hoo mou nieou thou song.

Poésies sur les mêmes rimes, par Yen Ta-tshan.

3 pièces (6 feuillets).

Caractères semi-cursifs.

— XIX.

跛道人如念牧牛圖頌有序

Pho tao jen jou nien mou nieou thou song yeou siu.

Poésies au sujet du bœuf que l'on fait paître, avec préface, par Jou-nien.

Pièce sur les mêmes rimes.

2 feuillets.

Caractères carrés soignés.

— XX.

無依道人和牧牛圖頌

Oou yi tao jen hoo mou nieou thou song.

Poésies sur les mêmes rimes, par Oou-yi tao-jen.

Auteur : Siu Tchhang-tchi Kin-tcheou.

2 feuillets.

Caractères carrés médiocres.

— XXI.

牧公道人項眞本和牧牛圖頌

Mou kong tao jen hiang tchen ṗen hoo mou nieou thou song.

Poésies sur les mêmes rimes, par Hiang Tchen-ṗen Mou-kong tao-jen.

2 feuillets.

Caractères carrés médiocres.

— XXII.

巨徹禪師和牧牛圖頌

Kiu tchhẹ chạn chi hoo mou nieou thou song.

Poésies sur les mêmes rimes, par Kiu-tchhẹ chạn-chi.

Nom religieux Tsi-sien.

2 feuillets.

Caractères carrés médiocres.

— XXIII.

巨徹禪師和白牛圖頌

Kiu tchhẹ chạn chi hoo po nieou thou song.

Poésies sur le bœuf blanc, mêmes rimes, par Kiu-tchhẹ chạn-chi.

2 feuillets.

Caractères carrés médiocres.

Grand in-8. 1 vol. demi-rel., au chiffre de la République Française.

Nouveau fonds 4185.

6607. 牧牛圖

Mou nieou thou.

Même ouvrage qu'au n° 6606, art. VII. Préface de Tchou-hong. Appendice.

Petit in-8. Papier blanc. 1 vol. demi-reliure.

Nouveau fonds 75.

6608-6609. — I (6608).

萬峯汶翁童眞和尙語錄

Oan fong oen oong thong tchen hoo chang yu lou.

Œuvres et entretiens de Oen-oong Thong-tchen hoo-chang.

Rassemblés par Te-lin. Introduction de 1667 ; préface par Lieou Jou-han.

3 livres.

— II (6608).

宗統頌

Tsong thong song.

Poésies sur les chefs des écoles bouddhiques.

Depuis Hoai-jang chan-chi (né en 677). Trente pièces par Tchi-chan.

27 feuillets. — Cf. n° 6612, art. II.

— III (6608-6609).

徑山雪嶠禪師語錄

King chan siue kiao chan chi yu lou.

Œuvres et entretiens de Siue-kiao chan-chi.

Recueillis par les disciples Hong-hie, Hong-tchou et autres.

L'auteur vivait en 1643. Préface par Than Tcheng-me. Édition de Leng-yen seu (1652 ?).

4 livres.

— IV (6609).

雪嶠大師拈古頌古

Siue kiao ta chi nien kou song kou.

Poésies sur l'antiquité par Siue-kiao ta-chi.

Préface de l'auteur ; préface par Koo Ying-tchi (1627).

52 feuillets (livre 5 de l'article III).

Grand in-8. 1 vol. demi-rel., au chiffre de la République Française.

Nouveau fonds 4309.

1 vol. cartonnage.
Nouveau fonds 4677.

6610. 萬峯童眞和尙湘山頌古

Oan fong thong tchen hoo chang siang chan song kou.

Poésies religieuses sur l'antiquité, par Thong-tchen hoo-chang.

Publiées par un disciple, Tsi-hoei. Préface de l'auteur Oen-oong Tchi-chan.

2 livres.

Grand in-8. 1 vol. demi-rel., au chiffre de la République Française.
Nouveau fonds 4308.

6611. — I.

古梅洌禪師語錄

Kou mei lie chạn chi yu lou.

Œuvres et entretiens de Kou-mei Ting-liẹ chạn-chi.

Ce bonze vivait en 1665 et 1669. Œuvres recueillies par Tchen-khien et Ming-king; précédées de plusieurs pièces officielles. Édition de Leng-yen seu.

2 livres (5 sections). — Les feuillets 7 et 8 du 1er livre (3e section) sont en blanc.

— II.

四代像讚

Seu tai siang tsan.

Éloges pour les portraits de quatre bonzes.

Par Ting-lie, de Koang-hoa chạn-seu, à Fou-yong chan.

9 feuillets.

Grand in-8. 1 vol. demi-rel., au chiffre de la République Française.
Nouveau fonds 4230.

6612. — I.

高峯喬松億禪師語錄

Kao fong khiao song yi chạn chi yu lou.

Œuvres et entretiens de Khiao-song Yi chạn-chi.

Auteur, de la famille Fong, né en 1619. Œuvres réunies par Teng-hong. Préface par Li Tao-tsi, de Phing-chan (1670).

34 feuillets.

— II.

高峯喬松億禪師宗統編頌

Kao fong khiao song yi chạn chi tsong thong pien song.

Poésies sur les chefs successifs des écoles bouddhiques, par Khiao-song Yi chạn-chi.

Publiées de nouveau par Teng-hong.

28 feuillets. — Cf. n° 6608, art. II.

Grand in-8. 1 vol. demi-rel., au chiffre de la République Française.
Nouveau fonds 4306.

6613. 山鐸眞在禪師語錄

Chan to tchen tsai chạn chi yu lou.

Œuvres et entretiens de Tchen-tsai chạn-chi.

De la famille Li, de Kiang-tcheou, surnoms Yuṇ-'aṇ et Chan-to (1621-

1672). Œuvres recueillies par Ki-yun et Tchi-hiu, disciples.

76 feuillets.

— II.

行狀

Hing tchoang.

Biographie.

Par Ki Hoo-tchheng (1681).

6 feuillets.

Grand in-8. 1 vol. demi-rel., au chiffre de la République Française.
Nouveau fonds 4277.

6614. — I.

元潔瑩禪師語錄

Yuen kie yong chạn chi yu lou.

Œuvres et entretiens de Yuen-kie Yong chạn-chi.

Nom religieux Tsing-yong, de la famille Tchoang, de Kiang-tou (1612-1672). Œuvres recueillies par le disciple Tchi-siang.

10 livres.

— II.

行狀

Hing tchoang.

Biographie.

Par Tchi-yuen.

8 feuillets.

— III.

塔銘

Tha ming.

Inscription du stūpa.

Par Tsing-fou, de Hang-tcheou.

6 feuillets.

Grand in-8. 1 vol. demi-rel., au chiffre de la République Française.
Nouveau fonds 4238.

6615. 敏樹禪師語錄

Min chou chạn chi yu lou.

Œuvres et entretiens de Min-chou chạn-chi.

Réunis par les disciples Tao-tchhong et Tao-ling. Préfaces non datées. L'auteur est mort à 70 ans en 1644 et des cérémonies funé-raires ont eu lieu en 1672. Édition de Leng-yen seu (1688).

10 livres.

Grand in-8. 1 vol. demi-rel., au chiffre de la République Française.
Nouveau fonds 4269.

6616. — I.

汾陽龍山華嚴堂上傳
曹洞正宗第三十一
世柏山楷禪師行寶

Fẹn yang long chan hoa yen thang chang tchhoan tshao

tong tcheng tsong ti san chi yi chi po chan kiai chạn chi hing chi.

Vie de Po-chan Tẹ-kiai chạn-chi.

Par Yuen-thong Thong-joei; placée après les préfaces.

8 feuillets.

— II.

柏山楷禪師語錄

Po chan kiai chạn chi yu lou.

Œuvres et entretiens de Po-chan Kiai chạn-chi.

Recueillis par Hing-oou et autres disciples. Préface par Mao-chẹ Thong-joei (1703); autre préface par Tchi-tchhoan. Le bonze Tẹ-kiai était de la famille Tchoang, de Thai-hing; il vivait en 1672.

5 livres.

Grand in-8. 1 vol. demi-rel., au chiffre de la République Française.
Nouveau fonds 4256.

6617. — I.

金粟天岸昇禪師語錄

Kin siu thien 'an cheng chạn chi yu lou.

Œuvres et propos de Thien-'an Pẹn-cheng chạn-chi.

Réunis par les disciples Yuen-yu et autres. Préface par Yeou Thong, de Tchhang-tcheou (1686).

20 livres.

— II.

金粟天岸昇禪師塔銘

Kin siu thien 'an cheng chạn chi tha ming.

Inscription du stūpa de Thien-'an Pẹn-cheng chạn-chi.

Nom religieux Pẹn-cheng, surnom 'Eou-'an, de la famille Tchhen, de Tchen-kiang (1620-1673). Inscription rédigée par Li Hoan-tchang Siang-sien, de Tshing-tcheou.

5 feuillets

Grand in-8. 1 vol. demi-rel., au chiffre de la République Française.
Nouveau fonds 4247.

6618. — I.

南海寶象林慧弓詞禪師語錄

Nan hai pao siang lin hoei kong hiong chạn chi yu lou.

Œuvres et entretiens de Hoei-kong Khai-hiong chạn-chi.

Recueillis par Tchhoan-yi, Fa-tchao et autres. La table des matières indique 8 livres; les livres 1, 7 et 8 renferment les œuvres diverses.

— II.

南海寶象林慧弓詞禪師宗門拈古

Nan hai pao siang lin hoei kong hiong chạn chi tsong mẹn nien kou.

Historique des écoles anciennes, par Hoei-kong Khai-hiong chạn-chi.

A partir de Tshing-yuen, disciple du sixième patriarche, jusqu'à la 37ᵉ génération ; tableaux et texte.

Livres 2 à 5.

— III.

南海寶象林慧弓詞禪師源流拈頌

Nan hai pao siang lin hoei kong hiong chạn chi yuen lieou nien song.

Origines du bouddhisme chinois, par le même.

Livre 6.

A la fin du livre 8.

— IV.

南海寶象林慧弓禪師塔銘并序

Nan hai pao siang lin hoei kong chạn chi tha ming ping siu.

Inscription de stūpa de Hoei-kong chạn-chi.

Par Po-yen Tsing-fou, de Hang-tcheou (1680).

4 feuillets.

— V.

南海寶象林慧弓詞禪師傳

Nan hai pao siang lin hoei kong hiong chạn chi tchoan.

Vie de Hoei-kong Khai-hiong chạn-chi.

Nom religieux Khai-hiong, surnoms Hoei-kong et Chi-tsien, de la famille Tchang, de Choẹn-yi (1634-1676). Vie par Khai-koei (1677).

5 feuillets.

Grand in-8. Gravure médiocre. 1 vol. demi-reliure, au chiffre de la République Française.
Nouveau fonds 4265.

6619. — I.

語崎宜林天則能禪師語錄

Yu khi yi lin thien tsẹ neng chạn chi yu lou.

Œuvres et entretiens de Thien-tsẹ Neng chạn-chi.

Recueillis par Tao-tchhong et Siu-ni. Préfaces par Ki-yun (1677), par Lo Khai-lin. L'auteur, le bonze Ki-neng, surnom Tsing-chạn, de la famille Khang, était né en 1618. Édition de Hoang-tcheou (1683).

25 feuillets.

— II.

行畧

Hing lio.

Vie abrégée.

4 feuillets.

— III.

東巖禪師黃連語錄

Tong yen chạn chi hoang lien yu lou.

Entretiens de Tong-yen chạn-chi à Hoang-lien.

Recueillis par Ki-sieou. Préfaces par Li Yuen-khoan, de Nan-tchhang, et par Oen Tẹ-yi. L'auteur vivait en 1655. Édition de Po-fou seu au Kiang-si.

27 feuillets.

— IV.

東巖禪師蘄州語錄

Tong yen chạn chi khi tcheou yu lou.

Entretiens de Tong-yen chạn-chi à Khi-tcheou.

Notes par Tchao-oou et Tsong-tchi.

15 feuillets.

Grand in-8. 1 vol. demi-rel., au chiffre de la République Française.
Nouveau fonds 4261.

6620. 台州府瑞巖淨土禪寺方山文寶禪師語錄

Thai tcheou fou choei yen tsing thou chạn seu fang chan oen pao chạn chi yu lou.

Œuvres et entretiens de Fang-chan Oen-pao chạn-chi.

Publiés par les disciples Sien-tou, Tsou-teng, Ki-yun. Préface sans date.

1 livre (17 feuillets).

Grand in-8. 1 vol. cartonnage.
Nouveau fonds 4685.

6621-6622. 蔗菴範禪師語錄

Tchẹ 'an fan chạn chi yu lou.

Œuvres et entretiens de Tchẹ-'an Tsing-fan chạn-chi.

Portrait avec poésie par lui-même. Préface par lui-même :

Tsing-fan, surnom Oei-tsẹ, de la famille Hi, de Kou-sou. Préfaces par Ho Yuen-ying (1676), par Tchou Feou (1677), etc. Les œuvres ont été réunies par les disciples Tchi-tchang, Tchi-kiong Tchi-jen.

30 livres.

Grand in-8. 2 vol. demi-rel., au chiffre de la République Française.

Nouveau fonds 4245, 4246.

6623. — I.

蘇州竹菴衍禪師語錄

Sou tcheou tchou 'an yen chạn chi yu lou.

Entretiens et œuvres du bonze Tchen-yen Tchou-'an, de Soutcheou.

Ouvrage en partie semblable au nº 5853, art. II. Préfaces par Lo Tchen-sing (1673), Siu Yuen-oen (1679). Au début de l'ouvrage, vies du bonze Tchou-'an, autre nom Tchen-yen, de la famille Hiu, de Tchhang-tcheou (1621-1677). Table des matières. Texte.

2 livres.

— II.

竹菴和尚傳

Tchou 'an hoo chang tchoan.

Vie du bonze Tchou-'an.

Biographie annexe par Tseng Thong-ki (1675); insérée avant la table.

— III.

禪燈和尚爲先和尚舉火法語

Chạn teng hoo chang oei sien hoo chang kiu hoo fa yu.

Allocution du bonze Chạnteng pour les anciens bonzes.

Grand in-8. 1 vol. demi-rel., au chiffre de la République Française.

Nouveau fonds 274.

6624. — I.

性空臻禪師語錄

Sing khong tchen chạn chi yu lou.

Œuvres et entretiens de Singkhong Hing-tchen chạn-chi.

Recueillis par Tchhao-hiao, Tchhao-tseu et autres. Préface par Tchang Fa-tchhen (1697), par Mao-Tchhang de Ho-yang (1693). Édition de Tchhong-ning 'an, à Péking.

6 livres.

— II.

塔銘

Tha ming.

Inscription du stūpa.

Le bonze Sing-khong, nom religieux Hing-tchen, de la famille Pien, de Tai-tcheou, est mort en 1678. Inscription par Oang Yuen, de Tchhang-tcheou.

3 feuillets.

Grand in-8. 1 vol. demi-rel., au chiffre de la République Française.
Nouveau fonds 4268.

6625. 觀濤奇禪師語錄
Koan thao khi chạn chi yu lou.

Œuvres et entretiens du bonze Koan-thao Ta-khi.

Auteur Koan-thao Ta-khi, surnom Chi-hien, de la famille Pheng, de Fou-tcheou (1625-1678). Œuvres réunies par ses disciples Hing-chou et autres.

6 livres.

Grand in-8. 1 vol. demi-rel., au chiffre de la République Française.
Nouveau fonds 4140.

6626. 普明香嚴禪師語錄
Phou ming hiang yen chạn chi yu lou.

Œuvres et entretiens de Phou-ming Hiang-yen chạn-chi.

Réunis par Ming-siang et autres. Préface par Tou-yen Ye Sie (1681). L'auteur vivait en 1678.

1 livre.

Grand in-8. Feuillets intervertis. 1 vol. demi-rel., au chiffre de la République Française.
Nouveau fonds 4255.

6627. — I.
林我禪師語錄
Lin oo chạn chi yu lou.

Œuvres et entretiens de Lin-oo chạn-chi.

Nom de famille Heou, de Lang-tcheou (1612-1679). Préfaces par Fong Koẹ-chi et par Yu Tchhang-yin. Œuvres recueillies par Hai-tchen et par Hai-tseu, disciples. Édition de Leng-yen seu (1691).

4 livres.

— II.
林我禪師塔銘
Lin oo chạn chi tha ming.

Inscription du stūpa de Lin-oo chạn-chi.

Par Tcheou-Tshan Sing-kong Tan-yuen kiu-chi (1679).

4 feuillets.

Grand in-8. 1 vol. demi-rel., au chiffre de la République Française.
Nouveau fonds 4276.

6628. — I.

伏獅義公禪師語錄

Fou chi yi kong chạn chi yu lou.

Œuvres et entretiens de Fou-chi Yi-kong chạn-chi.

Réunis par Ming-yuen. Préface par Kao Yi-yong Tseu-sieou (1678); postface de Tchhao-chen (1678).

ı livre.

— II.

伏獅義公禪師行狀

Fou chi yi kong chạn chi hing tchoang.

Vie de Fou-chi Yi-kong chạn-chi.

Nom religieux Tchhao-kho, sur-nom Yi-kong, de la famille Kin, de Oou hien. Vie écrite en 1678 par Ming-yuen, disciple.

6 feuillets.

— III.

㕘同一揆禪師語錄

Tshan thong yi khoei chạn chi yu lou.

Œuvres et entretiens de Tshan-thong Yi-khoei chạn-chi.

Portrait et éloge. Préface par Chi Po Yo-’an (1680). Œuvres recueillies par Phou-ming, Ming-

tsiun, etc. Le bonze Yi-khoei avait pour nom religieux Tchhao-cheng; il était de la famille Soẹn, de Kia-hing (1625-1679).

ı livre.

— IV.

自敘行略訓徒

Tseu siu hing lio hiun thou.

Autobiographie abrégée pour instruire les disciples.

2 feuillets.

— V.

㕘同一揆禪師行實

Tshan thong yi khoei chạn chi hing chi.

Vie de Yi-khoei chạn-chi.

Par Phou-ming (1679).

8 feuillets.

— VI.

㕘同菴記銘

Tshan thong ’an ki ming.

Inscription commémorative du Tshan-thong ’an.

Par Oang Thing (1675).

Grand in-8. ı vol. demi-rel., au chif-fre de la République Française.

Nouveau fonds 4253.

6629. — I.

丹霞澹歸釋禪師語錄

Tan hia tan koei chi chạn chi yu lou.

Œuvres et entretiens de Tan-koei Kin-chi chạn-chi.

Œuvres réunies par Lo-yue Kin-pien et autres.

3 livres.

— II.

丹霞澹歸釋禪師行狀

Tan hia tan koei chi chạn chi hing tchoang.

Vie de Tan-koei Kin-chi chạn-chi.

Nom religieux Kin-chi, surnom Tan-koei, de la famille Kin, de Jen-hoo (1614-1680). Par Kin-pien, de Phan-yu.

4 feuillets.

— III.

丹霞澹歸釋禪師塔銘

Tan hia tan koei chi chạn chi tha ming.

Inscription du stūpa du même.

Par Siu Khien-hio (1690).

5 feuillets.

Grand in-8. 1 vol. demi-rel., **au chiffre de la République Française.**
Nouveau fonds 4281.

6630. 海幢阿字無禪師語錄

Hai tchhoang 'o tseu oou chạn chi yu lou.

Propos du bonze 'O-tseu Kin-oou, de la bonzerie de Hai-tchhoang.

Kin-oou, nom de famille Oan († 1681). Biographie par Kou-yun. Ses propos ont été recueillis par Lo-yue Kin-pien; portrait de Kin-oou.

2 livres.

Grand in-8. 1 vol. demi-rel., au chiffre de la République Française.
Nouveau fonds 4251.

6631.

Hai tchhoang 'o tseu oou chạn chi yu lou.

Même ouvrage; édition imitée, plus petite.

In-4. Papier blanc. 1 vol. demi-rel., au chiffre de Louis-Philippe.
Nouveau fonds 630.

6632. 金明晦岳機旭禪師語錄

Kin ming hoei yo ki hiu chạn chi yu lou.

Œuvres et entretiens de Hoei-yo Ki-hiu chạn-chi.

Réunis par Tao-fou, Tcheng-yong, Hong-khi, Tshiuen-thi. L'auteur vivait en 1683.

6 livres.

Grand in-8. Gravure médiocre. 1 vol. demi-rel., au chiffre de la République Française.

Nouveau fonds 4287.

6633. 黔靈赤松領禪師語錄

Khien ling tchhi song ling chạn chi yu lou.

Œuvres et entretiens de Tchhi-song Ling chạn-chi.

Recueillis par le disciple Tsi-yuen. Préfaces par Yin Pi Mong-tchhen (1683), par Fa-sieou (1691). L'auteur, de la famille Han, naquit en 1634.

5 livres.

Grand in-8. 1 vol. demi-rel., au chiffre de la République Française.

Nouveau fonds 4260.

6634. 青城山鳳林寺竹浪生禪師語錄

Tshing tchheng chan fong lin seu tchou lang cheng chạn chi yu lou.

Œuvres et entretiens de Tchou-lang Cheng chạn-chi.

Réunis par Jou-pheng, Tchen-choạn et autres. Préfaces par Hou Cheng-yeou (1683), par Tchhẹ-tchong (1689), par Tchhẹ-kang (1693), par Tchang Thien-fong (1694). L'auteur, né en 1634, a vécu jusqu'en 1684; il était de la famille Oang, de Ting-yuen.

7 livres.

Grand in-8. 1 vol. demi-rel., au chiffre de la République Française.

Nouveau fonds 4272.

6635. — I.

天然是和尚塔誌銘
Thien jạn chi hoo chang tha tchi ming.

Inscription du stūpa de Thien-jạn Han-chi hoo-chang.

Par Thang Lai-ho.

3 feuillets.

— II.

本師天然和尚行狀
Pẹn chi thien jạn hoo chang hing tchoang.

Vie du même.

Par son disciple Kin-pien.

5 feuillets.

— III.

天然是禪師語錄
Thien jan chi chan chi yu lou.

Œuvres et entretiens de Thien-jan Han-chi chan-chi.

Portrait de l'auteur; nom religieux Han-chi, surnoms Li-tchong et Thien jan (1608-1685). Préfaces par Han-sieou (1642), Liang Tienhoa Kin-tchoan (1648), Lou Chikiai Kin-siuen (1670). Un disciple, Kin-pien a réuni les œuvres pour cette seconde édition.

12 livres.

Grand in-8. 1 vol. demi-rel., au chiffre de la République Française.
Nouveau fonds 4249.

6636. 侶巖荷禪師語錄
Liu yen ho chan chi yu lou.

Œuvres et entretiens de Liu yen Ho chan-chi.

Recueillis par Tchheng-choen, Tchheng-hao, etc. Préfaces par Hiao-si tao-jen (1685), par Tchhen Liang (1685).

7 livres.

Grand in-8. 1 vol. demi-rel., au chiffre de la République Française.
Nouveau fonds 4239.

6637. 洗心木禪師語錄
Si sin mou chan chi yu lou.

Œuvres et entretiens de Sisin Mou chan-chi.

Recueillis par Chi-siue, Chi-yun, Chi-hoei, Hai-tshing et autres. Préfaces par Tchao Yunhi (1687), Oang Ki-siang (1686). Postface (1698), par Oen Tchi. Édition de Kia-hing (1700). L'auteur, de la famille Lieou, naquit en 1654.

2 livres.

Grand in-8. 1 vol. demi-rel., au chiffre de la République Française.
Nouveau fonds 4258.

6638. 佛冤綱禪師語錄
Fo yuen kang chan chi yu lou.

Œuvres et entretiens de Fo-yuen Kang chan-chi.

Réunis par les disciples Singchoen, Yin-khien et autres. Préfaces par Song Yi-tchang Tchhetchong (1687), par Pheng Oenoei Tchhe-yen (1669). Postface de 1697. Édition de Leng-yen seu. L'auteur, de la famille Li de Neikiang, naquit en 1626.

12 livres.

Grand in-8. 1 vol. demi-rel., au chiffre de la République Française.

Nouveau fonds 4264.

6639. 暉洲昊禪師語錄

Hoei tcheou thai chan chi yu lou.

Œuvres et entretiens de Thai chan-chi, de Hoei-tcheou.

Réunis par Sing-tchen, Tsi-pao, Heng-jou, etc. Préface par Chen-siue Yong-tshien. Vie abrégée : le bonze Thai chan-chi était de la famille Lieou, de Loan-tcheou, il vivait en 1688. Édition de Leng-yen seu (1702). Lecture des mots difficiles.

Livre préliminaire + 6 livres (le dernier en 2 sections).

Grand in-8. 1 vol. demi-rel., au chiffre de la République Française.

Nouveau fonds 4250.

6640. — I.

調寶居士證源錄

Thiao chi kiu chi tcheng yuen lou.

Propos et exemples de Thiao-chi kiu-chi.

Recueillis par son disciple Lo Ki-tchhe, avec préfaces de Lo Khai-lin (1691) et de Hiang Khien (1692). Thiao-chi était de la famille Lou, de Sieou-choei, postnom Ying, surnom Khin-hoa, nom religieux Tchen-hoo.

33 feuillets.

— II.

華岩不厭樂禪師語錄

Hoa yen pou yen lo chan chi yu lou.

Œuvres et propos du bonze Pou-yen Tao-lo.

Recueillis par son disciple Te-phou et autres ; préface de 1693 par Ko-min. Le bonze Pou-yen Tao-lo, de Yin-kiang au Koei-tcheou, vivait au Koei-tcheou et au Seu-tchhoan, en 1689 et 1700. Sa vie, par les disciples Jou-hoei et Hong-hieou, est au livre 1er.

3 livres.

— III.

半水元禪師語錄

Pan choei yuen chan chi yu lou.

Propos du bonze Pan-choei Yuen.

Recueillis par son disciple Koang-oan (?) (vers 1666). Impression de Leng-yen seu.

12 feuillets.

— IV.

德風禪師語錄

Tẹ fong chạn chi yu lou ; alias :

德風禪師般若語錄

Tẹ fong chạn chi pan jẹ yu lou.

Œuvres et entretiens du bonze Tẹ-fong.

Recueillis par Jou-sing, son disciple ; préface de 1689, par Chen Tsong Chi-fong kiu-chi. Vie de Tẹ-fong : il était de la famille Kou et naquit en 1622.

6 livres.

— V.

主峯禪師住嘉興三塔景德禪寺語錄

Tchou fong chạn chi tchou kia hing san tha king tẹ chạn seu yu lou.

Propos du bonze Tchou-fong à King-tẹ chạn-seu.

Recueillis par Kio-hai, son disciple : le bonze Tchou-fong vivait en 1723 (?)

36 feuillets.

Grand in-8, 1 vol. demi-rel., initiales au chiffre de la République Française. *Nouveau fonds* 4183.

6641. 幻住明禪師語錄

Hoan tchou ming chạn chi yu lou.

Œuvres et entretiens de Hoan-tchou Ming chạn-chi

Réunis par le disciple Tshing-chang et autres. Préface par Fa-sieou (1694). L'auteur vivait en 1660. Édition de Leng-yen seu.

2 livres.

Grand in-8, 1 vol. cartonnage. *Nouveau fonds* 4672.

6642-6643. — I (6642-6643).

昭覺丈雪醉禪師語錄

Tchao kio tchang siue tsoei chạn chi yu lou.

Œuvres et entretiens de Tchang-siue Thong-tsoei chạn-chi.

Réunis par Tchhẹ-kang, Tchhẹ-yen et autres disciples. Préfaces (1657) par Than Tcheng-mẹ Tao-yi kiu-chi et par Yen Ta-tshan. Avertissement. Édition de Leng-yen seu.

12 livres.

— II (6643).

昭覺丈雪醉禪師紀年錄

Tchao kio tchang siue tsoei chạn chi ki nien lou.

Vie année par année de Tchang-siue Thong-tsoei chạn-chi.

Par Tchhẹ-kang et autres. Préface par Tchhẹ-tchong, de Hia-mẹn (1680). Tchang-siue chạn-chi, nom religieux Thong-tsoei, de la famille Li, de Nei-kiang, vécut de 1610 à 1695.

47 feuillets. — Cf. n° 6648, art. V.

— III (6643).

丈雪醉禪師塔銘

Tchan siue tsoei chạn chi tha ming.

Inscription du stūpa de Tchang-siue Thong-tsoei chạn-chi.

Par Tseng Oang-soẹn, de Sieou-choei (1698). Postface par Fan Oen-koang, de Nei-kiang.

6 feuillets.

Grand in-8. 1 vol. demi-rel., au chiffre de la République Française.
Nouveau fonds 4271.

1 vol. cartonnage.
Nouveau fonds 4683.

6644. 古林智禪師語錄

Kou lin tchi chạn chi yu lou.

Œuvres et entretiens de Kou-lin Tchi chạn-chi.

Recueillis par Tcheng-ki, Tcheng-teng, Tcheng-yong, Tcheng-siun, etc. Préface de 1697; préface par Ki Hoẹn (1675). L'auteur, de la famille Tchou, de Tchhang-cha, est mort en 1695 à soixante-treize ans. Postface de 1697.

Livre préliminaire + 6 livres.

Grand in-8. 1 vol. demi-rel., au chiffre de la République Française.
Nouveau fonds 4282.

6645. — I.

蟠龍山玉泉寺其白富禪師語錄

Phan long chan yu tshiuen seu khi po fou chạn chi yu lou.

Œuvres et entretiens de Khi-po Fou chạn-chi.

Réunis par ses disciples Yuen-ting, Ming-koẹn, Ming-siuen. Préfaces par Tẹ-yu (1695), par le bonze Tchhẹ-cheng (1695). Portrait de l'auteur, de la famille Kong, de Nan-mei, né en 1627. Édition de Leng-yen seu (1695).

3 livres.

— II.

塔銘

Tha ming.

Inscription du stūpa.

Par Toẹn-'an Oang Thing-tchao (1692).

4 feuillets.

Grand in-8. 1 vol. demi-rel., au chiffre de la République Française.

Nouveau fonds 4289.

6646. 華嚴聖可禪師語錄

Hoa yen cheng kho chạn chi yu lou.

Propos et œuvres de Hoa-yen Cheng-kho chạn-chi.

Vivant en 1670. Recueil formé par les disciples Koang-fo, Tsou-tien et autres. Préface (1695) par Siu Jou-fang. Réédition de Kia-hing (1695).

10 livres (manque le supplément).

Grand in-8. 1 vol. demi-rel., au chiffre de la République Française.

Nouveau fonds 4237.

6647. 靈隱文禪師語錄

Ling yin oen chạn chi yu lou.

Œuvres et entretiens de Ling-yin Oen chạn-chi.

Réunies par son disciple Fou-tou. Édition de Leng-yen seu (1698).

3 livres.

Grand in-8. 1 vol. demi-rel., au chiffre de la République Française.

Nouveau fonds 4283.

6648. — I. 通天逸叟高禪語錄

Thong thien yi seou kao chạn yu lou.

Propos et œuvres du bonze Thong-thien Tchhao-yuen.

Réunis par les bonzes Ming-tẹ et autres, de Leng-yen seu. Table des matières.

1 livre.

— II. 通天澹原禪師語錄

Thong thien tan yuen chạn chi yu lou.

Propos et œuvres du bonze Thong-thien Tchhao-yuen.

Suite de l'art. précédent, sous un autre titre. Par le bonze Ming-tẹ. Vie de Thong-thien, écrite par Ming-tẹ. Le bonze Thong-thien, nom religieux Tchhao-yuen, sur-nom Tan-yai, de la famille Tchang, de Hing-hoa (1630-1698).

1 livre.

— III.

南宋江陰軍乾明院羅漢尊號碑

Nan song kiang yin kiun khien ming yuen lo han tsoẹn hao pei.

Stèle des noms des arhat de Khien-ming yuen.

Liste de 518 arhat écrite par Kao Tao-sou Teou-koang, de Kia-hing, revue par son fils Kao Tchheng-yen et publiée de nou-veau par Kao Yeou-seu. Préface par Kao Tchheng-yen (1643). Édi-tion de King- chan (1661).

28 feuillets.

— IV.

禮吳中石佛起止儀式

Li oou tchong chi fo khi tchi yi chi.

Cérémonial des deux Boud-dhas de pierre, de Oou.

Par Tchhoan-teng, de Yeou-khi, à la montagne Thien-thai. Ces deux Bouddhas, Oei-oei et Kia-chẹ, sont venus sur l'eau de l'Inde à Song-kiang (313). Édition de Kia-hing (1638).

15 feuillets.

Caractères semi-cursifs.

— V.

錦江禪燈

Kin kiang chạn teng.

Transmission de la doctrine du dhyâna.

Depuis Bodhidharma jusqu'à Oan-pi Yu chạn-chi, successeur de Ta-kien, qui est le 6e patriarche. Préfaces par Hou Cheng-yeou (1686), par Tchhẹ-kang (1687), par Kio-ling (1688), par Cheng-kho Tẹ-yu (1693). Introduction de l'auteur, Tchang-siue Thong-tsoei (1672). Avertissement. Table des matières. Édition de Leng-yen seu.

Pour l'ouvrage, voir au n° 1029; cf. nᵒˢ 6642-6643.

— VI.

性相通說

Sing siang thong choẹ.

Explication du Çatadharma çāstra et du Pa chi koei kiu.

D'après l'œuvre du bodhisattva Vasubandhu et celle de Hiuen-tsang; traité de Tẹ-tshing de Han-chan. Édition de Hoa-tchheng seu (1607).

2 livres (32 feuillets). — Cf. n° 6299, art. II, III et IX.

— VII.

Li oou tchong chi fo khi tchi yi chi.

Double de l'art. IV.

Grand in-8, 1 vol. demi-rel., au chiffre de la République Française.
Nouveau fonds 4188.

6649 — I.

起宗眞禪師行實

Khi tsong tchen chẹn chi hing chi.

Vie de Khi-tsong Tchen chẹn-chi.

Par Li-jou. Nom religieux de Khi-tsong : Ying-yong, surnom Tchhoẹn-yu, de la famille Hou, né en 1638, mort vers 1690-1699. Édition de Leng-yen seu.

4 feuillets.

— II.

起宗眞禪師語錄

Khi tsong tchen chẹn chi yu lou.

Propos et œuvres de Khi-tsong Tchen chẹn-chi.

Réunis par Li-koang. Préface par Yang Yong-kien (1702). Édition de Leng-yen seu.

2 livres.

— III.

予雍如禪師住永慶禪院語錄

Tseu yong jou chẹn chi tchou yong khing chẹn yuen yu lou.

Entretiens et œuvres de Tseu-yong Jou chẹn-chi à Yong-khing seu.

Recueillis par Tsou-yuen et Fo-tchen (1691). Préface par Chen-siue Yong-tshien (1699).

Livre 1.

— IV.

永壽予雍如禪師語錄

Yong cheou tseu yong jou chẹn chi yu lou.

Entretiens et œuvres de Tseu-yong Jou chẹn-chi à Yong-cheou seu.

Réunis par King-hiuen (1699). Postface par Chi Lin-yu.

Livre 2.

— V.

予雍如禪師朝海語錄

Tseu yong jou chẹn chi tchhao hai yu lou.

Entretiens de Tseu-yong Jou chẹn-chi à Tchhao-hai seu (?).

Recueillis par Fo-tchen.

Livre 3.

— VI.

碧霞禪院子雍如禪師法語詩偈

Pi hia chạn yuen tseu yong jou chạn chi fa yu chi kie.

Sermons, odes et gāthā de Tseu-yong Jou chạn-chi à Pi-hia seu.

Postface par Oang Tchi, de Si-choei (1701).

Livre 4.

Grand in-8. 1 vol. demi-rel., au chiffre de la République Française.

Nouveau fonds 4273.

6650. 遠菴儻禪師語錄

Yuen 'an fong chạn chi yu lou.

Œuvres et entretiens de Yuen-'an Fong chạn-chi.

Recueillis par les disciples Yuen-chi et autres (xviiᵉ siècle).

Livres 9 à 12.

Grand in-8. 1 vol. cartonnage.
Nouveau fonds 4680.

6651. 善一純禪師語錄

Chạn yi choẹn chạn chi yu lou.

Œuvres et entretiens de Chạn-yi Jou-choẹn chạn-chi.

Auteur : nom religieux Jou-choẹn, surnom Chạn-yi, de la famille Tchang, de Si-'an au Koang-si. Préface par Hou Koẹ-han (1702). Œuvres recueillies par Hio-tcheng. Édition de Leng-yen seu (1703).

3 livres.

Grand in-8. 1 vol. demi-rel., au chiffre de la République Française.

Nouveau fonds 4279.

6652. — I.

虎阜洞明和尚語錄

Hou feou tong ming hoo chang yu lou.

Entretiens du bonze Hou-feou Tong-ming.

Rassemblés par ses disciples Tchheng-heng et Tchheng-cheou. Préface (1734) par Tshao-thing Yueu-sin.

2 livres (le feuillet 17 du livre 1 est en partie manuscrit).

— II.

行狀

Hing tchoang.

Biographie.

Par Tchheng-heng. Le bonze Yuen-tchao Tong-ming, de la famille Hong, de Chę, a vécu de 1659 à 1721.

Grand in-8. 1 vol. demi-rel., au chiffre de Napoléon III.
Nouveau fonds 1252.

6653. 海幢朗如大師語錄

Hai tchhoang lang jou ta chi yu lou.

Propos et œuvres du bonze Lang-jou de Hai-tchhoang.

Ce bonze, de la famille Hou, de Choei-tcheou, vivait au milieu du xviiie siècle. Deux notices, dont l'une (1759) est signée par Fa-tchen, qui paraît être le bonze lui-même. Œuvres rassemblées par son disciple Mę-yen.

3 livres.

Grand in-8. Papier blanc. 1 vol. demi-rel., au chiffre de Napoléon III.
Nouveau fonds 637.

6654. — I.

聞學禪師語錄

Oen hio chạn chi yu lou.

Entretiens et œuvres de Oen-hio chạn-chi.

Recueillis par ses élèves, Tsi-tao, Tsi-hoei, Tsi-tou, Tsi-thang

et autres. Préface (1778) par Pheng Tsi-tshing.

7 livres.

— II.

天目禪源寺聞學禪師傳

Thien mou chạn yuen seu oen hio chạn chi tchoan.

Vie de Oen-hio chạn-chi, de la bonzerie de Chạn-yuen à Thien-mou.

Ce bonze, nommé aussi Chi-ting, était de la famille Tchang, de Song-kiang. Biographie par son disciple Pheng Tsi-tshing.

Grand in-8. Bonne gravure. 1 vol. demi-rel., au chiffre de Napoléon III.
Nouveau fonds 1498.

6655. 天目旅亭禪師語錄

Thien mou liu thing chạn chi yu lou.

Entretiens et œuvres de Liu-thing chạn-chi, de Thien-mou.

Réunis par les bonzes Liao-tsong, Liao-nien, Liao-yong, Liao-sieou. Préface de Pheng Tsi-tshing. (1778). A la fin, notice biographique (1778), par Liu-thing lui-même : nom religieux Tsi-hoei, de la famille Tchang, de Kia-chạn.

63

2 livres.

Grand in-8. Bonne gravure. 1 vol. demi-rel., au chiffre de Napoléon III.

Nouveau fonds 1457.

6656. 南岳繼起和尚語錄

Nan yo ki khi hoo chang yu lou.

Œuvres et entretiens de Ki-khi hoo-chang.

Réunis par Tsi-ki et autres disciples.

10 livres.

Grand in-8. 1 vol. demi-rel., au chiffre de la République Française.

Nouveau fonds 4301.

6657. 雲門匡眞禪師語錄

Yun men khoang tchen chan chi yu lou.

Œuvres et entretiens de Khoang-tchen chan-chi, de Yun-men.

Ce bonze était de la famille Tchang, de Kia-hing. Œuvres, sans préface ni table.

3 livres.

Grand in-8. Gravure médiocre. 1 vol. demi-rel , au chiffre de la République Française.

Nouveau fonds 4257.

Cinquième Section : CATALOGUES

6658. 出三藏記集
Tchhou san tsang ki tsi.

Catalogue et notice des traductions du Tripiṭaka.

Par le religieux Seng-yeou (520). Édition de 1643.

17 livres (manque le livre 6). — Bunyiu Nanjio 1476.

Grand in-8. Bonne gravure. 1 vol. demi-rel., au chiffre de la République Française.

Nouveau fonds 4101.

6659. 衆經目錄
Tchong king mou lou.

Catalogue des ouvrages bouddhiques.

Publié par ordre impérial par Fa-king et autres (594). Édition de Leng-yen seu (1664).

7 livres. — Bunyiu Nanjio 1609.

Grand in-8. Bonne gravure. 1 vol. demi-rel., au chiffre de la République Française.

Nouveau fonds 4316.

6660. 眾經目錄

Tchong king mou lou.

Catalogue des ouvrages boud-dhiques.

Publié par ordre impérial par Fa-king et autres (603). Préface non datée. Édition de Leng-yen seu (1664).

5 livres. — Bunyiu Nanjio 1608.

Grand in-8. 1 vol. demi-rel., au chiffre de la République Française.
Nouveau fonds 4318.

6661. 武周刊定眾經目錄

Oou tcheou khan ting tchong king mou lou.

Catalogue des ouvrages boud-dhiques.

Publié par ordre impérial par Ming-tshiuen et autres (695). Édition de Leng-yen seu (1663).

14 livres. — Bunyiu Nanjio 1610.

Grand in-8. 1 vol. demi-rel., au chiffre de la République Française.
Nouveau fonds 4317.

6662-6664. — I (6662-6664).

開元釋教錄

Khai yuen chi kiao lou.

Catalogue et notices des livres bouddhiques, publication de 730.

Par Tchi-cheng, de la bonzerie occidentale de Tchhong-fou, avec préface de l'auteur (730). Table des matières indiquant 20 livres. Lecture des caractères difficiles.

20 livres. — Cat. imp., liv. 145, f. 5; Bunyiu Nanjio 1485.

— II (6664).

開元釋教錄略出別錄

Khai yuen chi kiao lou lio tchhou pie lou.

Extrait du Catalogue précédent.

Par le même auteur.

4 livres. — Bunyiu Nanjio 1486 (5 livres).

Grand in-8. Belle gravure. 3 vol. demi-rel., au chiffre de Napoléon III.
Nouveau fonds 1280 à 1282.

6665-6666. 至元法寶勘同總錄

Tchi yuen fa pao khan thong tsong lou.

Catalogue des ouvrages boud-dhiques de la période Tchi-yuen.

Publié par ordre impérial par Khing-ki-siang et autres. Préfaces par les bonzes Khę-ki (1306) et Tsing-fou (1289). Liste de la commission officielle de rédaction. Édition de Leng-yen seu (1660, 1661).

10 livres. — Bunyiu Nanjio 1612.

Grand in-8. Bonne gravure. 1 vol. demi-rel., au chiffre de la République Française.

Nouveau fonds 4312.

1 vol. cartonnage.

Nouveau fonds 4671.

6667-6669. 閱藏知津
Yue tsang tchi tsin.

Catalogue du Tripiṭaka.

Rangé par section, avec noms des traducteurs et brève analyse des textes. Par le bonze chinois Tchi-hiu (vers 1635-1654).

44 livres (semble complet, moins les livres 1 à 4). — Cf. Bunyiu Nanjio, introduction, p. XXVI, note 9.

Grand in-8. Caractères un peu grêles. 3 vol. cartonnage.

Nouveau fonds 4660 à 4662.

6670. 三藏聖教目錄
San tsang cheng kiao mou lou.

Catalogue du Tripiṭaka.

Édition officielle précédée d'un rapport signé Tchou Ta-yeou, sur-

nom Tchen-yue kiu-chi. Préface de Oou Yong-sien (1609) ; préface de Li Fou pour l'édition complétée de Leng-yen seu (1723).

— I.

Sans titre spécial ; partie correspondant à Bunyiu Nanjio 1662, sans les préfaces ni les autres compositions accessoires. Liste indiquant le nombre de livres et de volumes par han ou enveloppe.

92 feuillets.

— II.

續藏經值畫
Siu tsang king tchi hoa.

Suite au Catalogue.

Liste datée de 1677 ; les ouvrages forment 95 han, le nombre des livres et des volumes est indiqué.

16 feuillets.

— III.

又續藏經值畫
Yeou siu tsang king tchi hoa.

Seconde suite au Catalogue.

Les ouvrages forment 47 han, le nombre des livres et des volumes est indiqué.

Grand in-8. 1 vol. demi-reliure.
Nouveau fonds 435.

Sixième Section : DICTIONNAIRES

6671-6672. 大唐眾經音義

Ta thang tchong king yin yi;
alias :

一切經音義
Yi tshie king yin yi.

Vocabulaire des prononciations et des sens pour le Tripiṭaka.

Par Hiuen-ying, de la bonzerie de Ta-tsheu-'en (vers 649). Préface par un bonze de Thai-yi chan, à Tchong-nan. Édition de Leng-yen seu (1660).

26 livres. — Bunyiu Nanjio 1605.

Grand in-8. Bonne gravure. 2 vol. demi-rel., au chiffre de la République Française.

Nouveau fonds 4319, 4320.

6673. 唐釋元應一切經音義

Thang chi yuen ying yi tshie king yin yi.

Même ouvrage ; préface de l'éditeur Tchoang Hin, de Oou-tsin (1786). Le titre porte l'indication : salle Kou-hi (1851).

25 livres (les livres 25 et 26 de l'autre édition sont réunis).

Grand in-8. 1 vol. demi-rel., au chiffre de Napoléon III.
Nouveau fonds 1255.

6674. 大方廣佛華嚴經音義

Ta fang koang fo hoa yen king yin yi.

Explication et lecture des caractères difficiles du Buddhāvataṃsaka vaipulya sūtra.

Par le bonze Hoei-yuen, de Tsing-fa seu (époque des Thang). Édition de Leng-yen seu (1636).

4 livres. — Cf. n° 5884 et suivants.

Grand in-8. 1 vol. cartonnage.
Nouveau fonds 4621.

6675. 翻譯名義集
Fan yi ming yi tsi.

Vocabulaire des termes sanscrits.

Rangé par classes. Auteur : Phou-joen ta-chi Fa-yun, de King-te seu (1151). Préface (1157) par

Tcheou Toen-yi, de King-khi. Édition de Tsi-tchao 'an (1603).

20 livres. — Bunyiu Nanjio 1640.

Grand in-8. Bonne gravure; frontispice (1 feuillet double). 1 vol. demi-rel., au chiffre de la République Française.
Nouveau fonds 4095.

6676. 教乘法數
Kiao cheng fa chou.

Répertoire des expressions numériques du bouddhisme.

Classées par ordre numérique de 1 à 84 000. Par Yuen-tsing, bonze de Koai-ki (1431). Préfaces par Song-yin et par Tao-hia (1431). Lecture des caractères difficiles. Éditions de Tchao-khing seu à Tshien-thang (1636).

12 livres — Bunyiu Nanjio 1636.

Grand in-8. 1 vol. demi-rel., au chiffre de Louis-Philippe.
Nouveau fonds 692.

6677.

Kiao cheng fa chou.

Même ouvrage ; édition de Leng-yen seu (1662).

40 livres.

Grand in-8. 1 vol. demi-rel., au chiffre de la République Française.
Nouveau fonds 4102.

6678. 重刊北京五大部直音會韻
Tchhong khan pe king oou ta pou tchi yin hoei yun; alias :

重刻京本五大部諸經直音
Tchhong kho king pen oou ta pou tchou king tchi yin.

Répertoire des caractères des sūtra, collections septentrionale et méridionale.

Les caractères, avec prononciation et sens, sont rangés par section du Tripiṭaka, par sūtra, par livre. Préface par Fong Mongtcheng Tchen-chi kiu-chi, pour la réédition de 1605 ; préface par Li King, de Long-tshiuen (1543); préface sans date par Kieou-yin Song-yo.

2 livres.

Grand in-8. 1 vol. demi-rel., au chiffre de la République Française.
Nouveau fonds 4315.

6679-6681. 大明三藏法數
Ta ming san tsang fa chou.

Répertoire des termes numériques du Tripiṭaka.

Par Yi-jou, bonze au monastère de Chang-thien-tchou (époque des Ming). Édition de Hing-cheng oan-cheou chan-seu à King-chan (1593-1594). Table des matières. Les expressions y sont rangées par ordre numérique de 1 à 84.000, avec indication de sources ; le texte suit l'ordre de la table et donne les explications en gros texte, avec des notes.

3 + 47 livres. — Bunyiu Nanjio 1621.

Grand in-8. Frontispice (1 feuillet double, 3 feuillets retournés à la fin du livre 50). 3 vol. demi-rel., au chiffre de la République Française.
Nouveau fonds 4089 à 4091.

6682-6684.

Ta ming san tsang fa chou.

Même ouvrage, même date ; frontispice différent ; tirage ancien, papier très friable.

Grand in-8. 3 vol. demi-rel., au chiffre de Napoléon III.
Nouveau fonds 1361 à 1363.

6685-6687.

Ta ming san tsang fa chou.

Double du précédent.

3 vol. demi-reliure. Une couverture du tome Ier porte une note manuscrite en français datée de Paris 1749 (prov. de la Bibl. de l'Arsenal).
Nouveau fonds 1644 à 1646.

6688-6689. 四分律名義標釋

Seu fen liu ming yi piao chi.

Explication de termes du Dharmagupta vinaya.

Par Hong-tsan Tsai-san, bonze de Koang-tcheou ; avec préface de l'auteur (1630). Postface de Hong-li Lo-fong. Table générale, table détaillée pour chaque livre ; texte avec notes ; lecture des termes difficiles. Réédition de 1678.

40 livres. — Cf. n°ˢ 6265-6266.

Grand in-8. Bonne gravure. 2 vol. demi-rel., au chiffre de la République Française.
Nouveau fonds 4070, 4071.

ANGERS, IMPRIMERIE ORIENTALE A. BURDIN ET Cⁱᵉ.

BIBLIOTHÈQUE NATIONALE

DÉPARTEMENT DES MANUSCRITS

— ❖ —

CATALOGUE

DES

LIVRES CHINOIS

CORÉENS, JAPONAIS, ETC.

PAR

MAURICE COURANT

Secrétaire interprète du Ministère des Affaires Étrangères
pour les langues chinoise et japonaise,
Professeur près la Chambre de Commerce de Lyon,
Maître de conférences à la Faculté des Lettres de Lyon.

——

HUITIÈME FASCICULE

Nᵒˢ 6690-9080

—— ❖ ——

PARIS

ERNEST LEROUX, ÉDITEUR

28, RUE BONAPARTE, VIᵉ

—

1912

CATALOGUE

DES

LIVRES CHINOIS

CHAPITRE XVIII : CATHOLICISME

Première Section : **VIES DE JÉSUS ET VIES DES SAINTS**

6690. 天主聖像略說

Thien tchou cheng siang lio choẹ.

Vie abrégée de Notre-Seigneur.

Par Siu Koang-khi Tseu-sien, docteur en 1604 († 1633); texte en langue vulgaire. Note finale par Yang Thing-yun, de Oou-lin (cf. n° 1097).

8 feuillets.

Grand in-8. 1 vol. cartonnage (provenant de la Société de Jésus).

Fourmont 261.

6691. — I.

Thien tchou cheng siang lio choẹ.

Double.

— II.

鴞鸞說

Hiao loan choẹ ; alias :

鴞鸞不並鳴說

Hiao loan pou ping ming choẹ.

Apologue du hibou et du phénix qui ne chantent pas ensemble.

Comparaison du christianisme et du bouddhisme, par Yang Thing-yun.

5 feuillets.

Grand in-8. 1 vol. cartonnage (provenant de la Société de Jésus).

Nouveau fonds 3271.

1

6692. — I.

Thien tchou cheng siang lio choę.

— II,

    Hiao loan choę.

Double du n° précédent.

ɪ vol. cartonnage (provenant des Missions Étrangères).
Nouveau fonds 3272.

6693. 天主聖教聖人行實

Thien tchou cheng kiao cheng jen hing chi.

Vie des Saints.

Par le P. Alfonso Vagnoni, Jésuite (1566-1640 ; noms chinois Kao Yi-tchi Tsę-cheng). Préface de l'auteur ; table en tête de chaque livre (apôtres, pontifes, martyrs, confesseurs, ermites, vierges, veuves). Gravé à l'église Tchhao-sing de Oou-lin (1629).

7 livres.

Cordier, Imprimerie sino-européenne 3ɪ9.

Grand in-8. Frontispice avec le monogramme du Christ ; des interversions ont eu lieu à la reliure. ɪ vol. cartonnage (provenant de la Société de Jésus).
Nouveau fonds 325ɪ.

6694.

Double.

ɪ vol. cartonnage.
Nouveau fonds 4876.

6695.

Thien tchou cheng kiao cheng jen hing chi.

Même ouvrage. gravé à la mission de San-chan (1631).

Livres ɪ et 4.

Grand in-8. Frontispice. ɪ vol. cartonnage (provenant des Missions Étrangères).
Nouveau fonds 2793.

6696.

Thien tchou cheng kiao cheng jen hing chi.

Même ouvrage.

Livre 3.

Grand in-8. ɪ vol. cartonnage.
Fourmont ɪ69.

6697.

Thien tchou cheng kiao cheng jen hing chi.

Même ouvrage, édition de la mission du Fou-kien (1632).

Livre 6.

Grand in-8. ɪ vol. cartonnage.
Nouveau fonds 2876.

6698.

Thien tchou cheng kiao cheng jen hing chi.

Même ouvrage, édition sans lieu ni date.

Livre 7.

Grand in-8. 1 vol. cartonnage.
Nouveau fonds 2782.

6699. 聖母行實

Cheng mou hing chi.

Vie de la Sainte Vierge.

Par le P. Vagnoni ; avec une introduction du P. Giacomo Rho, Jésuite (1590-1638 ; noms chinois Lo Ya-kou Oei-chao). Réédition de l'église Ta-yuen à Canton (1680).

3 livres.

Cordier, Imprimerie sino-européenne 328 ; Catalogus librorum 5.

Grand in-8. Titre noir sur papier teinté. 1 vol. cartonnage (provenant des Missions Étrangères).
Fourmont 273.

6700-6701.

Cheng mou hing chi.

Même ouvrage ; édition analogue plus grande ; le livre 3 est en double.

Grand in-8. 2 vol. cartonnage (provenant des Missions Étrangères).
Nouveau fonds 2863, 4799.

6702.

Cheng mou hing chi.

Même ouvrage ; réédition de Péking, église Ling-pao (1694).

Grand in-8. Titre noir sur papier teinté. 1 vol. cartonnage.
Fourmont 271.

6703-6704.

Double.

2 vol. cartonnage.
Fourmont 272.

6705-6706.

Double.

Papier très jaune. 2 vol. cartonnage.
Nouveau fonds 2862, 3517.

6707.

Double.

1 vol. cartonnage.
Nouveau fonds 4798.

6708.

Cheng mou hing chi.

Édition différente, sans date.

Petit in-8. Titre noir sur papier teinté. 1 vol. cartonnage.
Nouveau fonds 2861.

6709. 天主降生言行紀略

Thien tchou kiang cheng yen hing ki lio.

Vie de N.-S. Jésus-Christ.

— I.

萬日畧經說

Oan ji lio king choẹ.

Sur l'Ancien et le Nouveau Testament.

Par le P. Giulio Aleni, Jésuite (1582-1649; noms chinois 'Ai Joulio Seu-ki).

4 feuillets.

— II.

Thien tchou kiang cheng yen hing ki lio.

Par le P. Aleni. Gravé à l'église King-kiao de Tsin-kiang (1635).

8 livres.

Cordier, Imprimerie sino-européenne 2; Catalogus librorum 4.

Grand in-8. 1 vol. cartonnage (provenant de la Société de Jésus).
Nouveau fonds 3279.

6710. — I.

Oan ji lio king choẹ.

— II.

Thien tchou kiang cheng yen hing ki lio.

Double, contenant de l'art. II seulement la table et une partie du premier livre.

1 vol. cartounage.
Nouveau fonds 3375.

6711.

Thien tchou kiang cheng yen hing ki lio.

Double; à la fin, éloge en vers par Siu Koang-khi.

Livres 3 à 8.

1 vol. cartonnage (provenant des Missions Étrangères).
Nouveau fonds 3275.

6712.

Double.

Sans l'éloge en vers.

Livres 5 à 8.

1 vol. cartonnage (provenant de la Société de Jésus).
Nouveau fonds 4881.

6713.

Double.

L'éloge en vers est au début.

Livres 5 à 8.

1 vol. cartonnage.
Fourmont 269 B.

6714.

Double.

Sans l'éloge.

Livres 5 à 8.

1 vol cartonnage.
Nouveau fonds 3522.

6715.

Double.

Livre 2, feuillets 3 à 19.

1 vol. cartonnage.
Nouveau fonds 4971.

6716. — I.

Thien tchou kiang cheng yen hing ki lio.

Même ouvrage, gravé à l'église King-kiao du Fou-kien.

Table et livres 1 à 4.

Titre noir sur papier teinté.

— II.

Même ouvrage, édition de Pé-king à la porte Siuen-oou (1738).

Livres 5 à 8.

N° 6718.

Papier blanc.

— III.

Oan ji lio king choę.

N° 6709, art. 1.

Thien tchou kiang cheng yen hing ki lio.

Vie de N.-S. Jésus-Christ.

Livres 1 et 2; édition analogue à celle de 1704 (n° 6717).

(Provenant de la Société de Jésus).

— IV.

Même ouvrage, édition sembla-ble au n° 6709, art. II.

Livres 3 et 4 incomplet.

— V.

Oan ji lio king choę.
Thien tchou kiang cheng yen hing ki lio.

Voir n° 6709; comprenant art. I et de l'art. II la table et les livres 1 à 5.

(Provenant des Missions Étrangères).

Grand in-8. 1 vol. cartonnage.
Nouveau fonds 4882.

6717.

Thien tchou kiang cheng yen hing ki lio.

Même ouvrage suivi de l'éloge en vers. Gravé à l'église Khin-yi, à Ying (1704).

Livres 6 à 8.

Petit in-8. 1 vol. cartonnage.
Nouveau fonds 3274.

6718. — I.

Oan ji lio king choę.

— II.

Thien tchou kiang cheng yen hing ki lio.

Mêmes ouvrages; édition de la porte Siuen-oou à Péking (1738), comprenant l'éloge en vers et un avertissement.

Art. II, livres 1 à 4.

Grand in-8. Papier blanc. Titre noir sur blanc. 1 vol. demi-reliure.

Nouveau fonds 3529.

6719. — I.

Oan ji lio king choe.

— II.

Thien tchou kiang cheng yen hing ki lio.

8 livres.

Analogue au n° précédent, édition de Péking sans date.

Grand in-8. Couvertures de soie bleue. 1 vol. cartonnage.

Fourmont 268.

6720. — I.

Oan ji lio king choe.

— II.

Thien tchou kiang cheng yen hing ki lio.

Mêmes ouvrages, l'art. II en 8 livres. Réédition de l'église Chithai à Péking (1796), faite avec l'autorisation de Mgr Alexandre de Gouvea, Franciscain (chinois : Thang Ya-li-chan).

Petit in-8. Papier blanc. 1 vol., demi-reliure de Chang-hai.

Nouveau fonds 3642.

6721. 天主耶穌聖蹟

Thien tchou ye sou cheng tsi.

Vie de N.-S. Jésus-Christ.

Abrégé par le P. Aleni du n° 6709, art. II, avec une introduction non datée.

38 feuillets.

Petit in-8. Manuscrit. 1 vol. cartonnage.

Nouveau fonds 3295.

6722-6723. 天主降生聖 經直解

Thien tchou kiang cheng cheng king tchi kiai.

Évangiles expliqués des dimanches et des principales fêtes de l'année.

Par le P. Emmanuel Diaz junior, Jésuite (1574-1659 ; noms chinois Yang Ma-no Yen-si) ; préface de l'auteur (1636) ; publié avec l'autorisation du P. Francisco Furtado, Jésuite (1587-1653 ; noms chinois Fou Fan-tsi Thi-tchai). Réédition de l'église Ling-pao à Péking (1739).

14 livres.

Cordier, Imprimerie sino-européenne 101 ; Catalogus librorum 2.

Grand in-8. Titre noir sur papier blanc. 2 vol. cartonnage.

Fourmont 195[1], 195[2].

6724-6725.

Double.

Papier blanc. 2 vol. cartonnage.
Nouveau fonds 4795, 4796.

6726-6727.

Double.

Papier teinté. 2 vol. cartonnage.
Nouveau fonds 2849, 2850.

6728.

Double.

Livres 1 et 2, sans préface.

Papier blanc. 1 vol. cartonnage.
Nouveau fonds 2856.

6729-6730.

Thien tchou kiang cheng cheng king tchi kiai.

Même ouvrage, édition sans date, de l'église de Oou-lin.

Grand in-8. Papier teinté, titre noir sur papier teinté. 2 vol. cartonnage (provenant de la Société de Jésus).
Nouveau fonds 2853, 2854.

6731-6733.

Double.

3 vol. cartonnage.
Nouveau fonds 2855, 4789, 4790.

6734-6735.

Double.

2 vol. cartonnage (provenant des Missions Étrangères).
Nouveau fonds 2851, 2852.

6736-6737.

Double.

2 vol. cartonnage.
Nouveau fonds 4791, 4792.

6738-6739.

Double.

2 vol. cartonnage.
Nouveau fonds 4793, 4794.

6740-6741.

Thien tchou kiang cheng cheng king tchi kiai.

Édition de l'église Chi-thai à Péking (1790), avec autorisation de Mgr de Gouvea.

Grand in-8. Papier blanc. 2 vol. demi-reliure de Chang-hai.
Nouveau fonds 3639, 3640.

6742-6743.

Thien tchou kiang cheng cheng king tchi kiai.

Édition analogue, un peu plus grande.

Grand in-8. 2 vol. cartonnage.
Nouveau fonds 4584, 4585.

6744. — I.

聖若瑟行實

Cheng jo sẹ hing chi.

Vie de saint Joseph.

Par le P. Emmanuel Diaz junior ; préface de l'auteur ; publié avec l'autorisation du P. Andrea Lobelli, Jésuite (1610-1683 ; noms chinois Lou 'An-tẹ Thai-jạn). Réédition de la mission de Péking, sans date.

9 feuillets.
Cordier, Imprimerie sino-européenne 98.

Papier blanc ; titre noir sur blanc.

— II.

聖若瑟傳

Cheng jo sẹ tchoan ; alias :

聖母淨配聖若瑟傳

Cheng mou tsing phei cheng jo sẹ tchoan.

Vie de saint Joseph époux de la bienheureuse Vierge Marie.

Par le P. Joseph de Prémare, Jésuite (1666-1736 ; noms chinois Ma Jo-sẹ) ; avec autorisation du P. Romain Hinderer, Jésuite (1669-1744 ; noms chinois Tẹ Ma-no).

24 feuillets.
Cordier, Imprimerie sino-européenne 203 ; Catalogus librorum 6.

Papier blanc ; titre noir sur blanc.

Grand in-8. 1 vol. cartonnage.
Fourmont 275-276.

6745.

Cheng jo sẹ hing chi.

Double du n° précédent, art. I.

1 vol. cartonnage.
Nouveau fonds 2797.

6746.

Double.

1 vol. cartonnage.
Nouveau fonds 2798.

6747.

Cheng jo sẹ tchoan.

Double du n° 6744, art. II.

1 vol. cartonnage.
Nouveau fonds 2802.

6748. — I.

Cheng jo sẹ hing chi.

Même ouvrage qu'au n° 6744, art. I ; édition de l'église King-yi à Yun-kien.

— II.

聖人若瑟禱文

Cheng jen jo sẹ tao oen.

Litanies de saint Joseph.

6 feuillets.

Cf. n° 7354, art. XI.

Petit in-8, 1 vol. cartonnage (provenant de la Société de Jésus).

Nouveau fonds 2799.

6749. — I.

Cheng jo sẹ hing chi.

— II.

Cheng jen jo sẹ tao oen.

— III.

Cheng jo sẹ hing chi.

— IV.

Cheng jen jo sẹ tao oen.

Doubles respectifs du n° 6748, art. I et II.

1 vol. cartonnage.
Nouveau fonds 4767.

6750. 天主降生出像經解

Thien tchou kiang cheng tchhou siang king kiai.

Vie illustrée de Notre-Seigneur.

Introduction du P. Aleni (1637); figure du Christ; plan de Jérusalem et 56 gravures (28 feuillets doubles). Edition de l'église King-kiao de Tsin-kiang.

Cordier, Imprimerie sino-européenne 3.

Grand in-8. Très beau papier. 1 vol., reliure aux armes de Mme de Pompadour (provenant de la bibliothèque de l'Arsenal).

Nouveau fonds 3284.

6751.

Double.

Manque l'introduction.

Papier ordinaire. 1 vol. cartonnage (provenant de la Société de Jésus).

Nouveau fonds 3273.

6752.

Thien tchou kiang cheng tchhou siang king kiai.

Même ouvrage, édition moins soignée ; manquent l'introduction et le plan de Jérusalem.

Grand in-8. 1 vol. cartonnage (provenant des Missions Étrangères).

Fourmont 266.

6753.

Double.

1 vol. cartonnage.
Nouveau fonds 3280.

6754.

Thien tchou kiang cheng tchhou siang king kiai.

Autre édition plus petite que celle du n° 6750 ; sans plan de Jérusalem ni introduction.

Grand in-8. 1 vol. cartonnage.
Fourmont 269 **A.**

6755.

Double.

Papier blanc. 1 vol. cartonnage.
Nouveau fonds 3278.

6756.

Thien tchou kiang cheng tchhou siang king kiai ; alias :

天主降生言行紀像

Thien tchou kiang cheng yen hing ki siang.

Double du n° 6754.

26 feuillets de planches, soit 51 planches, disposées dans un ordre différent.

1 cahier.

Département des Estampes, Oe 166.

———

6757. 進呈書像
Tsin tchheng chou siang.

Vie de Jésus illustrée offerte à l'Empereur.

Par le P. Adam Schall von Bell, Jésuite (1591-1666 ou 1669 ; noms chinois Thang Jo-oang Tao-oei) ; préface de l'auteur (1640).

— I.

天主正道解略

Thien tchou tcheng tao kiai lio.

Abrégé de la doctrine chrétienne.

Avec notes annexes.

Feuillets 1 à 4.

— II.

Tsin tchheng chou siang.

Frontispice, texte et illustrations ; autorisation du P. Furtado.

Feuillets 1 à 50.

Cordier, Imprimerie sino-européenne 273.

Grand in-8. 1 vol. cartonnage (provenant de la Société de Jésus).

Département des Estampes, Oe 165.

———

6758. 聖若撒法始末
Cheng jo sa fa chi mo.

Vie de saint Josaphat.

Par le P. Nicolao Longobardi, Jésuite (1566-1654 ; noms chinois Long Hoa-min Tsing-hoa) ; publié par les soins de Tchang Keng, de Tsin-kiang, avec l'autorisation du P. Aleni ; gravé à la mission du Fou-kien (1645 = Long-oou yi yeou).

Cordier, Imprimerie sino-euro-péenne 154.

Grand in-8. 1 vol. cartonnage.
Nouveau fonds 2795.

6759.

Double.

1 vol. cartonnage,
Nouveau fonds 2796.

6760-6762. 古聖行實
Kou cheng hing chi.

Vies des Patriarches.

Depuis Adam jusqu'à Salomon par le P. Adrien Greslon, Jésuite (1618-1697 ; noms chinois Nie Tchong-tshien Jo-choei).

Cordier, Imprimerie sino-euro-péenne 130.

Petit in-8. Manuscrits d'une écriture à peu près partout uniforme. 3 vol. cartonnage.
Nouveau fonds 2987, 2986, 4829.

6763.

Kou cheng hing chi.

Vies des Prophètes.

D'Isaïe à Daniel.

Petit in-8. Manuscrit de même écriture. 1 vol. cartonnage.
Nouveau fonds 2926.

6764.

Kou cheng hing chi.

Même ouvrage ; extraits, depuis Adam jusqu'à Jonas.

Grand in-8. Manuscrit. 1 vol. cartonnage.
Nouveau fonds 2985.

6765. 衫松行實
Chan song hing chi.

Vie de Samson.

Avec d'autres extraits de l'Écriture ; sans auteur ni date.

Petit in-8. Manuscrit. 1 vol. cartonnage.
Nouveau fonds 5008.

6766. 聖史
Cheng chi.

Histoire sainte.

Sur les Machabées.

55 feuillets.

Petit in-8. Manuscrit. 1 vol. cartonnage.
Nouveau fonds 2786.

6767. — I.

Histoire sainte, fragment en langue vulgaire.

11 feuillets manuscrits, nombreux feuillets blancs.

— II.

Dialogue sur la géographie de la Palestine.

11 feuillets manuscrits, nombreux feuillets blancs.

Petit in-8. 1 vol. cartonnage.
Nouveau fonds 5056.

6768.

Histoires tirées de l'Ancien et du Nouveau Testament ; table en français sur le 1ᵉʳ feuillet.

27 feuillets, dont plusieurs sont blancs.

Petit in-8. Manuscrit sur papier de genre européen. 1 vol. cartonnage.
Nouveau fonds 5012.

6769.   聖鑑切要

Cheng kien tshie yao.

Les principaux points de l'histoire sainte.

Ouvrage rédigé sous forme de questions et réponses, en 22 sections.

71 feuillets (incomplet).

In-24. Manuscrit. 1 vol. cartonnage.
Nouveau fonds 2846.

6770.   聖女羅灑行實

Cheng niu lo cha hing chi.

Vie de sainte Rose.

Par Lo San-to, avec l'autorisation du supérieur Fang Tsi-kio (François de la Purification ?). Préface par Oang Tao-sing Yang-tchi, de Han-yang (1706). Introduction par l'auteur. Gravé à l'église Mei-koei, à Fou-tcheou.

78 feuillets.

Cordier, Imprimerie sino-européenne 379.

Grand in-8. Papier blanc; frontispice et titre sur papier blanc. 1 vol. cartonnage (provenant de la Société de Jésus).
Fourmont 277.

6771.

Double.

1 vol. cartonnage.
Nouveau fonds 2858.

6772. — I.

德行譜

Tę hing pou.

Vie de saint Stanislas Kostka, S. J.

Par le P. Dominique Parrenin, Jésuite (1665-1741 ; noms chinois Pa To-ming Khę-'an) ; préface (1726) et postface de l'auteur. Publié par les soins du P. Hinderer.

4 livres.

Cordier, Imprimerie sino-européenne 187 ; Catalogus librorum 11.

Titre en noir sur papier blanc.

— II.

Double.

Titre sur papier teinté.

Grand in-8. 1 vol. cartonnage.
Nouveau fonds 3206.

6773. — I.

Double.

— II.

Double.

1 vol. cartonnage.
Nouveau fonds 4867.

6774.

Tẹ hing pou.

Même ouvrage, belle édition sur papier blanc.

Grand in-8. Exemplaire en mauvais état. 1 vol. cartonnage.
Nouveau fonds 4943.

6775 — I.

Tẹ hing pou.

Réédition de l'église Tsheu-mou à Chang-hai (Zi-ka-wei), datée de 1869, faite avec l'autorisation de Mgr Languillat, Jésuite (1808-1878 ; noms chinois Lang Ya-ti-'ang, alias Lang Hoai-jen Heou-fou).

Papier blanc.

— II.

Double.

Petit in-8. 1 vol. cartonnage.
Nouveau fonds 4868.

6776. 濟美篇
Tsi mei phien.

Vie de saint Louis de Gonzague.

Par le P. Parrenin ; publié par les soins du P. Hinderer.

3 livres.

Cordier, Imprimerie sino-européenne 186 ; Catalogus librorum 10.

Grand in-8. Papier blanc ; titre noir sur papier blanc. 1 vol. cartonnage.
Nouveau fonds 3339.

6777.

Double.

Papier teinté. 1 vol. cartonnage.
Nouveau fonds 3340.

6778.

Doubles.

2 exemplaires sur papier blanc, 6 exemplaires sur papier teinté. 1 vol. cartonnage.
Nouveau fonds 4892.

6779.

Tsi mei phien.

Édition de Zi-ka-wei (1869), gravée avec l'autorisation de Mgr Languillat.

In-12. Papier blanc. 1 vol. cartonnage.

Nouveau fonds 4893.

6780. 瑟辣飛各聖爻方濟各行實大全

Sę la fei ko cheng fou fang tsi ko hing chi ta tshiuen.

Vie du Père Séraphique saint François.

Par un Franciscain, 'En Jo-sę, avec l'autorisation de Li Hoai-jen ; gravé à Canton (1727). Préface de l'auteur.

3 livres.

Cordier, Imprimerie sino-européenne 374.

Petit in-8. Frontispice et titre. 1 vol. cartonnage.

Nouveau fonds 2792.

6781.

Double.

Livres 1 et 3.

1 vol. cartonnage.
Nouveau fonds 4766.

6782. 訓慰神編

Hiun oei chen pien.

Histoire de Tobie avec commentaire.

Par le P. François Xavier Dentrecolles, Jésuite (1663-1741 ; noms chinois Yin Hong-siu Kitsong). Introduction de l'auteur et postface. Autorisation du P. Hinderer.

40 + 21 feuillets.

Cordier, Imprimerie sino-européenne 96 ; Catalogus librorum 8.

Grand in-8. Papier blanc ; feuille de titre portant des sceaux rouges. 1 vol. cartonnage.

Nouveau fonds 2917.

6783.

Double.

Papier teinté. 1 vol. cartonnage.
Nouveau fonds 2916.

6784.

Hiun oei chen pien.

— I.

Édition plus petite.

— II et III.

Doubles de l'art. I.

Grand in-8. 1 vol. cartonnage.
Nouveau fonds 4811.

6785.

Hiun oei chen pien.

Réédition de Zi-ka-wei (1872) avec l'approbation de Mgr Languillat.

Petit in-8. Papier blanc ; titre sur papier blanc. 1 vol. cartonnage.
Nouveau fonds 4812.

6786-6791. 聖年廣益
Cheng nien koang yi.

L'année sacrée, ou Vies des saints pour toute l'année.

Par le P. Joseph de Moyria de Mailla, Jésuite (1669-1748 ; noms chinois Fong Ping-tcheng Toan-yeou), avec introduction de l'auteur (1738). Préface par Tchao Khe-li Tseu-king (1738). Édition de l'église Cheou-chan à Péking.

— I.

默想神功簡易要法
Me siang chen kong kien yi yao fa.

Guide abrégé de la méditation.

Feuillets 4 à 12.

— II.

Cheng nien koang yi.

12 sections.

Cordier, Imprimerie sino-européenne 164 ; Catalogus librorum 7.

Grand in-8 Bonne gravure sur papier blanc ; titre noir sur blanc. 6 vol. demi-reliure, au chiffre de Napoléon III.
Nouveau fonds 2181 à 2186.

6792-6796.

Double.

5 vol. cartonnage.
Nouveau fonds 2874, 2875, 4757-4805, 4758, 4759.

6797-6799.

Cheng nien koang yi.

Édition sur papier teinté.

Sections 7 à 12.

3 vol. cartonnage.
Nouveau fonds 4802 à 4804.

6800-6803.

Cheng nien koang yi.

— I.
Me siang chen kong kien yi yao fa.

— II.

Cheng nien koang yi.

Réédition de Zi ka-wei (1875).

In-24. Papier blanc de genre européen. 4 vol. demi-reliure de Chang-hai.
Nouveau fonds 3644 à 3647.

6804. 聖經廣益
Cheng king koang yi.

Évangiles des dimanches et des principales fêtes de l'année.

Par le P. de Mailla. Introduction de l'auteur. Édition de l'église Cheou-chan à Péking.

— I.

避靜根本
Pi tsing ken pẹn.

Principes d'une vie de retraite.

Feuillets 3 à 7.

— II.

八日內每日行工時刻
Pa ji nei mei ji hing kong chi kho.

Exercices pour tous les jours de la semaine.

Feuillets 8 à 16.

— III.

Cheng king koang yi.

Table et texte.

Livre préliminaire + 2 livres.

Cordier, Imprimerie sino-européenne 162 ; Catalogus librorum 3.

Grand in-8. Bonne gravure ; titre en noir sur papier blanc. 1 vol. cartonnage.
Nouveau fonds 4786.

6805 — I, II. III.

Doubles respectifs.

1 vol. cartonnage.
Nouveau fonds 2847.

6806. — I, II, III.

Doubles.

1 vol. cartonnage.
Nouveau fonds 2848.

6807. — I, II, III.

Doubles.

Livre 1er seul de l'art. III.

Papier teinté. 1 vol. cartonnage.
Nouveau fonds 4787.

6808. — I, II.

Doubles des art. I et II, n° 6804.
Papier teinté.

— III.

Double dū n° 6804, art. III, livre 1er.

Papier teinté.

— IV.

Double des nos 6786-6791, art. II, 5e section.

Papier teinté ; titre noir sur papier blanc.

1 vol. cartonnage.
Nouveau fonds 4801.

6809.

Cheng king koang yi.

Art. I, II, III. Réédition de Zi-ka-wei (1866).

In-18. Papier blanc, titre noir sur blanc. 1 vol. demi-reliure de Chang-hai.
Nouveau fonds 3643.

6810.

Double.

In-12. 1 vol. cartonnage.
Nouveau fonds 4788.

6811. 十二位宗徒像讚
Chi eul oei tsong thou siang tsan.

Images et éloges des douze apôtres.

Par Fong Oen-tchhang, de l'église de Kiang-tcheou.

18 feuillets.

Petit in-8. Manuscrit. 1 vol. cartonnage.
Nouveau fonds 2772.

6812. 聖玻耳日亞行寶
Cheng pho eul ji ya hing chi.

Vie de saint François de Borgia.

Peut-être due au P. Philippe Couplet, Jésuite (1622-1693; noms chinois Po Ying-li Sin-mo).

8 feuillets.

Cordier, Imprimerie sino-européenne 89.

Petit in-8. Manuscrit. 1 vol. cartonnage.
Nouveau fonds 2878.

6813. 天主聖教聖蹟畧
Thien tchou cheng kiao cheng tsi lio.

Abrégé des miracles de la religion chrétienne.

59 feuillets.

Grand in-8. Manuscrit. 1 vol. cartonnage.
Nouveau fonds 3352.

6814. — I.

救世主實行全圖
Kieou chi tchou chi hing tshiuen thou.

Vie de Notre Seigneur, illustrée.

Par le P. Adolphe Vasseur, Jésuite (1828-1899; noms chinois Fan Chi-hi Tsiun-khing); texte et planches; publié à l'église de Kin-ling (1869) avec l'autorisation de Mgr Languillat.

63 feuillets.

Catalogus librorum 138.

In-4; papier teinté.

2

— II.

聖教聖像全圖

Cheng kiao cheng siang tshiuen thou.

Le catéchisme dit Seu tseu king, en illustrations.

Par le même. Édition de Kin-ling (1869).

22 feuillets.

Catalogus librorum 142 ; voir n° 6887.

In-4. Papier teinté.

— III.

玫瑰經圖像十五端

Mei koei king thou siang chi oou toan.

Les quinze mystères du Rosaire, illustrés.

Par le même. Édition de Zi-ka-wei (1869). A la fin, texte latin et musique de diverses hymnes.

18 feuillets.

Catalogus librorum 140 ; voir n°s 7382 et 6861, art. II.

In-folio. Papier blanc.

— IV.

救世主預像全圖

Kieou chi tchou yu siang tshiuen thou.

Les figures du Sauveur expliquées, avec planches.

Par le même. Édition de Kin-ling (1869).

21 feuillets.

Catalogus librorum 139.

In-folio. Papier blanc.

— V.

Cheng jo sẹ tchoan ; alias :

Cheng mou tsing phei cheng jo sẹ tchoan.

Même ouvrage qu'au n° 6744, art. II. Édition de Zi-ka-wei (1872), avec autorisation de Tẹ Ma-no.

24 feuillets.

In-4. Papier blanc.

— VI.

諸聖宗徒行實聖像

Tchou cheng tsong thou hing chi cheng siang.

Images et vies des saints apôtres.

Publié à Zi-ka-wei (1869).

14 feuillets.

Comparer Catalogus librorum 141 (Chi eul tsong thou hing chi cheng siang, par le P. Vasseur).

In-folio. Papier teinté.

— VII.

教要六端全圖

Kiao yao lou toan tshiuen thou.

Images et explication des six principales vérités de la foi.

Édition de Kin-ling (1869).

10 feuillets.

Comparer Catalogus librorum 143 (Yao li lou toan tshiuen thou, par le P. Vasseur) ; voir aussi n° 7408, art. I.

In-4. Papier teinté.

— VIII.

江蘇省

Kiang sou cheng.

Carte de la province du Kiang-sou.

1 feuille de 0ᵐ,70 × 0ᵐ,60.

In-folio. 1 vol. cartonnage.
Nouveau fonds 3659 à 3665.

Deuxième Section : EXPOSÉ DE LA DOCTRINE

6815　天主聖教實錄

Thien tchou cheng kiao chi iou.

Véritable exposé de la religion chrétienne.

Par le P. Michaele Ruggieri, Jésuite (1543-1607 ; noms chinois Lo Ming-kien Fou-tchhou), avec introduction de l'auteur (1584) et autorisation du P. Furtado.

16 sections.

Cordier, Imprimerie sino-européenne 251.

Petit in-8. Frontispice et titre. 1 vol. cartonnage (provenant de la Société de Jésus).
Nouveau fonds 3249.

6816.

Double.

1 vol. cartonnage (même provenance).
Fourmont 215.

6817.

Double.

1 vol. cartonnage (provenant des Missions Étrangères).
Nouveau fonds 3248.

6818.

Doubles.

5 exemplaires. 1 vol. cartonnage.
Nouveau fonds 4875.

6819.

Thien tchou cheng kiao chi lou.

Édition un peu plus grande.

Grand in-8 ; manque le dernier feuillet. 1 vol. cartonnage.
Nouveau fonds 3247.

6820. 天主實義
Thien tchou chi yi.

La vraie doctrine de Dieu.

Par le P. Matteo Ricci, Jésuite (1552-1610 ; noms chinois Li Ma-teou Si-thai). Introduction de l'auteur (1603) ; préface de Fong Ying-king (1601) ; préface par Li Tchi-tsao (cf. n°s 4861-4863) pour la réédition de 1607. Gravé à l'église Yen-yi.

2 livres (8 sections).

Cat. imp., liv. 125, f. 28 ; Cordier, Imprimerie sino-européenne 225 ; Catalogus librorum 17.

Petit in-8. 1 vol. cartonnage.
Fourmont 170.

6821.

Double.

1 vol. cartonnage.
Fourmont 173.

6822-6823.

Thien tchou chi yi.

Autre édition, de la salle Yen-yi ; table pour chaque livre.

Grand in-8. 2 vol. cartonnage (provenant de la Société de Jésus).
Fourmont 171, 172.

6824.

Double.

Papier blanc ; exemplaire avec un frontispice qui manque au n° 6822. 1 vol. cartonnage,
Nouveau fonds 3233.

6825. — I

Double du n° 6822.

— II.

Thien tchou chi yi.

Traduction en mantchou.

Livre 2 seul.

Grand in-8. 1 vol. cartonnage (provenant des Missions Étrangères).
Nouveau fonds 4873.

6826.

Thien tchou chi yi.

Édition de l'église Yen-yi, plus grande que le n° 6822.

Grand in-8. 1 vol cartonnage (provenant de la Société de Jésus).
Nouveau fonds 3232.

6827.

Thien tchou chi yi ; alias :

大西洋利先生天主實義

Ta si yang li sien cheng thien tchou chi yi.

Édition plus grande, de l'église Yen-yi.

Grand in-8. 1 vol. cartonnage.
Nouveau fonds 3234.

6828.

Thien tchou chi yi.

Édition de l'église Khin-yi au Fou-kien.

Grand in-8. Exemplaire interfolié, notes manuscrites en français. 1 vol. cartonnage.
Nouveau fonds 3235.

6829.

Thien tchou chi yi.

Réédition de Zi-ka-wei (1868), avec l'autorisation de Mgr François-Xavier Maresca (†1855; noms chinois Tchao Fang-tsi).

Grand in-8. Papier blanc; titre noir sur blanc. 1 vol. demi-reliure de Changhai.
Nouveau fonds 3641.

6830. 重刻畸人十篇
Tchhong kho ki jen chi phien.

Dix conversations sur la doctrine chrétienne, réédition.

Par le P. Ricci; préface de la première édition (1608) par Li Tchi-tsao, de Hou-lin.

2 livres.

Cat. imp., liv. 125, f. 29; Cordier, Imprimerie sino-européenne 233; Catalogus librorum 42.

Petit in-8. 1 vol. cartonnage.
Fourmont 223.

6831.

Double.

Avec une postface par Oang Jou-chwen, de Sin-tou (1611).

1 vol. cartonnage.
Nouveau fonds 2961.

6832. — I.

Ki jen chi phien.

Même ouvrage, réédition de l'église Ling-pao à Péking (1694). Préface de Li Tchi-tsao; introductions par Tcheou Ping-mou, de Oou, et par Oang Kia-tchi Mou-tchong, de Po-hai. Préface par Lieou Yin-tchhang, de Hoan-tchheng. Poésie en l'honneur des PP. Ricci et Aleni par Tchang Eul-choei de Oen-ling.

— II.

冷石生演畸人十規

Leng chi cheng yen ki jen chi koei.

Règles relatives à la religion.

Postface de Liang-'an kiu-chi; gravé à l'église Ling-pao (1695).

Grand in-8. 1 vol. cartonnage.
Nouveau fonds 2962.

6833. — I.

Ki jen chi phien.

Édition conforme à la précédente (1847), avec l'autorisation de Ma Jérome.

Petit in-8. Papier blanc.

— II.

Double.

In-12.
1 vol. cartonnage.
Nouveau fonds 4825.

6834. # 天主聖教約言

Thien tchou cheng kiao yo yen.

Courte dissertation sur la religion chrétienne.

Par le P. João Soerio, Jésuite (1566-1607; noms chinois Sou Jou-oang Tchan-tshing). Réédition de la mission de Canton.

16 feuillets.

Cordier, Imprimerie sino-européenne 299.

Petit in-8. Papier blanc. 1 vol. cartonnage.
Fourmont 175.

6835.

Double.

Petit in-8. 1 vol. cartonnage.
Nouveau fonds 3266.

6836.

Double.

Grand in-8. 1 vol. cartonnage.
Nouveau fonds 4784.

6837.

Double.

Petit in-8. 1 vol. cartonnage.
Nouveau fonds 2840.

6838.

Thien tchou cheng kiao yo yen.

Réédition de l'église Khin-yi au pays de Tchhou.

13 feuillets.

Grand in-8. 1 vol. cartonnage.
Nouveau fonds 4785.

6839.

Thien tchou cheng kiao yo yen.

Édition de l'église Tchhao-sing à Oou-lin.

1 2 feuillets.

Petit in-8. 1 vol. cartonnage (provenant de la Société de Jésus).
Nouveau fonds 2841.

6840.

Thien tchou cheng kiao yo yen.

Édition **un peu plus grande que** celle du n° 6834.

15 feuillets.

Petit in-8. 1 vol. cartonnage (provenant des Missions Étrangères).
Fourmont 176.

6841.

Double.

1 vol. cartonnage (provenant des Missions Étrangères).
Fourmont 177.

6842.

Double.

1 vol. cartonnage (provenant des Missions Étrangères).
Nouveau fonds 3267.

6843.

Thien tchou cheng kiao yo yen.

Édition un peu plus grande que la précédente.

16 feuillets.

Grand in-8. Papier blanc. 1 vol. cartonnage.
Nouveau fonds 2842.

6844.

Thien tchou cheng kiao yo yen.

Édition encore plus grande.

15 feuillets.

Petit in-8. 1 vol. cartonnage.
Nouveau fonds 4880.

6845. 聖水紀言
Cheng choei ki yen.

Souvenirs de la confrérie de l'Eau Sainte, de Oou-lin.

Par Tchang Hio-chi ; revu par Tchang Oen-tao. Préface par Li Tchi-tsao Po-tchhen, de Tong-hai, rédigée une trentaine d'années après l'introduction du christianisme.

9 feuillets.

Petit in-8. 1 vol. cartonnage (provenant de la Société de Jésus).
Nouveau fonds 2789.

6846.

Double.

1 vol. cartonnage (même provenance).
Nouveau fonds 2790.

6847.

Cheng choei ki yen.

Édition plus petite.

Grand in-8. 1 vol. cartonnage.
Nouveau fonds 4765.

6848. 天主實義續篇

Thien tchou chi yi siu phien.

Suite à la Vraie doctrine de Dieu.

Par le P. Diego de Pantoja, Jésuite (1571-1618; noms chinois Phang Ti-oo Chwẹn-yang); suite en 12 livres, gravée de nouveau à l'église King-kiao, de Tshing-tchang.

Livre 2 seul.

Cordier, Imprimerie sino-européenne 178; cf. nº 6820.

Grand in-8. Papier blanc, titre noir sur papier blanc. 1 vol. cartonnage (provenant de la Société de Jésus).
Nouveau fonds 3246.

6849.

Double.

Papier teinté. 1 vol. cartonnage.
Nouveau fonds 3238.

6850.

Double.

Papier blanc. 1 vol. cartonnage (provenant de la Société de Jésus).
Nouveau fonds 3239.

6851. 龐子遺詮

Phang tseu yi tshiuen.

Dissertations posthumes du P. de Pantoja.

Cordier, Imprimerie sino-européenne 179.

— I, livres 1 à 3.

性薄錄
Sing po lou.

Le Symbole.

— II, livre 4, feuillets 1 à 15.

詮天神魔鬼
Tshiuen thien chen mo koei.

Traité des anges et des démons.

Cordier, Imprimerie sino-européenne 181 (Thien chen mo koei chọẹ).

— III, livre 4, feuillets 16 à 31.

詮人類原始
Tshiuen jen lei yuen chi.

De l'origine du genre humain.

Cordier, Imprimerie sino-européenne 182 (Jen lei yuen chi).

Grand in-8. 1 vol. cartonnage (provenant de la Société de Jésus).
Nouveau fonds 3010.

6852.

Phang tseu yi tshiuen.

Édition plus petite des art. I à III.

Petit in-8. 1 vol. cartonnage.
Fourmont 191.

6853.

Double.

1 vol. cartonnage.
Nouveau fonds 3011.

6854. 龐子信經遺詮

Phang tseu sin king yi tshiuen.

Explication posthume du Symbole, du P. de Pantoja.

Réédition de l'église King-kiao à Tshing-tchang

— I.

信 經

Sin king.

Le Symbole.

Feuillets 2 et 3.

— II.

Phan tseu sin king yi tshiuen.

Explication du Symbole en 3 livres, d'après la table ; même ouvrage qu'au n° 6851, art. I.

Livres 1 et 2.

Grand in-8. Titre relié à l'envers à la fin. 1 vol. cartonnage.
Nouveau fonds 3012.

6855. 天主教要解略

Thien tchou kiao yao kiai lio.

Catéchisme expliqué.

Préface par Oang Fong-sou, de Si-hai (1615). Ouvrage du P. Vagnoni.

2 livres.

Cordier, Imprimerie sino-européenne 325 (Kiao yao kiai lio).

Petit in-8. 1 vol. cartonnage (provenant de la Société de Jésus).
Nouveau fonds 2965.

6856.

Double.

1 vol. cartonnage (même provenance).
Nouveau fonds 2966.

6857. 天主聖教四末論

Thien tchou cheng kiao seu mo loẹn.

Traité des quatre fins dernières.

Préfaces (1636) par Han Lin Yu-'an kiu-chi et par Toan Koẹn, de Kiang. Ouvrage du P. Vagnoni.

4 livres

Cordier, Imprimerie sino-européenne 321 (Seu mo loẹn).

Grand in-8. 1 vol. cartonnage (provenant de la Société de Jésus).
Nouveau fonds 3116.

6858.

Double.

Livres 2, 3, 4 incomplet.

1 vol. cartonnage.
Nouveau fonds 4845.

6859. 寰宇始末

Hoan yu chi mo.

Sur la création et la fin du monde.

Par le P. Vagnoni.

2 livres.

Cordier, Imprimerie sino-européenne 327.

Grand in-8. 1 vol. cartonnage (provenant de la Société de Jésus).
Nouveau fonds 2921.

6860. 神鬼正紀

Chen koei tcheng ki.

Sur les anges et les démons.

Publié à l'église King-kiao, de Kiang, par le P. Vagnoni avec l'autorisation du P. Furtado.

4 livres.

Cordier, Imprimerie sino-européenne 329.

Grand in-8. 1 vol. cartonnage (provenant de la Société de Jésus).
Nouveau fonds 2784.

6861. — I.

天主聖教啓蒙

Thien tchou cheng kiao khi mong.

Catéchisme.

Par les PP. João da Rocha, Jésuite (1565-1623 ; noms chinois Lo Jou-oang Hoai-tchong) et Gaspar Ferreira, Jésuite (1571-1649 ; noms chinois Fei Khi-koei Koei-yi), avec l'autorisation du P. Diaz.

2 livres (69 feuillets).

Cordier, Imprimerie sino-européenne 245.

— II.

誦念珠規程

Song nien tchou koei tchheng.

Règles pour la récitation du Rosaire.

32 feuillets, avec 14 planches d'illustration.

Nº 7382 ; comparer Cordier, Imprimerie sino-européenne 116 (Mei koei king chi ou toan, par le P. Ferreira) ; comparer nº 6814, art. III.

Grand in-8 1 vol. cartonnage (provenant de la Société de Jésus).
Fourmont 178.

6862.

Double.

Art. I seul, moins le 1er feuillet.

ɪ vol. cartonnage.
Nouveau fonds 3254.

6863. 靈言蠡勺
Ling yen li tcho.

Sur l'âme.

Exposé du P. Francesco Sambiaso, Jésuite (1582-1649 ; noms chinois Pi Fang-tsi Kin-liang), rédigé par Siu Koang-khi. Introduction du P. Sambiaso (1624). Réédition de l'église Chen-sieou.

2 livres.

Cat. imp., liv. ɪ25, f. 34 ; Cordier, Imprimerie sino-européenne 255.

Grand in-8. ɪ vol. cartonnage.
Fourmont 22ɪ.

6864.

Double.

ɪ vol. cartonnage.
Nouveau fonds 3009.

6865-6866.

Double.

2 vol. cartonnage (manque la fin du livre 2).
Nouveau fonds 4973, 483ɪ.

6867.

Ling yen li tcho.

Autre édition plus soignée.

Grand in-8. ɪ vol. cartonnage.
Nouveau fonds 483o.

6868. 畏天愛人極論
Oei thien 'ai jen ki loẹn.

Traité sur le respect du ciel et l'amour des hommes.

Par Oang Tcheng Khoei-sin, de King-yang ; annoté par Tcheng Man Mi-yang, de Oou-tsin. Préface de ce dernier (1628) ; notice finale non signée (1628).

48 feuillets

Petit in-8. Manuscrit. ɪ vol. cartonnage.
Nouveau fonds 3368.

6869. 哀矜行詮
'Ai king hing tshiuen.

Dissertation sur les œuvres de charité.

Par le P. Rho. Préface de l'auteur ; préface de Li Tsou-po ; introduction (1633) par Oang Yuen-thai, de Sing-yuen.

3 livres.

Cordier, Imprimerie sino-européenne 208 ; Catalogus librorum 53.

Petit in-8. ɪ vol. cartonnage (provenant de la Société de Jésus).
Nouveau fonds 3034.

6870.

Double.

ɪ vol. cartonnage.
Nouveau fonds 3o35.

6871.

Doubles.

— I (prov. de la Société de Jésus) et II.

ɪ vol. cartonnage.
Nouveau fonds 4834.

6872.　死 說
Seu choę.

Traité de la mort.

Du P. Longobardi ; introduction non signée et introduction du P. Rho.

4 feuillets

Cordier, Imprimerie sino-européenne 15o. ¦

Grand in-8. Papier blanc. ɪ vol. cartonnage (provenant de la Société de Jésus).
Nouveau fonds 2385.

6873. — I.

Seu choę.

Même ouvrage; manquent la première introduction et la fin du texte.

5 feuillets.

Manuscrit.

— II.

罪 人 像 略 說
Tsoei jen siang lio choę.

Image du pécheur.

2 feuillets

Petit in-8. Manuscrit. ɪ vol. cartonnage.
Nouveau fonds 3ıı5.

6874.　靈 魂 道 體 說
Ling hoęn tao thi choę.

Traité de psychologie.

Par le P. Longobardi, avec préface de l'auteur.

ıo feuillets.

Cordier, Imprimerie sino-européenne ı52.

Grand in-8. ɪ vol. cartonnage (provenant de la Société de Jésus).
Nouveau fonds 3ooı.

6875. — I.

天 學 傳 概
Thien hio tchhoan kai.

Abrégé de la prédication du christianisme.

Résumé historique et doctrinal par Hoang Ming-khiao (1639).

6 feuillets.

— II.

荅郷人書

Ta hiang jen chou.

Lettre de Siu Koang-khi sur le bouddhisme.

1 feuillet.

— III.

Proclamation de Lei, magistrat de Kiang-tcheou, en faveur de la religion (1635).

1 feuillet.

Grand in-8. Manuscrit paraissant copié sur un imprimé. 1 vol. cartonnage.
Nouveau fonds 3225.

———

6876. # 勵修一鑑

Li sieou yi kien.

Miroir du perfectionnement.

Sur les rapports avec Dieu, avec soi-même, avec autrui. Par Li Khi-siu Kieou-kong, de Fou-thang; préface de l'auteur (1639); autres préfaces par Tchhen Tchong-tan Khoei-po, de Sien-khi, (1645) et par Tchang Keng. Avertissement.

1er livre en 3 sections.

Grand in-8. Papier blanc. 1 vol. cartonnage.
Nouveau fonds 2998.

6877.

Li sieou yi kien.

Édition plus grande, contenant de plus une préface par Li Seu-hiuen, de Soei-'an.

1er livre.

Grand in-8. 1 vol. cartonnage.
Nouveau fonds 2999.

6878.

Li sieou yi kien.

Sur les miracles, les récompenses et les châtiments.

Livre 2 (3 sections).

Petit in-8. Manuscrit soigné, copie d'un imprimé. 1 vol. cartonnage.
Nouveau fonds 3000.

———

6879. — I.

天學解惑

Thien hio kiai hoẹ.

Solution des doutes sur le christianisme.

Par Tchang Keng Li-yen, de Fou-tsin.

10 feuillets.

— II.

點金說

Tien kin choę

Sur le désintéressement des missionnaires.

Dialogue par Lin Koang-yuen, de Fou-tchong.

2 feuillets.

Petit in-8. 1 vol. cartonnage (provenant de la Société de Jésus).
Nouveau fonds 3220.

6880.

身後編

Chen heou pien.

De la vie future.

Traité du P. Lo Po La-min, expliqué par le P. Lazare Cattaneo, Jésuite (1560-1640 ; noms chinois Koo Kiu-tsing Yang-fong) ; rédigé par Tchang Keng. Introduction non datée.

2 livres (58 sections).

Cordier, Imprimerie sino-européenne 82.

Petit in-8. Manuscrit. 1 vol. cartonnage.
Nouveau fonds 2783.

6881. — I.

天主審判明證

Thien tchou chen phan ming

Preuves du jugement.

Par Yen Khoei-pin, de Tshiuen-tcheou (1640).

Feuillets 1 à 3.

— II.

天主聖教齋說

Thien tchou cheng kiao tchai choe.

Traité de l'abstinence.

2 feuillets sans pagination.

Petit in-8. Frontispice, papier blanc. 1 vol. cartonnage.
Nouveau fonds 2879.

———

6882.

聖教源流

Cheng kiao yuen lieou.

Origine et développement de la religion.

Dialogue entre un Chinois et un Père Jésuite, rapporté par Tchou Yu-pho Jo-sę. Postface sans signature ni date. Ouvrage attribué **au** P. Roderic de Figueredo, Jésuite (1594-1642 ; noms chinois Fei Lo-tę Sin-ming).

4 livres formant 7 sections.

Cordier, Imprimerie sino-européenne 118.

Grand in-8. Manuscrit. 1 vol. cartonnage.

6883.

Cheng kiao yuen lieou.

Texte différent, précédé d'un avertissement.

4 livres.

Grand in-8. 1 vol. cartonnage.
Nouveau fonds 2845.

6884. 聖夢歌
Cheng mong ko.

Dialogue d'une âme avec son corps.

Traduction attribuée au P. Aleni. Préface. Introduction par Lin Yi-tsiun, de Fou-thang ; postface par Li Kieou-piao, de Fou-thang. Texte en vers. A la fin, mention de la date et du lieu : gravé en 1637 à l'église King-kiao à Tsin-kiang.

Cordier, Imprimerie sino-européenne 17.

In-12. Manuscrit. 1 vol. cartonnage.
Nouveau fonds 2860.

6885.

Cheng mong ko.

Réédition de l'église Khin-yi à San-chan (1684).

9 feuillets.

Grand-in 8. 1 vol. cartonnage.
Nouveau fonds 4797.

6886.

Cheng mong ko.

Édition plus petite, avec la préface.

Grand in-8. Papier blanc. 1 vol. cartonnage (provenant de la Société de Jésus).
Nouveau fonds 2859.

6887. 天主聖教四字經文
Thien tchou cheng kiao seu tseu king oen.

La doctrine chrétienne en vers tétrasyllabes.

Par le P. Aleni (1642). Réédition de l'église Khin-yi à Ying.

35 feuillets.

Cordier, Imprimerie sino-européenne 18 ; Catalogus librorum 91.

In-12. Feuille de titre. 1 vol. cartonnage.
Nouveau fonds 3263.

6888.

Thien tchou cheng kiao seu tseu king oen.

Réédition de Zi-ka-wei (1856), avec autorisation de Mgr Spelta (†1862, noms chinois Siu Lei-seu).

— I.

正學警言

Tcheng hio king yen.

Avertissement sur la vraie doctrine.

Les quatre bienfaits : création, incarnation, passion, rédemption ; et les quatre fins : mort, jugement, ciel, enfer.

1 feuillet.

— II.

都門建堂碑記

Tou men kien thang pei ki.

Inscription du Nan-thang.

Composée par le P. Schall pour la fondation de l'église (1650).

2 feuillets.

— III.

Thien tchou cheng kiao seu tseu king oen.

Voir nº 6887.

Feuillets 1 à 29.

— IV.

四字經文跋

Seu tseu king oen po.

Postface au Seu tseu king oen.

Historique de la prédication en Chine, par Li Chi-hoan Yun-si (1663).

Feuillet 29 à 31.

— V, VI, VII, VIII.

Doubles des art. I à IV.

Petit in-8. Papier blanc ; frontispice et titre. 1 vol. cartonnage.
Nouveau fonds 4879.

6889. ## 萬物眞元

Oan oou tchen yuen.

Du vrai principe de toutes choses.

Par le P. Aleni. Introduction de l'auteur suivie de divers sceaux. Table. Édition revue par Tchang Keng, de Oen-ling.

26 feuillets (11 sections).

Cordier, Imprimerie sino-européenne 13 ; Catalogus librorum 26.

Grand in-8. Papier blanc ; titre en noir sur blanc. 1 vol. cartonnage.
Nouveau fonds 3354.

6890. — I.

Oan oou tchen yuen.

Édition de l'église King-kiao à Oen-ling ; paraît antérieure à celle du nº précédent.

26 feuillets. Feuille de titre.

— II.

Oan oou tchen yuen.

Édition de l'église de Oou-lin.

26 feuillets. Feuille de titre.

— III.

Oan oou tchen yuen.

Réédition de l'église de Oou-tchhang.

26 feuillets. Feuille de titre.

— IV.

Double de l'art. II.

— V.

Oan oou tchen yuen.

Autre édition, sans localité.

26 feuillets (provenant de la Société de Jésus).

— VI.

Oan oou tchen yuen.

Réédition de l'église Ta-yuen, à Soei-tchheng.

24 feuillets. Feuille de titre (prov. des Missions Étrangères).

— VII.

Oan oou tchen yuen.

Édition de Oou-lin, différente de l'art. II.

26 feuillets. Feuille de titre (prov. des Missions Étrangères).

Grand-8. 1 vol. cartonnage.
Nouveau fonds 4895.

6891.

Double.

N° 6890, art. II.

1 vol. cartonnage.
Fourmont 225.

6892.

Double.

1 vol. cartonnage.
Nouveau fonds 3355.

6893.

Double.

N° 6890, art. VI.

Petit in-8. 1 vol. cartonnage.
Nouveau fonds 3356.

6894. 天主降生引義
Thien tchou kiang cheng yin yi.

Traité sur l'incarnation de Notre-Seigneur.

Par le P. Aleni; publié avec l'autorisation du P. Diaz.

2 livres.

Cordier, Imprimerie sino-européenne 27; Catalogus librorum 45.

Grand-in-8. Belle édition sur papier blanc; titre en noir sur papier blanc. 1 vol. cartonnage.

Fourmont 270.

6895.

Thien tchou kiang cheng yin yi.

Édition de l'église Tchhao-sing, à Oou-lin.

Petit in-8. Titre noir sur papier teinté. 1 vol. cartonnage (prov. des Missions Étrangères).

Nouveau fonds 3276.

6896.

Double.

1 vol. cartonnage (provenant de la Société de Jésus).

Nouveau fonds 3277.

———

6897. 天學辨敬錄
Thien hio pien king lou.

Sur l'adoration.

Par le P. João Monteiro, Jésuite (1603-1648; noms chinois Meng Jou-oang Chi-piao), publié avec l'autorisation du P. Aleni. Préfaces non datées par Tchang Neng-sin Oang-sien, de Tong-hai, et par Tchou Tsong-yuen Seu-tien, de Yin; préface (1642) par Tshien Thing-hoan Oen-tsẹ. Édition de la salle Tshiuen-neng.

11 sections.

Cordier, Imprimerie sino-euro-péenne 169.

Grand in-8. 1 vol. cartonnage.
Nouveau fonds 3059.

———

6898. 天學略義
Thien hio lio yi.

Explication abrégée du christianisme.

Par le P. Monteiro; publié avec l'autorisation du P. Furtado. Préface écrite (1655) par Tchang Keng, de Tsin-kiang, âgé de quatre-vingts ans.

28 feuillets.

Cordier, Imprimerie sino-euro-péenne 168.

Petit in-8. Manuscrit, copie d'un imprimé. 1 vol. cartonnage.
Nouveau fonds 3223.

———

6899. 天主一體三位論
Thien tchou yi thi san oei loẹn.

Traité de la Sainte Trinité.

Par le P. Monteiro.

9 feuillets.

Petit in-8. Manuscrit. 1 vol. carton-nage (provenant de la Société de Jésus).
Nouveau fonds 3282.

———

6900-6901. 天學舉要

Thien hio kiu yao.

Principes du christianisme.

Par le P. Diaz, avec une préface non datée de l'auteur.

4 livres.

Cordier, Imprimerie sino-européenne 102.

Petit in-8. Manuscrit. 2 vol. cartonnage.

Nouveau fonds 3221, 3222.

6902. 天主聖教入門問答

Thien tchou cheng kiao jou men oen ta.

Introduction au christianisme.

Par Chi Jo-han, Dominicain; avec une courte introduction. Gravure de la mission Mei–koei (1642).

2 livres (65 feuillets).

In-18. Frontispice; impression grossière. 1 vol. cartonnage.

Nouveau fonds 3253.

6903. — I.

聖教信證

Cheng kiao sin tcheng.

Témoins de la foi chrétienne.

Par Han Lin Yu kong, de Tsin-kiang, et Tchang Keng, de Min-tchang; préface (1647) par Han Lin.

11 feuillets.

Al. Wylie, Notes on Chinese literature, p. 142.

— II.

耶穌會西來諸位先生姓氏

Ye sou hoei si lai tchou oei sien cheng sing chi.

Liste des Pères Jésuites qui sont venus d'Occident.

Noms, biographies, ouvrages : la dernière date que j'aie trouvée est 1678. Par Han Lin et Tchang Keng.

34 feuillets.

Cordier, Imprimerie sino-européenne, p. IX.

Grand in-8. 1 vol. demi-reliure.
Fourmont 168.

6904. — I et II.

Doubles respectifs.

1 vol. cartonnage (prov. de la Société de Jésus).
Nouveau fonds 3518.

6905. — I.

Cheng kiao sin tcheng.

Pas de préface.

Feuillets 1 à 10.

— II.

Sing chi.

Liste qui paraît semblable à celle du n° 6903, art. II.

Feuillets 12 à 48.

Grand in-8. 1 vol. cartonnage.
Nouveau fonds 2818.

6906. 超性學要目錄

Tchhao sing hio yao mou lou.

La somme théologique de saint Thomas, index.

Impression de 1654. Livre préliminaire contenant une table générale qui indique la division de l'ouvrage en 3 sections :

Livre 1 (1re section) de Dieu.
Livre 2 (2e section, *a*) de la fin de l'homme, du bien qui concourt et du mal qui s'oppose à cette fin.
Livre 3 (2e section, *b*) des vertus et des péchés contraires.
Livre 4 (3e section) de l'incarnation et de la rédemption.
Table détaillée en 4 livres.

Cordier, Imprimerie sino-européenne 52.

Grand in-8. 1 vol. cartonnage (provenant de la Société de Jésus).
Fourmont 222.

6907-6909. 超性學要

Tchhao sing hio yao.

Somme théologique, première section.

Par le P. Luigi Buglio, Jésuite (1606-1682 ; noms chinois Li Lei-seu Tsai-kho), publié à la mission de Péking, avec l'autorisation du P. Ignacio da Costa, Jésuite (1599-1666 ; noms chinois Koo Na-tsio Tę-tsing). Préfaces non datées par Hou Chi-'an, du Seu-tchhoan occidental, et par Kao Tsheng-yun, de Hoa-thing. Des tables des matières sont irrégulièrement placées en tête de quelques-uns des livres ; plusieurs font défaut.

(6907), Dieu, livres 1 à 6.
(6907-6908), **la Sainte-Trinité**, livres 7 à 9.
(6908), la création, livre 10.
(6908), les anges, livres 11 à 15.
(6909), la création des objets matériels, livre 16.
(6909), l'âme de l'homme, livres 17 à 22.
(6909), le corps de l'homme, livres 23 et 24.
(6909), la Providence, livres 25 et 26.

Cordier, Imprimerie sino-européenne 52.

Grand in-8. Titre noir sur papier teinté. 3 vol. cartonnage.
Nouveau fonds 3149 à 3151.

6910.

Tchhao sing hio yao.

Même ouvrage, impression diffé-rente ; sans la préface de Kao Tsheng-yun ; on y trouve une préface du P. Buglio (1654) et un avertissement.

Livres 1 à 6 seulement.

In-4. 1 vol. cartonnage (provenant des Missions Étrangères).
Nouveau fonds 4853.

6911.

Tchhao sing hio yao.

Même ouvrage ; fragment de la 3ᵉ section (l'incarnation, la Sainte Vierge, la vie de Jésus) ; table en tête de chaque livre.

Livres 1 à 4.

Grand in-8. 1 vol. cartonnage (prov. de la Société de Jésus).
Nouveau fonds 4854.

6912. 天主正教約徵
Thien tchou tcheng kiao yo tcheng.

Preuves de la religion catho-lique.

Par le P. Buglio ; texte légère-ment différent de celui du nᵒ 1885, art. II.

6 feuillets.

Cordier, Imprimerie sino-euro-péenne 5o.

Grand in-8. 1 vol. cartonnage (prov. de la Société de Jésus).
Nouveau fonds 3264.

6913.

Thien tchou tcheng kiao yo tcheng.

Autre édition.

8 feuillets.

Petit in-8. 1 vol. cartonnage (même provenance).
Nouveau fonds 3265.

6914.

Double.

Grand in-8. 1 vol. cartonnage.
Nouveau fonds 2839.

6915. — I.

性靈說
Sing ling choe.

Traité de l'âme.

Par le P. Buglio.

6 feuillets.

Cordier, Imprimerie sino-euro-péenne 55.

— II.

Thien tchou tcheng kiao yo tcheng.

第五卷

Autre édition du n° 6912.

6 feuillets.

— III.

推驗正道論

Tchhoei yen tcheng tao loen.

Examen de la vraie doctrine des classiques.

Comparaison des notions de *chang ti* et de *thien tchou*, par Oang Yi-yuen Thai-te Jésuite ; revu par Siu Koang-khi Hiuen-hou.

6 feuillets.

— IV.

造物主垂象略說

Tsao oou tchou tchhoei siang lio choe ; alias :

天主聖像略說

Thien tchou cheng siang lio choe.

Traité sur l'image du Créateur.

Attribué au P. da Rocha, non daté.

Cordier, Imprimerie sino-européenne 247.

7 feuillets. Caractères du genre cursif.

— V.

鴞鸞不並鳴說

Hiao loan pou ping ming choe.

Apologue du hibou et du phénix qui ne chantent pas ensemble.

4 feuillets. Caractères du genre cursif.

N° 6691, art. II.

— VI.

靈魂道體說

Ling hoen tao thi choe.

Double du n° 6874.

— VII.

聖教規誡箴賛

Cheng kiao koei kiai tchen tsan.

Règles de la morale chrétienne.

Par Siu Koang-khi, de Oou-song.

4 feuillets.

Grand in-8. 1 vol. cartonnage (provenant de la Société de Jésus).
Nouveau fonds 3108.

6916. — I.

Thien tchou tcheng kiao yo tcheng.

Double du n° précédent, art. II.

— II.

Sing ling choẹ.

Double du n° précédent, art. I.

— III.

Tchhoei yen tcheng tao loẹn.

Double du n° précédent, art. III.

— IV.

Tsao oou tchou tchhoei siang lio choẹ.

Double du n° précédent, art. IV.

— V.

Hiao loan pou ping ming choẹ.

Double du n° précédent, art. V.

Petit in-8. 1 vol. cartonnage (prov. de la Société de Jésus).
Nouveau fonds 3176.

———

6917. 主教要旨
Tchou kiao yao tchi.

Abrégé de la religion chrétienne.

Par le P. Buglio, avec introduction de l'auteur; à la fin on lit la date de 1688.

26 feuillets
Cordier, Imprimerie sino-européenne 51.

Grand in-8. 1 vol. cartonnage.
Fourmont 190.

6918.

Doubles.

6 exemplaires, dont 1 provient des Missions Étrangères.

1 vol. cartonnage.
Nouveau fonds 4861.

6919.

Double.
1 vol. cartonnage.
Nouveau fonds 3192.

6920.

Double.

1, vol. cartonnage (prov. de la Société de Jésus).
Nouveau fonds 3193.

6921.

Tchou kiao yao tchi.

Édition de la salle Yi-yi, à Heng-phou (1702?)

20 feuillets.

Petit in-8. Gravure grossière. 1 vol. cartonnage.
Nouveau fonds 3194.

———

6922. 聖教簡要
Cheng kiao kien yao.

Abrégé de la religion.

Par le P. Buglio.

8 feuillets.

Cordier, Imprimerie sino-euro-péenne 6o.

Grand in-8. 1 vol. cartonnage (provenant des Missions Étrangères).
Nouveau fonds 2813.

6923.

Double.

1 vol. cartonnage. Incomplet.
Nouveau fonds 4777.

6924.

Cheng kiao kien yao.

Même ouvrage, planches plus grandes.

Grand in-8. 1 vol. cartonnage.
Nouveau fonds 2814.

6925.

Cheng kiao kien yao.

Même ouvrage, planches encore plus grandes.

Petit in-8. 1 vol. cartonnage (prov. de la Société de Jésus).
Fourmont, 188-189.

6926. 三 位 一 體 說
San oei yi thi choẹ ; alias :

三 一 聖 學
San yi cheng hio

Traité de la Sainte Trinité.

Attribué au P. Buglio ; préface sans signature ni date.

47 sections.

Cordier, Imprimerie sino-euro-péenne 67.

Petit in-8. Manuscrit. 1 vol. carton-nage (provenant de la Société de Jésus).
Nouveau fonds 3o81.

6927. 萬 物 始 元
Oan oou chi yuen.

Du principe des êtres.

Attribué au P. Buglio.

52 sections (128 feuillets).

Cordier, Imprimerie sino-euro-péenne 68 (Oan oou yuen chi).

Petit in-8. Manuscrit. 1 vol. carton-nage.
Nouveau fonds 3352.

6928. 天 主 聖 教 蒙 引 要 覽
Thien tchou cheng kiao mong yin yao lan.

Catéchisme en langue vul-gaire.

Par le P. Antoine de Gouvea, Jésuite (1592-1677; noms chinois Ho Ta-hoa Tẹ-tchhoan). Préface par Thong Koẹ-khi, de Siang-phing (1655); préface de l'auteur (1655).

52 feuillets.

Cordier, Imprimerie sino-européenne 127.

Grand in-8. Frontispice. 1 vol. cartonnage (provenant des Missions Étrangères).
Nouveau fonds 3258.

6929.

Double.

Petit in-8. Sans frontispice. 1 vol. cartonnage (provenant de la Société de Jésus).
Fourmont 255.

6930.

Double.

Grand in-8. Sans frontispice, 1 feuillet retourné. 1 vol. cartonnage.
Nouveau fonds 3032.

6931. 眞主靈性理證
Tchen tchou ling sing li tcheng.

Preuves rationnelles de l'existence de Dieu et de l'âme.

Par le P. Martino Martini, Jésuite (1614-1661 ; noms chinois

Oei Khoang-koẹ Tsi-thai). Introduction de l'auteur.

2 livres (4 + 23 sections).

Cordier, Imprimerie sino-européenne 166.

Petit in-8. 1 vol. cartonnage (prov. de la Société de Jésus).
Fourmont 212.

6932.

Double.

1 vol. cartonnage (prov. de la Société de Jésus).
Nouveau fonds 3165.

6933.

Double.

1 vol. cartonnage.
Nouveau fonds 3166.

6934

Double.

1 vol. cartonnage (provenant des Missions Étrangères).
Nouveau fonds 3516.

6935.

Double.

1 vol. cartonnage.
Nouveau fonds 3004.

6936.

Double.

1 vol. cartonnage.
Nouveau fonds 3oo5.

6937-6939. 主教緣起
Tchou kiao yuen khi.

Origine de la religion chrétienne.

Par le P. Schall.

— I.

主教緣起總論
Tchou kiao yuen khi tsong loẹn.

Dissertation sur l'origine de la religion chrétienne.

12 feuillets.

— II.

Tchou kiao yuen khi.

Table et texte.

4 livres.

Cordier, Imprimerie sino-européenne 271.

Grand in-8. 3 vol. cartonnage.
Fourmont 22o.
Nouveau fonds 2843, 352o.

6940.

Tchou kiao yuen khi.

Édition plus petite de l'article II ci-dessus.

Grand in-8. 1 vol. cartonnage.
Nouveau fonds 3195.

6941. 眞福訓詮總論
Tchen fou hiun tshiuen tsong loẹn.

Traité des huit béatitudes.

Par le P. Schall.

— I.

眞福經典
Tchen fou king tien.

Le sermon sur la montagne.

1 feuillet.

— II.

Tchen fou hiun tshiuen tsong loẹn.

32 feuillets.

Cordier, Imprimerie sino-européenne 275.

Grand in-8. 1 vol. cartonnage (prov. de la Société de Jésus).
Nouveau fonds 3157.

6942. 提正編
Thi tcheng pien.

Considérations sur les mystères de la foi.

Par le P. Jérôme de Gravina, Jésuite (1603-1662 ; noms chinois Kia Yi-mou Kieou-tchang). Gravé à l'église de Hai-yu avec l'autorisation du P. Simon da Cunha, Jésuite (1587-1660 ; noms chinois Khiu Si-man Fou-yi). Préface (1659) par Thong Koẹ-khi, de Tai-yuen.

6 livres.

Cordier, Imprimerie sino-européenne 128 ; Catalogus librorum 48.

Petit in-8. Titre noir sur papier teinté. 1 vol. cartonnage.
Nouveau fonds 3320.

6943.

Double.

·Livres 1 et 2.

1 vol. cartonnage.
Nouveau fonds 4888.

6944.

Thi tcheng pien.

Édition plus grande.

Grand in-8. 1 vol. cartonnage (prov. de la Société de Jésus).
Fourmont 203.

6945. 辨惑論
Pien hoẹ loẹn.

Traité sur quelques difficultés dogmatiques.

Par Tshien Ming-yin Thien-mou, de Hai-yu ; publié par le P. de Gravina. Texte avec notes dans la marge supérieure.

4 feuillets.

Cordier, Imprimerie sino-européenne 129.

Petit in-8. 1 vol. cartonnage.
Nouveau fonds 3057.

6946. 天神會課
Thien chen hoei khoo.

Exercices de la confrérie des S. S. Anges.

Catéchisme méthodique par le P. Francesco Brancati, Jésuite (1607-1671 ; noms chinois Phan Koẹ-koang Yong-koan) ; publié en 1661 avec l'autorisation du P. Félicien Pacheco, Jésuite (1622-1687 ; noms chinois Tchheng Tsi-li Tchou-kiun). Réédition (1739) de l'église Cheou-chạn, à Péking.

13 sections (87 feuillets).

Cordier, Imprimerie sino-européenne 47 ; Catalogus librorum 90.

Grand in-8. Papier blanc, titre noir sur blanc. 1 vol. cartonnage.
Fourmont 217 A.

6947.

Double.

Papier blanc, manque le frontispice.
1 vol. cartonnage.
Fourmont 216.

6948.

Double.

Papier blanc; les premiers feuillets
sont mangés. 1 vol. demi-reliure (provient de la bibl. de l'Arsenal et du
couvent des Récollets de Paris).
Nouveau fonds 2235.

6949.

Double.

1 vol. cartonnage.
Nouveau fonds 3213.

6950.

Double.

Feuillets 1 à 49.

1 vol. cartonnage.
Nouveau fonds 3216.

6951.

Doubles.

4 exemplaires.

1 vol. cartonnage.
Nouveau fonds 4869.

6952.

Double.

Sections 10 à 12 (feuillets 50 à 87).

Papier blanc. 1 vol. cartonnage.
Nouveau fonds 3240.

6953.

Thien chen hoei khoo.

Réédition de l'église Ta-yuen à
Canton ; contient le début d'une
introduction du P. Brancati, datée
de 1661. Règles de la confrérie
des S. S. Anges. Ordre différent
du n° 6946.

Grand in-8. Papier blanc. 1 vol. cartonnage (provenant des Missions Étrangères).
Fourmont 217 B.

6954.

Double.

Petit in-8. 1 vol. cartonnage (même
provenance).
Fourmont 217 C.

6955.

Double.

1 vol. cartonnage (même provenance).
Nouveau fonds 3215.

6956.

Double.

1 vol. cartonnage.
Nouveau fonds 3214.

6957. — I.

Double.

— II.

Double.

(Prov. des Missions Étrangères.)

ɪ vol. cartonnage.
Nouveau fonds 4870.

6958.

Thien chen hoei khoo.

Édition de l'église Tchhao-sing, à Oou-lin.

Petit in-8. Papier grossier. ɪ vol. cartonnage (provenant de la Société de Jésus).

Fourmont 2ɪ7 D.

6959.

Thien chen hoei khoo.

Édition de l'église de Hou-tcheou, au Tchẹ-kiang.

Petit in-8. ɪ vol. cartonnage (prov. de la Société de Jésus).

Nouveau fonds 32ɪ7.

6960. 天神規課

Thien chen koei khoo.

Même ouvrage sous un titre divergent. Titre et table, fragment de l'introduction du P. Brancati. Édition de l'église Cheou-chạn, à Péking.

52 feuillets.

Cordier, Imprimerie sino-européenne 46.

Petit in-8. ɪ vol. cartonnage.
Nouveau fonds 32ɪ9.

6961.

Double.

Titre déchiré. ɪ vol. cartonnage.
Nouveau fonds 32ɪ8.

6962.

Thien chen hoei khoo.

Édition différente de toutes les précédentes.

Feuillets 5 à 73.

Petit in-8. Exemplaire en mauvais état. ɪ vol. cartonnage.
Nouveau fonds 4939.

6963.

Thien chen hoei khoo.

Réédition de Zi-ka-wei (1861), conforme au n° 6953.

Petit in-8. Papier blanc, titre noir sur blanc. ɪ vol. cartonnage.
Nouveau fonds 487ɪ.

6964. 天階

Thien kiai.

Élévation de l'âme vers Dieu.

Par le P. Brancati.

ɪo feuillets.

Cordier, Imprimerie sino-européenne 44; Catalogus librorum 74.

Petit in-8. ɪ vol. cartonnage (prov. des Missions Étrangères).

Fourmont 2o4.

6965.

Double.

1 vol. cartonnage.
Nouveau fonds 3229.

6966.

Double.

Grand in-8. 1 vol. cartonnage (prov. de la Société de Jésus).
Nouveau fonds 3230.

6967.

Double.

Petit in-8. 1 vol. cartonnage.
Nouveau fonds 4872.

———

6968. 原染虧益
Yuen jan khoei yi.

Du péché originel.

Par le P. da Costa; revu par Lou Hi-yen, de Yun-kien.

2 livres.

Cordier, Imprimerie sino-européenne 81.

Petit in-8. Manuscrit. 1 vol. cartonnage.
Nouveau fonds 3381.

———

6969. 形神寶義
Hing chen chi yi.

La vraie doctrine de l'âme et du corps.

Par le P. Lai Mong-tou, Dominicain, avec l'autorisation du P. Francisco Varo, Dominicain (arrivé en Chine en 1654; noms chinois Oan Tsi-koę Tao tsin). Préface de l'auteur (1663); préface par Li Kieou-kong, de Fou-thang (1673). Avertissement; table gravée à l'église de Tchhang-khi.

8 livres.

Grand in-8. Feuille de titre. 1 vol. cartonnage.
Nouveau fonds 2913.

6970.

Hing chen chi yi.

Édition plus petite.

Livres 1, 2 et 5 à 8.

Petit in-8. A la fin note manuscrite en français, résumant l'ouvrage. 1 vol. cartonnage (prov. de la bibl. Ste Geneviève).
Nouveau fonds 2332.

———

6971. 萬物本末約言
Oan oou pęn mo yo yen.

Abrégé de l'origine et de la fin de toutes choses.

Par Antonio de Santa Maria, Franciscain (1602-1669; noms

chinois Li 'An-tang). Préface de l'auteur, sans date. Réédition de l'église Fou-yin, à Tchou-kiang.

13 feuillets.

Petit in-8. Bonne gravure. 1 vol. cartonnage.

Nouveau fonds 3353.

6972. 天 主 教 要 序 論

Thien tchou kiao yao siu loẹn.

Exposé méthodique des principes de la religion.

Par le P. Ferdinand Verbiest, Jésuite (1623-1688 ; noms chinois Nan Hoai-jen Toẹn-po). Table. Préface de l'auteur (1670).

62 articles (67 feuillets).

Cordier, Imprimerie sino-européenne 349 ; Catalogus librorum 79.

Grand in-8. Bonne gravure, papier blanc. 1 vol. cartonnage.
Nouveau fonds 3289.

6973.

Double.

Notes manuscrites en français. 1 vol. cartonnage.
Nouveau fonds 2968.

6974.

Thien tchou kiao yao siu loẹn.

Édition plus petite.

1 vol. cartonnage (provenant de la Société de Jésus).
Nouveau fonds 2967.

6975.

Thien tchou kiao yao siu loẹn.

Édition plus petite, impression médiocre.

1 vol. cartonnage.
Fourmont 262.

6976. — I.

Thien tchou kiao yao siu loẹn.

Édition différente.

(Provenant de la Société de Jésus.)

— II.

Double du n° 6974.

(Provenant des Missions Étrangères.)

— III.

Thien tchou kiao yao siu loẹn.

Autre édition, renfermant en plus une préface par Han Lin Yu-kong, de Ho-tong (1647).

67 feuillets.

Grand in-8. 1 vol. cartonnage.
Nouveau fonds 4826.

6977. 教 要 序 論
Kiao yao siu loẹn.

Même ouvrage ; réédition de Zi-ka-wei (1867) avec l'autorisation de Mgr. Maresca.

67 feuillets.

Petit in-8. Papier blanc. 1 vol. cartonnage.

Nouveau fonds 4827.

6978. 善惡報畧說

Chan 'o pao lio choe.

Traité abrégé de la rémunération du bien et du mal.

Par le P. Verbiest (1670). Table ; texte avec notes.

11 feuillets.

Cordier, Imprimerie sino-européenne 347 ; Catalogus librorum 52.

Grand in-8. 1 vol. cartonnage.
Nouveau fonds 2755.

6979.

Double.

1 vol. cartonnage.
Nouveau fonds 2756.

6980. 眞福直指

Tchen fou tchi tchi.

Guide de la vraie béatitude.

Par le P. Lobelli, avec autorisation de Oan To-ma-seu. Préface de l'auteur ; préface par Khang Thing-hoai, de Yin (1670). Édition portant divers sceaux.

2 livres.

Cordier, Imprimerie sino-européenne 142 ; Catalogus librorum 47.

Petit in-8. Frontispice. 1 vol. cartonnage (prov. des Missions Étrangères).
Nouveau fonds 3155.

6981.

Double.

1 vol. cartonnage.
Nouveau fonds 3156.

6982.

Double.

2e livre seul.

1 vol. cartonnage (provenant des Missions Étrangères).

Nouveau fonds 2781.

6983.

Doubles.

3 exemplaires.

1 vol. cartonnage.
Nouveau fonds 4858.

6984.

Tchen fou tchi tchi.

Édition de Canton (1673).

Grand in-8. Frontispice. 1 vol. cartonnage (prov. de la Société de Jésus).
Fourmont 218.

6985.

Double.

1 vol. cartonnage (provenant des Missions Étrangères).
Nouveau fonds 3154.

6986.

Tchen fou tchi tchi.

Réédition de l'église Cheou-chạn, à Péking (1738).

Grand in-8. 1 vol. cartonnage.
Nouveau fonds 4857.

6987. 天主聖教略說

Thien tchou cheng kiao lio choẹ.

Abrégé de la religion chrétienne.

Par le P. Lobelli, avec l'autorisation du P. Oan To-ma-seu. Introduction (1674). Édition de l'église Khin-yi, à Ying.

8 sections (35 feuillets).

Cordier, Imprimerie sino-européenne 141.

Petit in-8. 1 vol. cartonnage.
Nouveau fonds 4878.

6988.

Thien tchou cheng kiao lio choe.

Autre édition sans lieu ni date.

Petit in-8. Frontispice et titre sur papier teinté. 1 vol. cartonnage (prov. des Missions Étrangères).
Fourmont 263.

6989.

Double.

Papier blanc. 1 vol. cartonnage.
Nouveau fonds 3257.

6990.

Double.

Papier blanc. 1 vol. cartonnage.
Nouveau fonds 2816.

6991.

Thien tchou cheng kiao lio choe.

Autre édition.

Petit in-8. 1 vol. cartonnage.
Nouveau fonds 3256.

6992. 永福天衢

Yong fou thien khiu.

Voie céleste de la béatitude éternelle.

Par Augustin de San Pascual, Franciscain (arrivé en Chine en 1670, mort en 1695 (?) ; noms chinois Li 'An-ting Oei-tchi) ; autorisation de Oen-tou-la Tao-tsi, Franciscain (peut-être Buenaventura Ibañez, en Chine en 1649,

4

puis 1669, mort à Canton en 1691). .
Préface de l'auteur (1674) ; préface de la réédition (1700), par Ho
Oou-lio Sing-cheng, de Nan-hai.
Symbole ; avertissement ; texte
expliquant le symbole. Gravé à
l'église de Canton.

2 livres.

Cordier, Imprimerie sino-européenne 260; Catalogus librorum 83.

Petit in-8. Feuilles de titre ; 1er livre
sur papier teinté ; 2e livre sur papier
blanc. 1 vol. cartonnage (prov. des Missions Étrangères).
Fourmont 192.

6993.
Double.

Papier blanc. 1 vol. cartonnage.
Fourmont 193.

6994.
Double.

Papier blanc. 1 vol. cartonnage.
Nouveau fonds 3378.

6995.
Double.

Papier blanc. 1 vol. cartonnage.
Nouveau fonds 3379.

6996.
Double.

2 exemplaires du 2e livre, l'un
sur papier blanc, l'autre sur papier teinté.

1 vol. cartonnage.
Nouveau fonds 4896.

6997.

Yong fou thien khiu.

Réédition de Zi-ka-wei (1873).

Petit in-8. 1 vol. cartonnage.
Nouveau fonds 4897.

6998. 四末眞論
Seu mo tchen loẹn.

Vraie doctrine des quatre fins
de l'homme.

Par le P. Couplet, avec l'autorisation du P. Pacheco. Préface
de l'auteur ; illustration pour chaque section ; annexes. Gravé à
l'église King-yi, de Yun-kien
(1675).

26 feuillets.

Cordier, Imprimerie sino-européenne 88 ; Catalogus librorum 59.

Petit in-8. Feuille de titre. 1 vol. cartonnage (prov. de la Société de Jésus).
Nouveau fonds 3119.

6999.

Seu mo tchen loẹn.

Édition plus petite.

1 vol. cartonnage (provenant de la
Société de Jésus).
Nouveau fonds 3120.

7000.

Double.

Grand in-8. 1 vol. cartonnage.
Nouveau fonds 3121.

7001.

Seu mo tchen loen.

Autre édition, sans frontispice
ni titre.

21 feuillets.

Petit in-8. 1 vol. cartonnage.
Nouveau fonds 3118.

7002. — I.

天主聖教百問荅

Thien tchou cheng kiao po oen ta.

Cent questions sur le christianisme.

Par le P. Couplet ; publié avec
l'autorisation du P. de Gouvea.
Préface de l'auteur (1675).

Feuillets 1 à 12.

Cordier, Imprimerie sino-européenne 87 ; Catalogus librorum 92.

— II.

悔罪經

Hoei tsoei king.

Acte de contrition.

Feuillet 12.

N° 7353, art. I.

— III.

天主聖教要理六端

*Thien tchou cheng kiao yao li
lou toan.*

Les six principales vérités de
la foi.

Feuillets 13 à 15.

N° 7408, art. I.

Petit in-8. Feuille de titre. 1 vol. cartonnage (provenant des Missions Étrangères).
Fourmont 182.

7003. — I, II et III.

Doubles des trois articles
précédents.

1 vol. cartonnage (provenant de la
Société de Jésus).
Nouveau fonds 3259.

7004. — I et II.

Doubles respectifs.

L'art. I est incomplet au début.

1 vol. cartonnage (provenant de la
Société de Jésus).
Nouveau fonds 3047.

7005.

Thien tchou cheng kiao po oen ta.

Même ouvrage qu'au n° 7002,
art. I.

26 feuillets.

In-12. Frontispice. 1 vol. cartonnage.
Nouveau fonds 3260.

7006. 天主聖教撮言
Thien tchou cheng kiao tshoo yen.

Abrégé de la doctrine chrétienne.

Ouvrage en langue mixte, par le P. Lobelli. Gravé à l'église King-yi, de Yun-kien (1676).

2 livres.

Cordier, Imprimerie sino-européenne 145.

In-18. 1 vol. cartonnage.
Nouveau fonds 2829.

7007. 聖教問荅指掌
Cheng kiao oen ta tchi tchang.

Manuel du catéchisme.

Par le P. Lobelli; publié avec l'autorisation du P. Oan To-ma-seu. Réédition de l'église King-yi, à Yun-kien (1676).

25 feuillets.

Cordier, Imprimerie sino-européenne 144 (Cheng kiao oen ta).

In-12. Titre noir sur papier teinté. 1 vol. cartonnage (provenant de la Société de Jésus).
Nouveau fonds 2831.

7008. 聖教問荅
Cheng kiao oen ta.

Catéchisme.

73 feuillets.

Petit in-8. Manuscrit incomplet au début et à la fin. 1 vol. cartonnage.
Nouveau fonds 2832.

7009. — I.
超性學要
Tchhao sing hio yao.

Somme théologique de saint Thomas.

Fragment de la 3e section (la résurrection) avec table des matières en tête de chaque livre. Traduction du P. Gabriel de Magalhaens, Jésuite (1611-1677; noms chinois 'An Oen-seu King-ming), publiée avec l'autorisation du P. Lobelli. Préface de l'auteur.

2 livres.

Cordier, Imprimerie sino-européenne 158 (Feou hoo loen).

— II.

Double.

Avec une préface, par Kiang Sieou-jen, du Fou-kien (1677).

Grand in-8. 1 vol. cartonnage (prov. de la Société de Jésus).
Nouveau fonds 4855.

7010. 聖教明徵

Cheng kiao ming tcheng.

Évidence du christianisme.

Par le P. Varo. Introduction de l'auteur (1677) ; avertissement ; le texte de l'ouvrage manque. Écrit à l'église Mei-koei.

6 + 3 feuillets.

Cordier, Imprimerie sino - européenne 338.

Petit in-8. Manuscrit. 1 vol. cartonnage.

Nouveau fonds 2817.

7011. 主教明徵

Tchou kiao ming tcheng.

Même ouvrage. Table générale et plusieurs tables spéciales.

8 livres (manquent les livres 7 et 8).

Petit in-8. Manuscrit soigné, portant l'annotation : *per patrem ordinis prædicatorum*. 1 vol. cartonnage.

Nouveau fonds 3190.

7012.

Tchou kiao ming tcheng.

Même ouvrage, pas de table générale.

Livres 1 à 6.

Grand in-8. Manuscrit de la même écriture. 1 vol. cartonnage.

Nouveau fonds 3189.

7013.

Tchou kiao ming tcheng.

Même ouvrage.

Livres 7 et 8 avec une table spéciale.

Petit in-8. Manuscrit d'une autre écriture. 1 vol. cartonnage.

Nouveau fonds 3191.

7014. 初會問荅

Tchhou hoei oen ta.

Conversation entre un chrétien et un païen à leur première rencontre.

Par le P. Pedro Piñuela, Franciscain (1650-1704 ; noms chinois Lou Tchen-to) ; publié avec l'autorisation du P. 'En Meou-sieou Ming-te. Préface de l'auteur (1680). Table.

37 feuillets.

Cordier, Imprimerie sino-européenne 197.

Grand in-8. Titre et frontispice en noir sur papier teinté. 1 vol. cartonnage (prov. de la Société de Jésus).

Nouveau fonds 3319.

7015.

Double.

Sans frontispice. 1 vol. cartonnage.

Fourmont 181.

7016. — I.

Double.

Sans frontispice ; provenant des Missions Étrangères.

— II.

Double.

Avec frontispice.

1 vol. cartonnage.
Nouveau fonds 4887.

———

7017. 人魂義秤

Jen hoen yi tchheng.

Examen de l'âme.

Par le P. de San Pascual, avec autorisation du P. Ibañez (?) Préface de l'auteur (1680) écrite à la mission du Chan-tong, à Li-hia.

33 feuillets.

Petit in-8. 1 vol. cartonnage.
Nouveau fonds 2938.

———

7018. 逆耳忠言

Yi eul tchong yen.

Paroles fidèles pour frapper l'oreille.

Ouvrage du P. Dentrecolles, publié par les soins du P. Hinderer.

4 livres (69 feuillets).

Cordier, Imprimerie sino-européenne 94 ; Catalogus librorum 50.

Grand in-8. Au début, on lit cette note manuscrite : Principes de la religion catholique : en forme de cathéchisme, avec diverses pensées prises de l'Écriture : pour l'instruction des Chinois par les Missionnaires Jésuites envoyés à Pecking en 1680. Papier blanc ; feuille de titre. 1 vol. demi-reliure.
Nouveau fonds 3519.

7019.

Yi eul tchong yen.

Édition plus petite.

1 vol. cartonnage.
Nouveau fonds 3036.

7020.

Double.

1 vol. cartonnage.
Nouveau fonds 3037.

7021.

Doubles.

3 exemplaires.

1 vol. cartonnage.
Nouveau fonds 4835.

———

7022. 四末念效

Seu mo nien hiao.

Réflexions sur les quatre fins dernières.

Par le P. Jacques Motel, Jésuite (1620-1692 ; noms chinois Mou Ti-oo Hoei-ki). Préface écrite à O'-tchou par Lieou Cheou-yi, de Tchong-siang (1688).

4 sections (87 feuillets).

Petit in-8. Manuscrit. 1 vol. cartonnage.

Nouveau fonds 3117.

7023. 釋客問

Chi kho oen.

Réponse aux questions d'un hôte.

Par le P. Lou Ming-'en, Augustinien (Benavente ?); préface de l'auteur (1694).

2 livres (103 sections).

Petit in-8. Manuscrit. 1 vol. cartonnage.

Nouveau fonds 2773.

7024. 釋客問荅

Chi kho oen ta.

Dialogue avec un hôte.

En langue vulgaire.

37 feuillets.

Petit in-8. Manuscrit. 1 vol. cartonnage.

Nouveau fonds 3046.

7025. 成人要集

Tchheng jen yao tsi.

Sur l'excellence morale de la religion.

Par le P. de San Pascual ; préface de l'auteur (1694). Publié à la mission de Canton avec l'autorisation du P. Lin Yang-me Tao-oei (Mgr de Silva ?).

31 feuillets.

Cordier, Imprimerie sino-européenne 261.

Petit in-8. Feuille de titre. 1 vol. cartonnage (prov. des Missions Étrangères).

Nouveau fonds 3174.

7026.

Double.

Grand in-8. Manque le frontispice. 1 vol. cartonnage.
Nouveau fonds 3173.

7027.

Double.

1 vol. cartonnage.
Fourmont 214.

7028. 醒蒙要言

Sing mong yao yen.

Éléments de la religion.

Ouvrage en langue commune, par le P. de San Pascual, avec autorisation du P. 'En Meou-sieou.

16 feuillets.

In-18. 1 vol. cartonnage.
Nouveau fonds 3111.

7029.

Double.

Manque le 1er feuillet. 1 vol. cartonnage.
Nouveau fonds 4950.

7030.   永暫定衡
Yong tsan ting heng.

Du temps et de l'éternité.

Par le P. Piñuela ; publié à l'église de Canton avec l'autorisation du P. 'En Meou-sieou. Préface de l'auteur (1696) ; préface de Han Tsiuen Tchhou-tchang (1696). Table.

29 feuillets.

Cordier, Imprimerie sino-européenne 198.

Grand in-8. Papier blanc ; titre noir sur blanc. 1 vol. cartonnage (provenant de la Société de Jésus).
Nouveau fonds 3380.

7031.

Yong tsan ting heng.

Édition plus petite.

Grand in-8. Frontispice. 1 vol. cartonnage (prov. des Missions Étrangères).
Nouveau fonds 4898.

7032.

Yong tsan ting heng.

Édition encore plus petite.

Grand in-8. Titre, frontispice. 1 vol. cartonnage.
Fourmont 208.

7033.   哀矜鍊靈說
'Ai king lien ling choe.

Traité du soulagement des âmes du Purgatoire.

Par le P. Piñuela, avec autorisation du P. 'En Meou-sieou.

8 feuillets.

Cordier, Imprimerie sino-européenne 201 ; Catalogus librorum 61.

Petit in-8. 1 vol. cartonnage (prov. des Missions Étrangères).
Fourmont 264.

7034.

Double.

1 vol. cartonnage.
Nouveau fonds 2751.

7035.

Double.

Papier blanc. ɪ vol. cartonnage.
Nouveau fonds 2752.

7036. 荅客問
Ta kho oen.

Réponse aux questions d'un hôte.

Par Tchou Tsong-yuen Oei-tchheng, de Yue; revu et publié par Tchang Neng-sin Tchheng-yi. Préface par Lin Oen-ying, de Min (1697).

58 feuillets.

Catalogus librorum 33.

Grand in-8. ɪ vol. cartonnage.
Nouveau fonds 3132.

7037.

Double.

ɪ vol. cartonnage.
Nouveau fonds 4849.

7038.

Ta kho oen.

Autre édition, rédaction différente. Préface de Tchang Neng-sin.

53 feuillets.

Petit in-8. ɪ vol. cartonnage (provenant des Missions Étrangères).
Nouveau fonds 3133.

7039.

Double.

ɪ vol. cartonnage (prov. de la Société de Jésus).
Fourmont 249.

7040. — I.

Double.

— II.

Double.

Provenant des Missions Étrangères.
ɪ vol. cartonnage.
Nouveau fonds 4850.

7041. 人罪至重
Jen tsoei tchi tchong.

De la gravité du péché.

Par le P. François Noël, Jésuite (1651-1729 ; noms chinois : Oei Fang-tsi). Préface par Li Tchhang-tsou, de Nan-fong (1698) ; préface par Oou Sou (1698) ; préface de l'auteur (1698). Table.

3 livres

Cordier, Imprimerie sino-européenne 173; Catalogus librorum 57.

Petit in-8. Manuscrit. ɪ vol. cartonnage.
Nouveau fonds 2939.

7042. 四終畧意

Seu tchong lio yi.

Abrégé des quatre fins dernières.

Par le P. Ortiz ou Hortis, Augustinien (arrivé en Chine en 1695 ; noms chinois Po To-ma) ; publié à Tchao-khing, à l'église Tchen-yuen (1705).

4 livres.

Cordier, Imprimerie sino-européenne 175 ; Catalogus librorum 72.

Petit in-8. Papier blanc ; titre et frontispice (2 feuillets) ; illustrations. 1 vol. cartonnage.
Nouveau fonds 3124.

———

7043. 開天寶鑰

Khai thien pao yo.

La clef précieuse du ciel.

Préface par Yin Fan (1705) ; note par Tchhen Hiun 'Eou-thing. Table. Édition de Siu-kiang. Le début du texte manque et est remplacé par 3 1/2 feuillets manuscrits en mauvais état.

— I.

景教碑頌解

King kiao pei song kiai.

Explication de la stèle de Si-'an.

Par Yin 'Eou-lai.

3 feuillets (incomplet).

Cf. nᵒˢ 1185 à 1192.

Manque le traité suivant marqué à la table.

天學洗心論

Thien hio si sin loẹn.

De la purification du cœur dans le christianisme.

Le texte imprimé reprend à l'art. II.

— II.

天儒合一論

Thien jou ho yi loẹn.

Traité des coïncidences du christianisme et du confucianisme.

Par Tchou Tchhang-kong.

4 feuillets.

— III.

天堂眞福論

Thien thang tchen fou loẹn.

Traité de la béatitude céleste.

Par Li Yang-heou.

1 feuillet.

— IV.

省察滌罪論

Sing tchha ti tsoei loẹn.

Traité de l'examen de conscience et de la pénitence.

Par Tcheou Nan-pin.

2 feuillets

— V.

修身七克論

Sieou chen tshi khẹ loẹn.

Traité de la lutte contre les sept péchés capitaux.

Par Kin Soei-ki.

2 feuillets.

— VI.

哀矜十四端論

'Ai king chi seu toan loẹn.

Compassion pour les sept souffrances corporelles et les sept souffrances spirituelles.

Par Lou Tchong-si.

Cf. n° 7247, art. XVI.
2 feuillets.

Manque ici :

三讐論

San tchheou loẹn.

Traité des trois ennemis de l'homme.

Cf. n° 7374, art. XV.

— VII.

十字聖號論

Chi tseu cheng hao loẹn.

Traité du signe de croix.

Par Li Cheou-khien.

1 feuillet.

Manque ici :

存寵至要論

Tshoẹn tchhong tchi yao loẹn.

Sur l'importance de conserver la grâce.

— VIII.

領聖體升天論

Ling cheng thi cheng thien loẹn.

Sur la communion.

Par Yin Ki-cheng.

3 feuillets.

Manquent les deux traités :

肉身復活論

Jeou chen feou hoo loẹn.

Traité de la résurrection des corps.

利西泰先生行實

Li si thai sien cheng hing chi.

Vie du P. Ricci.

Cf. n°s 1014 et 1015.

— IX.

墺門記

'Ao men ki.

Sur Macao.

Par le P. Lou Hi-yen Seu-me, jésuite chinois (1630-1704), de Yun-kien.

4 feuillets manuscrits.

A la fin notice par Yin Fan.

Petit in-8. 1 vol. cartonnage (prov. de la Société de Jésus).
Nouveau fonds 2948.

7044. ## 聖教撮要

Cheng kiao tshoo yao.

Principes du christianisme.

Par le P. Lo San-to, Domini-cain ; publié à l'église Mei-koei, à Fou-tcheou, avec l'autorisation du P. Fang Tsi-kio (Mgr de la Purification ?). Préface par Oang Tao-sing Yang-tchi, de Han-yang (1706); introduction de l'auteur (1706).

4 feuillets.

Cordier, Imprimerie sino-euro-péenne 371.

Grand in-8. Papier blanc, belle édition ; feuille de titre. 1 vol. cartonnage (provenant des Missions Étrangères).
Nouveau fonds 2828.

7045. ## 夢美土記

Mong mei thou ki.

Rêve du Paradis.

Récit d'inspiration chrétienne (1707) par Oang Jo-han.

9 feuillets.

In-12. Manuscrit. 1 vol. cartonnage.
Nouveau fonds 4989.

7046. — I.

聖教要緊的道禮

Cheng kiao yao kin ti tao li.

Principes du christianisme.

Texte en langue commune.

23 feuillets.

— II.

天主的行述

Thien tchou ti hing chou.

Sur Dieu.

6 feuillets.

— III.

奉教的事情

Fong kiao ti chi tshing.

Répertoire de termes chrétiens.

5 feuillets.

— IV.

新來神父拜客問荅

Sin lai chen fou pai kho oen ta.

Dialogue avec un Père nouvellement arrivé.

5 feuillets.

Suivent 9 feuillets blancs.

— V.

天主堂

Thien tchou thang.

Liste d'églises par provinces.

15 feuillets.

Suit 1 feuillet blanc.

— VI.

Copie de pièces et décrets des années 1707 et 1708 ; liste de Pères Jésuites avec la résidence de plusieurs d'entre eux ; cette liste est postérieure à 1715.

14 feuillets.

Suivent 3 feuillets blancs.

— VII.

北京刊行天主聖教書板目

Pę king khan hing thien tchou cheng kiao chou pan mou.

Liste des planches pour l'impression d'ouvrages chrétiens gravés à Péking.

4 feuillets indiquant 124 ouvrages.

— VIII.

曆法格物窮理書板目

Li fa kę oou khiong li chou pan mou.

Liste des planches pour les ouvrages sur le calendrier, sur l'histoire et sur la philosophie.

3 feuillets indiquant 89 ouvrages.

— IX.

福建福州府欽一堂刊書板目

Fou kien fou tcheou fou khin yi thang khan chou pan mou.

Liste des planches d'impression de l'église Khin-yi, à Foutcheou.

2 feuillets indiquant 51 ouvrages.

— X.

浙江杭州府天主堂刊書板目錄

Tchę kiang hang tcheou fou thien tchou thang khan chou pan mou lou.

Liste des planches d'impression de l'église de Hang-tcheou.

2 feuillets indiquant 40 ouvrages.

Suivent 2 feuillets blancs.

In-12. Manuscrit en rouge et noir sur papier de genre européen, écrit au recto et au verso. 1 vol. cartonnage.
Nouveau fonds 2835.

7047. 眞道自證

Tchen tao tseu tcheng.

La vraie doctrine prouvée par elle-même.

Par le P. Emeric de Chavagnac, Jésuite (1670-1717 ; noms chinois Cha Cheou-sin). Autorisation du P. Giovanni Laureati, Jésuite (1666-1727 ; noms chinois Li Koę-'an Jo-oang). Notice (1719) pour l'impression par le P. Placide Hervieu, Jésuite (1671-1746 ; noms chinois Hę Tshang-pi Jouliang Tseu-kong). Préface de l'auteur ; résumé de l'ouvrage ; texte.

4 livres.

Cordier, Imprimerie sino-européenne 80 ; Catalogus librorum 54.

Grand in-8. Papier blanc ; feuille de titre. 1 vol. cartonnage.
Nouveau fonds 3162.

7048.

Double.

Papier blanc. 1 vol. cartonnage.
Nouveau fonds 3163.

7049.

Double.

1 vol. cartonnage.
Nouveau fonds 3164.

7050.

Double.

Livres 3 et 4.

Papier blanc. 1 vol. cartonnage.
Nouveau fonds 4859.

7051. — I.

靈明生活解畧

Ling ming cheng hoo kiai lio.

Abrégé du Ling ming cheng hoo.

Li Tseu-tę a composé sous ce titre un traité sur l'âme et en a fait lui-même l'abrégé. Ce texte est daté de 1723 et porte la signature de Li Mei Kia-lou Ho-tchhai.

3 feuillets.

— II.

海水滴

Hai choei ti.

Mer et goutte d'eau.

Comparaison. Préface par Li Mei Jen-tchen-tchou tao-jen, de Seu-ming (1723).

46 feuillets.

— III.

熸火集
Tsio hoo' tsi.

Torche et foyer.

Comparaison.

54 feuillets.

Petit in-8. Manuscrit. 1 vol. cartonnage.

Nouveau fonds 3002.

7052. # 盛世芻蕘
Cheng chi tchhou jao.

Modeste recueil chrétien.

Sur la création, la rédemption, l'âme, la rémunération, les fausses doctrines. Par le P. de Mailla. Table générale. Gravé au Jen-'ai-cheng so.

5 sections.

Cordier, Imprimerie sino-européenne 163; Catalogus librorum 28.

Grand in-8. Papier blanc, titre noir sur blanc. 1 vol. cartonnage.

Nouveau fonds 2787.

7053.

Cheng chi tchhou jao.

Édition plus petite.

Petit in-8. Titre noir sur blanc ; la 1re section est reliée à la fin. 1 vol. cartonnage.

Nouveau fonds 2788.

7054.

Double.

Même erreur de reliure. 1 vol. cartonnage.

Nouveau fonds 4764.

7055. # 朋來集說
Pheng lai tsi choe.

Conversations chrétiennes.

Par le P. de Mailla ; imprimé par les soins du P. Ignace Kögler, Jésuite (1680-1746 ; noms chinois Tai Tsin-hien Kia-pin) au Jen-'ai-cheng so. Ouvrage en langue mixte.

40 feuillets.

Cordier, Imprimerie sino-européenne 159.

Petit in-8. Titre noir sur blanc. 1 vol. cartonnage.

Nouveau fonds 3064.

7056.

Double.

1 vol. cartonnage.
Nouveau fonds 3065.

7057.

Doubles.

3 exemplaires.

1 vol. cartonnage.
Nouveau fonds 4840.

7058. 天主聖教小引

Thien tchou cheng kiao siao yin.

Petite introduction à la reli-gion.

Par Fan Tchong-cheng Ti-mou-te̞-'a, de Hang-tcheou.

10 feuillets.
Catalogus librorum 34.

Petit in-8. 1 vol. cartonnage (prov. de la Société de Jésus).
Nouveau fonds 3261.

7059.

Double.

1 vol. cartonnage (prov. des Missions Étrangères).
Nouveau fonds 3262.

7060.

Double.

1 vol. cartonnage (prov. des Missions Étrangères).
Fourmont 174.

7061. 聖教淺說

Cheng kiao tshien cho̞.

Traités faciles sur la religion.

Sans nom d'auteur.

— I.

認眞主

Jen tchen tchou.

Connaissance du vrai Dieu.
Feuillets 1 à 32.

— II.

識己性

Chi ki sing.

Connaissance de l'homme.
Feuillets 1 à 35.

— III.

明賞罰

Ming chang fa.

Sur la récompense et le châti-ment.

Feuillets 1 à 33.

— IV.

感降生

Kan kiang cheng.

Sur l'incarnation.

2 livres.

Petit in-8. 1 vol. cartonnage.
Nouveau fonds 2825.

7062.

Double.

Art. I, II et III.

1 vol. cartonnage.
Nouveau fonds 2827.

7063.

Cheng kiao tshien choe.

Édition un peu plus grande, comprenant les articles I, II et IV.

Petit in-8. 1 vol. cartonnage (prov. de la Société de Jésus).
Nouveau fonds 2826.

7064. 天主教要問荅

Thien tchou kiao yao oen ta.

Catéchisme.

En langue vulgaire.

15 feuillets.

In-18. Manuscrit. 1 vol. cartonnage.
Nouveau fonds 2970.

7065. — I.

天學蒙引

Thien hio mong yin.

Introduction au christianisme.

En vers heptasyllabes et en prose. Par Tcheou Tchi Yu-tao. Gravé à Kien-tchhang.

13 + 16 feuillets.

Titre et frontispice sur papier jaune. Notes dans la marge supérieure.

— II.

人生四末

Jen cheng seu mo.

Les fins dernières de l'homme.

En vers et en prose.

4 feuillets.

Petit in-8. 1 vol. cartonnage.
Nouveau fonds 3224.

7066. 熙朝崇正集

Hi tchhao tchhong tcheng tsi.

Poésies offertes aux missionnaires.

Premier recueil, par les lettrés du Fou-kien, avec liste des auteurs ; compilé à l'église Thien-hio, de Tsin-kiang.

25 feuillets.

Comparer Cordier, Imprimerie sino-européenne 10.

Petit in-8. Manuscrit (copie d'un imprimé). 1 vol. cartonnage.
Nouveau fonds 3344.

7067. — I.

聖教賛銘

Cheng kiao tsan ming.

Poésies sur la religion.

Par Tchang Yi-na-tsio Sing-yao, de Jen-hoo.

12 feuillets (38 + 2 pièces).

— II.

聖人宗徒十四位行實

Cheng jen tsong thou chi seu oei hing chi.

Vie des quatorze apôtres.

Savoir : Pierre, Jacques le Majeur, Paul, Thomas, Philippe, Matthieu, André, Jean, Jacques le Mineur, Barthélemy, Simon, Thadée, Barnabé, Mathias.

5 feuillets.

— III.

總領天神彌格爾贊

Tsong ling thien chen mi kę eul tsan.

Éloge de S. Michel archange.

1 feuillet.

Petit in-8. Manuscrit. 1 vol. cartonnage (provenant de la Société de Jésus).
Nouveau fonds 2822.

7068. 八日默想草篇

Pa ji mę siang tshao phien.

Méditations pour une retraite de huit jours.

Sur l'origine de l'homme et son immortalité, sur le jugement, etc.

16 sections.

Petit in-8. Manuscrit. 1 vol. cartonnage.
Nouveau fonds 3045.

7069. 細思將來審判

Si seu tsiang lai chen phan.

Réflexions sur le jugement à venir.

82 feuillets.

In-24. Manuscrit sur papier européen du xviiie siècle. 1 vol. cartonnage.
Nouveau fonds 3185.

7070. — I.

愛德中義利之辨

'Ai tę tchong yi li tchi pien.

Justice et avantage de l'amour de la vertu.

Composé par le P. 'Ai Jo-oang Thien-tchhong, Dominicain ; à l'église Mei-koei, à Sin-ling au Tchę-kiang.

6 sections (feuillets 1 à 25).

— II.

死侯說

Seu heou choę.

Sur la mort.

Feuillets 25 à 29.

— III.

審判說

Chen phan choę.

Sur le jugement.

Feuillets 29 à 32.

— IV.

榮福說

Yong fou choę.

Sur la gloire et la félicité.

Feuillets 32, 33.

Le reste du volume est blanc.
Petit in-8. Manuscrit paraissant copié
sur un imprimé. 1 vol. cartonnage.
Fourmont 224.

7071. 講道編
Kiang tao pien.

Traités sur la religion.

Sans signature, ni lieu, ni date;
rédigés en langue vulgaire.

— I.

死候
Seu heou.

La mort.

Feuillets 1 à 3. — Cf. n° précédent,
art. II.

— II.

審判
Chen phan.

Le jugement.

Feuillets 4 et 5. — Cf. n° précédent, art. III.

— III.

天堂
Thien thang.

Le ciel.

Feuillets 6, 7.

— IV.

地獄
Ti yu.

L'enfer.

Feuillets 8 à 10.

— V.

省察
Sing tchha.

L'examen de conscience.

Feuillets 11 à 13.

— VI.

七罪宗
Tshi tsoei tsong.

Les sept péchés capitaux.

Feuillets 14 à 16.

— VII.

善祈求
Chan khi khieou.

La prière.

Feuillets 17, 18.

— VIII.

聖教四規
Cheng kiao seu koei.

Les quatre commandements
de l'Eglise.

Feuillets 19 à 24. — Cf. n° 7217.

— IX.

眞福八端

Tchen fou pa toan.

Les huit béatitudes.

Feuillets 25 à 29.

— X.

當誠有伍

Tang kiai yeou oou.

Les cinq préceptes sur la claire distinction du bien et du mal.

Feuillets 30 à 32.

— XI.

聽講之法

Thing kiang tchi fa.

Comment écouter les instructions.

Feuillets 33 à 35.

Petit in-8. Manuscrit. 1 vol. cartonnage.
Nouveau fonds 2964.

7072. 天主要言

Thien tchou yao yen.

Principes de la religion.

21 feuillets.

Petit in-8. Manuscrit. 1 vol. cartonnage.
Nouveau fonds 3294.

7073. 天主教學論

Thien tchou kiao hio loen.

Dissertation sur la religion chrétienne.

En langue commune.

32 feuillets.

Petit in-8. Manuscrit. 1 vol. cartonnage (prov. de la Société de Jésus).
Nouveau fonds 3285.

7074. 天主教辯疑

Thien tchou kiao pien yi.

Dialogue sur les doutes relatifs au christianisme.

En langue mixte.

29 feuillets.

Grand in-8. Manuscrit sur papier blanc. 1 vol. cartonnage.
Nouveau fonds 3286.

7075.

Dialogue en langue mixte, sur la religion chrétienne.

2ᵉ livre seul, incomplet du début.

In-32. Manuscrit. 1 vol. cartonnage.
Nouveau fonds 4993.

7076.

Dialogues en langue mixte sur des sujets religieux et autres.

60 feuillets doubles.

In-18. Manuscrit sur papier de genre européen. 1 vol. cartonnage.

Nouveau fonds 3181.

7077.

Dialogue sur la religion et les sciences de l'Europe.

78 feuillets.

In-32. Manuscrit à l'encre rouge et noire. 1 vol. cartonnage.

Nouveau fonds 3396.

7078.

Pensées chrétiennes.

Le volume porte cette note : ce livre avait été écrit par M. Hoang excellent lettré aux Missions Étrangères.

59 feuillets.

In-24. Manuscrit. 1 vol. cartonnage (provenant des Missions Étrangères).

Nouveau fonds 3393.

7079. 同善說

Thong chạn choẹ.

De bono communi per aliquem Sinam.

8 exemplaires de 4 feuillets ; 2 exemplaires provenant de la Société de Jésus.

Grand in-8. 1 vol. cartonnage.

Nouveau fonds 4934.

7080. 眞教自證

Tchen kiao tseu tcheng.

La vraie religion prouvée par elle-même.

Par le P. Angelo Zottoli, Jésuite (1826-1902 ; noms chinois Tchao Tẹ-li King-tchoang) ; porte la date de 1859 ; publié à Zi-ka-wei (1872) avec l'autorisation de Mgr Languillat. Préface, table.

54 feuillets.

Catalogus librorum 31.

In-12. Papier blanc. 1 vol. cartonnage.

Nouveau fonds 3652.

7081. 取譬訓蒙

Tshiu phi hiun mong.

Catéchisme en exemples.

Par le P. Zottoli. Publié à Zi-ka-wei'(1870) avec l'autorisation (1869) du P. Agnello della Corte, Jésuite (1819-1896 ; noms chinois Kou Tchen-cheng Hien-lo). Préface sans date.

— I.

教要總說
Kiao yao tsong choẹ.

Principes généraux de la religion.

7 feuillets.

— II.

Tshiu phi hiun mong.

Introduction et tables.

3 livres.

Catalogus librorum 81.

Petit in-8. 1 vol. cartonnage.
Nouveau fonds 4902.

7082.

Double.

1 vol. cartonnage.
Nouveau fonds 4903.

7083.

Double.

Papier blanc. 1 vol. demi-reliure
de Chang-hai.
Nouveau fonds 3653.

Troisième Section : **APOLOGETIQUE ET CONTROVERSE**

7084. 辯學遺牘
Pien hio yi tou.

Mémoires et lettres sur le
christianisme.

Lettre de Yu Choen-hi Te-yuen
et réponse du P. Ricci; mémoires
du bonze Lien-tchhi Tchou-
tchhoang et réfutation du P. Ricci ; notice finale par Liang-'an
kiu-chi. Gravé au pavillon Si-chi.

26 feuillets.

Cat. imp., liv. 125, f. 27 ; Cordier,
Imprimerie sino-européenne 235.

Petit in-8. 1 vol. cartonnage (provenant des Missions Étrangères).
Fourmont 245.

7085.

Double.

Grand in-8. 1 vol. cartonnage.
Nouveau fonds 3055.

7086.

Double.

Petit in-8. 1 vol. cartonnage (provenant de la Société de Jésus).
Nouveau fonds 4838.

7087.

Pien hio yi tou.

Réédition de l'église Khin-yi,
renfermant en outre une notice
signée Mi-ke tseu.

Grand in-8. 1 vol. cartonnage.
Nouveau fonds 3056.

7088.

Double.

Incomplet de 2 feuillets à la fin. 1 vol.
cartonnage.
Nouveau fonds 4839.

7089. — I.

Pien hio yi tou.

Même ouvrage.

44 feuillets manuscrits.

— II.

聖教四規

Cheng kiao seu koei.

Même ouvrage qu'au nº 7217, moins la postface.

6 feuillets manuscrits.

Petit in-8. 1 vol. cartonnage (provenant des Missions Étrangères).

Nouveau fonds 3054.

7090. # 天釋明辨

Thien chi ming pien.

Comparaison du christianisme et du bouddhisme.

Par Yang Thing-yun. Préface de Tchang Keng. Édition de la mission de Péking.

89 feuillets.

Grand in-8. Titre noir sur papier teinté. 1 vol. cartonnage.

Nouveau fonds 3212.

7091.

Double.

Grand in-8. Papier blanc. 1 vol. cartonnage (provenant de la Société de Jésus).

Fourmont 253.

7092.

Double.

Grand in-8. Notes manuscrites en latin. 1 vol. cartonnage (provenant des Missions Étrangères).

Fourmont 254.

7093. # 代疑篇

Tai yi phien.

Questions sur la religion chrétienne.

Par Yang Thing-yun. Préface signée de Liang-'an tseu. Dissertation générale par l'auteur, surnom Mi-kę tseu. Gravé à l'église Ling-pao à Péking.

2 livres.

Catalogus librorum 25 (Tai yi pien).

Grand in-8. Titre noir sur papier teinté. 1 vol. cartonnage (provenant des Missions Étrangères).

Fourmont 247.

7094.

Double.

1 vol. cartonnage (provenant de la Société de Jésus).

Nouveau fonds 4852.

7095.

Tai yi phien.

Édition plus grande, renfermant en outre une préface par

Oang Tcheng, du Koan-tchong (1621).

Grand in-8. 1 vol. cartonnage.
Nouveau fonds 3137.

7096. — I et II.

Doubles.

Sans la préface de Oang.

Exemplaires en mauvais état. 1 vol. cartonnage.
Nouveau fonds 4851.

7097. — I.

代疑編
Tai yi pien.

Même ouvrage ; même préface que celle de Liang-'an tseu, signée ici Lin Khi, de Min (1621).

56 feuillets.

— II.

楊淇園先生超性事蹟
Yang khi yuen sien cheng tchhao sing chi tsi.

Vie et conversion de Yang Khi-yuen Thing-yun.

Par Ting Tchi-lin, de Tsinkiang.

12 feuillets.

N° 1097.

Petit in-8. Papier blanc. 1 vol. cartonnage.
Nouveau fonds 3656.

7098 — I.

Tai yi pien.

N° précédent, art. I.

48 feuillets.

— II.

Yang khi yuen sien cheng tchhao sing chi tsi.

N° précédent, art. II

10 feuillets.

Petit in-8. 1 vol. cartonnage (provenant de la Société de Jésus).
Nouveau fonds 3138.

7099. — I.

推驗正道論
Tchhoei yen tcheng tao loen.

Examen de la vraie doctrine des classiques.

Même ouvrage qu'au n° 6915, art. III ; édition plus petite.

— II.

醒世間編
Sing chi oen pien.

Traité pour éveiller le monde à la religion chrétienne.

8 feuillets.

Grand in-8. 1 vol. cartonnage (provenant de la Société de Jésus).
Nouveau fonds 3203.

7100 — I.

推源正道論

Tchhoei yuen tcheng tao loen.

Même ouvrage qu'au n° précédent, art. I.

Feuillets 1 à 6.

— II.

Sing chi oen pien.

Même ouvrage qu'au n° précédent, art. II.

Feuillets 7 à 14.

Grand in-8. 1 vol. cartonnage.
Nouveau fonds 3205.

7101. 闢釋氏諸妄

Phi chi chi tchou oang.

Contre les erreurs du bouddhisme.

Par Siu Kwang-khi, de Oousong.

16 feuillets (8 sections).

Catalogus librorum 22 (Pi oang).

Grand in-8. 1 vol. cartonnage.
Fourmont 244.

7102.

Double.

1 vol. cartonnage.
Nouveau fonds 3048.

7103.

Phi chi chi tchou oang.

Autre édition.

17 feuillets.

Petit in-8. 1 vol. cartonnage (provenant des Missions Étrangères).
Nouveau fonds 3049.

7104.

Phi chi chi tchou oang.

Même ouvrage.

Papier blanc ; exemplaire interfolié. Notes manuscrites en français. 1 vol. cartonnage.

Nouveau fonds 4957.

7105.

Phi chi chi tchou oang.

Édition plus grande, gravure grossière.

16 feuillets.

Petit in-8. 1 vol. cartonnage.
Nouveau fonds 4836.

7106.

Phi chi chi tchou oang.

Édition légèrement différente.

17 feuillets.

Grand in-8. 1 vol. cartonnage.
Nouveau fonds 4836 **A.**

7107. 鬭妄條駁合刻

Phi oang thiao po ho kho.

Le Phi oang et le Thiao po.

Préface par Oang Jo-han, de Oou-lin (1689).

— I.

Phi chi chi tchou oang.

Même ouvrage qu'au n° 7101.

16 feuillets.

— II.

鬭畧說條駁

Phi lio choe thiao po.

Réfutation du bouddhisme, supplément.

Par Tchang Sing-yao Tseu-tchhen et Hong Tsi Tsi-min, de Jen-hoo. Préface par chacun des auteurs, introduction. Texte avec notes.

37 feuillets (8 sections).

Petit in-8. 1 vol. cartonnage (provenant des Missions Étrangères).
Nouveau fonds 3o5i.

7108. — I et II.

Doubles respectifs des art. I et II.

1 vol. cartonnage (provenant de la Société de Jésus).
Nouveau fonds 3o52.

7109. — I et II.

Doubles.

1 vol. cartonnage (provenant de la Société de Jésus).
Fourmont 252.

7110. 破迷

Pho mi.

Réfutation des superstitions.

Contre le fong choei, l'astrologie, la croyance aux génies, etc. Par Siu Koang-khi.

55 feuillets.

Petit in-8. Manuscrit. 1 vol. cartonnage.
Nouveau fonds 3o6i.

7111. 代疑續篇

Tai yi siu phien.

Suite au Tai yi phien.

Par Yang Thing-yun Khi-yuen. Préface par Oang Tcheng (la même que celle du n° 7095); postface par Tchang Keng (1635). Gravé à l'église King-kiao, à Tsin-kiang (1635).

2 livres.

Grand in-8. Titre noir sur papier teinté. 1 vol. cartonnage.
Nouveau fonds 3i3g.

7112.

Tai yi siu phien.

Copie du précédent, sans préface ni postface.

Grand in-8. Manuscrit. 1 vol. cartonnage.

Nouveau fonds 3140.

———

7113. 辯教論

Pien kiao loen.

Marques de la vraie religion.

Par Toan Koen et Han Lin, de Kiang (cf. n° 6903).

6 feuillets.

Grand in-8. Papier blanc. 1 vol. cartonnage (provenant de la Société de Jésus).

Nouveau fonds 3058.

———

7114. 口鐸日抄

Kheou to ji tchhao.

Réponses verbales notées au jour le jour.

Entretiens des PP. Aleni et André Rudomina, Jésuite (1596-1632 ; noms chinois Lou 'An-te Phan-chi), de 1630 à 1640. Préfaces par Tchang Keng, de Oen-ling, et par Lin Yi-tsiun Yong-yo ; introduction par Li Kicou-piao Khi-hiang. Avertissement. Table générale, incomplète ; table pour chaque livre.

8 livres.

Cordier, Imprimerie sino-européenne 21 ; Catalogus librorum 44.

Grand in-8. Papier blanc. 1 vol. cartonnage (provenant de la Société de Jésus).

Nouveau fonds 2950.

7115.

Double.

Manque la préface de Lin Yi-tsiun.

Papier teinté. 1 vol. cartonnage (provenant de la Société de Jésus).

Nouveau fonds 2951.

7116.

Double.

Manque la même préface ; livres 1 à 4 seulement.

Papier teinté ; exemplaire mangé. 1 vol. cartonnage.

Nouveau fonds 4818.

7117.

Double.

Avec la préface de Lin et une feuille supplémentaire de table après la table générale.

Livres 1 à 6.

Papier teinté. 1 vol. cartonnage.

Nouveau fonds 4819.

7118.

Kheou to ji tchhao.

Édition plus petite.

Livres 3 et 4.

Grand in-8. 1 vol. cartonnage.
Nouveau fonds 4820.

7119.

Kheou to ji tchhao.

Édition de Zi-ka-wei (1872). La table est complète.

Grand in-8. Papier blanc. 1 vol. demireliure faite à Chang-hai.
Nouveau fonds 3651.

7120. 三山論學紀

San chan loẹn hio ki.

Entretien sur des doutes à propos de la religion chrétienne.

Exposé adressé au ministre Ye Hiang-kao, de Fou-thang, par le P. Aleni. Préfaces de Sou Meousiang Chi-choei tao-jen et de Hoang King-fang Siang-yin kiuchi. A la fin, poésie offerte par Ye Hiang-kao au P. Aleni. Réédition de la mission de Péking, église Ling-pao (1694).

30 feuillets.

Cordier, Imprimerie sino-européenne 15 ; Catalogus librorum 27.

Grand in-8. Titre noir sur papier teinté. 1 vol. cartonnage.
Nouveau fonds 3076.

7121.

Double.

1 vol. cartonnage.
Nouveau fonds 3079.

7122 — I.

Double.

— II.

San chan loẹn hio ki

Même ouvrage, édition de la mission du Fou-kien, avec les deux préfaces et la poésie finale.

31 feuillets.

Titre noir sur papier teinté.

Grand in-8. 1 vol. cartonnage.
Nouveau fonds 4842.

7123.

San chan loẹn hio ki.

Édition de l'église Tcheng-hio, à Kiang-ning ; préface de Sou Meou-siang ; vers de Ye Hiangkao.

31 feuillets.

Grand in-8. Titre noir sur papier teinté. 1 vol. cartonnage (provenant des Missions Étrangères).
Fourmont 241.

7124.

San chan loẹn hio ki.

Édition de l'église Fou-yin, à Tchou-kiang ; sans les vers de Ye.

31 feuillets.

Petit in-8. Titre noir sur papier teinté. 1 vol. cartonnage.
Fourmont 242.

7125.

Double.

1 vol. cartonnage.
Nouveau fonds 3078.

7126-7127. — I (7126).

Double du n° précédent.

Provenant des Missions Étrangères.

— II (7126-7127).

Double du n° 7122, art. II ; incomplet.

Grand in-8. 2 vol. cartonnage.
Nouveau fonds 4841, 4972.

7128.

San chan loen hio ki.

Édition de la mission de Ooulin, sans la préface de Hoang.

31 feuillets.

Petit in-8. 1 vol. cartonnage (provenant de la Société de Jésus).
Nouveau fonds 3075.

7129.

San chan loen hio ki.

Édition différente ; le lieu d'impression est effacé, sans la préface de Hoang.

31 feuillets.

Petit in-8. 1 vol. cartonnage (provenant de la Société de Jésus).
Nouveau fonds 3077.

7130.

Double.

Grand in-8. Papier blanc. 1 vol. cartonnage (provenant des Missions Étrangères).
Nouveau fonds 3080.

7131. 焰迷四鏡
Tchao mi seu king ; alias :

天學四鏡
Thien hio seu king.

Miroirs pour éclairer les fausses apparences.

Par le P. Monteiro. Préface par Yao Yin-tchhang, de Keou ; autre préface (1643) par Tchang Neng-sin Ping-sieou.

20 feuillets.

Cordier, Imprimerie sino-européenne 170.

Petit in-8. Manuscrit. 1 vol. cartonnage.
Nouveau fonds 3147.

7132.

Tchao mi seu king.

Autre copie, comprenant en outre la liste des réviseurs, correcteurs, et l'autorisation du P. Aleni.

6 + 17 feuillets.

Petit in-8. Manuscrit sur papier blanc. 1 vol. cartonnage.

Nouveau fonds 3148.

———

7133. 代疑論

Tai yi loen.

Dissertation sur les doutes relatifs au dogme.

Par le P. Diaz.

17 feuillets.

Grand in-8. Incomplet du dernier feuillet. 1 vol. cartonnage (provenant de la Société de Jésus).

Nouveau fonds 3135.

7134.

Double.

18 feuillets.

Grand in-8. Papier blanc. 1 vol. cartonnage.

Nouveau fonds 3136.

———

7135. 天主聖教豁疑

Thien tchou cheng kiao ho yi.

Contre les doutes sur la religion chrétienne.

Par Tchou Tsong-yuen, de Yong-chang ; publié par les soins du P. Stanislas Torrente, Jésuite (1616-1681 ; noms chinois Khiu Tou-tẹ Thien-tchai). Gravé à l'église Ta-yuen, à Soei-tchheng.

8 feuillets.

Grand in-8. 1 vol. cartonnage.

Fourmont 183.

7136.

Double.

1 vol. cartonnage (provenant des Missions Étrangères).

Fourmont 184.

7137.

Double.

Papier blanc. 1 vol. cartonnage.

Nouveau fonds 2918.

7138.

Double.

Papier blanc. 1 vol. cartonnage.

Nouveau fonds 4813.

———

7139. 拯世畧說

Tcheng chi lio choẹ.

Traité abrégé de la religion.

Fondements de la doctrine ; différences entre le christianisme et les religions païennes. Par Tchou Tsong-yuen, de Yue ; préface de l'auteur ; table.

66 feuillets.

Catalogus librorum 21.

Grand in-8. 1 vol. cartonnage.
Nouveau fonds 3169.

7140.

Doubles.

2 exemplaires.

1 vol. cartonnage.
Nouveau fonds 4860.

7141.

Tcheng chi lio chẹ.

Autre édition.

63 feuillets.

Petit in-8. 1 vol. cartonnage (provenant de la Société de Jésus).
Fourmont 265.

7142.

Double.

1 vol. cartonnage (provenant de la Société de Jésus).
Nouveau fonds 3170.

7143. 破迷論
Pho mi lọẹn.

Dissertation contre les fausses apparences.

Par Tchou Tsong-yuen Oei-tchheng, de Yin, et Tchang Neng-sin Tchheng-yi, de Tsheu-khi.

8 feuillets.

Comparer n° 7135.

Grand in-8. Manuscrit. 1 vol. cartonnage.
Nouveau fonds 3062.

7144. 郊社之禮所以事上帝也
Kiao chẹ tchi li so yi chi chang ti ye.

Dissertation sur la divinité à qui sont offerts les sacrifices kiao chẹ.

Par Tchou Tsong-yuen.

3 feuillets.

Petit in-8. Manuscrit. 1 vol. cartonnage.
Nouveau fonds 5023.

7145. 未來辯論
Oei lai pien lọẹn.

Contre la divination.

Par le P. Brancati, avec autorisation du P. da Cunha. Préface incomplète.

6 feuillets.

Cordier, Imprimerie sino-euro-péenne 48.

Grand in-8. Frontispice, 1 vol. cartonnage (provenant de la Société de Jésus).

Fourmont 259.

7146.

Oei lai pien loen.

Édition plus petite avec la pré-face incomplète.

6 feuillets.

Grand in-8. 1 vol. cartonnage (prove-nant des Missions Étrangères).

Nouveau fonds 3367.

7147. 燭俗迷篇

Tchou sou mi phien.

Contre les erreurs vulgaires.

Par le P. da Costa; avec pré-face de l'auteur.

30 sections (57 feuillets).

Petit in-8. Manuscrit. 1 vol. carton-nage.

Nouveau fonds 3188.

7148.   天儒印

Thien jou yin.

Concordance des Quatre Li-vres avec le christianisme.

Par le P. Antonio de Santa Maria ; revu par Chang Hou-khing, de Hoai-yin. Préfaces par Oei Hio-khiu, de Kia-chan (1664) et par Chang Hou-khing (1664).

30 feuillets.

Grand in-8. 1 vol. cartonnage.
Nouveau fonds 3227.

7149.   醒迷篇

Sing mi phien.

Contre les erreurs des païens.

A la fin on lit : gravé par Lo Koang-phing à l'église King-kiao (1667).

79 feuillets.

Petit in-8. Manuscrit. 1 vol. carton-nage.

Nouveau fonds 3110.

7150. — I.

Sing mi phien.

Texte analogue; introduction non signée.

Feuillets 1 à 112.

— II.

徐相國辨學奏疏

Siu siang koe pien hio tseou sou.

Rapports du ministre Siu sur la religion.

Par Siu Koang-khi (1616).

Feuillets 112 à 119.

— III.

造物主垂像畧說

Tsao oou tchou tchhoei siang lio choe.

Traité sur l'image du Créateur.

Feuillets 119 à 124.

N° 6915, art. IV.

Petit in-8. Manuscrit. 1 vol. cartonnage.

Nouveau fonds 3109.

7151. — I.

Sing mi phien.

Même ouvrage qu'au n° précédent, art. I.

16 feuillets.

— II.

內閣

Nei ko.

Liste de fonctions officielles.

20 feuillets.

— III.

聖教微言

Cheng kiao oei yen.

Propos sur la religion.

5 feuillets.

— IV.

Suite de la liste de l'art. II.

18 feuillets.

Petit in-8. Manuscrit sur papier européen. 1 vol. cartonnage.
Nouveau fonds 5015.

7152. 儒教實義

Jou kiao chi yi.

Vrai sens de la doctrine des lettrés.

Dialogue d'un chrétien et d'un lettré, montrant l'accord des Quatre Livres avec la doctrine chrétienne, par Oen Kou-tseu ; postérieur à 1682.

44 feuillets.

Petit in-8. Manuscrit, papier blanc. 1 vol. cartonnage.

Nouveau fonds 2940.

7153.

Jou kiao chi yi.

Même ouvrage.

28 feuillets.

Grand in-8. 1 vol. cartonnage.
Nouveau fonds 2941.

7154. 正學鏐石

Tcheng hio lieou chi.

Pierre de touche de la vraie science.

Par le P. Antonio de Santa Maria ; gravé à la mission de Tsi-nan avec l'autorisation du P. 'En Meou-sieou. Préface par Chang Chi-seu (1698).

87 feuillets.

Cordier, Imprimerie sino-euro-péenne 266.

Grand in-8. 1 vol. cartonnage (provenant des Missions Étrangères).

Fourmont 210.

7155.

Double.

1 vol. cartonnage.
Nouveau fonds 3172.

7156.

Tcheng hio lieou chi.

Même ouvrage, sans la préface.

77 feuillets.

Petit in-8. Manuscrit. 1 vol. cartonnage.
Nouveau fonds 3171.

———

7157. 禮記祭禮泡製
Li ki tsi li phao tchi.

Notes sur les sacrifices d'après les Li ki.

Cet ouvrage, incomplet, avait été rédigé à Khien-tcheou par Hia Ma-ti-ya pour aider le P. Greslon dans ses travaux ; écrit en 1698.

14 feuillets.

Grand in-8. Manuscrit. 1 vol. cartonnage.
Nouveau fonds 4982.

7158. 辯學存覽
Pien hio tshoen lan.

Sur la religion chrétienne.

Avec quelques pièces où on lit le nom de Tchao Chi-hien (1698?).

8 demi-feuillets, reliés par la tranche.

Grand in-8. Manuscrit. 1 vol. cartonnage.
Nouveau fonds 4985.

7159. 辯誣
Pien oou.

Réfutation des calomnies contre le christianisme.

Contre Tong Han ; sans nom d'auteur (1699).

13 feuillets.

Petit in-8. Manuscrit ponctué en rouge. 1 vol. cartonnage.
Nouveau fonds 3060.

———

7160. 天學本義

Thien hio pẹn yi.

Idée primitive du ciel.

Collection de termes tirés des classiques, extraits et passages mis en ordre pour établir la conformité aux idées chrétiennes.

10 feuillets.

Cordier, Imprimerie sino-européenne 38.

Grand in-8. Manuscrit. 1 vol. cartonnage.

Nouveau fonds 4983.

7161. 古今敬天鑒

Kou kin king thien kien.

Sur le culte du ciel, antique et moderne.

Ouvrage analogue au précédent par le P. Joachim Bouvet, Jésuite (1656-1730; noms chinois Po Tsin Ming-yuen). Préface de l'auteur (1707).

2 livres.

Cordier, Imprimerie sino-européenne 39.

Petit in-8. Manuscrit soigné sur papier blanc. 1 vol. cartonnage.

Nouveau fonds 2989.

7162.

Kou kin king thien kien.

Texte en partie différent du précédent; préface et postface sans signature ni date.

2 livres.

Grand in-8. Manuscrit. 1 vol. cartonnage.

Nouveau fonds 2988.

7163. 造物主眞論

Tsao oou tchou tchen lọẹn.

Dissertation sur l'idée de Créateur; *alias* :

Kou kin king thien kien.

Ouvrage différent des trois précédents.

2 livres (73 feuillets).

Petit in-8. Manuscrit sur papier blanc. 1 vol. cartonnage.

Nouveau fonds 3333.

7164. 經傳議論

King tchoan yi lọẹn.

Discussion des classiques.

Avec préface de l'auteur (1710), le P. de Prémare ; section relative au Tchhoẹn tshieou.

Livre 6 (22 feuillets).

Petit in-8. Manuscrit. 1 vol. cartonnage.

Nouveau fonds 2722.

7165. — I.

天學總論

Thien hio tsong loen.

Dissertation sur le christianisme.

Par le P. de Prémare.

20 feuillets.

— II.

經傳衆說

King tchoan tchong choe.

Citations des classiques à l'appui du christianisme.

Par le même auteur.

24 feuillets.

Grand in-8. Manuscrit. 1 vol. cartonnage.

Nouveau fonds 3226.

7166. # 儒交信

Jou kiao sin.

Brevis epitome libri sinici de concordiâ legis sinicæ cum lege christianâ.

Sorte de roman chrétien, sans nom d'auteur. Préface latine signée Jos. Hon. de Prémare.

6 chapitres (hoei).

Grand in-8. Manuscrit; couverture en papier orné de fleurs. 1 vol. cartonnage.

Nouveau fonds 2942.

7167. — I.

Auctoritates pro T'ien et Xam ti juxta num. marginales.

Feuillets 1 à 22.

— II.

Auctor^tes pro quæst. Conf^ii.

Feuillets 22 à 24.

— III.

Auctor^tes pro quæst. Avorum.

Feuillets 24 à 31.

Recueil de citations des classiques.

Petit in-8. Manuscrit sur papier européen. 1 vol. cartonnage.

Nouveau fonds 5013.

7168. # 醒世迷編

Sing chi mi pien.

Discussion du bouddhisme.

Ouvrage de Yu Soen Siang-hoa, de Tchhou-tcheou ; annoté par Lieou Tchen Tchong-fou, de Yen-chan. Préfaces (1714) par Lieou et par Yu. Tables des matières. Notes dans la marge supérieure.

2 livres.

Grand in-8. 1 vol. cartonnage (provenant de la Société de Jésus).

Nouveau fonds 3099.

7169.

Double.

1 vol cartonnage.
Nouveau fonds 3100.

7170.

Doubles.

2 exemplaires.

1 vol. cartonnage.
Nouveau fonds 4844.

7171. 天儒同異考

Thien jou thong yi khao.

Ressemblances et différences entre le christianisme et le confucianisme.

Préface par Tchang Sing-yao Tseu-tchhen (1715). Table des trois traités qui forment l'ouvrage.

— I.

天教合儒

Thien kiao ho jou.

Concordances des deux doctrines.

Préface de Tchang Sing-yao (1702). Texte.

18 feuillets.

— II.

天教補儒

Thien kiao pou jou.

Le christianisme complète le confucianisme.

25 feuillets.

— III.

天教超儒

Thien kiao tchhao jou.

Le christianisme dépasse le confucianisme.

Préface, texte et postface.

12 feuillets.

Petit in-8. Manuscrit. 1 vol. cartonnage (provenant de la Société de Jésus).
Nouveau fonds 3228.

7172. 覺斯錄

Kio seu lou.

Sur le christianisme.

— I.

原本論

Yuen pen loen.

Dissertations sur les origines.

Par Lieou Ning ; avec beaucoup de citations des classiques.

6 feuillets.

— II.

天主之名非創自西域

Thien tchou tchi ming fei tchhoang tseu si yu.

Le nom de maître du ciel n'a pas été inventé en Occident.

Par le même.

3 feuillets.

— III.

辨天童密雲和尚三說

Pien thien thong mi yun hoo chang san choę.

Discussion de trois opinions du bonze Mi-yun relativement au mot thien.

Feuillets 1 à 12.

— IV.

辨天三說序辨

Pien thien san choę siu pien.

Critique de la discussion, etc.

Feuillets 13 à 15.

— V.

掮松和尚三教正論辨

Fou song hoo chang san kiao tcheng loęn pien.

Critique de la dissertation sur les trois doctrines du bonze Fou-song.

6 feuillets.

— VI à X.

Doubles respectifs des art. I à V.

Petit in-8. Titre noir sur papier teinté; gravure très ordinaire, d'aspect spécial. 1 vol. cartonnage (provenant de la Société de Jésus).
Nouveau fonds 2984.

7173. 問釋氏言輪廻

Oen chi chi yen loęn hoei.

Questions sur la métempsychose bouddhique.

Par Jen-tchai tchou-jen; introduction signée par San-chan tchong jen. Texte et supplément; postface.

6 feuillets.

Grand in-8. Manuscrit. 1 vol. cartonnage.
Nouveau fonds 3369.

7174. — I.

論許眞君

Loęn hiu tchen kiun.

Sur la divinité Hiu tchenkiun.

Feuillets 1 à 3.

— II.

論玄門

Loęn hiuen męn.

Sur les principes du taoïsme.

Feuillets 3 à 5.

— III.

綱目總論

Kang mou tsong loẹn.

Sur la dissertation générale du Thong kien kang mou.

Voir nᵒˢ 353-360, etc.

Feuillets 5 à 7.

— IV.

論破迷

Loẹn pho mi.

Réfutation des erreurs.

Feuillets 7 à 15.

— V.

論懺悔

Loẹn tchhan hoei.

Sur le repentir.

Feuillets 15 à 17.

— VI.

論生死賞罰惟一天主百神不得參其權

Loẹn cheng seu chang fa oei yi thien tchou po chen pou tẹ tshan khi khiuen.

Dissertation établissant que la vie et la mort, le châtiment et la récompense dépendent de Dieu seul et nullement des esprits.

Feuillets 17 à 26.

— VII.

論人錯認蒼天爲主

Loẹn jen tsho jen tshang thien oei tchou.

Sur l'erreur qui consiste à faire du ciel bleu la divinité.

Feuillets 26 à 28.

— VIII.

論梓童(sic)帝君及三元三品三官大帝

Loẹn tseu thong ti kiun ki san yuen san phin san koan ta ti.

Sur le dieu de la Littérature et autres divinités du taoïsme.

Feuillets 28 à 35.

— IX.

論關雲長

Loẹn koan yun tchang.

Sur Koan Yun-tchang, dieu de la Guerre.

Feuillets 35 à 38.

— X.

論輪廻

Loẹn loẹn hoei.

Sur la métempsychose.

Feuillets 38 à 45.

— XI.

論巫人

Loen oou jen.

Sur les sorciers.

Feuillets 45 à 48.

— XII.

論佛種

Loen fo tchong.

Sur les bouddhas.

Feuillets 48 à 53.

— XIII.

論老君行述

Loen lao kiun hing chou.

Sur la vie de Lao-tseu.

Feuillets 53 à 56.

— XIV.

論觀音

Loen koan yin.

Sur Avalokiteçvara.

Feuillets 56 à 58.

— XV.

論眞武

Loen tchen oou.

Sur le guerrier mystérieux, personnification du nord.

Feuillets 58 à 60.

— XVI.

論唐三藏

Loen thang san tsang.

Sur le Tripiṭaka des Thang.

Feuillets 60 à 62.

— XVII.

論戒殺

Loen kiai cha.

Sur l'interdiction d'ôter la vie.

Feuillets 62 à 66.

— XVIII.

論人迷信風水地理

Loen jen mi sin fong choei ti li.

Sur les croyances erronées astrologiques et géoscopiques.

Feuillets 66 à 81.

— XIX.

論報母齋

Loen pao mou tchai.

Sur l'abstinence pour témoigner la reconnaissance due à la mère.

Feuillets 81, 82.

— XX.

造物主垂象略說

Tsao oou tchou tchhoei siang lio choe.

Traité sur l'image du Créateur.

Feuillets 82 à 89.

Nº 6915, art. IV.

— XXI.

論雷

Loẹn lei.

Sur le tonnerre.

Feuillets 90, 91.

— XXII.

論神像來歷

Loẹn chen siang lai li.

Sur les idoles.

Feuillet 91 ; les feuillets 92 et 93 sont d'une écriture différente et traitent une autre question religieuse.

Petit in-8. Manuscrit sur papier européen. 1 vol. cartonnage.

Nouveau fonds 5016.

Quatrième Section : DÉCALOGUE ET MORALE

7175. 策怠警喻

Tshẹ tai king yu.

Apologues pour stimuler les négligents.

Par Hiong Chi-khi, de Nan-tchhang. Introduction par Yang Thing-yun ; postface de l'auteur.

6 feuillets.

Grand in-8. Manuscrit. 1 vol. cartonnage (provenant de la Société de Jésus).

Nouveau fonds 3311.

7176. 聖教規誡箴贊

Cheng kiao koei kiai tchen tsan.

Règles de la morale chrétienne.

Édition plus grande qu'au nº 6915, art. VII.

4 feuillets.

Petit in-8. 1 vol. cartonnage.

Nouveau fonds 2815.

7177. 七克

Tshi khẹ.

Les sept victoires sur les péchés capitaux.

Ouvrage du P. de Pantoja, revu par Yang Thing-yun Tcheng-pou kiu-chi, de Oou-lin. Liste des sept péchés et des vertus opposées. Préfaces par Tchhen Liang-tshai, par Tshao Yu-pien, par Tcheng Yi-oei de Chang-jao ; introduction par Hiong Ming-yu, de Nan-tcheou. Préface de l'auteur (1614) suivie d'un sceau avec le monogramme du Christ. En tête de chaque partie, préface par Tshœi Tchhang, de Kiang-tong.

7 livres.

Cat. imp., liv. 125, f. 3o ; Cordier, Imprimerie sino-européenne 18o (Tshi khẹ ta tshiuen) ; Catalogus librorum 4o (Tshi khẹ ta tshiuen).

Grand in-8. 1 vol cartonnage.
Nouveau fonds 3313.

7178.

Double.

Petit in-8. 1 vol. cartonnage.
Nouveau fonds 4884.

7179.

Tshi khẹ.

Préfaces par Yang Thing-yun, par Tshœi Tchhang (1611). par Pheng Toan-oou, de Tang-kiun ; manque la préface de Tcheng Yi-oei. L'ouvrage est d'ailleurs semblable ; édition de l'église Khin-yi, de Min.

Grand in-8. Titre noir sur blanc. 1 vol. cartonnage (provenant des Missions Etrangères).
Nouveau fonds 3314.

7180.

Double.

Début et livre 1ᵉʳ.

1 vol. cartonnage (prov. des Missions Etrangères).
Fourmont 207.

7181.

Tshi khẹ.

Édition de l'église Khin-yi, plus grande que la précédente.

Livres 2 à 7.

Grand in-8. Les livres 4 et 5 sont sur papier blanc. 1 vol. cartonnage (provenant de la Société de Jésus).
Nouveau fonds 4885.

7182.

Tshi khẹ.

Édition de l'église Ling-pao, à Péking (1694), à peu près conforme à celle du n° 7179.

Petit in-8. Titre noir sur papier teinté. 1 vol. cartonnage.
Nouveau fonds 3312.

7183.

Double.

Début et livre 1ᵉʳ.

Grand in-8. 1 vol. cartonnage.
Fourmont 206.

7184.

Double.

Livres 6 et 7.

1 vol. cartonnage.
Nouveau fonds 4905.

7185.

Double.

1 vol. cartonnage (provenant des Missions Etrangères).
Nouveaa fonds 4883.

7186. 七克眞訓

Tshi khẹ tchen hiun.

Vraie doctrine des sept victoires.

Préface de l'auteur, anonyme. Réimprimé à Zi-ka-wei (1857) avec l'autorisation de Mgr François-Xavier Danicourt (✝ 1860 ; noms chinois Cha-oou-lio ʿKou) qui y a mis une préface.

2 livres.

Catalogus librorum 41. Cf. Cordier, Imprimerie sino-européenne 180.

In-12. Papier blanc, titre noir sur blanc. 1 vol. cartonnage.
Nouveau fonds 4886.

7187.

Double.

Papier blanc. 1 vol. cartonnage de Chang-hai.
Nouveau fonds 3650.

7188. — I.

彌克兒遺斑弁言

Mi khẹ eul yi pan pien yen.

Réflexions sur la mort du fils de Tchang Michel.

Par Sie Meou-ming, de Oen-ling.

2 feuillets.

— II.

天主洪恩序

Thien tchou hong'en siu.

Bienfaits de Dieu.

Réflexions par Tchang Tchi, de Tsin-kiang, sur la mort de son fils (1621).

2 feuillets.
Voir n° 1098.

— III.

警隸語

King li yu.

Réflexions pieuses.

Par Tchang Tchi Michel.

2 feuillets.

Petit in-8. Manuscrit. 1 vol. cartonnage.
Nouveau fonds 3281.

7189. 譬學

Phi hio.

Apologues moraux.

Par le P. Vagnoni, avec introduction de l'auteur. Préface par Han Lin Yu-'an (1633) ; traduit en 1631, gravé en 1633.

2 livres.

Cordier, Imprimerie sino-européenne 323.

Grand in-8. 1 vol. cartonnage (prov. de la Société de Jésus).

Nouveau fonds 3050.

7190.

Double.

Livre 1er seul.

Grand in-8. Exemplaire en très mauvais état. 1 vol. cartonnage.

Nouveau fonds 4837.

7191. 則聖十篇
Tsę cheng chi phien.

Imitation des saints.

Par le P. Vagnoni ; avec autorisation du P. Diaz. Introduction par Soęn Yuen-hoa, de Oou-song.

54 feuillets.

Cordier, Imprimerie sino-européenne 317.

Petit in-8. Feuille de titre. 1 vol. cartonnage (provenant de la Société de Jésus).

Nouveau fonds 3334.

7192 天主聖教十誡直詮
Thien tchou cheng kiao chi kiai tchi tshiuen.

Explication du Décalogue.

Par le P. Diaz, avec autorisation du P. Aleni. Préface par Tchou Tsong-yuen Oei-tchheng, de Yin ; autre préface par Thong Koę-khi, de Siang-phing (1659). Édition de la mission de Kiang-ning.

2 livres.

Cordier, Imprimerie sino-européenne 100 ; Catalogus librorum 80.

Grand in-8. Titre noir sur papier teinté. 1 vol. cartonnage.

Nouveau fonds 3244.

7193.

Double.

1 vol. cartonnage (provenant de la Société de Jésus).

Nouveau fonds 3245.

7194.

Double.

Papier grossier. 1 vol. cartonnage.
Nouveau fonds 2775.

7195.

Thien tchou cheng kiao chi kiai tchi tshiuen.

Édition de l'église Ling-pao à Péking (1738).

Grand in-8. Papier blanc. 1 vol. cartonnage.

Fourmont 186.

7196.

Double.

1 vol. cartonnage.
Fourmont 187.

7197.

Double.

1 vol. demi-reliure (provenant de la bibliothèque de l'Arsenal).
Nouveau fonds 2236.

7198. 輕世金書

Khing chi kin chou:

Livre d'or du mépris du monde.

Traduction de l'Imitation de Jésus-Christ par le P. Diaz, revue par Tchou Tsong-yuen. Introduction de l'auteur.

4 livres (manque la fin du 4e livre).
Cordier, Imprimerie sino-européenne 106 ; Catalogus librorum 63.

In-12. Manuscrit. 1 vol. cartonnage (provenant des Missions Étrangères).
Nouveau fonds 4995.

7199.

Khing chi kin chou.

Même ouvrage ; table en tête de chaque livre ; à la fin préface de Fang Tsi-seu.

In-12. Manuscrit avec frontispice copié à la main. 1 vol. cartonnage.
Nouveau fonds 2981.

7200.

Khing chi kin chou.

Autre copie, avec préface par Fang Tsi-seu de Kien-hou.

Livre 1er seul.

Petit in-8. Manuscrit. 1 vol. cartonnage.
Nouveau fonds 2979.

7201.

Khing chi kin chou.

Même ouvrage ; à la fin préface de Fang Tsi-seu.

Livres 3 et 4.

Petit in-8. Manuscrit. 1 vol. cartonnage.
Nouveau fonds 2980.

7202-7207. 輕世金書便覽

Khing chi kin chou pien lan.

Même ouvrage, avec notes par Liu Jo-han, de Choen-te ; postface par le même (1848). Table en tête de chaque livre. Édition de Canton (1848).

4 livres.

Grand in-8. Titre noir sur rose. 6 vol. chinois dans un étui de toile bleue.
Nouveau fonds 3655.

7208. 依主至範

Yi tchou tchi fan.

Imitation de Notre-Seigneur.

Version complète sans nom d'auteur.

Petit in-8. Manuscrit. 1 vol. cartonnage (provenant des Missions Etrangères).
Fourmont 238.

7209. 遵主聖範

Tsoen tchou cheng fan.

Imitation de Notre Seigneur.

Version sans nom d'auteur ni date ; introduction.

4 livres.
Catalogus librorum 64. Voir Cordier, Imprimerie sino-européenne 106.

Petit in-8. 1 vol. cartonnage.
Nouveau fonds 4583.

7210.

Tsoen tchou cheng fan.

Même ouvrage.

Petit in-8. Manuscrit. 1 vol. cartonnage.
Nouveau fonds 3349.

7211.

Tsoen tchou cheng fan.

Même ouvrage.

Petit in-8. Manuscrit. 1 vol. cartonnage.
Nouveau fonds 3350.

7212.

Tsoen tchou cheng fan.

Même ouvrage.

Livres 1, 3 et 4.

In-24. Manuscrit. 1 vol. cartonnage.
Nouveau fonds 3347.

7213.

Tsoen tchou cheng fan.

Même ouvrage

Livre 3.

In-24. Manuscrit. 1 vol. cartonnage.
Nouveau fonds 3348.

7214.

Tsoen tchou cheng fan.

Même ouvrage, édition récente, peut-être celle de 1860.

Catalogus librorum 64.

In-12. Papier blanc, titre noir sur blanc. 1 vol. demi-rel., au chiffre de Napoléon III.
Nouveau fonds 2234.

7215.

Double.

1 vol. cartonnage.
Nouveau fonds 4894.

7216. 天主教略說
Thien tchou kiao lio choe.

Abrégé de la religion.

Fragments divers : Imitation, notes sur la langue, rapports du christianisme avec la philosophie des Song, etc.

60 feuillets.

In-18. Manuscrit d'écritures diverses, sur papiers différents. 1 vol. cartonnage.
Nouveau fonds 4999.

7217. 聖教四規
Cheng kiao seu koei.

Les quatre commandements de l'Église.

Relatifs à l'assistance à la messe, à l'abstinence, à la confession et à la communion annuelles. Ouvrage du P. Brancati, publié par le P. de Gravina avec l'autorisation du P. da Costa. Préface par Siu Eul-kio Tchao-tchai, de Chang-hai; postface par Khieou Yue-tchi 'Ao-ting. Gravé à Yun-kien.

17 feuillets.

Cordier, Imprimerie sino-européenne 42. Voir n° 7089, art. II.

In-8. Titre noir sur papier teinté. 1 vol. cartonnage (prov. des Missions Etrangères).
Nouveau fonds 2819.

7218.

Cheng kiao seu koei.

Édition faite par les P. P. Dominique Gabiani, Jésuite (1623-1696 ; noms chinois Pi Kia To-min) et François de Rougemont, Jésuite (1624-1676 ; noms chinois Lou Ji-man Khien-cheou).

21 feuillets.

Grand in-8. Pas de feuille de titre, frontispice différent. 1 vol. cartonnage (provenant de la Société de Jésus).
Fourmont 194.

7219.

Double.

1 vol. cartonnage (prov. des Missions Etrangères).
Nouveau fonds 4778.

7220. 天主十誡勸論聖蹟
Thien tchou chi kiai khiuen loen cheng tsi.

Instructions sur le Décalogue.

Par le P. Brancati, avec autorisation du P. da Costa. Préface par Hiu Tsoan-tsheng ; postface par Khieou Yue-tchi 'Ao-ting.

10 livres.

Cordier, Imprimerie sino-européenne 40. Voir aussi Catalogus librorum 49.

Grand in-8. Titre frontispice. 1 vol. cartonnage.

Fourmont 185.

7221.

Double.

Livres 1, 2, 3, 4 et 3, 4, 5 ; point de frontispice.

1 vol. cartonnage (prov. de la Société de Jésus et des Missions Etrangères).

Nouveau fonds 4874.

7222.

Double.

Livres 6 à 10.

1 vol. cartonnage (prov. des Missions Etrangères).

Nouveau fonds 3283.

7223.

Double.

1 vol. cartonnage. Manquent quelques feuillets au début et à la fin.

Nouveau fonds 3243.

7224.

Thien tchou chi kiai khiuen loen cheng tsi.

Édition plus petite.

Grand in-8. Papier blanc, pas de frontispice. 1 vol. cartonnage.

Nouveau fonds 3242.

7225.

Thien tchou chi kiai khiuen loen cheng tsi.

Autre édition, avec frontispice.

Grand in-8. 1 vol. cartonnage.

Nouveau fonds 2774.

7226. 天主十誡說約

Thien tchou chi kiai choe yo.

Explication abrégée du Décalogue.

En phrases tétrasyllabiques.

24 feuillets. Frontispice. 1 vol. in-32 (provenant de la Société de Jésus).

Nouveau fonds 3241.

7227. 慎思錄

Chen seu lou.

Méditations sur le ciel, sur le prochain et sur soi-même.

Par Li Khi-siu (voir n° 6876). Préfaces par Lieou Oen-te, par Yen Tsan-hoa de Tshing-tchang ; introduction. Postface signée Kia-yo. L'ouvrage est publié par le P. Antonio de Gouvéa ; planches gardées à la salle Lou-tchoang.

3 sections.

Petit in-8. Papier blanc. 1 vol. cartonnage (provenant des Missions Etrangères).

Fourmont 211.

7228.

Chen seu lou.

Édition plus grande; postface incomplète d'un feuillet.

Petit in-8. 1 vol. cartonnage.
Nouveau fonds 3160.

7229.

Double.

Le titre est calqué à la main sur l'original imprimé. 1 vol. cartonnage.
Nouveau fonds 3161.

7230. 善生福終正路

Chan cheng fou tchong tcheng lou.

Vrai chemin pour bien vivre et bien mourir.

Par le P. Lobelli; avec autorisation de Oan To-ma-seu et de Kia Jo-oang. Préface de l'auteur; table pour chaque livre. Réédition de l'église Ling-pao à Péking (1738).

2 livres.

Cordier, Imprimerie sino-européenne 143; Catalogus librorum 51

Grand in-8. Papier blanc; feuillet de titre et frontispice. 1 vol. cartonnage.

Fourmont 202.

7231.

Double.

1 vol. cartonnage.
Nouveau fonds 2757.

7232-7233.

Double.

2 vol. cartonnage.
Nouveau fonds 2759, 2760.

7234. — I.

Double.

Papier blanc.

— II.

Même ouvrage; frontispice et titre différents, sans date.

(Provenant des Missions Etrangères).

— III.

Double de l'art. I.

Grand in-8. 1 vol. cartonnage.
Nouveau fonds 4761.

7235.

Chan cheng fou tchong tcheng lou.

Double du n° précédent, art. II.

7

1 vol. cartonnage.
Nouveau fonds 2758.

7236-7237.

Double.

Petit in-8. 2 vol. cartonnage.
Nouveau fonds 2761, 2762.

7238.

Double.

1 vol. cartonnage (provenant de la
Société de Jésus).
Nouveau fonds 2763.

7239.

Double.

1 vol. cartonnage.
Nouveau fonds 2764.

7240.

*Chan cheng fou tchong tcheng
lou.*

Autre édition sans date.

In-12. Papier blanc. 1 vol. cartonnage (provenant des Missions Etrangères).
Nouveau fonds 2765.

7241.

*Chan cheng fou tchong tcheng
lou.*

Autre édition, titre et frontispice différents.

Petit in-8. Papier blanc. 1 vol. cartonnage.
Nouveau fonds 4586.

7242. 成 修 神 務

Tchheng sieou chen oou.

Perfectionnement spirituel.

Par le P. Motel. Préface de
l'auteur ; table et préface pour
chaque livre.

3 livres (115 + 98 + 81 feuillets).

Petit in-8. Manuscrit. 1 vol. cartonnage.
Nouveau fonds 3177.

7243. 莫 居 凶 惡 勸

Mo kiu hiong'o khiuen.

Exhortation à éviter les hommes vicieux.

Par le P. Dentrecolles ; avec
l'autorisation du P. Kögler. Édition de l'église Cheou-chan à Péking.

2 sections (31 + 39 articles).

Cordier, Imprimerie sino-européenne 95.

Petit in-8. Papier blanc ; feuille de
titre. 1 vol. cartonnage.
Nouveau fonds 3030.

7244.

Double.

ɪ vol. cartonnage.
Nouveau fonds 3o3ɪ.

7245. — I.

Mo kiu hiong 'o khiuen.

Édition un peu plus petite, avec feuille de titre.

— II.

Double de l'art. I.

Petit in-8. ɪ vol. cartonnage.
Nouveau fonds 4833.

────────

7246. — ɪ.

天堂直路

Thien thang tchi lou.

Le droit chemin du ciel.

Sans nom d'auteur. Introduction.

36 feuillets.

Cordier, Imprimerie sino-européenne 39o.

Papier blanc ; feuille de titre.

— II.

聖教要理

Cheng kiao yao li ; alias :

要理問荅

Yao li oen ta.

Catéchisme.

Préface non signée ; texte.

49 feuillets.

Comparer Cordier, Imprimerie sino-européenne ɪ44, ɪ46, 249.

— III.

求諸己式

Khieou tchou ki chi.

Règles de l'examen de conscience.

Introduction et texte.

44 feuillets.

Petit in-8. ɪ vol. cartonnage.
Nouveau fonds 4587.

────────

7247.

Recueil en langue vulgaire.

— I.

Exposé en 5 sections des principes du christianisme.

Feuillets ɪ à 56.

— II.

聽講之法

Thing kiang tchi fa.

Comment écouter les instructions.

Feuillets 56 à 5g.

— III.

善祈求

Chan khi khieou.

Comment bien prier.

Feuillets 60 à 62.

— IV.

天主生人原意

Thien tchou cheng jen yuen yi.

Pourquoi Dieu a créé l'homme.

Feuillets 63 à 67.

— V.

寶時

Pao chi.

Prix du temps pour le salut.

Feuillets 68, 69.

— VI.

省察

Sing tchha.

Sur l'examen de soi-même.

Feuillets 70 à 73.

— VII.

反悖聖神六端

Fan po cheng chen lou toan.

Les six péchés contre le Saint-Esprit.

Feuillets 74 à 78.

— VIII.

罪宗七端

Tsoei tsong tshi toan.

Les sept péchés capitaux.

Feuillets 79 à 81.

— IX.

聖教四規

Cheng kiao seu koei.

Les quatre commandements de l'Église.

Feuillets 82 à 87.

— X.

天主十誡

Thien tchou chi kiai.

Le Décalogue.

Feuillets 88 à 106.

— XI.

修身

Sieou chen.

Perfectionnement de soi-même.

Feuillets 107 à 110.

— XII.

當戒有五

Tang kiai yeou oou.

Cinq péchés à éviter.

Feuillets 111 à 113.

— XIII.

死
Seu.

Sur la mort.

Feuillets 114 à 116.

— XIV.

愛天主愛人
'Ai thien tchou 'ai jen.

Sur la charité envers Dieu et envers le prochain.

Feuillets 117, 118.

— XV.

三仇
San tchheou.

Les trois ennemis de l'homme.

Cf. n° 7374, art. XV.

Feuillets 119 à 123.

— XVI.

哀矜十四端
'Ai king chi seu toan.

Compassion pour les sept souffrances corporelles et les sept souffrances spirituelles.

Cf. n° 7043, art. VI.

Feuillets 124 à 131.

— XVII.

審判
Chen phan.

Sur le jugement.

Feuillets 132, 133.

— XVIII.

天堂
Thien thang.

Sur le ciel.

Feuillets 134, 135

— XIX.

地獄
Ti yu.

Sur l'enfer.

Feuillets 136 à 138.

— XX.

求聖母效法聖母
Khieou cheng mou hiao fa cheng mou.

Prier et imiter la Sainte Vierge.

Feuillets 139 à 142.

— XXI.

眞福八端
Tchen fou pa toan.

Les huit béatitudes.

Cf. n° 6941.

Feuillets 143 à 149.

Petit in-8. Manuscrit de diverses écritures. 1 vol. cartonnage.
Nouveau fonds 3182.

7248. 聖教眞實利益

Cheng kiao tchen chi li yi ; al. :

聖教益世成效

Cheng kiao yi chi tchheng hiao.

Vérité et avantage de la religion.

Préface en langue parlée faisant un bref historique du christianisme en Chine jusque vers la fin du xvii° siècle. Table : 10 sections sur la morale. Texte en langue vulgaire (feuillets 6 à 35).

Petit in-8. Manuscrit. 1 vol. cartonnage.
Nouveau fonds 2821.

Cinquième Section : SACREMENTS ET SACRAMENTAUX

7249. 天主親立領洗
告解二要規之理

Thien tchou tshin li ling si kao kiai eul yao koei tchi li.

Sur l'institution par Notre Seigneur lui-même du baptême et de la confession.

Par Tchang Keng, de Tsin-kiang, avec introduction.

5 feuillets.

Grand in-8. Manuscrit. 1 vol. cartonnage.
Nouveau fonds 3003.

7250. 聖洗規儀

Cheng si koei yi.

Règles du baptême.

Par le P. Motel, avec autorisation du P. Prospero Intorcetta, Jésuite (1626-1696; noms chinois Yin To-tse̞ Kio-seu). Préface par Tchang Thing-tsan Hoa-kho, de Kien-oou (1689) ; préface par Tchang Yu-lin, de Oou-lin (1689). Édition de la mission de Ying.

2 livres.

Cordier, Imprimerie sino-européenne 171.

Petit in-8. Papier blanc, titre noir sur blanc. 1 vol. cartonnage (provenant de la Société de Jésus).
Nouveau fonds 2881.

7251.

Double.

Manquent le titre et les préfaces. 1 vol. cartonnage (prov. de la Société de Jésus).

Nouveau fonds 2880.

7252. 進教領洗捷錄

Tsin kiao ling si tsie lou.

Sur le baptême et l'entrée dans l'Église.

Par le P. Pien Fang-chi Thien-hwei, Franciscain (peut-être le P. Eugène Piloti), avec l'autorisation du P. Lin Yang-mẹ Tao-oei. Gravé à la mission de Canton. Texte annoté.

19 feuillets.

Grand in-8. Papier blanc ; titre noir sur blanc. 1 vol. cartonnage.

Fourmont 199.

7253.

Double.

Manque le titre. 1 vol. cartonnage.
Nouveau fonds 3317.

7254 — I.

領洗問答

Ling si oen ta.

Instruction dialoguée sur le baptême.

Feuillets 1 à 9.

— II.

聖教要經

Cheng kiao yao king.

Prières principales de la religion chrétienne.

Feuillets 9 à 16.

— III.

告解問荅

Kao kiai oen ta.

Instruction dialoguée sur la confession et l'absolution.

Feuillets 17 à 29.

— IV.

聖體問荅

Cheng thi oen ta.

Instruction dialoguée sur l'eucharistie.

Feuillets 30 à 36.

In-24. Papier blanc. 1 vol. cartonnage.

Nouveau fonds 4781.

7255 — I

領洗問荅

Ling si oen ta.

Instruction dialoguée sur le baptême.

— II.

告解問荅

Kao kiai oen ta.

Instruction dialoguée sur la pénitence.

— III.

聖體問荅

Cheng thi oen ta.

Instruction dialoguée sur l'eucharistie.

— IV.

堅振問荅

Kien tchen oen ta.

Instruction dialoguée sur la confirmation.

38 feuillets.

In-32. Manuscrit sur papier blanc. 1 vol. cartonnage.
Nouveau fonds 4780.

7256. — I.

天主教要。將領聖水問荅

Thien tchou kiao yao. Tsiang ling cheng choei oen ta.

Principes de la religion chrétienne. Instruction dialoguée pour ceux qui se préparent au baptême.

Feuillets 1 à 4.

— II.

聖號經

Cheng hao king.

Le signe de la croix.

Feuillet 1.

— III.

天主經

Thien tchou king.

L'oraison dominicale.

Feuillet 1.

— IV.

聖母經

Cheng mou king.

La salutation angélique.

Feuillets 1, 2.

— V.

信經

Sin king.

Le symbole.

Feuillet 2.

— VI.

天主十誡

Thien tchou chi kiai.

Le décalogue.

Feuillets 2, 3.

— VII.

悔罪經
Hoei tsoei king.

Acte de contrition.

Feuillets 3, 4.

Petit in-8. Édition en gros caractères.
1 vol. cartonnage.
Nouveau fonds 4964.

7257. 堅振問荅
Kien tchen oen ta ; alias :

堅振要理
Kien tchen yao li

Instruction dialoguée sur la confirmation.

En langue vulgaire.

8 feuillets. — Voir n° 7255, art. IV.

In-24. 1 vol. cartonnage.
Nouveau fonds 2976.

7258.

Double.

1 vol. cartonnage.
Nouveau fonds 4953.

7259-7260. 滌罪正規
Ti tsoei tcheng koei.

Règles du sacrement de péni
tence.

Par le P. Aleni ; avec introduction de Yang Thing-yun. Gravé
au Fou-kien.

4 livres.

Cordier, Imprimerie sino-européenne 14 ; Catalogus librorum 58.

Grand in-8. Feuille de titre. 2 vol.
cartonnage (prov. de la Société de
Jésus).
Nouveau fonds 3322, 3521.

7261-7262.

Double.

2 vol. cartonnage (provenant de la
Société de Jésus).
Nouveau fonds 3321, 3323.

7263.

Double.

Comprenant seulement l'introduction
et les deux premiers livres. 1 vol. cartonnage (prov. des Missions Étrangères)
Fourmont 200, 201.

7264.

Ti tsoei tcheng koei.

Même ouvrage, avec table et
introduction. Édition de l'église
Tchhao-sing, à Oou-lin.

Petit in-8. Bonne gravure. 1 vol. cartonnage.
Nouveau fonds 3327.

7265. — I.

Double du précédent n°.

Petit in-8.

— II.

Double.

Petit in-8 (provenant de la Société de Jésus).

— III.

Double.

Petit in-8.

— IV.

Double du n° 7259.

Introduction, table, livres 1 et 2.

Grand in-8. 1 vol. cartonnage.
Nouveau fonds 4889.

7266.

Ti tsoei tcheng koei.

Même ouvrage ; édition de 1849 avec l'autorisation de Mgr Maresca.

Petit in-8. Papier blanc, titre noir sur blanc. 1 vol. cartonnage.
Nouveau fonds 4890.

7267. 滌罪正規略
Ti tsoei tcheng koei lio.

Règles abrégées du sacrement de pénitence.

Ouvrage attribué au P. Aleni ; réédition de la mission de Hou-tcheou.

38 feuillets.

In-18. 1 vol. cartonnage.
Nouveau fonds 3324.

7268. — I.

Ti tsoei tcheng koei lio.

Même ouvrage ; réédition de l'église King-kiao, à Péking, revue par Phang Thien-cheou Ya-ki-mou.

38 feuillets.

— II.

Ti tsoei tcheng koei lio.

Même ouvrage ; édition de l'église Cheou-chan, à Péking.

38 feuillets.

— III.

Double de l'art. II.

In-18. 1 vol. cartonnage.
Nouveau fonds 4891.

7269.

Double.

N° 7268, art. II et III.

1 vol. cartonnage.
Nouveau fonds 3326.

7270. 悔罪要指
Hoei tsoei yao tchi.

Principes de la contrition.

Par le P. Aleni, **avec introduc-tion de l'auteur.**

6 feuillets.

Cordier, Imprimerie sino-européenne 19.

Grand in-8. 1 vol. cartonnage (provenant de la Société de Jésus).
Nouveau fonds 2925.

7271.

Double.

Petit in-8. 1 vol. cartonnage.
Nouveau fonds 2924.

7272. 告解原義
Kao kiai yuen yi.

Du sacrement de la pénitence.

Par le P. Verbiest. Table, texte **avec notes dans la marge supérieure.**

11 feuillets.

Cordier, Imprimerie sino-européenne 346.

Grand in-8. 1 vol. cartonnage.
Nouveau fonds 2945.

7273.

Double.

1 vol. cartonnage.
Nouveau fonds 2946.

7274.

Double.

1 vol. cartonnage.
Nouveau fonds 4817.

7275. - I.

大赦解畧
Ta chę kiai lio.

Explication abrégée des indulgences.

Par le P. Piñuela, avec préface par Lieou Ning, de Nan-fong (1689).

Feuillets 1 à 7.

Cordier, Imprimerie sino-européenne 199.

— II.

博竢古臘大赦
Po seu kou la ta chę.

Indulgence de la Portioncule.

Par le même.

Feuillets 8 à 11.

— III.

聖方濟各聖索會大赦
規條
*Cheng fang tsi ko cheng so hoei
ta chę koei thiao.*

Règlement de l'indulgence de la Confrérie du Cordon de saint François.

Feuillets 1 à 4.

Grand in-8. 1 vol. cartonnage.
Nouveau fonds 3131.

7276 — I.

天主聖教告解道理

Thien tchou cheng kiao kao kiai tao li.

Principes du sacrement de la pénitence.

1 feuille de 0ᵐ,80 sur 0ᵐ,22. Au verso, on lit la note manuscrite : Catéchisme de Mʳ Maigrot apporté d'Emoy par Mʳ Fernand Marcel Tello l'an 1703. — Gravure analogue à celle de l'art. VIII.

— II.

聖教宗第十一位意納增爵新頒大赦念珠聖牌聖像等恩赦條畧

Cheng kiao tsong ti chi yi oei yi na tseng tsio sin pan ta chẹ nien tchou cheng phai cheng siang teng 'en chẹ thiao lio.

Règlement des indulgences nouvelles accordées par S. S. le pape Innocent XI.

1 feuille de 0ᵐ,35 sur 0ᵐ,23.

— III.

十誡原本。天主十誡。十誡十意

Chi kiai yuen pẹn. Thien tchou chi kiai. Chi kiai chi yi.

Le Décalogue, origine et explication.

Gravé en caractères de deux tailles.

1 feuille de 0ᵐ,70 sur 0ᵐ,20.

— IV.

闢輪廻非理之正

Phi lọẹn hoei fei li tchi tcheng.

Réfutation de la métempsychose.

Par Oei-tẹ-tseu, de Tshing-yuen; gravé à l'église King-kiao, de Hou lin.

1 feuille de 0ᵐ,48 sur 0ᵐ,21.

— V.

進呈書像。天主正道解畧

Tsin tchheng chou siang. Thien tchou tcheng tao kiai lio.

Abrégé de la doctrine chrétienne.

Comparer nᵒ 6757, art. I et II. Planche gravée à l'église Tchao-chi, à Oou-lin (1661 ou 1721).

1 feuille de 0ᵐ,40 sur 0ᵐ,21.

— VI.

領聖體緊要

Ling cheng thi kin yao.

Principes relatifs à la communion.

Gravé à la salle Yi-yi, à Heng-phou.

1 feuille de 0ᵐ,49 sur 0ᵐ,20.

— VII.

格言六則

Ko yen lou tsę.

Six préceptes du christianisme.

Par Tou-sing-tchai tchou-jen.

Gravure analogue à celle de la feuille précédente.

1 feuille de 0ᵐ,49 sur 0ᵐ,21.

— VIII.

告解四要

Kao kiai seu yao.

Les quatre conditions essentielles de la confession.

Gravé à la salle Yi-yi, à Heng-phou.

1 feuille de 0ᵐ,59 sur 0ᵐ,21.

— IX.

救世聖號來歷

Kieou chi cheng hao lai li.

Origine du signe sauveur.

1 feuille de 0ᵐ,70 sur 0ᵐ,21.

— X.

眞福八端

Tchen fou pa toan.

Les huit béatitudes.

Gravé de nouveau à l'église Ta-yuen, à Kou-sou.

Cf. nº 6941.

1 feuille papier blanc, de 0ᵐ,67 sur 0ᵐ,26.

— XI.

天主聖像來歷

Thien tchou cheng siang lai li.

Sur l'origine du christianisme.

Texte en grands caractères.

1 feuille de 0ᵐ,36 sur 0ᵐ,27.

— XII.

天主聖教永瞻禮單

Thien tchou cheng kiao yong tchan li tan.

Calendrier perpétuel des fêtes de la religion chrétienne.

Par le P. Couplet. Gravure analogue à celle de l'art. X.

1 feuille de papier blanc, de 1ᵐ,10 sur 0ᵐ,28.

In-folio. 1 vol. cartonnage.
Nouveau fonds 5280.

7277 彌撒祭義
Mi sa tsi yi.

Traité du sacrifice de la messe.

Par le P. Aleni, avec préface de l'auteur (1629). Table en tête de chaque livre ; introduction en tête du second livre. Gravé au Fou-kien.

2 livres.

Cordier, Imprimerie sino-européenne 1 ; Catalogus librorum 46.

Grand in-8. Titre noir sur papier teinté. 1 vol. cartonnage (provenant des Missions Étrangères).
Fourmont 197.

7278.

Double.

1 vol. cartonnage.
Fourmont 198.

7279.

Double.

Manque l'introduction du livre 2. 1 vol. cartonnage (prov. de la Société de Jésus).
Nouveau fonds 3023.

7280.
Mi sa tsi yi.

Même ouvrage, l'introduction est placée en tête ; édition plus petite.

Grand in-8. Papier blanc. 1 vol. cartonnage (provenant de la Société de Jésus).
Nouveau fonds 3022.

7281.

Mi sa tsi yi.

Réédition de 1849 avec l'autorisation de Mgr Maresca ; il n'y a pas d'introduction.

Petit in-8. Papier blanc, titre noir sur blanc. 1 vol. cartonnage.
Nouveau fonds 4832.

7282 彌撒祭義略
Mi sa tsi yi lio.

Traité abrégé du sacrifice de la messe.

Résumé du précédent.

53 feuillets.

In-12. 1 vol. cartonnage (prov. de la Société de Jésus).
Nouveau fonds 3024.

7283.

Double.

1 vol. cartonnage (même provenance).
Nouveau fonds 3025.

7284. — I.

聖體要理

Cheng thi yao li.

Catéchisme de la Sainte Eu
charistie.

Par le P. Aleni. Table.

2 livres (27 feuillets).

Cordier, Imprimerie sino-européenne 16 ; Catalogus librorum 85.

La dernière section est incomplète,
probablement d'un feuillet.

— II.

耶穌聖體禱文

Ye sou cheng thi tao oen.

Litanies du Saint Sacrement

Par le même.

7 feuillets.

Cordier, Imprimerie sino-européenne 7.

Petit in-8. 1 vol. cartonnage.
Nouveau fonds 2896.

7285. — I.

Cheng thi yao li.

— II.

Ye sou cheng thi tao oen.

(Ces deux art. proviennent de la
Société de Jésus).

— III.

Cheng thi yao li.

— IV.

Ye sou cheng thi tao oen.

— V.

Cheng thi yao li.

— VI.

Ye sou cheng thi tao oen.

Doubles du n° précédent ; partout le Cheng thi yao li est incomplet du feuillet 28.

Grand in-8. 1 vol. cartonnage.
Nouveau fonds 4809.

7286. — I.

Cheng thi yao li.

Même ouvrage qu'au n° 7284,
art. I ; la table diffère légèrement ;
la dernière section est incomplète.

— II.

Ye sou cheng thi tao oen.

Double du n° 7284, art. II.

Petit in-8. 1 vol. cartonnage.
Nouveau fonds 2895.

7287.

Cheng thi yao li.

Même ouvrage avec l'autorisation du P. Furtado ; le titre indique
la date de 1644 et l'église Ki-chan.
Vraisemblablement reproduction
moderne. La dernière section du
livre 2 est supprimée.

In-18. Papier blanc. 1 vol. carton
nage.
Nouveau fonds 4808.

7288. — I.

聖體規儀

Cheng thi koei yi.

Traité de la Sainte Eucharistie.

Par le P. Brancati, publié avec
l'autorisation du P. da Cunha ;
réédition de 1679. Préface par
Khieou 'Ao-ting.

Feuillets 1 à 24.

Cordier, Imprimerie sino-européenne 41 ; Catalogus librorum 86.

— II.

領聖體問答

Ling cheng thi oen ta.

Instruction dialoguée sur la
communion.

Feuillets 25 à 30.

— III.

教中人求領聖體問答

*Kiao tchong jen khieou ling
cheng thi oen ta.*

Autre instruction dialoguée
sur la communion.

Feuillets 31, 32.

Grand in-8. 1 vol. cartonnage.
Nouveau fonds 4807.

7289. — I, II et III.

Doubles respectifs.

Petit in-8. 1 vol. cartonnage (prov.
de la Société de Jésus).
Nouveau fonds 2892.

7290. # 聖體荅疑

Cheng thi ta yi.

Réponse aux doutes sur l'Eucharistie.

Par le P. Verbiest. Table et
texte.

11 feuillets.

Cordier, Imprimerie sino-européenne 348.

Grand in-8. 1 vol. cartonnage.
Nouveau fonds 2893.

7291.

Double.

Petit in-8. 1 vol. cartonnage (prov.
de la Société de Jésus).
Nouveau fonds 2894.

7292.

Double.

Grand in-8. 1 vol. cartonnage (même
provenance).
Nouveau fonds 3531.

7293. 聖體仁愛經規條

Cheng thi jen 'ai king koei thiao.

Exercices et règlement pour la confrérie du Saint Sacrement.

Par le P. de Mailla ; préface (1719) et postface de l'auteur. Table. Édition de l'église Cheou-chạn, à Péking.

52 feuillets.

Cordier, Imprimerie sino-euro-péenne 161.

Petit in-8 (à la fin sceau vermillon : Sanct. Sacram. Sod.). 1 vol. cartonnage. *Nouveau fonds* 2890.

7294.

Double.

1 vol. cartonnage (même provenance). *Nouveau fonds* 2891.

7295. — I.

Double.

— II.

Double.

(Provenance : Sanct. Sacram. Sod.). 1 vol. cartonnage. *Nouveau fonds* 4806.

7296. 聖體會規

Cheng thi hoei koei.

Règlement de la confrérie du Saint Sacrement.

13 feuillets.

Petit in-8. Manuscrit. 1 vol. cartonnage. *Nouveau fonds* 2889.

7297. 聖體問荅

Cheng thi oen ta.

Instruction dialoguée sur l'eucharistie.

6 feuillets.

Petit in-8. Manuscrit. 1 vol. cartonnage (prov. des Missions Étrangères). *Nouveau fonds* 4981.

7298. 司鐸典要

Seu to tien yao.

Principes du sacerdoce.

Par le P. Buglio ; publié à la mission de Péking (1676) avec l'autorisation du P. Verbiest. Table en tête de chaque livre : du sacerdoce, de la messe, des sacrements, des vertus théologales, du décalogue, etc.

2 livres.

Cordier, Imprimerie sino-euro-péenne 54.

Grand in-8. Titre noir sur papier teinté. 1 vol. cartonnage. *Fourmont* 228.

7299.

Double.

1 vol. cartonnage (prov. de la Société de Jésus).
Nouveau fonds 3128.

7300.

Double.

1 vol. cartonnage.
Nouveau fonds 4848.

7301.

Double.

1 vol cartonnage.
Nouveau fonds 4847.

7302.

Seu to tien yao.

Reproduction manuscrite exacte du n° 7298.

Grand in-8. Papier blanc. 1 vol. cartonnage.
Nouveau fonds 3126.

7303.

Seu to tien yao.

Autre copie.

Petit in-8. Papier jaune. 1 vol. cartonnage.
Nouveau fonds 3127.

7304. 天 主 聖 教 要 理

Thien tchou cheng kiao yao li ;
alias :

天 主 聖 教 切 要 問 荅

Thien tchou cheng kiao tshie yao oen ta.

Principes de la doctrine chrétienne.

Recueil en langue vulgaire sur les sacrements ; gravé à l'église Hoai-te, de San-chan au Fou-kien, par les soins de Yen Tang Kia-lo (peut-être le P. Charles Slaviczek, Jésuite, 1678-1735).

— I.

聖 教 要 理

Cheng kiao yao li.

Principes de la doctrine chrétienne.

10 feuillets.
Comparer Cordier, Imprimerie sino-européenne 146 et 249.

— II.

天 主 聖 教 堅 振 要 理

Thien tchou cheng kiao kien tchen yao li.

Sur la confirmation.

3 feuillets.

— III.

天 主 聖 教 告 解 道 理

Thien tchou cheng kiao kao kiai tao li.

Sur la pénitence.

7 feuillets.

— IV.

天主聖教求領聖體要理

Thien tchou cheng kiao khieou ling cheng thi yao li.

Sur la communion.

5 feuillets.

— V.

天主聖教彌撒要理

Thien tchou cheng kiao mi sa yao li.

Sur la messe.

4 feuillets.

— VI.

天主聖教終傳要理

Thien tchou cheng kiao tchong tchhoan yao li.

Sur l'extrême-onction.

Petit in-8. Papier blanc, titre noir sur papier blanc. 1 vol. cartonnage (provenant des Missions Étrangères).

Fourmont 180 A.

7305.

Double.

1 vol. cartonnage (prov. des Missions Étrangères).

Nouveau fonds 2837.

7306. — I.

聖教要理

Cheng kiao yao li.

Même traité qu'au n° 7304, art. I.

Feuillets 1 à 10.

— II.

天主聖教經文

Thien tchou cheng kiao king oen.

Prières de la religion chrétienne.

Signe de la croix, oraison dominicale, salutation angélique, symbole, décalogue, sacrements, etc.

Feuillets 11 à 15.

Petit in-8. 1 vol. cartonnage (provenant des Missions Étrangères).

Fourmont 180 B.

7307. — I et II.

Doubles respectifs.

1 vol. cartonnage.
Fourmont 180 C.

7308. — I et II.

Doubles respectifs.

1 vol. cartonnage.
Nouveau fonds 2838.

7309. — I.

Cheng kiao yao li.

Édition très grossière, de disposition analogue à celle du nº 7306, art. I; une note manuscrite attribue l'ouvrage à M. Mezzafalce.

Feuillets 1 à 10.

— II.

Thien tchou cheng kiao king oen.

Voir nº 7306, art. II; disposition différente.

Feuillets 11 à 15.

Petit in-8. 1 vol. cartonnage (provenant de la Société de Jésus).
Fourmont 179.

7310. — I et II.
— III et IV.

Doubles respectifs.

1 vol. cartonnage.
Nouveau fonds 4783.

7311.　　求 說

Khieou choe.

Traité de la prière.

Exposé adressé par le P. Rho à Li Tsou-po Po-ye, de Oou-lin; avec l'autorisation du P. Verbiest; gravé à la mission de Yun-kien. Table.

35 feuillets.

Cordier, Imprimerie sino-euro péenne 209.

Petit in-8. Titre noir sur papie teinté. 1 vol. cartonnage (prov. de 1 Société de Jésus).
Nouveau fonds 2952.

7312.

Double.

Grand in-8. 1 vol. cartonnage.
Nouveau fonds 4821.

7313.　　天主經解

Thien tchou king kiai.

Explication de l'oraison do minicale.

Par le P. Rho, avec autorisatio du P. Furtado. Gravé à l'églis King-kiao, à Kin-thai.

52 feuillets.

Cordier, Imprimerie sino-euro péenne 205.

Petit in-8. Titre noir sur papier teint 1 vol. cartonnage (provenant de la So ciété de Jésus).
Fourmont 196.

7314.

Double.

Grand in-8. 1 vol. cartonnage.
Nouveau fonds 3291.

7315.

Double.

Petit in-8. 1 vol. cartonnage (provenant de la Société de Jésus).
Nouveau fonds 3292.

7316. 聖母經解

Cheng mou king kiai.

Explication de la salutation angélique.

Par le P. Rho.

37 feuillets.
Cordier, Imprimerie sino-européenne 211.

Grand in-8. Titre noir sur papier teinté. 1 vol. cartonnage.
Nouveau fonds 2868.

7317.

Cheng mou king kiai.

Édition plus petite.

37 feuillets.

Petit in-8. 1 vol. cartonnage (prov. de la Société de Jésus).
Fourmont 237.

7318.

Double.

1 vol. cartonnage (provenant de la Société de Jésus).
Nouveau fonds 2867.

7319. 主經體味

Tchou king thi oei.

Sens de l'oraison dominicale.

Par le P. Dentrecolles, avec l'autorisation du P. Polycarpe de Souza, Jésuite (1697-1757 ; noms chinois So Tchi-neng Joei-kong). Gravé à l'église Cheou-chạn, à Péking (1743).

1 + 8 + 1 livres.

Cordier, Imprimerie sino-européenne 93 ; Catalogus librorum 71.

Petit in-8. Papier blanc ; titre noir sur blanc. 1 vol. cartonnage.
Nouveau fonds 4862.

7320.

Double.

Papier blanc. 1 vol. cartonnage.
Nouveau fonds 4863.

7321.

Double.

Papier blanc. 1 vol. cartonnage.
Nouveau fonds 4864.

7322.

Double.

Papier blanc. 1 vol. cartonnage.
Nouveau fonds 3196.

7323.

Double.

1 vol. cartonnage.
Nouveau fonds 3197.

7324.

Double.

1 vol. cartonnage.
Nouveau fonds 3231.

— — — — — — —

7325. — I.

望 天 主 七 祈 求

Oang thien tchou tshi khi khieou.

Les sept demandes du Pater.

19 feuillets.

— II.

聖 像 解 畧

Cheng siang kiai lio.

Explication abrégée des images saintes.

5 feuillets.

Petit in-8. Manuscrit. 1 vol. cartonnage.
Nouveau fonds 3290.

— — — — — — —

7326. ## 要 經 略 解

Yao king lio kiai.

Explication des principales prières.

Par le P. Ortiz. Le P. de Prémare attribue cet ouvrage au P. Alvaro de Benevente, Augustin

(arrivé en Chine en 1680 ; nom chinois Po). Édition de l'église Tchen-yuen, à Tchao-khing (1705).

19 feuillets, incomplet.

Cordier, Imprimerie sino-européenne 37.

In-12. Feuille de titre. 1 vol. cartonnage.
Nouveau fonds 3371.

7327. — I.

Yao king lio kiai.

Double.

Feuillet 1 à 21.

— II.

將 領 聖 體 問 荅

Tsiang ling cheng thi oen ta.

Instruction dialoguée préparatoire à la communion.

Feuillets 21, 22.

— III.

又 聖 母 經

Yeou cheng mou king.

Prière à la Sainte Vierge.

Feuillets 22.

— IV.

正 學 警 言

Tcheng hio king yen.

Avertissement sur la vraie doctrine.

N° 6888, art. I.

Feuillet 22.

Petit in-8. 1 vol. cartonnage.
Nouveau fonds 3373.

7328. — I.

Yao king lio kiai.

Double du n° 7326.

21 feuillets.

— II.

天學警言
Thien hio king yen.

Feuillet 21.

N° 7327, art. IV ; n° 7410, art. XII.

Petit in-8. 1 vol. cartonnage (provenant de la Société de Jésus).
Nouveau fonds 3372.

7329. # 聖記百言
Cheng ki po yen.

Cent instructions spirituelles de sainte Thérèse.

Version par le P. Rho ; préface de l'auteur ; préface par Oang Ping-yuen Yeou-khi, de Sing-yuen (1632). Réédition de l'église King-kiao, à San-chan.

20 feuillets.

Cordier, Imprimerie sino-européenne 210 ; Catalogus librorum 73.

Grand in-8. Titre sur papier teinté. 1 vol. cartonnage (provenant de la Société de Jésus).
Nouveau fonds 2803.

7330.

Double.

Exemplaire en mauvais état. 1 vol. cartonnage.
Nouveau fonds 4768.

7331.

Cheng ki po yen.

Édition de la salle King-yi, à Yun-kien.

— I.

死說小引
Seu choę siao yin.

Traité de la mort.

Par Lou-kia.

2 feuillets.

— II.

Cheng ki po yen.

Sans la préface de Oang Ping-yuen.

21 feuillets.

Petit in-8. Titre noir sur papier teinté. I vol. cartonnage (provenant de la Société de Jésus).

Nouveau fonds 2804.

7332. 默想工夫

Mẹ siang kong fou.

Exercices de méditation.

Par le P. Ferreira. Tables générale et spéciales.

7 livres.

Petit in-8. Manuscrit. I vol. cartonnage.

Nouveau fonds 3015.

7333. 默想規矩

Mẹ siang koei kiu.

Règles de la méditation.

Sans nom d'auteur, peut-être par le P. Lobelli. Gravé de nouveau à l'église King-yi, à Yunkien (1676).

18 feuillets.

Cordier, Imprimerie sino-européenne 148.

In-12. I vol. cartonnage (provenant de la Société de Jésus).

Nouveau fonds 3016.

7334. — I.

Mẹ siang koei kiu.

Édition légèrement différente.

Feuillets 1 à 18.

— II.

大赦經

Ta chẹ king.

Invocation indulgenciée.

Feuillet 18.

— III.

痛悔罪

Thong hoei tsoei.

Acte de contrition.

Feuillet 18.

In-12. I vol. cartonnage.
Nouveau fonds 4956.

7335. 默想神功

Mẹ siang chen kong.

Exercices de méditation.

Par le P. Piñuela, avec préface de l'auteur ; autorisation de Lin Yang-mẹ Tao-oei. Table des matières.

Cordier, Imprimerie sino-européenne 200.

Grand in-8. Belle édition sur papier blanc avec titre, exemplaire en mauvais état et incomplet. I vol. cartonnage.

Nouveau fonds 4941.

7336.

Double.

51 feuillets.

1 vol cartonnage (provenant des Missions Étrangères).

Fourmont 251.

7337.

Double.

Avec titre et frontispice. 1 vol. cartonnage (provenant de la Société de Jésus).

Nouveau fonds 3013.

7338.

Mẹ siang chen kong.

Même ouvrage, édition plus petite.

Petit in-8. Papier blanc, titre sur papier blanc. 1 vol. cartonnage.

Nouveau fonds 3014.

————

7339. 默道神功

Mẹ tao chen kong.

Exercices de méditation.

Par un Chinois anonyme.

7 feuillets.

Petit in-8. Manuscrit. 1 vol. cartonnage (prov. de la Société de Jésus).

Nouveau fonds 3017.

————

7340. 慎思指南

Chen seu tchi nan.

Guide de la méditation.

Sans nom d'auteur ; préface de l'auteur, à la fin de laquelle on lit : gravé de nouveau (1842) par autorisation du P. Louis Hélot, Jésuite (1816-1867 ; noms chinois Lo Oen-hoei Lei-seu). Réédition de 1865 avec autorisation de Mgr Languillat.

6 livres.

Cordier, Imprimerie sino-européenne 384 ; Catalogus librorum 75.

Petit in-8. Papier blanc, titre sur papier blanc, 1 vol. cartonnage.

Nouveau fonds 3658.

————

7341-7342. 齋克

Tchai khẹ.

Du jeûne et de la mortification.

Par le P. Rho avec introduction de l'auteur (1644).

4 livres.

Cordier, Imprimerie sino-européenne 207.

Grand in-8. 2 vol. cartonnage (prov. de la Société de Jésus).

Nouveau fonds 3144, 3145.

7343.

Tchai khẹ.

Même ouvrage.

Grand in-8. Manuscrit. 1 vol. cartonnage (provenant de la Société de Jésus).

Nouveau fonds 3143.

Sixième Section : LITURGIE, RECUEILS DIVERS

7344. 推定歷年瞻禮日法

Tchhoei ting li nien tchan li ji fa.

Sur le calendrier ecclésiastique et le calcul des fêtes.

Par divers Pères de la Compagnie de Jésus, non énumérés ; extraits par un lettré de Oou-lin ; date de la dynastie des Ming.

15 feuillets.

Voir Cordier, Imprimerie sino-européenne 311.

Petit in-8. Manuscrit. 1 vol. cartonnage (provenant de la Société de Jésus).
Nouveau fonds 3202.

7345. 天主聖教念經總牘

Thien tchou cheng kiao nien king tsong tou.

Recueil de prières.

Par le P. de Figueredo. Table du 2e livre, note sur la lecture des prières, texte de prières. Gravé à l'église Tchhao-sing, à Oou-lin (1628).

2e livre seul.

Cordier, Imprimerie sino-européenne 117.

In-18. 1 vol. cartonnage (provenant de la Société de Jésus).
Nouveau fonds 3038.

7346. 天主聖教總牘內經

Thien tchou cheng kiao tsong tou nei king.

Prières et instructions usuelles.

7 feuillets.

In-18. 1 vol. cartonnage.
Fourmont 236.

7347. 主教要經

Tchou kiao yao king.

Prières usuelles.

Ouvrage analogue.

10 feuillets.

In-18. 1 vol. cartonnage.
Nouveau fonds 2836.

7348. 仁會約所行條目

Jen hoei yo so hing thiao mou.

Règlement d'une confrérie de charité.

Introduction (1634) par Oang Tcheng Liang-fou Liao-yi tao-jen.

44 feuillets.

Grand in-8. Manque le feuillet 3. 1 vol. cartonnage (provenant de la Société de Jésus).

Nouveau fonds 2937.

7349. — I.

五傷經禮規程

Oou chang king li koei tchheng.

Prière des Cinq Plaies.

Par le P. João Froes, Jésuite (1588-1638 ; noms chinois Fou Jo-oang Ting-yuen), avec autorisation du P. Furtado. Frontispice avec monogramme du Christ.

10 feuillets.

Cordier, Imprimerie sino-européenne 120.

— II.

耶穌受難禱文

Ye sou cheou nan tao oen.

Litanies de la Passion de Notre-Seigneur.

7 feuillets.

Comparer Cordier, Imprimerie sino-européenne 122, 176.

— III.

耶穌聖號禱文

Ye sou cheng hao tao oen.

Litanies du saint nom de Jésus.

Par le P. Monteiro.

9 feuillets.

— IV.

諸天神列品禱文

Tchou thien chen lie phin tao oen.

Litanies des Anges.

Par le P. Diaz.

Feuillets 1 à 9.

Cordier, Imprimerie sino-européenne 109.

— V.

天神會規。天神會經

Thien chen hoei koei. Thien chen hoei king.

Règles et prières de la confrérie des S. S. Anges.

Feuillets 9 à 13.

Cf. n° 6946.

— VI.

誦吾主念珠默想規條

Song oou tchou nien tchou mę siang koei thiao.

Méthode pour méditer les mystères de la vie de Notre-Seigneur.

Introduction par le P. Longo-bardi.

Feuillets 1 à 6.

Cf. Cordier, Imprimerie sino-euro-péenne 151.

— VII.

誦聖母念珠默想規條

Song cheng mou nien tchou me siang koei thiao.

Méthode pour méditer les mystères de la vie de la Sainte Vierge.

Feuillets 7 à 18.

Cf. Cordier, Imprimerie sino-euro-péenne 151.

— VIII.

彌撒禮節

Mi sa li tsie.

Cérémonies de la messe.

Feuillets 19 à 34.

— IX.

彌撒祭義畧

Mi sa tsi yi lio.

Traité abrégé du sacrifice de la messe.

Par le P. Aleni.

Feuillets 23 à 28.

Cf. n° 7282.

— X.

拜求聖母爲死候經

Pai khieou cheng mou oei seu heou king.

Prière à la Sainte Vierge pour l'heure de la mort.

Feuillets 28, 29.

— XI.

滌罪正規畧

Ti tsoei tcheng koei lio.

Règles abrégées du sacrement de pénitence.

Par le P. Aleni. Table et texte ; réédition de Oou-lin.

Feuillets 1 à 37.

N° 7267.

In-18. 1 vol. cartonnage (provenant de la Société de Jésus).
Nouveau fonds 3042.

7350. 善終助功規例

Chan tchong tchou kong koei li.

Méthode pour assister les agonisants.

Par le P. Froes ; autorisation du P. Furtado ; introduction. Texte en caractères fins et gras mé-langés.

96 feuillets.

Cordier, Imprimerie sino-euro-péenne 121.

Petit in-8. 1 vol. cartonnage.
Nouveau fonds 2768.

7351.

Double.

1 vol. cartonnage.
Nouveau fonds 2769.

7352.

Chan tchong tchou kong koei li.

Même ouvrage.

57 feuillets.

In-18. 1 vol. cartonnage (provenant de la Société de Jésus).
Nouveau fonds 2771.

7353-7354. 天主聖教日課

Thien tchou cheng kiao ji khoo.

Offices et prières.

Par les PP. Buglio, Cattaneo, Diaz, Ferreira, Figueredo, Furtado, Verbiest, etc. Table pour chaque livre. Réédition : grand frontispice.

3 livres.

Cordier, Imprimerie sino-euro-péenne 153 ; Catalogus librorum 100 et 101.

— I, livre 1 (7353).

誦經勸語。天主經。聖母經。又聖母經。信經。解罪時經。悔罪經。天主十誡。

Song king khiuen yu. Thien tchou king. Cheng mou king. Yeou cheng mou king. Sin king. Kiai tsoei chi king. Hoei tsoei king. Thien tchou chi kiai.

Conseils pour la récitation des prières. Oraison dominicale. Salutation angélique. Autre prière à la Sainte Vierge. Symbole. Confiteor. Acte de contrition. Décalogue.

Feuillets 1 à 10.

— II, livre 1 (7353).

早課。與彌撒禮。晚課。

Tsao khoo. Yu mi sa li. Oan khoo.

Prière du matin. Assistance à la messe. Prière du soir.

Par le P. Longobardi.

Feuillets 11 à 24.

— III, livre 1 (7353).

聖母德敘禱文

Cheng mou tẹ siu tao oen.

Litanies de la Sainte Vierge.

Version du même.

Feuillets 25 à 30.

— IV, livre 1 (7353)

聖母玫瑰經十五端

Cheng mou mei koei king chi oou toan.

Les quinze mystères du Rosaire.

Par le P. Ferreira.

Feuillets 31 à 49.

Cordier, Imprimerie sino-européenne 116; comparer nᵒˢ 6814, art. III, 6861, art. II.

— V, livre 1 (7353).

吾主念珠默想規條。聖母念珠默想規條

Oou tchou nien tchou mẹ siang koei thiao. Cheng mou nien tchou mẹ siang koei thiao.

Méthode pour méditer les mystères de la vie de Notre Seigneur et de la vie de la Sainte Vierge.

Par le P. Longobardi. Introduction et texte.

Feuillets 50 à 72.

Nᵒ 7349, art. VI et VII.

— VI, livre 2 (7354).

耶穌聖體禱文

Ye sou cheng thi tao oen.

Litanies du Saint Sacrement.

Par le P. Aleni.

Feuillets 2 à 9 (manque la table du livre 2).

Nᵒ 7284, art. II.

— VII, livre 2 (7354).

耶穌聖號禱文

Ye sou cheng hao tao oen.

Litanies du saint nom de Jésus.

Par le P. Monteiro.

Feuillets 10 à 18.

Nᵒ 7349, art. III.

— VIII, livre 2 (7354).

耶穌受難禱文

Ye sou cheou nan tao oen.

Litanies de la Passion de Notre Seigneur.

Par le P. Froes.

Feuillets 19 à 25.

Nᵒ 7349, art. II ; Cordier, Imprimerie sino-européenne 122.

— IX, livre 2 (7354).

聖彌額爾及諸天神列品禱文

Cheng mi 'o eul ki tchou thien chen lie phin tao oen.

Litanies de saint Michel et des Anges.

Par le P. Diaz.

Feuillets 26 à 33.

N° 7349, art. IV.

— X, livre 2 (7354).

聖人列品禱文

Cheng jen lie phin tao oen.

Litanies des Saints.

Par le P. Longobardi.

Feuillets 34 à 48.

Cordier, Imprimerie sino-européenne 157.

— XI, livre 2 (7354).

聖人若瑟禱文

Cheng jen jo sẹ tao oen.

Litanies de saint Joseph.

Par le P. Diaz.

Feuillets 49 à 55.

Comparer Cordier, Imprimerie sino-européenne 90 et 373.

— XII, livre 2 (7354).

煉獄禱文

Lien yu tao oen.

Litanies pour les âmes du purgatoire.

Par le P. Monteiro.

Feuillets 56 à 64.

— XIII, livre 3 (7354).

天主耶穌受難始末

Thien tchou ye sou cheou nan chi mo.

Récit de la Passion de Notre Seigneur.

Par les PP. de Pantoja et Diaz. Précédé de la table du livre 3.

Feuillets 1 à 18.

Cordier, Imprimerie sino-européenne 183.

— XIV, livre 3 (7354).

向天主父誦。向天主子誦。向天主聖神誦。向聖三誦。向天主耶穌誦。向聖母瑪利亞誦

Hiang thien tchou fou song. Hiang thien tchou tseu song. Hiang thien tchou cheng chen song. Hiang cheng san song. Hiang thien tchou ye sou song. Hiang cheng mou ma li ya song.

Invocations à Dieu le Père, Dieu le Fils, Dieu le Saint Esprit, à la Sainte Trinité, à Notre Seigneur Jésus-Christ, à la sainte Vierge Marie.

Feuillets 19 à 23.

— XV, livre 3 (7354).

五傷經規程

Oou chang king koei tchheng.

Prière des Cinq Plaies.

Feuillets 24 à 32.

N° 7349, **art. I.**

— XVI, livre 3 (7354).

誦

Song.

Hymnes et prières.

40 pièces, parmi lesquelles une prière pour l'Empereur, une pour les mandarins.

Feuillets 33 à 61.

Grand in-8, 2 vol. cartonnage (prov. de la Société de Jésus).
Nouveau fonds 3250, 4770.

7355.

Thien tchou cheng kiao ji khoo.

Même **ouvrage**, édition différente avec table pour les trois livres ; grand frontispice.

— I, livre 1.

Song king khiuen yu. Thien tchou king, etc.

Comme n° 7353, **art. I.**

Feuillets 4 à 10.

— II, livre 1.

Tsao khoo. Yu mi sa li. Oan khoo.

N° 7353, art. II.
Feuillets 11 à 24.

— III, livre 1.

Cheng mou te siu tao oen.

N° 7353, art. III.
Feuillets 25 à 30.

— IV, livre 1.

Cheng mou mei koei king chi oou toan.

N° 7353, art. IV.
Feuillets 31 à 49.

— V, livre 1.

Oou tchou nien tchou me siang koei thiao. Cheng mou nien tchou me siang koei thiao.

N° 7353, art. V.
Feuillets 50 à 72.

— VI, livre 2.

Ye sou cheng thi tao oen.

N° 7354, art. VI.
Feuillets 2 à 9.

— VII, livre 2.

Ye sou cheng hao tao oen.

N° 7354, art. VII.
Feuillets 10 à 18.

— VIII, livre 2.

Ye sou cheou nan tao oen.

N° 7354, **art. VIII.**
Feuillets 19 à 25.

— IX, livre 2.

*Cheng mi 'o eul ki tchou thien
chen lie phin tao oen.*

N° 7354, **art. IX.**

— X, livre 2.

Cheng jen lie phin tao oen.

N° 7354, **art. X.**

— XI, livre 2.

Cheng jen jo sẹ tao oen.

N° 7354, **art. XI.**

— XII, livre 2.

Lien yu tao oen.

N° 7354, **art. XII.**

— XIII, livre 3.

*Thien tchou ye sou cheou nan
chi mo.*

N° 7354, **art. XIII.**

— XIV, livre 3.

Hiang thien tchou fou song, etc.

N° 7354, **art. XIV.**

— XV, livre 3.

Oou chang king koei tchheng.

N° 7354, **art. XV.**

— XVI, livre 3.

Song.

N° 7354, **art. XVI.**

— XVII, livre supplémentaire.

五拜禮。五謝禮
Oou pai li. Oou sie li.

Cinq salutations comme signe d'adoration et de remerciement.

Divers rites et prières diverses
pendant la messe et les offices ;
précédé d'une table des matières.
Voir n° 7374, art. XIX et XX.

Feuillets 1 à 10.

— XVIII, livre supplémentaire.

聖母刺心重苦七章
*Cheng mou tsheu sin tchong
khou tshi tchang.*

Les sept douleurs de la Bienheureuse Vierge Marie.

Feuillets 11 à 18.

— XIX, livre supplémentaire.

向聖若瑟誦
Hiang cheng jo sẹ song.

9

Invocation à saint Joseph.

Feuillets 18 à 20.

— XX, livre supplémentaire.

向 聖 俟 納 爵 誦 。 向 聖 方 濟 各 沙 勿 畧 誦

Hiang cheng yi na tsio song.
Hiang cheng fang tsi ko cha
oou lio song.

Invocations à saint Ignace et à saint François Xavier.

Feuillet 20.

— XXI, livre supplémentaire.

婚 配 祝 文

Hoẹn phei tchou oen.

Prières pour un mariage.

Feuillet 21.

— XXII, livre supplémentaire.

聖 宗 徒 禱 文

Cheng tsong thou tao oen.

Litanies des saints Apôtres.

Par le P. Michel Trigault, Jé-suite (1602-1667 ; noms chinois Kin Mi-kẹ Toan-piao).

Feuillets 22 à 31.

Cordier, Imprimerie sino-euro-péenne 308.

— XXIII livre supplémentaire.

爲 已 亡 主 教

Oei yi oang tchou kiao.

Pour un évêque défunt.

Feuillet 31.

— XXIV, livre supplémentaire.

善 終 瘞 塋 禮 典

Chạn tchong yi ying li tien.

Prières des agonisants, priè-res des morts, prières pour la sépulture.

Par le P. Buglio.

Feuillets 32 à 52.

Cordier, Imprimerie sino-euro-péenne 61.

— XXV, livre supplémentaire.

聖 心 規 程 。 引 言 。 誦 。 禱 文

Cheng sin koei tchheng. Yin yen.
Song. Tao oen.

Invocation, litanies, etc., en l'honneur du Sacré Cœur.

Par le P. de Mailla, avec auto-risation du P. Tseng Tẹ-liang. A la suite introduction.

Feuillets 1 à 18.

Cordier, Imprimerie sino-euro-péenne 160 ; voir n° 7442.

— XXVI.

Double de l'art. précédent.

Grand in-8. Papier blanc. 1 vol. cartonnage.

Nouveau fonds 2806.

7356

Thien tchou cheng kiao ji khoo.

Double du n° précédent, art. I à XXIV.

1 vol. cartonnage.
Nouveau fonds 4769.

7357.

Thien tchou cheng kiao ji khoo.

Même ouvrage, édition postérieure, avec une table pour chaque livre.

— I, livre 1.

Song king khiuen yu. Thien tchou king, etc.

Feuillets 3 à 9.
N° 7353, art. I.

— II, livre 1.

Tsao khoo. Yu mi sa li. Oan khoo.

Feuillets 10 à 23.
N° 7353, art. II.

— III, livre 1.

Cheng mou te siu tao oen.

Feuillets 24 à 29.
N° 7353, art. III.

— IV, livre 1.

Cheng mou mei koei king chi oou toan.

Feuillets 30 à 48.
N° 7353, art. IV.

— V, livre 1.

Oou tchou nien tchou me siang koei thiao. Cheng mou nien tchou me siang koei thiao.

Feuillets 49 à 71.
N° 7353, art. V.

— VI, livre 2.

Ye sou cheng thi tao oen.

Feuillets 2 à 9.
N° 7354, art. VI.

— VII, livre 2.

Ye sou cheng hao tao oen.

Feuillets 10 à 18.
N° 7354, art. VII.

— VIII, livre 2.

Ye sou cheou nan tao oen.

Feuillets 19 à 25.
N° 7354, art. VIII.

— IX, livre 2.

Cheng mi 'o eul ki tchou thien chen lie phin tao oen.

Feuillets 26 à 33.

Nº 7354, art. IX.

— X, livre 2.

Cheng jen lie phin tao oen.

Feuillets 34 à 48.

Nº 7354, **art. X.**

— XI, livre 2.

Cheng jen jo sẹ tao oen.

Feuillets 49 à 55.

Nº 7354, art. XI.

— XII, livre 2.

Lien yu tao oen.

Feuillets 56 à 64.

Nº 7354, art. XII.

— XIII, livre 2.

Tsong thou tao oen.

Feuillets 1 à 10, de gravure différente.

Nº 7355, art. XXII.

- XIV, livre 3.

Thien tchou ye sou cheou nan chi mo.

Feuillets 1 à 18.

Nº 7354, **art. XIII.**

— XV, livre 3.

Hiang thien tchou fou song, etc.

Feuillets 19 à 23.

Nº 7354, art. XIV.

— XVI, livre 3.

Oou chang king koei tchheng.

Feuillets 24 à 32.

Nº 7354, art. XV.

— XVII, livre 3.

Song.

Feuillets 33 à 61.

Nº 7354, **art.** XVI (39 pièces au lieu de 40).

— XVIII, livre 3.

Hiang cheng yi na tsio song.
Hiang cheng fang tsi ko song.

Feuillet 62, gravure différente.

Nº 7355, art. XX.

— XIX, livre 3.

通 功 神 課

Thong kong chen khoo.

Confiance aux mérites de Notre Seigneur et des saints, prière pour les fidèles et pour tous les infidèles.

Feuillets 63, 64, même gravure que la majeure partie du volume.

— XX, livre 3.

祈求聖教大行祝文

Khi khieou cheng kiao ta hing tchou oen.

Prière pour la propagation de la religion.

Feuillets 64, 65.

— XXI, livre 3.

聖母喜樂經

Cheng mou hi lo king.

Prière à la Sainte Vierge.

Feuillet 65.

In-12. Papier blanc ; frontispice. 1 vol. cartonnage.
Nouveau fonds 2807.

7358.

Thien tchou cheng kiao ji khoo.

Double du n° précédent, art. I à XXI.

In-18. Papier teinté. 1 vol. cartonnage.
Nouveau fonds 2808.

7359. — I.

列敘耶穌行蹟苦難禱文

Lie siu ye sou hing tsi khou nan tao oen.

Litanies de la vie et de la passion de Notre Seigneur.

Par le P. de Pantoja.

Feuillets 1 à 24.

Cordier, Imprimerie sino-européenne 176 ; cf. n° 7354, art. VIII.

— II.

聖母行蹟禱文

Cheng mou hing tsi tao oen.

Litanies de la vie de la Sainte Vierge.

Par le même.

Feuillets 25 à 45.
Cf. n° 7353, art. III.

In-12. Forme le livre 6 du recueil dit Tsong tou. 1 vol. cartonnage (provenant de la Société de Jésus).
Nouveau fonds 3377.

7360.   聖教禱文

Cheng kiao tao oen.

Litanies.

Ouvrage en 3 livres, manquent le 1er et le 3e.

— I.

Ye sou cheng thi tao oen.

N° 7354, art. VI.

— II.

Ye sou cheng hao tao oen.

N° 7354, art. VII.

— III.

Ye sou cheou nan tao oen.

N° 7354, art. VIII.

— IV.

Cheng mi 'o eul ki tchou thien chen lie phin tao oen.

N° 7354, art. IX.

— V.

Cheng jen lie phin tao oen.

N° 7354, art. X.

— VI.

Cheng jen jo sẹ tao oen.

N° 7354, art. XI.

— VII.

Lien yu tao oen.

N° 7354, **art.** XII.

In-18. 1 vol. cartonnage.
Nouveau fonds 2820.

7361. 聖人列品禱文

Cheng jen lie phin tao oen.

Litanies des Saints.

Voir n° 7354, art. X ; fragment du livre 2 d'un Tsong tou, gravé à l'église Thien-khiu, à Tsi-nan.

Feuillets 10 à 52.

In-32. 1 vol. cartonnage.
Nouveau fonds 3346.

7362. 聖人若瑟禱文

Cheng jen jo sẹ tao oen.

Litanies de saint Joseph.

Voir n° 7354, art. XI ; fragment d'un Cheng kiao ji khoo, livre 2.

7 feuillets.

In-18. Exemplaire en mauvais état.
1 vol. cartonnage.
Nouveau fonds 2794.

7363. — I.

宗徒禱文

Tsong thou tao oen.

Litanies des Apôtres.

Voir n° 7355, art. XXII ; fragment du livre 2 d'un Cheng kiao tsong tou ; gravé à l'église Thien-khiu, à Tsi-nan.

— II.

Tables des livres 3 et 4.

Lien yu tao oen.

N° 7354, art. XII.

— III.

Chạn tchong yi ying li tien.

N° 7355, **art.** XXIV

— IV.

爲已亡主教鐸德

Oei yi oang tchou kiao to tẹ.

Pour un évêque ou un prêtre défunt.

Suivi d'autres prières pour les morts.

Cf. n° 7355, art. XXIII.

In-32. 1 vol. cartonnage.
Nouveau fonds 3345.

7364. 聖教總牘

Cheng kiao tsong tou.

Recueil de prières.

Livre 4, double du n° précédent, art. II.

In-24. 1 vol. cartonnage.
Nouveau fonds 2830.

7365. 天主聖教日課

Thien tchou cheng kiao ji khoo.

Édition plus petite que le n° 7357.

— I, livre 1.

Song king khiuen yu. Thien tchou king, etc.

N° 7353, art. I.

— II, livre 1.

Tsao khoo. Yu mi sa li. Oan khoo.

N° 7353, art. II.

— III, livre, 1.

Cheng mou tẹ siu tao oen.

N° 7353, art. III.

— IV, livre 1.

Cheng mou mei koei king chi oou toan.

N° 7353, art. IV.

— V, livre 1.

Oou tchou nien tchou mẹ siang koei thiao. Cheng mou nien tchou mẹ siang koei thiao.

N° 7353, art. V.

— VI, livre 2.

Ye sou cheng thi tao oen.

N° 7354, art. VI.

— VII, livre 2.

Ye sou cheng hao tao oen.

N° 7354, art. VII.

— VIII, livre 2.

Ye sou cheou nan tao oen.

N° 7354, art. VIII.

— IX, livre 2.

Cheng mi 'o eul ki tchou thien chen lie phin tao oen.

N° 7354, art. IX.

— X, livre 2.

Cheng jen lie phin tao oen.

N° 7354, art. X.

— XI, livre 2.

Cheng jen jo sẹ tao oen.

N° 7354, **art.** XI.

— XII, livre 2.

Lien yu tao oen.

N° 7354, art. XII.

— XIII, livre 3.

Thien tchou ye sou cheou nan chi mo.

N° 7354, art. XIII.

— XIV, livre 3.

Hiang thien tchou fou song, etc.

N° 7354, art. XIV.

— XV, livre 3.

Oou chang king koei tchheng.

N° 7354, art. XV.

— XVI, livre 3.

Song.

N° 7357, art. XVII.

— XVII, livre supplémentaire.

Oou pai li. Oou sie li.

N° 7355, art. XVII.

— XVIII, livre supplémentaire.

Cheng mou tsheu sin tchong khou tshi tchang.

N° 7355, art. XVIII.

— XIX, livre supplémentaire.

Hiang cheng jo sẹ song.

N° 7355, art. XIX.

— XX, livre supplémentaire.

Hiang cheng yi na tsio song, etc.

N° 7355, art. XX.

— XXI, livre supplémentaire.

Hoen phei tchou oen.

N° 7355, art. XXI.

— XXII, livre supplémentaire.

Cheng tsong thou tao oen.

N° 7355, art. XXII.

— XXIII, livre supplémentaire.

Oei yi oang tchou kiao.

N° 7355, art. XXIII.

— XXIV, livre supplémentaire.

Chạn tchong yi ying li tien.

N° 7355, art. XXIV.

In-12. Frontispice. 1 vol. cartonnage.
Fourmont 231.

7366.

Thien tchou cheng kiao ji khoo.

Comprenant :

Livre 1, art. I à V ; livre 3, art. XIII à XVI ; livre 2, art. VI à XII ; doubles des mêmes articles du n° précédent.

In-18. 1 vol. cartonnage.
Nouveau fonds 2809.

7367.

Cheng kiao ji khoo.

Exemplaire incomplet et déchiré d'une autre édition (livre 4 d'un Tsong tou). Table.

— I, livre 3.

Thien tchou ye sou cheou nan chi mo.

N° 7354, art. XIII.

— II, livre 3.

Hiang thien tchou fou song, etc.

N° 7354, art. XIV.

— III, livre 3.

Oou chang king koei tchheng.

N° 7354, art. XV.

— IV, livre 3.

Song.

N° 7357, art. XVII.

— V, livre 3.

Chan tchong yi ying li tien.

N° 7355, art. XXIV.

In-12. 1 vol. cartonnage.
Nouveau fonds 4773.

7368.

Thien tchou cheng kiao ji khoo.

Exemplaire incomplet d'un livre supplémentaire.

— I.

Oou pai li. Oou sie li.

N° 7355, art. XVII.

— II.

Cheng mou tsheu sin tchong khou tshi tchang.

N° 7355, art. XVIII.

— III.

Hiang cheng jo se song.

N° 7355, art. XIX.

— IV.

Hiang cheng yi na tsio song, etc.

N° 7355, art. XX.

— V.

Hoẹn phei tchou oen.

N° 7355, art. XXI.

— VI.

Cheng tsong thou tao oen.

N° 7355, art. XXII.

— VII.

Oei yi oang tchou kiao.

N° 7355, art. XXIII.

— VIII.

Chạn tchong yi ying li tien.

N° 7355, art. XXIV.

— IX.

恭敬耶穌聖心規程

Kong king ye sou cheng sin koei tchheng.

Méthode pour honorer le Sacré Cœur.

Même texte qu'au n° 7355, art. XXV.

Feuillets 1 à 20.

In-18. 1 vol. cartonnage.
Nouveau fonds 2812.

7369.

Thien tchou cheng kiao ji khoo.

Gravure grossière.

— I, livre 1.

Song king khiuen yu. Thien tchou king, etc.

Mêmes textes qu'au n° 7353, art. I ; précédés d'une table abrégée.

— II, livre 1.

Tsao khoo. Yu mi sa li. Oan khoo.

N° 7353, art. II.

— III, livre 1.

Cheng mou tẹ siu tao oen.

N° 7353, art. III.

Les deux autres livres sont d'un format plus grand.

— IV, livre 2.

Ye sou cheng thi tao oen.

N° 7354, art. VI.

— V, livre 2.

Ye sou cheng hao tao oen.

N° 7354, art. VII.

— VI, livre 2.

Ye sou cheou nan tao oen.

N° 7354, art. VIII.

— VII, livre 2.

Cheng mi 'o eul ki tchou thien chen lie phin tao oen.

Nº 7354, art. IX.

— VIII, livre 2.

Cheng jen lie phin tao oen.

Nº 7354, art. X.

— IX, livre 2.

Cheng jen jo sẹ tao oen.

Nº 7354, art. XI.

— X, livre 2.

Lien yu tao oen.

Nº 7354, art. XII.

— XI, livre 3.

Thien tchou ye sou cheou nan chi mo.

Nº 7354, art. XIII.

— XII, livre 3.

Hiang thien tchou fou song, etc.

Nº 7354, art. XIV.

— XIII, livre 3.

Oou chang king koei tchheng.

Nº 7354, art. XV.

— XIV, livre 3.

Song.

Nº 7354, art. XVI.

In-12. 1 vol. cartonnage (provenant de la Société de Jésus et des Missions Étrangères).

Nouveau fonds 4771.

7370.

Thien tchou cheng kiao ji khoo.

Exemplaire incomplet, sans frontispice ni table.

— I, livre 1.

Song king khiuen yu. Thien tchou king, etc.

Nº 7353, art. I.

— II, livre 1.

Tsao khoo. Yu mi sa li Oan khoo.

Nº 7353, art. II.

— III, livre 1.

Cheng mou tẹ siu tao oen.

Nº 7353, art. III.

— IV, livre 2.

Cheng jen lie phin tao oen.

Nº 7354, art. X.

— V, livre 3.

向 諸 品 天 神 誦

Hiang tchou phin thien chen song

Invocations aux anges.

4 pièces.

— VI, livre 3.

求爲主教誦

Khieou oei tchou kiao song.

Prière pour un évêque.

1 feuillet.

In-24. 1 vol. cartonnage (provenant des Missions Étrangères).
Nouveau fonds 4772.

7371.

Thien tchou cheng kiao ji khoo.

Exemplaire en très mauvais état, portant quelques notes manuscrites en français.

— I, livre 1.

Song king khiuen yu. Thien tchou king, etc.

Pagination illisible.
N° 7353, art. I.

— II, livre 1.

Tsao khoo. Yu mi sa li. Oan khoo.

Feuillets 8 à 21.
N° 7353, art. II.

— III, livre 1.

Cheng mou tẹ siu tao oen.

Feuillets 1 à 6.
N° 7353, art. III.

— IV, livre 1.

Cheng mou mei koei king chi oou toan.

Feuillets 1 à 17, **la suite est déchirée.**

N° 7353, art. IV.

In-12. 1 vol. cartonnage.
Nouveau fonds 4948.

7372. 袖珍日課

Sieou tchen ji khoo; alias :

天主聖教日課

Thien tchou cheng kiao ji khoo.

Offices et prières, édition de poche.

Édition en caractères assez gros; la table ne coïncide pas exactement avec les matières du volume.

— I, livre 1.

天主經。聖母經。又聖母經。信經。解罪時經。悔罪經。天主十誡。

Thien tchou king, etc.

Oraison dominicale. Salutation angélique. Autre prière à

la Sainte Vierge. Symbole. Confiteor. Acte de contrition. Décalogue.

Feuillets 3 à 7.

Cf. nº 7353, art. I.

— II, livre 1.

Tsao khoo. Yu mi sa li. Oan khoo.

Feuillets 8 à 21.

Nº 7353, art. II.

— III, livre 1.

Cheng mou tẹ siu tao oen.

Feuillets 22 à 27.

Nº 7353, art. III.

— IV, livre 1.

Cheng mou mei koei king chi oou toan.

Feuillets 28 à 46.

Nº 7353, art. IV.

— V, livre 1.

Oou tchou nien tchou mẹ siang koei thiao.

Feuillets 47 à 50.

Nº 7353, art. V.

— VI, livre 1.

Cheng mou nien tchou mẹ siang koei thiao.

Feuillets 51 à 61.

Nº 7353, art. V.

— VII, livre 1.

遇急救人事宜。要理六端

Yu ki kieou jen chi yi. Yao li lou toan.

Les six principales vérités de la foi, etc.

Feuillets 62 à 69.

Nº 7408, art. I.

— VIII, livre 2.

Ye sou cheng thi tao oen.

Feuillets 1 à 8.

Nº 7354, art. VI.

— IX, livre 2.

Ye sou cheng hao tao oen.

Feuillets 9 à 17.

Nº 7354, art. VII.

— X, livre 2.

Ye sou cheou nan tao oen.

Feuillets 18 à 24.

Nº 7354, art. VIII.

— XI, livre 2.

Cheng mi 'o eul ki tchou thien chen lie phin tao oen.

Feuillets 25 à 32.
Nº 7354, art. IX

— XII, livre 2.

Cheng jen lie phin tao oen.

Feuillets 33 à 47.
Nº 7354, art. X.

— XIII, livre 2.

聖若瑟禱文

Cheng jo sẹ tao oen.

Feuillets 48 à 54.
Nº 7354, art. XI.

— XIV, livre 2.

Lien yu tao oen.

Feuillets 55 à 63.
Nº 7354, art. XII.

— XV, livre 3.

Thien tchou ye sou cheou nan chi mo.

Feuillets 1 à 18.
Nº 7354, art. XIII.

— XVI, livre 3.

Hiang thien tchou fou song, etc.

Feuillets 19 à 23.
Nº 7354, art. XIV.

— XVII, livre 3.

Oou chang king koei tchheng.

Feuillets 24 à 32.
Nº 7354, art. XV.

— XVIII, livre 3.

Song.

Feuillets 33 à 61.
Nº 7354, art. XVI.

— XIX, 1er livre supplémentaire.

Oou pai li. Oou sie li.

Feuillets 1 à 14.
Nº 7355, art. XVII.

— XX, 1er livre supplémentaire.

Cheng mou tsheu sin tchong khou tshi tchang.

Feuillets 15 à 22.
Nº 7355, art. XVIII.

— XXI, 1er livre supplémentaire.

Hiang cheng jo sẹ song.

Feuillets 22 à 24.
Nº 7355, art. XIX.

— XXII, 1er livre supplémentaire.

Hiang cheng yi na tsio song, etc.

Feuillet 24.
Nº 7355, art. XX.

— XXIII, 1er livre supplémentaire.

Cheng tsong thou tao oen.

Feuillets 25 à 34.
N° ~355, art. XXII.

— XXIV, 1ᵉʳ livre supplémentaire.

Oei yi oang tchou kiao.

Feuillet 34.
N° 7355, art. XXIII.

— XXV, 1ᵉʳ livre supplémentaire.

爲已亡鐸德

Oei yi oang to ţe.

Pour un prêtre défunt.

Feuillet 34.
Cf. n° 7363, art. IV.

— XXVI, 1ᵉʳ livre supplémentaire.

瘞塋禮典

Yi ying li tien.

Prières pour la sépulture.

Feuillets 35 à 53.
Cf. n° 7355, art. XXIV.

— XXVII. 1ᵉʳ livre supplémentaire.

聖心規程

Cheng sin koei tchheng.

Méthode pour honorer le Sacré Cœur.

Feuillets 54 à 70.
Cf. n° 7355, art. XXV.

— XXVIII, 1ᵉʳ livre supplémentaire.

獻心頌

Hien sin song.

Offrande et invocation au cœur de Marie.

Feuillets 71 à 79.

— XXIX, 2ᵉ livre supplémentaire.

聖十字架禱文

Cheng chi tseu kia tao oen.

Litanies de la Sainte Croix.

Feuillets 1 à 4.

— XXX, 2ᵉ livre supplémentaire.

天主聖神禱文

Thien tchou cheng chen tao oen.

Litanies du Saint Esprit.

Feuillets 5 à 13.

— XXXI, 2ᵉ livre préliminaire.

聖五傷方濟各禱文

Cheng oou chang fang tsi ko tao oen.

Litanies de saint François aux stigmates.

Feuillets 14 à 19.
Cf. n° 7420, art. III.

— XXXII, 2ᵉ livre supplémentaire.

聖伯多祿亞爾甘太辣祝文

Cheng po to lou ya eul kan thai la tchou oen.

Prière de saint Pierre d'Alcantara.

Feuillet 19.

— XXXIII, 2ᵉ livre supplémentaire.

與彌撒規條

Yu mi sa koei thiao.

Règles pour assister à la messe.

Feuillets 20 à 30.

— XXXIV, 2ᵉ livre supplémentaire.

領聖灰聖枝二謳

Ling cheng hoei cheng tchi eul song.

Chants pour recevoir les cendres et les rameaux bénits.

Feuillets 31.

— XXXV, 2ᵉ livre supplémentaire.

物爾朋經

Oou eul pheng king.

Prière du Verbe, à l'aube du jour de Noël.

Feuillet 32.

— XXXVI, 2ᵉ livre supplémentaire.

Hoen phei tchou oen.

Feuillet 33.

Nº 7355, art. XXI.

— XXXVII, 2ᵉ livre supplémentaire.

聖體要理畧節

Cheng thi yao li lio tsie.

Abrégé des principes de la Sainte Eucharistie.

Feuillets 34 à 36.

— XXXVIII, 2ᵉ livre supplémentaire.

領聖體問答

Ling cheng thi oen ta.

Instruction dialoguée sur la communion.

Feuillets 36 à 38.

— XXXIX, 2ᵉ livre supplémentaire.

滌罪畧

Ti tsoei lio.

Abrégé du sacrement de pénitence.

Feuillets 39 à 51.

— XL, 2ᵉ livre supplémentaire.

輔彌撒禮儀

Fou mi sa li yi.

Pour l'assistance à la messe.

Feuillets 52 à 60.

— XLI, 2e livre supplémentaire.

主日灑聖水答應之經文

Tchou ji chai cheng choei ta ying tchi king oen.

Prières pour l'aspersion de l'eau bénite le dimanche.

Feuillet 60.

— XLII, 2e livre supplémentaire.

輔安所經

Fou 'an so king.

Prières pour assister à une sépulture.

Feuillets 60 et 61.

— XLIII, 2e livre supplémentaire.

永瞻禮表

Yong tchan li piao.

Calendrier perpétuel des fêtes.

Par le P. Couplet.

Feuillets 62 à 69.

Cordier, Imprimerie sino-européenne 86 ; voir n° 7276, art. XII.

— XLIV, 2e livre supplémentaire.

求付洗聖嬰爲主保誦

Khieou fou si cheng ying oei tchou pao song.

Prière aux enfants morts baptisés.

Feuillets 70, 71.

In-24. Papier blanc, titre. 1 vol. cartonnage.

Nouveau fonds 3093.

———————

7373.

Recueil par divers Pères Jésuites, gravé avec l'autorisation du P. Furtado.

— I.

天主教要

Thien tchou kiao yao.

Précis de la doctrine chrétienne.

Texte anonyme, gravé en petits caractères.

1 feuillet.

Comparer Cordier, Imprimerie sino-européenne 385.

— II.

聖號經

Cheng hao king.

Le signe de la croix, expliqué.

Feuillet 2.

— III.

天主經

Thien tchou king.

L'oraison dominicale, annotée.

Feuillets 2, 3.

— IV.

天神朝拜聖母經

Thien chen tchhao pai cheng mou king.

La salutation angélique, annotée.

Feuillets 3, 4.

— V.

信經

Sin king.

Le symbole, annoté.

Feuillets 5 à 8.

— VI.

天主十誡

Thien tchou chi kiai.

Le décalogue, annoté.

Feuillets 8 à 10.

Grand in-8. Frontispice, titre noir sur papier teinté. 1 vol. cartonnage.

Fourmont 235.

7374.

Recueil annoté, précédé d'une table.

— I.

Thien tchou kiao yao.

N° 7373, art. I.
Feuillet 1.

— II.

Cheng hao king.

N° 7373, art. II.
Feuillet 1.

— III.

Thien tchou king.

N° 7373, art. III.
Feuillets 1, 2.

— IV.

Thien chen tchhao pai cheng mou king.

N° 7373, art. IV.
Feuillet 2.

— V.

十二信經

Chi eul sin king.

Le symbole des Apôtres, annoté.

N° 7373, art. V.
Feuillets 2, 3.

— VI.

Thien tchou chi kiai.

Nº 7373, art. VI.
Feuillets 3, 4.

— VII.

聖教定規有四

Cheng kiao ting koei yeou seu.

Les quatre commandements de l'Église, annotés.

Cf. nº 7217.
Feuillet 4.

— VIII.

罪宗。克罪七德

Tsoei tsong. Khẹ tsoei tshi tẹ.

Les péchés capitaux et les sept vertus opposées.

Cf. nº 7177.
Feuillets 5, 6.

— IX.

聖教撒格辣孟多

Cheng kiao sa ko la meng to.

Les sacrements.

Feuillets 6, 7.

— X.

悖反聖神之罪

Pei fan cheng chen tchi tsoei.

Les six péchés contre le Saint Esprit.

Feuillets 7, 8.

— XI.

籲天主降罰之罪

Yu thien tchou kiang fa tchi tsoei.

Les quatre crimes qui appellent le châtiment divin.

Feuillet 8.

— XII.

贖罪三功

Chou tsoei san kong.

Trois mérites pour racheter les péchés.

Feuillet 9.

— XIII.

哀矜之行

'Ai king tchi hing.

Compassion pour les sept souffrances corporelles et les sept souffrances spirituelles.

Feuillets 9, 10.

— XIV.

眞福

Tchen fou.

Les huit béatitudes.

Cf. n° 7375, art. VII.

Feuillets 10, 11.

— XV.

人讐

Jen tchheou.

Les trois ennemis de l'homme.

Feuillet 11.

— XVI.

人末

Jen mo.

Les quatre fins dernières de l'homme.

Feuillets 11, 12.

— XVII.

將領聖水間荅

Tsiang ling cheng choei oen ta.

Instruction dialoguée pour la prochaine réception du baptème.

Feuillets 12 à 15.

— XVIII.

向天主之德

Hiang thien tchou tchi tẹ.

Les trois vertus théologales.

Feuillet 15.

— XIX.

向天主行五拜禮

Hiang thien tchou hing oou pai li.

Cinq salutations comme signe d'adoration.

Cf. n° 7408, art. VII; 7433, art. XLII.

Feuillets 15, 16.

— XX.

謝天主行五拜禮

Sie thien tchou hing oou pai li.

Cinq salutations comme remerciement à Dieu.

Cf. n° 7433, art. XLIII.

Feuillet 16.

— XXI.

悔罪經

Hoei tsoei king.

Acte de contrition.

Feuillet 17.

— XXII.

聖體讚

Cheng thi tsan.

Oraison en l'honneur du Saint Sacrement.

Feuillet 17.

— XXIII.

聖母讚

Cheng mou tsan.

Oraison en l'honneur de la Sainte Vierge.

Feuillet 18.

In-18. 1 vol. cartonnage.
Nouveau fonds 3288.

7375.

Recueil analogue portant à la fin le sceau de la Société de Jésus.

— I.

Thien tchou king.

Nº 7373, art. III.
Feuillet 1.

— II.

天神朝天主聖母經

Thien chen tchhao thien tchou cheng mou king.

La salutation angélique.

Cf. nº 7373, art. IV.
Feuillets 1, 2.

— III.

Thien tchou chi kiai.

Nº 7373, art. VI.
Feuillets 2 à 4.

— IV.

十二亞玻斯多羅性薄錄

Chi eul ya 'pho seu to lo sing po lou.

Le symbole des Apôtres.

Cf. nº 7373, art. V.
Feuillets 4 à 6.

— V.

Cheng hao king.

Nº 7373, art. II.
Feuillets 6, 7.

— VI.

形神哀矜之行十四端

Hing chen 'ai king tchi hing chi seu toan.

Compassion pour les souffrances, etc.

Cf. nºs 7043, art. VI ; 7374, art. XIII.
Feuillets 7, 8.

— VII.

眞福八端

Tchen fou pa toan.

Les huit béatitudes.

Cf. nºs 7276, art. X ; 7374, art. XIV.
Feuillets 8, 9.

— VIII.

罪宗七端。克罪七端

Tsoei tsong tshi toan. Khẹ tsoei tshi toan.

Les sept péchés capitaux et les sept vertus opposées.

Nº 7374, art. VIII.

Feuillets 9 à 11.

— IX.

向 天 主 有 三 德

Hiang thien tchou yeou san tẹ.

Les trois vertus théologales.

Nº 7374, art. XVIII.

Feuillet 11.

— X.

身 有 五 司

Chen yeou oou seu.

Les cinq sens.

Feuillet 11.

— XI.

神 有 三 司

Chen yeou san seu.

Les trois facultés de l'âme.

Feuillets 11, 12.

— XII.

陁格勒西亞。撒格辣 孟多。有七

Yai ko lẹ si ya sa ko la meng to yeou tshi.

Les sept sacrements.

Feuillets 12 à 14.

Petit in-8. 1 vol. cartonnage (provenant des Missions Étrangères).
Nouveau fonds 3287.

_____

7376. 天主教要註畧

Thien tchou kiao yao tchou lio.

Les principales prières et les sacrements, avec explications.

Par le Franciscain Ye Tsoẹnhiao.

20 feuillets.

Grand in-8. Titre et frontispice sur papier teinté. 1 vol. cartonnage (provenant des Missions Étrangères).
Nouveau fonds 2969.

7377.

Thien tchou kiao yao tchou lio.

Même ouvrage, édition analogue, plus petite.

Grand in-8. 1 vol. cartonnage.
Fourmont 258.

7378.

Thien tchou kiao yao tchou lio.

Édition analogue, frontispice différent.

Petit in-8. 1 vol. cartonnage. Nouveau fonds 4828.

7379 — I.

Double du n° précédent.

Grand in-8. Incomplet à la fin.

— II.

天主聖教小引

Thien tchou cheng kiao siao yin.

Petite introduction à la religion.

Double du n° 7058.

Petit in-8 (provenant de la Société de Jésus).

— III.

聖夢歌

Cheng mong ko.

Double du n° 6885.

Grand in-8.

— IV.

推驗正道論

Tchhoei yen tcheng tao loen.

Examen de la vraie doctrine des classiques.

Même ouvrage qu'au n° 7099, art. I, édition plus petite.

6 feuillets.

Grand in-8, Papier blanc.

— V.

醒世問編

Sing chi oen pien.

Traité pour éveiller le monde à la religion chrétienne.

Même ouvrage qu'au n° 7099, art. II.

8 feuillets.

— VI.

二十五言

Eul chi oou yen.

Vingt-cinq | réflexions morales.

Double du n° 3378.]

10 feuillets.

Petit in-8.

— VII.

高士傳

Kao chi tchoan.

Biographies de lettrés.

Par Hoang-fou Mi Chi-'an Yuen-yen sien-cheng, de 'An-ting (215-282). Préface de l'auteur. Notice biographique, par Oang Chi-han, de Sin-'an (1668).

3010

3 livres. — Cat. imp., liv. 57, f. 24.

Grand in-8. Manque une partie du livre 3.

— VIII.

永福天衢
Yong fou thien khiu.

Voie céleste de la béatitude éternelle.

Double du nº 6992.

Fragment du livre 1.

1 vol. cartonnage.
Nouveau fonds 4955.

7380.   # 振心諸經
Tchen sin tchou king.

Exercices pour enflammer la piété.

Par le P. Ferreira.

59 feuillets.

Cordier, Imprimerie sino-européenne 114.

In-12. Papier blanc. 1 vol. cartonnage (provenant de la Société de Jésus).
Nouveau fonds 3159.

7381.

Double.

In-18. Papier teinté, manque le feuillet 59. 1 vol. cartonnage.
Nouveau fonds 3158.

7382. # 誦念珠規程
Song nien tchou koei tchheng.

Règles pour la récitation du Rosaire.

Dialogue illustré de quinze planches.

32 feuillets.
Voir nº 6861, art. II.

Petit in-8. 1 vol. cartonnage (provenant de la Société de Jésus).
Nouveau fonds 3041.

7383. # 彌撒經典
Mi sa king tien.

Missale Romanvm auctoritate Pavli V Pont. M. Sinice reddi-tum a P. Lvdovico Bvglio soc. Iesv Pekini In Collegio ejusd. Soc. An. MDCLXX.

Titre chinois en rouge, au verso nom du traducteur et autorisation du P. Verbiest ; frontispice avec titre latin en rouge et noir. Papier à encadrements rouges pour la table, noir pour le texte ; notes en rouge.

Cordier, Imprimerie sino-européenne 62.

In-4. Manuscrit. 1 vol. relié en toile bleue.
Nouveau fonds 3020.

7384.

Mi sa king tien.

Copie de l'ouvrage précédent avec titre chinois et titre latin, sans frontispice ni encadrements ; le texte est écrit totalement en noir, sur le recto et le verso de feuilles de papier genre européen.

Petit in-8. 1 vol. relié en toile bleue. *Nouveau fonds* 3021.

7385.

Mi sa king tien.

Autre copie, avec un grand titre écrit en noir sur blanc.

Grand in-8. 1 vol. cartonnage (provenant des Missions Étrangères). *Fourmont* 229.

7386.

Mi sa king tien.

Copie sans la date ni le nom du traducteur, sur papier à cadres rouges ; comprend la table et le propre du temps.

In-folio. 1 vol. demi-rel. au chiffre de Napoléon III. *Nouveau fonds* 2180.

———

7387. 彌撒綱領
Mi sa kang ling.

Missel.

Ouvrage analogue, sans nom d'auteur ni date ; sans table.

In-4. Manuscrit. 1 vol. cartonnage (provenant des Missions Étrangères). *Nouveau fonds* 3019.

7388. 日課槩要
Ji khoo kai yao.

Breviarivm Romanvm Sinicè redditum a P. Ludouico Buglio Soc. Iesu In Collegio Pekinensi eiusd. Soc. Anno 1674.

Frontispice avec titre latin ; au verso autorisation du P. Verbiest.

Cordier, Imprimerie sino-européenne 63.

Petit in-8. Manuscrit. 1 vol. cartonnage. *Nouveau fonds* 2931.

7389.

Ji khoo kai yao.

Même ouvrage, incomplet au début.

Grand in-8. Manuscrit. 1 vol. reliure. *Nouveau fonds* 3125.

———

7390. 聖事禮典
Cheng chi li tien.

Manvale ad Sacramēta ministranda iuxta ritū S. Rom. Ecc. Sinicè redditū a P. Ludouico Buglio Soc. Iesù Pěkiṁ in colleg. eiusd. Soc. An. 1675.

Au verso de ce titre avec frontispice on lit le nom de l'auteur ; autorisation du P. Verbiest.

120 feuillets.

Cordier, Imprimerie sino-européenne 64.

Grand in-8. 1 vol. cartonnage. *Nouveau fonds* 2886.

7391.

Cheng chi li tien.

Copie de l'ouvrage imprimé précédent.

120 feuillets.

Grand in-8. Manuscrit sur papier blanc. 1 vol. cartonnage (provenant des Missions Étrangères).
Nouveau fonds 2885.

7392. 聖事禮典
Cheng chi li tien.

Manvale ad Sacramenta ministranda ivxta ritvm sanctæ romanæ ecclesiæ sinicè redditvm a P. Lvdovico Bvglio Soc. Iesv tipis editvm Pĕkiñg in Collegio ejvsdem Soc. Anno 1675 et transcriptvm Cantone anno Dñi 1713.

Au verso du titre latin, nom du traducteur et autorisation du P. Verbiest.

150 feuillets.

Petit in-8, 1 vol. cartonnage.
Fourmont 227.

7393. 聖母小日課
Cheng mou siao ji khoo.

Petit office de la Sainte Vierge.

Par le P. Buglio, avec autorisation du P. Lobelli : introduction de l'auteur (1676).

61 feuillets.

Cordier, Imprimerie sino-européenne 58 ; comparer Catalogus librorum 103.

In-12. Frontispice. 1 vol cartonnage (provenant de la Société de Jésus).

Nouveau fonds 2871.

7394.

Cheng mou siao ji khoo.

Édition analogue, mais plus grande sans frontispice ni introduction.

61 feuillets.

In-18. 1 vol. cartonnage.
Nouveau fonds 2872.

7395.

Cheng mou siao ji khoo.

Édition avec frontispice et introduction formant le livre 6 d'un Tsong tou ; à l'église Thien khiu.

6r feuillets.

In-32. 1 vol. cartonnage (prov. de la bibliothèque Sainte-Geneviève).

Nouveau fonds 2873.

7396.

Cheng mou siao ji khoo.

Édition imitée de la précédente, avec des modifications ; autorisation de Mgr de Gouvea (1794) ; gravée à Zi-ka-wei (1869).

80 feuillets.

In-24. Papier blanc, titre noir sur blanc. 1 vol. cartonnage.

Nouveau fonds 4800.

7397. 已亡者日課經

Yi oang tchę ji khoo king.

Office des morts.

Par le P. Buglio, avec introduction.

28 feuillets.

Cordier, Imprimerie sino-européenne 59.

Grand in-8. 1 vol. cartonnage (provenant de la Société de Jésus).

Nouveau fonds 2928.

7398.

Double.

1 vol. cartonnage (même provenance).
Nouveau fonds 2929.

7399.

Doubles.

3 exemplaires, tous privés du dernier feuillet.

1 vol. cartonnage.
Nouveau fonds 4814.

7400. — I.

Yi oang tchę ji khoo king.

Même ouvrage.

Feuillets 1 à 38.

— II.

煉獄禱文
Lien yu tao oen.

N° 7354, art. XII.
Feuillets 39 à 46.

In-24. Papier blanc. 1 vol. cartonnage.
Nouveau fonds 4815.

7401. 善終瘞塋禮典
Chan tchong yi ying li tien.

N° 7355, art. XXIV, formant le livre 4 d'un Tsong tou.

33 feuillets imprimés, suivis de 11 feuillets blancs.

In-18. 1 vol. cartonnage.
Nouveau fonds 2810.

7402.

Double.

In-12. Papier blanc. 1 vol. cartonnage.
Nouveau fonds 2767.

7403.

Chan tchong yi ying li tien.

Bonne édition ; manque une prière finale.

Grand in-8. 1 vol. cartonnage (provenant de la Société de Jésus).
Nouveau fonds 2766.

7404.

Double.

1 vol. cartonnage.
Nouveau fonds 4762.

7405. 聖安德肋宗徒瞻禮

Cheng 'an tẹ lẹ tsong thou tchan li.

Instructions pour les principales fêtes depuis la saint André jusqu'au jour des Morts.

Par les PP. Brancati et de Gravina.

100 feuillets.

Cordier, Imprimerie sino-européenne 43.

Petit in-8. Manuscrit. 1 vol. cartonnage (prov. de la Société de Jésus).
Nouveau fonds 2785.

7406-7407.

Liturgie et méditation pour tous les jours de l'année à partir de l'Avent ; sans auteur ni date.

Petit in-8. Manuscrit. 2 vol. cartonnage.
Nouveau fonds 3178, 3179.

7408. — I.

要理六端

Yao li lou toan.

Les six vérités essentielles de la religion.

Concernant l'éternité et l'unité de Dieu, le jugement et la rétribution, la Trinité, l'incarnation, l'existence de l'âme, l'unité de l'Église. Attribué au P. de Rougemont.

4 feuillets.

Cordier, Imprimerie sino-européenne 248.

— II.

領洗前後之禮

Ling si tshien heou tchi li.

Cérémonies du baptême.

2 feuillets.

— III.

將領聖水問荅

Tsiang ling cheng choei oen ta.

N° 7371, art. XVII.

4 feuillets.

— IV.

領聖體問荅

Ling cheng thi oen ta.

N°ˢ 7288, art. II; 7372, art. XXXVIII.

3 feuillets.

— V.

Diverses prières (pater, ave, symbole, décalogue, etc.).

3 feuillets.

— VI.

聖教會四規。悔罪經

Cheng kiao hoei seu koei. Hoei tsoei king.

Les quatre commandements de l'Église. Acte de contrition.

N° 7217.

2 feuillets.

— VII.

向天主五拜禮

Hiang thien tchou oou pai li.

Cinq salutations pour exprimer la foi, l'espérance, la charité, la contrition et pour demander l'intercession de la Sainte Vierge.

Texte du P. de Rougemont.

4 feuillets.

In-18. Papier grossier, impression grossière. 1 vol. cartonnage (provenant de la Société de Jésus).

Nouveau fonds 3374.

7409. — I.

Yao li lou toan.

N° 7408, art. I.

4 feuillets.

— II.

聖號經

Cheng hao king

Le signe de la croix.

Feuillet 1.

— III.

天主經

Thien tchou king.

L'oraison dominicale.

Feuillet 1.

— IV.

聖母經

Cheng mou king.

La salutation angélique.

Feuillets 1, 2.

— V.

信經

Sin king.

Le symbole.

Feuillet 2.

— VI.

天主十誡

Thien tchou chi kiai.

Le décalogue.

Feuillets 2 et 3.

Les articles VII à IX sont extraits d'un *Cheng kiao ji khoo.*

— VII.

聖教會四規

Cheng kiao hoei seu koei.

Les quatre commandements de l'Église.

Feuillet 4.
N° 7217.

— VIII.

解罪時經

Kiai tsoei chi king.

Le confiteor.

Feuillets 4 et 9.

— IX.

悔罪經

Hoei tsoei king.

L'acte de contrition.

Feuillet 9.

— X.

將領聖水問荅

Tsiang ling cheng choei oen ta.

N° 7374, art. XVII.
Feuillets 1 à 4.

— XI.

領洗前後之禮

Ling si tshien heou tchi li; alias :

授洗禮

Cheou si li.

N° 7408, art. II.
Feuillets 1, 2.

— XII.

領聖體問荅

Ling cheng thi oen ta.

N° 7288, art. II.
Feuillets 1 à 3.

— XIII.

向天主行五拜禮

Hiang thien tchou hing oou pai li.

Cinq salutations en signe d'adoration pour Dieu.

Texte avec notes.

Feuillets 1 à 3.
N° 7408, art. VII.

— XIV.

謝天主行五拜禮

Sie thien tchou hing oou pai li.

Cinq salutations pour remercier Dieu.

Avec la signature du P. de Rougemont.

Feuillets 3, 4.

N° 7433, art. XLIII.

In-24. 1 vol. cartonnage (provenant des Missions Étrangères).

Nouveau fonds 4951.

7410. 聖教要訓

Cheng kiao yao hiun.

Principales instructions de la religion.

Recueil par le Franciscain Oen-tou-la (Buenaventura Ibañez?), publié à la mission, à Tchou-kiang.

1er livre seul.

Cordier, Imprimerie sino-euro-péenne 372.

— I.

Cheng hao king.

N° 7409 art. II.

Feuillet 1.

— II.

Thien tchou king.

N° 7409, art. III.

Feuillet 2.

— III.

Thien chen tchhao pai cheng mou king.

N° 7373, art. IV.

Feuillets 2, 3.

— IV.

Sin king.

N° 7409, art. V.

Feuillets 3, 4.

— V.

Thien tchou chi kiai.

N° 7409, art. VI.

Feuillets 4, 5.

— VI.

Cheng kiao hoei seu koei.

N° 7409, art. VII.

Feuillet 6.

— VII.

天主事情問荅

Thien tchou chi tshing oen ta.

Instructions dialoguées sur Dieu et la religion.

Feuillets 6 à 21.

— VIII.

人讐有三

Jen tchheou yeou san.

Les trois ennemis de l'homme.

Feuillet 21.

N° 7374, art. XV.

— IX.

十誡問荅

Chi kiai oen ta.

Instruction dialoguée sur le Décalogue.

Feuillets 22 à 28.

— X.

悔罪問荅

Hoei tsoei oen ta.

Instruction dialoguée sur la contrition.

Feuillets 29, 30.

— XI.

Hoei tsoei king.

N° 7409, art. IX.

Feuillet 31.

— XII.

天學警言

Thien hio king yen.

Avertissement sur la vraie doctrine.

Sur les quatre bienfaits de Dieu et les quatre fins dernières.

Cf. n° 6888, art. I.

Feuillets 31, 32.

Grand in-8. Papier blanc, bonne gravure ; titre et frontispice. 1 vol. cartonnage.

Nouveau fonds 2834.

7411.

Double.

1 vol. cartonnage.
Nouveau fonds 4782.

7412.

Double.

In-12. Papier blanc, 1 vol. cartonnage (prov. de la Société de Jésus).
Nouveau fonds 2833.

7413. 聖母領報會規

Cheng mou ling pao hoei koei.

Règles de la confrérie de l'Annonciation.

Préface (1694) par le P. Joseph Suarez, Jésuite (1656-1736 ; noms chinois Sou Lin Oei-tshang).

— I.

入會奉事聖母經

Jou hoei fong chi cheng mou king.

Prières pour l'entrée dans la confrérie.

1 feuillet.

— II.

聖母領報會小引

Cheng mou ling pao hoei siao yin.

Introduction à la confrérie.

Datée de 1694.

Feuillet 1.

— III.

規條

Koei thiao.

Règlement (12 articles).

Feuillets 1 à 6.

— IV.

聖母領報會大赦規條

Cheng mou ling pao hoei ta chẹ koei thiao.

Règles pour l'indulgence de la confrérie.

8 articles.

Feuillets 7 à 9.

— V.

入會禮儀

Jou hoei li yi.

Cérémonies pour l'entrée dans la confrérie.

10 articles.

Feuillets 10 à 12.

Cf. Catalogus librorum 129, 157.

In-18. 1 vol. cartonnage (provenant de la Société de Jésus).

Nouveau fonds 2869.

7414.

Cheng mou ling pao hoei koei.

Même ouvrage, édition plus petite. Préface (feuillets 1 à 5).

— I.

Jou hoei fong chi cheng mou king.

N⁰ 7413, art. I.

Feuillet 6.

— II.

Cheng mou ling pao hoei siao yin.

N⁰ 7413, art. II.

Feuillet 7.

— III.

Koei thiao.

N⁰ 7413, art. III.

Feuillets 7 à 12.

— IV.

Cheng mou ling pao hoei ta chẹ koei thiao.

N⁰ 7413, art. IV.

Feuillets 13 à 15.

— V.

Jou hoei li yi.

N° 7413, art. V.
Feuillets 16 à 18.

In-12. 1 vol. cartonnage (provenant de la Société de Jésus).
Nouveau fonds 2870.

7415. 聖 母 日 課

Cheng mou ji khoo.

Office de la Sainte Vierge selon saint Bonaventure.

Version par le P. Manuel de San Juan Bautista, Franciscain (arrivé en Chine 1685, mort en 1710; noms chinois Li 'An-ning Oei-ki); avec l'autorisation de 'En Meou-sieou; gravé à la mission de Tsi-ning. Préface par le traducteur (1698).

37 feuillets.

Cordier, Imprimerie sino-européenne 259.

In-12. Titre noir sur papier teinté. 1 vol. cartonnage.
Nouveau fonds 2866.

7416. 新 刻 主 保 單

Sin kho tchou pao tan.

Liste des saints patrons pour les principales fêtes de l'année.

Avec méditations et prières appropriées; introduction (1701) par le frère Dominique Lou, Jésuite, Chinois (Lou Hi-yen Seu-mẹ, 1630-1704).

Sans pagination.
Cf. Catalogus librorum 168.

In-18. 1 vol. cartonnage (provenant de la Société de Jésus).
Nouveau fonds 3199.

7417.

Ouvrage analogue.

Sans pagination.

In-24. 1 vol. cartonnage.
Nouveau fonds 3198.

7418. 振 鐸 餘 音

Tchen to yu yin.

Textes de méditations pour les principales fêtes.

43 feuillets.

Petit in-8. Manuscrit. 1 vol. cartonnage.
Nouveau fonds 3168.

7419.

Tchen to yu yin.

Ouvrage analogue.

53 feuillets.

Petit in-8. Manuscrit. 1 vol. cartonnage.
Nouveau fonds 3167.

7420.

Recueil, fragment du livre 5 d'un Tsong tou.

— I.

聖教啓蒙指要

Cheng kiao khi mong tchi yao.

Guide d'instruction chrétienne.

Par le P. Piñuela.

Feuillets 39 à 45.

— II.

Tsiang ling cheng choei oen ta.

N° 7374, art. XVII.

Feuillets 46 à 52.

III.

五傷聖方濟各禱文

Oou chang cheng fang tsi ko tao oen.

Litanies de saint François aux stigmates.

Par le P. de San Juan Bautista ; avec autorisation de 'En Meousieou.

Feuillets 53 à 59.

N° 7372, art. XXXI.

— IV.

聖伯多祿亞甘太辣祝文

Cheng po to lou ya kan thai la tchou oen.

Prière de saint Pierre d'Alcantara.

Par le même.

Feuillets 59, 60.

N° 7372, art. XXXII.

— V.

聖人文度辣讚聖人安多尼祝文

Cheng jen oen tou la tsan cheng jen 'an to ni tchou oen.

Prière de saint Bonaventure en l'honneur de saint Antoine de Padoue.

Par le même.

Feuillets 60, 61.

— VI.

聖若瑟七苦七樂文

Cheng jo sẹ tshi khou tshi lo oen.

Les sept douleurs et les sept joies de saint Joseph.

Par le même.

Feuillets 61 à 63.

In-12. 1 vol. cartonnage (provenant de la Société de Jésus).

Nouveau fonds 2963.

7421.

Recueil, livres 5 et 6 d'un Tsong tou.

— I, livre 5.

Ti tsoei tcheng koei lio.

N° 7267.
Feuillets 1 à 38.

— II, livre 5.

Cheng kiao khi mong tchi yao.

Feuillets 39 à 45.
N° 7420, art. I.

— III, livre 5.

Tsiang ling cheng choei oen ta.

Feuillets 46 à 52.
N° 7420, art. II.

— IV, livre 5.

Oou chang cheng fang tsi ko tao oen.

Feuillets 54 à 58.
N° 7420, art. III. Gravé à la mission de Tsi-nan.

— V, livre 5.

祝文
Tchou oen.

Prière.

Par le P. de San Juan Bautista.
Feuillets 58, 59.

— VI, livre 5.

Cheng po to lou ya eul kan thai la tchou oen.

Feuillets 59, 60.
N° 7420, art. IV.

— VII, livre 5.

Cheng jen oen tou la tsan cheng jen 'an to ni tchou oen.

Feuillets 60, 61.
N° 7420, art. V.

— VIII, livre 5.

Cheng jo sẹ tshi khou tshi lo oen.

Feuillets 61 à 63.
N° 7420, art. VI.

— IX, livre 6.

Lie siu ye sou hing tsi khou nan tao oen.

N° 7359, art. I.
Feuillets 1 à 24.

— X, livre 6.

Cheng mou hing tsi tao oen.

N° 7359, art. II.
Feuillets 25 à 44 (incomplet).

In-12. 1 vol., cartonnage.
Nouveau fonds 3325.

7422. 聖母花冠經
Cheng mou hoa koan king.

Prière de saint Jean de Capistran à la Vierge.

Version du P. Piñuela.

13 feuillets.

In-18. 1 vol., cartonnage.
Nouveau fonds 2864.

7423.

Double.

In-12. 1 vol. cartonnage (prov. de la Société de Jésus).
Nouveau fonds 2865.

7424. 聽彌撒凡例

Thing mi sa fan li.

Règles pour assister à la messe.

Par le P. Piñuela.

11 feuillets.

Grand in-8. 1 vol. cartonnage.
Fourmont 230.

7425.

Thing mi sa fan li.

Édition plus grande.

11 feuillets.

Grand in-8. 1 vol. cartonnage.
Nouveau fonds 3328.

7426. 聖教切要

Cheng kiao tshie yao.

Abrégé de la religion chrétienne.

Recueil avec annotations, par le P. Ortiz ; gravé à l'église Tchen-yuen, à Tchao-khing (1705).

Cordier, Imprimerie sino-européenne 174 ; Catalogus librorum 84.

— I.

聖號經。天主經。聖母經。信經。

Cheng hao king. Thien tchou king. Cheng mou king. Sin king.

Le signe de la croix. L'oraison dominicale. La salutation angélique. Le symbole.

Feuillets 1 à 10.

— II.

天主十誡

Thien tchou chi kiai.

Le décalogue.

Feuillets 11 à 30.

— III.

聖教四規

Cheng kiao seu koei.

Les quatre commandements de l'Église.

Feuillets 3o, 31.

N° 7217.

— IV.

聖事之迹

Cheng chi tchi tsi.

Les sacrements.

Feuillets 31 à 61.

— V.

同性(sic)外親四代之圖

Thong sing oai tshin seu tai tchi thou.

Tableau des degrés de parenté.

Feuillets 62, 63.

Grand in-8. Papier blanc, titre et frontispice. 1 vol. cartonnage.
Nouveau fonds 2823.

7427.

Cheng kiao tshie yao.

Même ouvrage; les deux derniers feuillets ont une pagination différente.

Petit in-8. Papier blanc. 1 vol. cartonnage.
Nouveau fonds 2824.

7428.

Double du n° précédent.

Grand in-8. Papier teinté. 1 vol. cartonnage.
Nouveau fonds 4779.

_____

7429. 天主聖教永瞻禮單

Thien tchou cheng kiao yong tchan li tan.

Calendrier perpétuel des fêtes de la religion chrétienne.

Par le P. Couplet; copie faite (1712) par 'An-tang, de Oou-lin. Au début, frontispice représentant la croix tombale de Candide Hiu, morte en 1680, fille de Siu Koang-khi.

85 feuillets.

Cordier, Imprimerie sino-européenne 86; voir n° 7276, art. XII.

Petit in-8. Manuscrit. 1 vol. cartonnage.
Nouveau fonds 3269.

7430.

Thien tchou cheng kiao yong tchan li tan.

Autre copie, à laquelle manque le dernier feuillet; sans frontispice.

84 feuillets.

Petit in-8. Manuscrit. 1 vol. cartonnage.

Nouveau fonds 3268.

7431. 覔厄汪日畧序

Mi oo oang ji lio siu.

Désignation des évangiles et épîtres pour les dimanches et les principales fêtes de l'année.

28 feuillets simples, papier de genre européen.

In-24. Manuscrit. 1 vol. cartonnage.
Nouveau fonds 3018.

7432. 聖若瑟大主保經

Cheng jo sẹ ta tchou pao king;
alias :

聖若瑟大主保七苦七樂經

Cheng jo sẹ ta tchou pao tshi khou tsi lo king.

Prière en l'honneur des sept douleurs et des sept joies de saint Joseph.

Préface (1715), sans nom d'auteur.

10 feuillets.

Nº 7420, art. VI.

In-12. Papier blanc. 1 vol. cartonnage.

Nouveau fonds 2800.

7433. 天主聖教日課

Thien tchou cheng kiao ji khoo.

Offices et prières.

Recueil gravé à la salle Tshiuenneng, à Canton (1715) ; caractères fins et grêles ; pas de table au début.

— I, livre 1.

誦經勸語

Song king khiuen yu.

Conseils pour la récitation des prières.

Feuillets 1 à 3.

Cf. nº 7353, art. I.

— II, livre 1.

萬民四終

Oan min seu tchong.

Les quatre fins dernières de l'homme.

Feuillet 3.

— III, livre 1.

要理六端

Yao li lou toan.

Les six vérités essentielles.

Feuillet 3 *bis*.

Nº 7408, art. I.

— IV, livre 1.

上 等 悔 經

Chang teng hoei king.

Acte de contrition à dire en cas de danger.

Feuillet 4.

— V, livre 1.

天 主 十 誡

Thien tchou chi kiai.

Le décalogue.

Feuillet 4.

— VI, livre 1.

聖 教 會 四 規

Cheng kiao hoei seu koei.

Les quatre commandements de l'Église.

N° 7217.
Feuillet 4.

— VII, livre 1.

聖 號 經

Cheng hao king.

Le signe de la croix.

Feuillet 5.

— VIII, livre 1.

信 經

Sin king.

Le symbole.

Feuillet 5.

— IX, livre 1.

天 主 經

Thien tchou king.

L'oraison dominicale.

Feuillets 5, 6.

— X, livre 1.

聖 母 經

Cheng mou king.

La salutation angélique.

Feuillet 6.

— XI, livre 1.

朝 拜 聖 母 經

Tchhao pai cheng mou king.

Autre prière à la Sainte Vierge.

Cf. n° 7353, art. I.
Feuillets 6, 7.

— XII, livre 1.

解 罪 經

Kiai tsoei king.

Le confiteor.

Feuillet 7.

— XIII, livre 1.

聖事之迹

Cheng chi tchi tsi.

Les sacrements.

Feuillet 7.

N° 7426, art. IV.

Suit la table des deux livres, disposée sur chaque page en deux sections horizontales.

— XIV, livre 1.

天主要知

Thien tchou yao tchi.

Connaissances nécessaires sur Dieu.

Feuillet 5 de la table.

— XV, livre 1.

早課。晚課

Tsao khoo. Oan khoo.

Prière du matin. Prière du soir.

Par le P. Ignace, Augustinien.

Feuillets 1 à 14.

— XVI, livre 1.

與彌撒禮

Yu mi sa li.

Assistance à la messe.

Cf. n° 7353, art. II.

Feuillets 14 à 18.

— XVII, livre 1.

通功神課

Thong kong chen khoo.

Confiance aux mérites, etc.

Voir n° 7357, art. XIX.

Feuillets 18, 19.

— XVIII, livre 1.

誦

Song.

Hymnes et prières.

35 pièces.

Feuillets 19 à 53.

— XIX, livre 1.

多瑪斯聖師向聖體四字詩

To ma seu cheng chi hiang cheng thi seu tseu chi.

Hymne de saint Thomas d'Aquin au Saint Sacrement.

Feuillets 53, 54.

— XX, livre 1.

領聖體前後可行之功

Ling cheng thi tshien heou kho hing tchi kong.

Exercice avant et après la communion.

Feuillets 54 à 56.

— XXI, livre 1.

領聖體前後默想七端

Ling cheng thi tshien heou mę siang tshi toan.

Sept points à méditer avant et après la communion.

Feuillets 56 à 59.

— XXII, livre 1.

領大赦經

Ling ta chę king.

Prière pour obtenir une indulgence.

Feuillet 59.

— XXIII, livre 1.

Cheng mou mei koei king chi oou toan.

N° 7353, art. IV.

Feuillets 60 à 71.

— XXIV, livre 1.

Cheng mou tę siu tao oen.

N° 7353, art. III.

Feuillets 72 à 76.

— XXV, livre 1.

Ye sou cheou nan tao oen.

N° 7354, art. VIII.

Feuillets 77 à 82.

— XXVI, livre 1.

Cheng jen lie phin tao oen.

N° 7354, art. X.

Feuillets 83 à 94.

— XXVII, livre 1.

Lien yu tao oen.

N° 7354, art. XII.

Feuillets 95 à 101.

— XXVIII, livre 1.

公審判之文

Kong chen phan tchi oen.

Sur le jugement général.

Feuillets 102, 103.

— XXIX, livre 1.

Chạn tchong yi ying li tien.

N° 7355, art. XXIV.

Feuillets 104 à 128.

— XXX, livre 1.

爲已亡主教或鐸德

Oei yi oang tchou kiao hoę to tę.

Pour un évêque ou pour un prêtre défunt.

Prières pour divers défunts.

Cf. n° 7372, art. XXIV et XXV.

Feuillets 128 à 130.

— XXXI, livre 2.

Ye sou cheng hao tao oen.

N° 7354, art. VII.

Feuillets 131 à 137.

— XXXII, livre 2.

Ye sou cheng thi tao oen.

N° 7354, art. VI.

Feuillets 138 à 143.

— XXXIII, livre 2.

讚聖體四字經文

Tsan cheng thi seu tseu king oen.

Hymne de louanges en l'honneur du Saint Sacrement.

Feuillets 144 et 145.

— XXXIV, livre 2.

誦

Song.

Hymnes et prières.

22 pièces.

Feuillets 145 à 156.

— XXXV, livre 2.

恩赦要知

'En chẹ yao tchi.

Notions nécessaires sur les indulgences.

Par le P. Ortiz.

Feuillets 157 à 160.

XXXVI, livre 2.

Oou tchou nien tchou mẹ siang koei thiao.

N° 7353, art. V.

Feuillets 161 à 164.

— XXXVII, livre 2.

Cheng mou nien tchou mẹ siang koei thiao.

N° 7353, art. V.

Feuillets 164 à 172.

— XXXVIII, livre 2.

彌撒奇妙事情略說

Mi sa khi miao chi tshing lio choẹ.

Sur le mystère de la messe.

Feuillets 172 à 180.

— XXXIX, livre 2.

Thien tchou ye sou cheou nan chi mo.

N° 7354, art. XIII.

Feuillets 181 à 195.

— XL, livre 2.

正學警言．榮福經

Tcheng hio king yen. Yong fou king.

Avertissement sur la vraie doctrine. Prière relative à la gloire éternelle.

Feuillet 195.

N° 7327, art. IV.

— XLI, livre 2.

Mi sa li tsie.

N° 7349, **art.** VIII.

Feuillets 196 à 208.

— XLII, livre 2.

五拜禮

Oou pai li.

Cinq salutations comme signe d'adoration.

En témoignage de foi, d'espérance, de charité, de contrition et ferme propos et pour demander l'intercession de la Sainte Vierge.

Voir n° 7355, art. XVII.

Feuillet 208.

— XLIII, livre 2.

五謝禮

Oou sie li.

Cinq salutations comme signe de remerciement.

Pour les bienfaits de Dieu, savoir : la création, l'incarnation, la rédemption, notre entrée dans l'Église et toutes les autres grâces.

Voir n° 7355, art. XVII.

Feuillet 208.

In-24. Papier blanc ; frontispice et titre. 1 vol. cartonnage.

Nouveau fonds 2811.

7434.

Thien tchou cheng kiao ji khoo.

Double du n° précédent : notes manuscrites en chinois au début et à la fin du volume.

In-32. 1 vol. cartonnage.

Nouveau fonds 4776.

7435.

Thien tchou cheng kiao ji khoo.

Ouvrage analogue, avec des différences de gravure ; même disposition des 43 articles.

In-24. Papier blanc. 1 vol. cartonnage.

Nouveau fonds 4774.

7436.

Double du précédent.

Demi-feuille déchirée. 1 vol. cartonnage.

Nouveau fonds 4775.

7437.   聖教日課

Cheng kiao ji khoo.

Offices et prières.

— I.

早 課
Tsao khoo.

Prière du matin.

Feuillets 1 à 7.

— II.

日間隨用及入聖堂各祝文
Ji kien soei yong ki jou cheng thang ko tchou oen.

Prières pour chaque jour et pour les visites à l'église.

Feuillets 8 à 12.

— III.

晚 課
Oan khoo.

Prière du soir.

Feuillets 13 à 15.

— IV.

禮拜五傷經式
Li pai oou chang king chi.

Adoration des Cinq Plaies.

Cf. nᵒ 7349, art. I.
Feuillets 16 *bis* à 18.

— V.

Cheng mou te siu tao oen.

Nᵒ 7353, art. III.
Feuillets 15 à 20.

— VI.

Cheng jen lie phin tao oen.

Nᵒ 7354, art. X.
Feuillets 1 à 14.

— VII.

Ye sou cheou nan tao oen.

Nᵒ 7354, art. VIII.
Feuillets 1 à 6.

In-12. Édition commune. 1 vol. cartonnage (provenant du Séminaire de Saint-Joseph).

Fourmont 232.

7438. 與彌撒功程
Yu mi sa kong tchheng.

Prière pour assister à la messe.

Par les P. P. Hinderer et Manoel Mendez, Jésuite (1656-1743 ; noms chinois Meng Yeou-yi Kiu-jen), avec autorisation de 1721 ; gravé en texte gros et fin à l'église Tchhao-sing.

Livre 1ᵉʳ seul.

Cordier, Imprimerie sino-européenne 131.

In-32. Papier blanc ; frontispice. 1 vol. cartonnage.

Nouveau fonds 3389.

7439. 輔彌撒禮儀 (*al.* 經典)

Fou mi sa li yi (alias *king tien*).

Méthode d'assistance à la messe.

12 feuillets.

In-24. Papier blanc. 1 vol. cartonnage.

Nouveau fonds 2903.

7440. 進善錄

Tsin chan lou.

Progrès vers le bien.

Recueil dû à Li-seu Pen-yi kiuchi, de Oan-ling. Introduction datée de l'année ki-hai (1719 ou 1779). Table générale.

— I.

認識本義

Jen chi pen yi.

Pourquoi adorer Dieu.

7 articles (feuillets 1 à 5).

— II.

約同眾禱

Yo thong tchong tao.

Prière en commun.

7 articles (feuillets 6 à 9).

— III.

默想神功

Me siang chen kong.

Exercice spirituel de la méditation.

15 articles (feuillets 10 à 18). Comparer nº 7335.

— IV.

力行警語

Li hing king yu.

Avertissement énergique.

20 articles (feuillets 19 à 27).

—

領聖體功課

Ling cheng thi kong khoo.

Exercice pour la communion.

Feuillets 28, 29.

— VI.

神領聖體經

Chen ling cheng thi king.

Prières pour la communion.

Feuillet 29.

— VII.

領聖體問荅

Ling cheng thi oen ta.

Instruction dialoguée sur la communion.

Feuillets 29, 30.

— VIII.

各種赦條

Ko tchong chẹ thiao.

Sur les indulgences.

4 articles (feuillet 3o).

— IX.

祈禱神功

Khi tao chen kong.

Exercice spirituel de la prière.

Feuillets 3o et 31.

— X.

通功神課

Thong kong chẹn khoo.

Communication des mérites.

Feuillets 31 à 33.

Nos 7433, art. XVII; 7357, art. XIX.

— XI.

付洗幼孩規說

Fou si yeou hai koei choẹ.

Sur le baptême des jeunes enfants.

Feuillet 33.

Grand in-8. Gravure soignée. 1 vol. cartonnage.

Nouveau fonds 33.6.

7441.   通功單

Thong kong tan.

Listes pour recommander aux prières les fidèles défunts.

130 feuillets simples gravés à l'église Ta-yuen (1740) : formules imprimées dont les blancs doivent être remplis par les noms des défunts recommandés aux prières.

Cf. n° 7440, art. X.

Grand in-8. 1 vol. cartonnage.
Nouveau fonds 4936.

7442.

Kong king ye sou cheng sin koei tchheng.

Même ouvrage qu'au n° 7368, art. IX; en plus, un avertissement.

— I.

恭敬耶穌聖心

Kong king ye sou cheng sin.

Culte du Sacré Cœur.

Feuillets 3 à 12.

— II.

恭 敬 聖 母 聖 心

Kong king cheng mou cheng sin.

Culte du saint cœur de Marie.

Feuillets 12 à 20.

In-18. Papier blanc. 1 vol. carton-nage.
Nouveau fonds 2882.

7443.

Kong king ye sou cheng sin koei tchheng.

Autre édition.

— I.

Kong king ye sou cheng sin.

Culte du Sacré Cœur.

Feuillets 1 à 12.

— II.

Kong king cheng mou cheng sin.

Culte du saint cœur de Marie.

Feuillets 12, 13.

— III.

Double de l'art. I.

— IV.

Double de l'art. II.

In-18. 1 vol. cartonnage.
Nouveau fonds 2883.

7444. — I et II.

Double du n° précédent, art. I et II.

1 vol. cartonnage.
Nouveau fonds 4949.

7445. ## 耶 穌 會 例

Ye sou hoei li.

Règles de la Compagnie de Jésus.

Version attribuée au P. Intor-cetta. Table en tête de chaque livre.

2 livres (36 + 49 feuillets).

Cordier, Imprimerie sino-euro-péenne 133.

Petit in-8. 1 vol. cartonnage (prove-nant de la Société de Jésus).
Nouveau fonds 3376.

7446. ## 聖 方 濟 各 第 三 會 會 規

Cheng fang tsi ko ti san hoei hoei koei.

Règles du tiers-ordre de saint François.

Historique, puis règles en 9 chapitres.

22 feuillets.

Cordier, Imprimerie sino-euro-péenne 375.

Petit in·8. Manuscrit. 1 vol. carton-nage.

Nouveau fonds 2791.

7447. 聖事問荅

Cheng chi oen ta.

Catéchisme chinois envoyé de Péking en 1788.

— I.

聖號經

Cheng hao king.

Le signe de la croix.

Feuillet 1.

— II.

天主經

Thien tchou king.

L'oraison dominicale.

Feuillet 1.

— III.

聖母經

Cheng mou king.

La salutation angélique.

Feuillets 1, 2.

— IV.

信經

Sin king.

Le symbole.

Feuillets 2, 3.

— V.

天主十誡

Thien tchou chi kiai.

Le décalogue.

Feuillets 3, 4.

— VI.

悔罪經

Hoei tsoei king.

Acte de contrition.

Feuillet 4.

— VII.

要理問荅

Yao li oen ta.

Instruction dialoguée sur les principes de la religion.

Feuillets 5 à 12.

— VIII.

告解要理

Kao kiai yao li.

Instruction dialoguée sur la confession et l'absolution.

Feuillets 1 à 16

Cf. n° 7254, art. III.

— IX.

聖體問荅

Cheng thi oen ta.

Instruction dialoguée sur l'Eucharistie.

Feuillets 1 à 15.

Nº 7254, art. IV.

— X à XVIII.

Doubles respectifs des art. I à IX.

In-18. 1 vol. cartonnage.
Nouveau fonds 2887.

7448.

Cheng chi oen ta.

Même ouvrage, disposition semblable des 9 articles.

In-12. 1 vol. cartonnage.
Nouveau fonds 2888.

7449. 聖經約錄

Cheng king yo lou.

Petit recueil de prières.

— I.

Thien tchou king.

Nº 7375, art. I.
Feuillet 1.

— II.

Thien chen tchhao thien tchou cheng mou king.

Nº 7375, art. II.
Feuillets 1, 2.

— III.

Thien tchou chi kiai.

Nº 7375, art. III.
Feuillets 2 à 4.

— IV.

Chi eul ya pho seu to lo sing po lou.

Nº 7375, art. IV.
Feuillets 4 à 6.

— V.

Cheng hao king.

Nº 7375, art. V.
Feuillets 6, 7.

— VI.

Hing chen 'ai king tchi hing chi seu toan.

Nº 7375, art. VI.
Feuillets 7, 8.

— VII.

Tchen fou pa toan.

Nº 7375, art. VII.
Feuillets 8, 9.

— VIII.

Tsoei tsong tshi toan.

Nº 7375, art. VIII.
Feuillets 9, 10.

— IX.

克罪宗七端有七德

Khę tsoei tsong tshi toan yeou tshi tę.

Les sept vertus opposées aux sept péchés capitaux.

Nº 7375, art. VIII.

Feuillets 10, 11.

— X.

Hiang thien tchou yeou san tę.

Nº 7375, art. IX.

Feuillet 11.

— XI.

Chen yeou oou seu.

Nº 7375, art. X.

Feuillet 11.

— XII.

Chen yeou san seu.

Nº 7375, art. XI.

Feuillets 11, 12.

— XIII.

Yai ko lę si ya sa ko la meng to yeou tshi.

Nº 7375, art. XII.

Feuillets 12 à 14.

Grand in-8. 1 vol. cartonnage.
Nouveau fonds 2857.

7450.

Recueil de prières, édition du xvIIIᵉ siècle, non datée.

— I.

聖號經

Cheng hao king.

Le signe de la croix.

Feuillet 1.

— II.

天主經

Thien tchou king.

L'oraison dominicale.

Feuillet 1.

— III.

聖母經

Cheng mou king.

La salutation angélique.

Feuillets 1, 2.

— IV.

信經

Sin king.

Le symbole.

Feuillet 2.

— V.

天主十誡

Thien tchou chi kiai.

Le décalogue.

Feuillets 2, 3.

— VI.

Yao li lou toan.

N° 7408, art. I.

— VII.

Ling si tshien heou tchi li.

N° 7408, art. II.

— VIII.

Tsiang ling cheng choei oen ta.

N° 7408, art. III.

— IX.

Ling cheng thi oen ta.

N° 7408, art. IV.

— X.

向 天 主 行 五 拜 禮

Hiang thien tchou hing oou pai li.

Même texte qu'au n° 7408, art. VII.

In-18. 1 vol. cartonnage.
Nouveau fonds 2801.

7451. — I.

天 主 聖 教 經 文

Thien tchou cheng kiao king oen

Prières chrétiennes.

Art. I à IV du n° 7450.

Feuillets 1, 2.

— II.

Thien tchou chi kiai.

N° 7450, art. V.
Feuillet 3.

— III.

聖 教 四 規

Cheng kiao seu koei.

Les quatre commandements de l'Église.

Feuillet 4.
N° 7217.

— IV.

天 主 教 要 問 答

Thien tchou kiao yao oen ta.

Principes de la religion chrétienne, instruction dialoguée.

Feuillets 1 à 15.

In-18. 1 vol. cartonnage.
Fourmont 233.

7452. — I à IV.

Doubles respectifs du n° précédent.

1 vol. cartonnage (provenant des Missions Étrangères).

Fourmont 234.

7453. — I à IV.

Doubles respectifs ; notes manuscrites.

1 vol. cartonnage.
Nouveau fonds 4877.

7454. — I à IV.

Doubles respectifs.

1 vol. cartonnage (provenant des Missions Étrangères).
Nouveau fonds 3255.

7455. 聖教禮規
Cheng kiao li koei.

Recueil chrétien.

Prières, conseils, offices, modèles de toei tseu, etc. Table des matières.

5 livres.

In-12. Papier blanc, titre noir sur blanc. 1 vol. cartonnage.
Nouveau fonds 4588.

7456. 日課撮要
Ji khoo tshoo yao ; alias :

聖教日課
Cheng kiao ji khoo.

Offices et prières.

Recueil gravé à l'église Chi-thai, à Péking (1837), avec autorisation du P. Kiang Ti-tę. Table des matières en 9 feuillets.

— I.

Song king khiuen yu.

N⁰ 7353, art. I.
Feuillets 1, 2.

— II.

領大赦祈求經
Ling ta chę khi khieou king.

Prière pour obtenir une indulgence.

Feuillet 2.
Cf. n⁰ 7433, art. XXII.

— III.

早課
Tsao khoo.

Prière du matin.

Comprenant le pater, l'ave, le décalogue, etc.

Feuillets 3 à 16.

— IV.

Oou sie li.

N⁰ 7433, art. XLIII.
Feuillets 16, 17.

— V.

Ye sou chęng hao tao oen.

N⁰ 7354, art. VII.
Feuillets 18 à 25.

— VI.

晚 課

Oan khoo.

Prière du soir.

Feuillets 26 à 28.

— VII.

Cheng mou tẹ siu tao oen.

Nº 7353, art. III.

Feuillets 29 à 32.

— VIII.

誦

Song.

Hymnes et prières.

Feuillets 33 à 35.

— IX.

Cheng mou mei koei king chi oou toan.

Nº 7353, art. IV.

Feuillets 36 à 47.

— X.

解 罪 前 後 經

Kiai tsoei tshien heou king.

Prières avant et après la confession.

Feuillets 48 à 57.

— XI.

Yu mi sa li.

Nº 7433, art. XVI.

Feuillets 58 à 74.

— XII.

誦

Song.

Hymnes et prières.

Feuillets 75 à 79.

— XIII.

祈 求 聖 沙 勿 略 祝 文

Khi khieou cheng cha oou lio tchou oen.

Prières à saint François Xavier.

Feuillets 79, 80.

— XIV.

聖 五 傷 方 濟 各 祝 文

Cheng oou chang fang tsi ko tchou oen.

Prière à saint François aux stigmates.

Suivie d'autres prières.

Feuillets 80 à 83.

Cf. nº 7372, art. XXXI.

— XV.

依 賴 聖 母 輔 佑 經

Yi lai cheng mou fou yeou king.

Prières pour demander la protection de la Sainte Vierge.

Memorare et autres prières.

Feuillets 83 à 87.

— XVI.

Khi khieou cheng kiao ta hing tchou oen.

Prière pour la propagation de la religion.

Nº 7357, art. XX ; avec des prières pour d'autres objets.

Feuillets 87 à 91.

— XVII.

晨 興 善 願 誦

Tchhen hing chan yuen song.

Hymnes et prières à dire le matin et en diverses circonstances.

Feuillets 91 à 96.

— XVIII.

Hoen phei tchou oen.

Nº 7355, art. XXI.

Feuillets 96, 97.

— XIX.

遇 雷 霆 暴 風 迅 雨 地 震 時 誦

Yu lei thing pao fong sin yu ti tchen chi song.

Prières pour les cas de danger.

Feuillets 97 à 99.

— XX.

耶 穌 聖 誕 子 時 祝 文

Ye sou cheng tan tseu chi tchou oen.

Prière pour la nuit de Noël.

Et autres prières.

Feuillets 99 à 112.

— XXI.

聖 若 翰 保 弟 斯 大 祝 文

Cheng jo han pao ti seu ta tchou oen.

Prières à saint Jean-Baptiste et à d'autres saints.

Feuillets 112 à 119.

— XXII.

Cheng jen lie phin tao oen.

Nº 7354, art. X.

Feuillets 120 à 131.

— XXIII.

瘞 塋 禮 典

Yi ying li tien.

Prières des agonisants, prières des morts, prières pour la sépulture.

Feuillets 132 à 149.

N° 7355, art. XXIV.

— XXIV.

Lien yu tao oen.

N° 7354, art. XII.

Feuillets 150 à 156.

— XXV.

求爲在教適亡誦

Khieou oei tsai kiao chi oang song.

Prière pour ceux qui sont morts dans la religion.

Et autres prières.

Feuillets 156 à 159.

XXVI.

聖味增爵禱文

Cheng oei tseng tsio tao oen.

Litanies de saint Vincent.

Feuillets 160 à 163.

— XXVII, annexe.

五傷經規程

Oou chang king koei tchheng.

Prière des Cinq Plaies.

6 feuillets sans pagination.

Cf. n° 7349, art. I.

— XXVIII, annexe.

Yong tchan li piao.

Cf. n° 7372, art. XLIII.

2 feuillets, sans pagination.

In-18. Papier blanc. 1 vol. cartonnage.

Nouveau fonds 4589.

———

7457. — I.

敬禮聖母月

King li cheng mou yue.

Mois de Marie.

Table pour les 31 jours ; texte. Par le P. Zottoli (1854) ; autorisation de Mgr André Borgniet, Jésuite (1811-1862 ; noms chinois Nien Oen-seu 'An-te).

Feuillets 1 à 62.

— II.

獻心善規

Hien sin chan koei.

Offrande au cœur de Marie.

Cf. n° 7372, art. XXVIII.

Feuillet 63.

— III.

獻心祝文

Hien sin tchou oen.

Prière de consécration au cœur de Marie.

Feuillets 63, 64.

— IV.

大赦寬恩

Ta chẹ khoan 'en.

Bref d'indulgence.

Feuillet 64.

— V.

月間歌詩

Yue kien ko chi.

Hymnes pour le mois de Marie.

Feuillets 65, 66.

— VI.

敬禮聖母日

King li cheng mou ji.

Jours consacrés à la Sainte Vierge pendant l'année.

Feuillets 67 à 72.

— VII.

一敬禮聖母淨配

Yi king li cheng mou tsing phei.

1°, jour des Épousailles de la B. V. Marie.

Feuillets 72, 73.

— VIII.

二敬禮聖母受潔

Eul king li cheng mou cheou kie.

2°, jour de la Purification.

Feuillets 73 à 75.

— IX.

三敬禮聖母領報

San king li cheng mou ling pao.

3°, jour de l'Annonciation.

Feuillets 75, 76.

— X.

四敬禮聖母七苦

Seu king li cheng mou tshi khou.

4°, jour de N. D. des Sept Douleurs.

Feuillets 76 à 78.

— XI.

五敬禮聖母往見

Oou king li cheng mou oang kien.

5°, jour de la Visitation.

Feuillets 78, 79.

— XII.

六敬禮聖母升天

Lou king li cheng mou cheng thien.

6°, jour de l'Assomption.

Feuillets 79, 80.

— XIII.

七 敬 禮 聖 母 聖 誕

Tshi king li cheng mou cheng tan.

7°, jour de la Nativité de la B. V. Marie.

Feuillets 8o, 81.

— XIV.

八 敬 禮 聖 母 玫 瑰

Pa king li cheng mou mei koei

8°, jour du T. S. Rosaire.

Feuillets 81 à 84.

— XV.

九 敬 禮 聖 母 主 保

Kieou king li cheng mou tchou pao.

9°, jour du Patronage de la Sainte Vierge.

Feuillets 84, 85.

— XVI.

十 敬 禮 聖 母 獻 堂

Chi king li cheng mou hien thang.

10°, jour de la Présentation de la B. V. Marie.

Feuillets 85 à 87.

— XVII.

十 一 敬 禮 聖 母 始 胎

Chi yi king li cheng mou chi thai.

11°, jour de l'[Immaculée] Conception.

Feuillets 87 à 89.

— XVIII.

十 二 敬 禮 聖 母 聖 產

Chi eul king li cheng mou cheng tchhan.

12°, jour de l'Enfantement de la B. V. Marie.

Feuillets 89 à 91.

Comparer Catalogus librorum 66.

Petit in-8. Papier blanc, titre. 1 vol. demi-reliure de Chang-hai.

Nouveau fonds 3654.

7458. — I.

敬 禮 聖 心 月
King li cheng sin yue.

Mois du Sacré Cœur.

Préface; table pour les trente jours; texte. Par le P. Zottoli, avec autorisation de Mgr Languillat (1865).

Feuillets 1 à 138.

— II.

敬 禮 經 文
King li king oen.

Prières et hymnes au Sacré Cœur.

Avec une table spéciale.

Feuillets 139 à 153

— III.

敬禮諸務

King li hiai oou.

Règles pour adorer le Sacré Cœur.

Feuillets 154 à 164.

— IV.

聖心會規

Cheng sin hoei koei.

Règlement de la confrérie du Sacré Cœur.

Feuillets 165 à 169.

— V.

虔禱宗會

Khien tao tsong hoei.

Confrérie de prières.

Feuillets 170 à 175.

Catalogus librorum 65.

Petit in-8. Papier blanc; titre noir sur blanc. 1 vol. demi-reliure de Chang-hai.

Nouveau fonds 3648.

7459. — I.

敬禮若瑟月

King li jo sẹ yue.

Mois de saint Joseph.

Par le P. Zottoli, avec autorisation du P. della Corte (1868); gravé à l'église Tsheu-mou (1871). Préface de l'auteur (1868). Table des trois décades formant 3 livres; texte pour les 31 jours, avec pagination nouvelle pour chaque livre.

Catalogus librorum 67.

— II.

切效經

Tshie hiao king.

Imitation de saint Joseph, prière.

Feuillet 56.

— III.

恃怙誦

Chi hou song.

Confiance en saint Joseph.

Feuillet 56.

Catalogus librorum 67.

Petit in-8. Papier blanc, titre noir sur blanc. 1 vol. demi-reliure de Chang-hai.

Nouveau fonds 3657.

7460.　　聖 心 報

Cheng sin pao.

Journal du Sacré Cœur.

Mensuel ; donnant des exhortations et quelques nouvelles religieuses ; publié à Zi-ka-wei.

Feuillets 13 à 24 (un n° de 1887).

Petit in-8. Papier teinté, frontispice. 1 vol. cartonnage.

Nouveau fonds 5062.

7461. — I.

聖 思

Cheng seu ; alias :

一 月 聖 思

Yi yue cheng seu.

Pensées pieuses pour tous les jours du mois.

Avec introduction et table.

Feuillets 1 à 17.

— II.

安 當 聖 人 神 學 箴 規

'An tang cheng jen chen hio tchen koei.

Avertissements spirituels de saint Antoine.

Feuillets 17, 18.

Petit in-8. Manuscrit. 1 vol. cartonnage.

Nouveau fonds 2884.

7462.　　思 正 恩 言

Seu tcheng 'en yen.

Méditations sur la vie de Notre Seigneur.

Depuis l'incarnation jusqu'au jugement général ; 33 pièces en heptasyllabes.

18 feuillets.

Petit in-8. Titre noir sur blanc. 1 vol. cartonnage.

Nouveau fonds 3122.

7463.

Double.

1 vol. cartonnage.
Nouveau fonds 3123.

7464.

Double.

1 vol. cartonnage.
Nouveau fonds 4846.

7465.

Ouvrage analogue, sans titre.

18 feuillets.

Petit in-8. Bonne gravure. 1 vol. cartonnage.

Nouveau fonds 4965.

CHAPITRE XIX : PROTESTANTISME

Première Section : LA BIBLE

7466-7467. 耶穌基利士督我主救者新遺詔書

Ye sou ki li chi tou oo tchou kieou tchę sin yi tchao chou.

Le Nouveau Testament.

Traduction datée de 1813, faite et publiée à Canton par Robert Morrison. Table des matières.

8 livres.

Grand in-8. Papier blanc, titre noir sur blanc ; couvertures de papier jaune. 2 vol. cartonnage.

Nouveau fonds 3094, 3095.

7468.

Traduction de la Bible semblable aux nᵒˢ 7470-7472.

— I.

神造萬物書

Chen tsao oan oou chou.

Genèse.

50 chapitres (36 feuillets).

— II.

出以至百多書

Tchhou yi tchi po to chou.

Exode.

40 chapitres (29 feuillets).

— III.

論利未輩之書

Loęn li oei pei tchi chou.

Lévitique.

27 chapitres (22 feuillets).

— IV.

數以色耳勒子輩之書

Chou yi chę eul lę tseu pei tchi chou.

Nombres.

36 chapitres (33 feuillets).

— V.

摩西復示律書

Mo si feou chi liu chou.

Deutéronome.

34 chapitres (25 feuillets).

— VI.

若書亞之書

Jo chou ya tchi chou.

Josué.

24 chapitres (20 feuillets).

— VII.

列審司之書

Lie chen seu tchi chou.

Juges.

21 chapitres (19 feuillets).

— VIII.

路得之書

Lou te̦ tchi chou.

Ruth.

4 chapitres (3 feuillets).

— IX.

撒母以勒之書

Sa mou yi le̦ tchi chou.

Samuel.

31 + 24 chapitres (27 + 23 feuillets).

— X.

王輩之書

Oang pei tchi chou.

Rois.

22 + 25 chapitres (25 + 26 feuillets).

— XI.

列史官之書

Lie chi koan tchi chou.

Paralipomènes.

29 + 36 chapitres (26 + 28 feuillets).

— XII.

依沙耳亞

Yi cha eul ya.

Esdras.

10 chapitres (9 feuillets).

— XIII.

尼希米亞之書

Ni hi mi ya tchi chou.

Néhémie.

13 chapitres (12 feuillets).

— XIV.

依士得耳之書

Yi chi te̦ eul tchi chou.

Esther.

10 chapitres (6 feuillets).

— XV.

先知以賽亞之書

Sien tchi yi sai ya tchi chou.

Isaïe.

66 chapitres (36 feuillets).

— XVI.

預知者耶利未亞之書

Yu tchi tchẹ ye li oei ya tchi chou.

Jérémie.

52 chapitres (41 feuillets).

— XVII.

先知者耶利未亞之哀詞

Sien tchi tchẹ ye li oei ya tchi 'ai seu.

Lamentations de Jérémie.

5 chapitres (4 feuillets).

— XVIII.

預知者以西基路之書

Yu tchi tchẹ yi si ki lou tchi chou.

Ezéchiel.

48 chapitres (35 feuillets).

— XIX.

先知者但依勒之書

Sien tchi tchẹ tan yi lẹ tchi chou.

Daniel.

12 chapitres (11 feuillets).

— XX.

預知者賀西亞之書

Yu tchi tchẹ ho si ya tchi chou.

Osée.

14 chapitres (6 feuillets).

— XXI.

先知者若以利之書

Sien tchi tchẹ jo yi li tchi chou.

Joël.

3 chapitres (2 feuillets).

— XXII.

預知者亞摩士之書

Yu tchi tchẹ ya mo chi tchi chou.

Amos.

9 chapitres (5 feuillets).

— XXIII.

先知者俄罷 (*alias* 羅) 氏亞之書

Sien tchi tchẹ 'o pa (alias lo) ti ya tchi chou.

Abdias.

1 feuillet.

— XXIV.

預知者拿若 (*alias* 若拿) 之書

Yu tchi tchẹ na jo (al. jo na) tchi chou.

Jonas.

4 chapitres (2 feuillets).

— XXV.

先知者米加之書

Sien tchi tchẹ mi kia tchi chou.

Michée.

7 chapitres (4 feuillets).

— XXVI.

預知者那孚模之書

Yu tchi tchẹ na feou mou tchi chou.

Nahum.

3 chapitres (2 feuillets).

— XXVII.

先知者夏巴革之書

Sien tchi tchẹ hia pa kẹ tchi chou.

Habacuc.

3 chapitres (2 feuillets).

— XXVIII.

預知者西法尼亞之書

Yu tchi tchẹ si fa ni ya tchi chou.

Sophonie.

3 chapitres (2 feuillets).

— XXIX.

先知者夏佳之書

Sien tchi tchẹ hia kia tchi chou.

Aggée.

2 chapitres (2 feuillets).

— XXX.

預知者西加利亞之書

Yu tchi tchẹ si kia li ya tchi chou.

Zacharie.

14 chapitres (7 feuillets).

— XXXI.

先知者馬拉記之書

Sien tchi tchẹ ma la ki tchi chou.

Malachie.

4 chapitres (2 feuillets).

— XXXII.

若百書
Jo po chou.

Job.

42 chapitres (17 feuillets).

— XXXIII.

大五得詩
Ta oou tẹ chi.

Psaumes.

1 5 o pièces (46 feuillets).

— XXXIV.

所羅門之俗語

So lo męn tchi sou yu.

Proverbes.

3 1 chapitres (1 5 feuillets).

— XXXV.

宣道者書

Siuen tao tchę chou.

Ecclésiaste.

1 2 chapitres (6 feuillets).

— XXXVI.

所羅門之詩歌

So lo męn tchi chi ko.

Cantique des cantiques.

8 chapitres (3 feuillets).

Grand in-8. Une partie de l'ouvrage est imprimée à la chinoise, une partie sur recto et verso, papier de genre européen. 1 vol. demi-reliure , au chiffre de Napoléon III.

Nouveau fonds 2172.

7469.

Chen tsao oan oou chou.

Double du n° précédent, art. I.

1 vol. demi-reliure, au chiffre de Napoléon III.

Nouveau fonds 2173.

7470-7472.

La Bible traduite par le Dr Marshman. Même ouvrage qu'au n° 7468, avec titres anglais sur les couvertures ; les n°s 7471, 7472 sont imprimés sur le recto et le verso du papier, le n° 7470 est imprimé partie à la chinoise, partie à l'européenne.

— I à V (7470).

The Pentateuch in Chinese ; printed at Serampore with metallic, moveable characters 1817.

N° 7468, art. I à V.

— VI à XIV (7470).

The Historical books in Chinese ; printed at Serampore, with metallic, moveable characters 1817.

N° 7468, **art.** VI à XIV.

— XV à XIX (7471).

The Hagiographa... in Chinese. Serampore... 1818.

N° 7468, art. XXXII à XXXVI.

— XX à XXXVI (7471).

The Prophetic books in Chinese... Serampore... 1819.

N° 7468, art XV à XXXI.

13

— XXXVII (7472).

The New Testament in Chinese... Serampore... 1815-1822.

使徒馬竇傳福音書

Chi thou ma teou tchhoan fou yin chou.

Évangile selon saint Matthieu.

28 chapitres (24 feuillets).

— XXXVIII (7472).

馬耳可傳福音書

Ma eul kho tchhoan fou yin chou.

Évangile selon saint Marc.

16 chapitres (16 feuillets).

— XXXIX (7472).

聖路加傳福音之書

Cheng lou kia tchhoan fou yin tchi chou.

Évangile selon saint Luc.

24 chapitres (24 feuillets).

— XL (7472).

若翰傳福音之書

Jo han tchhoan fou yin tchi chou.

Évangile selon saint Jean.

21 chapitres (20 feuillets).

— XLI (7472).

使徒行傳

Chi thou hing tchoan.

Actes des Apôtres.

28 chapitres (22 feuillets).

— XLII (7472).

使徒保羅書

Chi thou pao lo chou.

Épîtres de saint Paul.

14 épîtres, formant 100 chapitres (61 feuillets).

— XLIII (7472).

者米士卽牙可百之公書

Tchę mi chi tsi ya kho po tchi kong chou.

Épître catholique de saint Jacques.

5 chapitres (3 feuillets).

— XLIV (7472).

使徒彼多羅之公書

Chi thou pi to lo tchi kong chou.

Épîtres catholiques de saint Pierre.

2 épîtres, formant 8 chapitres (5 feuillets).

— XLV (7472).

使徒若翰之書

Chi thou jo han tchi chou.

Épîtres de saint Jean.

3 épîtres formant 7 chapitres (4 feuillets).

— XLVI (7472).

使徒如大之公書

Chi thou jou ta tchi kong chou.

Épître catholique de saint Jude.

1 chapitre (1 feuillet).

— XLVII (7472).

使徒若翰顯示之書

Chi thou jo han hien chi tchi chou.

Apocalypse de saint Jean.

22 chapitres (13 feuillets).

Grand in-8. 3 vol. cartonnage.
Nouveau fonds 4571 à 4573.

7473.

Recueil incomplet, double partiel du précédent.

— I.

使徒保羅與羅馬輩書

Chi thou pao lo yu lo ma pei chou.

Épître de saint Paul aux Romains.

16 chapitres (10 feuillets).
Cf. 7472, art. XLII.

— II.

使徒保羅與可林多輩書

Chi thou pao lo yu kho lin to pei chou.

Épître de saint Paul aux Corinthiens.

16 chapitres (9 feuillets).
Cf. n° 7472, art. XLII.

— III.

使徒保羅與可林多輩第二書

Chi thou pao lo yu kho lin to pei ti eul chou.

Seconde épître de saint Paul aux Corinthiens.

13 chapitres (7 feuillets).
Cf. n° 7472, art. XLII.

— IV.

者米士卽牙可百之公書

Tchę mi chi tsi ya kho po tchi kong chou.

Épître catholique de saint Jacques.

5 chapitres (3 feuillets).
Cf. n° 7472, art. XLIII.

— V.

使徒彼多羅之第一公書

Chi thou pi to lo tchi ti yi kong chou.

Première épître catholique de saint Pierre.

5 chapitres (3 feuillets).
Cf. n° 7472, art. XLIV.

— VI.

使徒彼多羅之第二公書

Chi thou pi to lo tchi ti eul kong chou.

Seconde épître catholique de saint Pierre.

3 chapitres (2 feuillets).
Cf. n° 7472, art. XLIV.

— VII.

使徒若翰之第一公書

Chi thou jo han tchi ti yi kong chou.

Première épître catholique de saint Jean.

5 chapitres (3 feuillets).
Cf. n° 7472, art. XLV.

— VIII.

使徒若翰之第二第三書

Chi thou jo han tchi ti eul ti san chou.

Seconde et troisième épîtres de saint Jean.

2 chapitres (1 feuillet).
Cf. n° 7472, art. XLV.

— IX.

使徒如大之公書

Chi thou jou ta tchi kong chou.

Épître catholique de saint Jude.

1 chapitre (1 feuillet).
Cf. n° 7472, art. XLVI.

— X.

使徒若翰顯示之書

Chi thou jo han hien chi tchi chou.

Apocalypse de saint Jean.

22 chapitres (13 feuillets).
Cf. n° 7472, art. XLVII.

Grand in-8. Les art. II, III, VI, VIII, présentent, pour la gravure, des différences avec les articles correspondants du n° 7472. 1 vol. demi-reliure, au chiffre de Napoléon III.

Nouveau fonds 2174.

7474.

Double partiel du nº 7472.

— I.

Nº 7472, art. XLII.

— II.

Nº 7472, art. XLIII.

— III.

Nº 7472, art. XLIV.

— IV.

Nº 7472, art. XLV.

— V.

Nº 7472, art. XLVI.

— VI.

Nº 7472, art. XLVII.

1 vol. cartonnage.
Nouveau fonds 3129.

7475.

Double.

— I à XI.

Doubles respectifs du nº 7472, art. XXXVII à XLVII.

1 vol. cartonnage.
Nouveau fonds 3096.

———

7476 7484.

Holy Bible in chinese : by Morrison and Milne ; from the London Missionary Society..... Issued from the Anglo-Chinese College 1823.

神天聖書。神天上帝啓示舊遺詔書。神天上帝啓示新遺詔書

Chen thien cheng chou. Chen thien chang ti khi chi kieou yi tchao chou. Chen thien chang ti khi chi sin yi tchao chou.

Bible de Malacca, gravée sur bois à la chinoise. Titre noir sur papier jaune. Table des divisions et des livres.

— I (7476).

創世歷代傳

Tchhoang chi li tai tchoan.

Genèse.

64 feuillets.

Titre noir sur blanc.

— II (7476).

出以至比多地傳

Tchhou yi tchi pi to ti tchoan.

Exode.

104 feuillets.

Titre noir sur jaune.

— III (7477).

利未氏古傳書 (*alias* 書傳)

Li oei ti kou tchhoan chou (alias chou tchoan).

Lévitique.

77 feuillets.

Titre noir sur jaune.

— IV (7477).

算民數書傳

Soan min chou chou tchoan.

Nombres.

109 feuillets.

Titre noir sur jaune.

— V (7477).

復講法律傳

Feou kiang fa liu tchoan.

Deutéronome.

91 feuillets.

Titre noir sur jaune.

— VI (7478).

若書亞之傳

Jo chou ya tchi tchoan.

Josué.

69 feuillets

Titre noir sur jaune.

— VII (7478).

審司書傳

Chen seu chou tchoan.

Juges.

68 feuillets.

— VIII (7478).

路得氏傳書

Lou tẹ chi tchhoan chou.

Ruth.

9 feuillets.

Titre noir sur jaune.

— IX (7478).

撒母以勒書

Sa mou yi lẹ chou.

Samuel.

88 + 73 feuillets.

— X (7479).

列王書傳

Lie oang chou tchoan.

Rois.

84 + 79 feuillets.

Titre noir sur jaune.

— XI (7479).

歷代史紀書傳

Li tai chi ki chou tchoan.

Paralipomènes.

84 + 92 feuillets.

Titre noir sur jaune.

— XII (7480).

以士拉傳書

Yi chi la tchhoan chou.

Esdras.

28 feuillets.

Titre noir sur jaune.

— XIII (7480).

尼希米亞之書

Ni hi mi ya tchi chou.

Néhémie.

40 feuillets.

— XIV (7480).

以士得耳之書

Yi chi tẹ eul tchi chou.

Esther.

21 feuillets.

— XV (7480).

若百之書

Jo po tchi chou.

Job.

66 feuillets.

— XVI (7480).

神詩書

Chen chi chou.

Psaumes.

148 feuillets.

Titre noir sur jaune.

— XVII (7480).

諺語傳書

Yen yu tchhoan chou.

Proverbes.

54 feuillets.

Titre noir sur jaune.

— XVIII (7480).

宣道傳

Siuen tao tchoan; alias:

倚基理西亞書

Yi ki li si ya chou.

Ecclésiaste.

19 feuillets.

— XIX (7480).

所羅門之歌

So lo mẹn tchi ko.

Cantique des cantiques.

11 feuillets.

— XX (7481).

先知以賽亞書

Sien tchi yi sai ya chou.

Isaïe.

136 feuillets.

Titre noir sur jaune.

— XXI (7481).

先知耶利米亞書

Sien tchi ye li mi ya chou; alias :

達未來者耶利米亞傳書

Ta oei lai tchẹ ye li mi ya tchhoan chou.

Jérémie.

150 feuillets.

Titre noir sur jaune.

— XXII (7481).

耶利米亞悲歎歌

Ye li mi'ya pei than ko.

Lamentations de Jérémie.

13 feuillets.

— XXIII (7482).

先知依西其理書

Sien tchi yi si khi li chou.

Ézéchiel.

132 feuillets.

Titre noir sur jaune.

— XXIV (7482).

先知 (alias 達未來者) 但依理書

Sien tchi (alias Ta oei lai tchẹ) tan yi li chou.

Daniel.

39 feuillets.

Titre noir sur jaune.

— XXV (7482).

十二先知者之傳書。何西亞之書

Chi eul sien tchi tchẹ tchi tchhoan chou. Ho si ya tchi chou.

Les douze prophètes. Osée.

21 feuillets.

— XXVI (7482).

若以利之書

Jo yi li tchi chou.

Joël.

8 feuillets.

— XXVII (7482).

亞麼士書

Ya mo chi chou.

Amos.

17 feuillets.

— XXVIII (7482).

阿巴氏亞書

'O pa ti ya chou.

Abdias.

3 feuillets.

— XXIX (7482).

若拿傳書

Jo na tchhoan chou.

Jonas.

5 feuillets.

— XXX (7482).

米加傳書

Mi kia tchhoan chou.

Michée.

12 feuillets.

— XXXI (7482).

拿戶馬傳書

Na hou ma tchhoan chou.

Nahum.

6 feuillets.

— XXXII (7482).

夏巴古傳書

Hia pa kou tchhoan chou.

Habacuc.

6 feuillets.

— XXXIII (7482).

洗法尼亞傳書

Si fa ni ya tchhoan chou.

Sophonie.

7 feuillets.

— XXXIV (7482).

夏哀傳書

Hia 'ai tchhoan chou.

Aggée.

5 feuillets.

— XXXV (7482).

洗革利亞傳書

Si ke li ya tchhoan chou.

Zacharie.

24 feuillets.

— XXXVI (7482).

達未來者馬拉其傳書

Ta oei lai tche ma la khi tchhoan chou.

Malachie.

7 feuillets.

— XXXVII (7483).

救世我主耶穌新遺詔書。聖馬竇傳福音書

Kieou chi oo tchou ye sou sin yi tchao chou. Cheng ma teou tchhoan fou yin chou.

Le Nouveau Testament. Evangile selon saint Matthieu.

71 feuillets.

Titre noir sur jaune.

— XXXVIII (7483).

聖馬耳可傳福音書

Cheng ma eul kho tchhoan fou yin chou.

Évangile selon saint Marc.

45 feuillets.

— XXXIX (7483).

聖路加傳福音書

Cheng lou kia tchhoan fou yin chou.

Évangile selon saint Luc.

70 feuillets.

— XL (7483).

聖若翰傳福音之書

Cheng jo han tchhoan fou yin tchi chou.

Evangile selon saint Jean.

58 feuillets.

— XLI (7484).

使徒行傳

Chi thou hing tchoan.

Actes des Apôtres.

64 feuillets.

— XLII (7484).

聖保羅使徒書

Cheng pao lo chi thou chou.

Épîtres de saint Paul.

7₁ + 6₁ + 22 feuillets (1 à 22).

— XLIII (7484).

者米士或稱牙可百之公書

Tchẹ mi chi hoẹ tchheng ya kho po tchi kong chou.

Épître catholique de saint Jacques.

Feuillets 23 à 3o.

— XLIV (7484).

聖彼多羅之公書

Cheng pi to lo tchi kong chou.

Épîtres catholiques de saint Pierre.

Feuillets 3₁ à 45.

— XLV (7484).

聖若翰之書

Cheng jo han tchi chou.

Épîtres de saint Jean.

Feuillets 46 à 58.

— XLVI (7484).

聖如大或稱如大士之公書

Cheng jou ta hoẹ tchheng jou ta chi tchi kong chou.

Épître catholique de saint Jude.

Feuillets 59 à 61.

— XLVII (7484).

聖若翰現示之書

Cheng jo han hien chi tchi chou.

Apocalypse de saint Jean.

Feuillets 62 à 97.

In-18. 9 vol., cartonnage.
Nouveau fonds 4574 à 4582.

7485-7486. 耶穌基利士督我主救者新遺詔書

Ye sou ki li chi tou oo tchou kieou tchę sin yi tchao chou.

Le Nouveau Testament.

Édition analogue aux nᵒˢ 7483, 7484, mais plus grande. Table spéciale à cette édition. Titre noir sur papier jaune.

— I (7485).

Cheng ma teou tchhoan fou yin chou.

Nᵒ 7483, art. XXXVII.

— II (7485).

Cheng ma eul kho tchhoan fou yin chou.

Nᵒ 7483, art. XXXVIII.

— III (7485).

Cheng lou kia tchhoan fou yin chou.

Nᵒ 7483, art. XXXIX.

— IV (7485).

Cheng jo han tchhoan fou yin tchi chou.

Nᵒ 7483, art. XL.

— V (7486).

Chi thou hing tchoan.

Nᵒ 7484, art. XLI.

— VI (7486).

Cheng pao lo chi thou chou.

Nᵒ 7484, art. XLII.

— VII (7486).

Tchę mi chi hoę tchheng ya kho po tchi kong chou.

Nᵒ 7484, art. XLIII.

— VIII (7486).

Cheng pi to lo tchi kong chou.

Nᵒ 7484, art. XLIV.

— IX (7486).

Cheng jo han tchi chou.

Nᵒ 7484, art. XLV.

— X (7486).

Cheng jou ta hoę tchheng jou ta chi tchi kong chou.

Nº 7484, art. XLVI.

— XI (7486).

Cheng jo han hien chi tchi chou.

Nº 7484, art. XLVII.

In-18. 2 vol. cartonnage.
Nouveau fonds 3097, 3098.

———

7487. 此嘉音由呀嘞
所著

Tsheu kia yin yeou ma lę so tchou.

Évangile selon saint Marc.

Imprimé à Canton.

55 feuillets.

Petit in-8. 1 vol. cartonnage.
Nouveau fonds 3186.

Deuxième Section : EXPOSÉ DE LA DOCTRINE

7488. — I.

幼學淺解問荅

Yeou hio tshien kiai oen ta.

Explication facile de la doctrine chrétienne en dialogue.

Composée en 1816 et signée du pseudonyme Po-'ai-tchę ; préface.

32 feuillets.

Titre noir sur papier teinté.

— II.

祈禱眞法註解

Khi tao tchen fa tchou kiai.

Explication du Pater.

Par le même, avec préface de l'auteur (1818).

10 sections (40 feuillets).

Titre noir sur jaune.

— III.

賭博明論畧講

Tou po ming loęn lio kiang.

Contre le jeu.

Par le même.

13 feuillets.

Titre noir sur bistre.

— IV.

聖書節註十二訓

Cheng chou tsie tchou chi eul hiun.

Douze instructions sur les principaux dogmes.

Par le même.

12 feuillets.

Titre noir sur bistre.

— V.

崇 眞 實 棄 假 謊 略 說

Tchhong tchen chi khi kia hoang lio choẹ.

On doit respecter la vérité et renoncer au mensonge.

Traité par le même.

Feuillets 71 à 75.

Petit in-8. 1 vol. cartonnage.
Nouveau fonds 4590.

7489. ## 天 理 要 論

Thien li yao loẹn.

Principes de la religion chrétienne.

Signés du pseudonyme Chang-tẹ-tchẹ.

96 feuillets de papier genre européen, imprimés sur le recto et le verso.

Petit in-8. Papier blanc; titre sur papier blanc; bonne gravure. 1 vol. cartonnage.

Nouveau fonds 2321.

Troisième Section : **CONTROVERSE, ETC.**

7490. ## 釋 教 正 謬

Chi kiao tcheng mieou.

Les erreurs du bouddhisme redressées.

Par un Anglais 'Ai Yo-sẹ Ti-kin; publié à Chang-hai, à la librairie Mẹ-hai (1857).

31 feuillets.

Petit in-8. Titre noir sur jaune. 1 vol. demi-reliure au chiffre de Napoléon III.
Nouveau fonds 1559.

7491. ## 華 番 和 合 通 書

Hoa fan hoo ho thong chou.

Mélanges chinois et étrangers.

Publiés sans nom d'auteur à Hong-kong (1844).

— I.

東 西 洋 球 圖

Tong si yang khieou thou.

Mappemonde.

1 feuille pliée; 2 feuillets de texte.

— II.

天 地 出 產 禽 獸 畧

Thien ti tchhou tchhan khin cheou lio.

Abrégé des productions naturelles (animaux).

1 feuille pliée : planisphère en projection de Mercator avec des figures d'animaux. 1 feuillet de texte.

— III.

論星儀師生問荅

Loen sing yi chi cheng oen ta.

Dialogue sur l'astronomie.

4 feuillets avec 1 figure.

— IV.

古今紀事錄

Kou kin ki chi lou.

Abrégé de chronologie.

2 feuillets.

— V.

眞神天皇上帝親諭十條聖誡略解

Tchen chen thien hoang chang ti tshin yu chi thiao cheng kiai lio kiai.

Le décalogue expliqué.

Texte avec notes.

5 feuillets.

— VI.

論悔罪信耶穌

Loen hoei tsoei sin ye sou.

Sur le repentir du péché et la foi en Jésus.

Texte annoté.

6 feuillets.

— VII.

論罪之報

Loen tsoei tchi pao.

Sur le salaire du péché.

6 feuillets.

— VIII.

鴉片進中國畧

Ya phien tsin tchong koe lio ; alias :

鴉片來中國統計若干列

Ya phien lai tchong koe thong ki jo kan lie.

Quantités d'opium entrées annuellement en Chine de 1796 à 1842.

Feuillets 1, 2.

— IX.

勸戒鴉片烟眞艮言

Khiuen kiai ya phien yen tchen liang yen.

Conseils contre l'opium.

Feuillets 2, 3.

— X.

荳蔲樹略論

Teou heou chou lio loen.

Sur le muscadier.

Notice signée de l'Anglais Lo (1843).

1 feuillet sans pagination.

— XI.

戒酒文

Kiai tsieou oen.

Traité contre le vin.

1 feuillet sans pagination.

— XII.

論過年之道

Loen koo nien tchi tao.

Sur le renouvellement de l'année.

Prédication morale, annotée.

4 feuillets.

— XIII.

日月交蝕定識文

Ji yue kiao chi ting chi oen.

Sur la prédiction des éclipses.

1 feuillet.

— XIV.

日月刻度通書

Ji yue kho tou thong chou.

Calendrier pour 1844.

Imité du calendrier impérial ; concordance avec le calendrier européen.

24 feuillets.

Grand in-8. Titre noir sur jaune. 1 vol. demi-reliure.

Nouveau fonds 422.

Chapitre XX : ISLAMISME

7492. 正教眞詮

Tcheng kiao tchen tshiuen.

Explication de la vraie religion.

Ouvrage dû à Oang Tai-yu (1642). Texte avec notes dans la marge supérieure. Postface par Tcheng Ying-sou, de Phou. Gravé à la salle Tshing-tchen.

Feuillets 54 à 111 du hia khiuen (livre 2 ou 3).

Grand in-8. 1 vol., cartonnage (provenant de la bibliothèque Sainte-Geneviève).

Nouveau fonds 3175.

Chapitre XXI : ENCYCLOPÉDIES

7493-7498. 古香齋鑑賞袖珍初學記

Kou hiang tchai kien chang sieou tchen tchhou hio ki.

Encyclopédie pour les débutants ; édition de poche du Kouhiang tchai.

Compilée, à la suite d'un décret impérial (725) **par divers académiciens** sous la présidence de Siu Kien Yuen-kou, originaire de Houtcheou (659-729). Préface de l'édition de 1134 par Lieou Pẹn, de Fouthang. Table des matières (23 sections) ; texte et notes.

30 livres. — Cat. imp., liv. 135, f. 9.

In-24. Titre noir sur rouge. 6 vol. demi-rel., au chiffre de Louis Philippe.
Nouveau fonds 129.

7499. 重訂事類賦
Tchhong ting chi lei fou.

Encyclopédie en style poétique.

Texte principal et commentaire par Oou Chou Tcheng-yi, de Pou-

hai (947-1002). Préface par Pien Toẹn-tẹ (1146). Préface pour la présente édition par Hoa Yun Lin-siang, de Oou-si (fin du XVIᵉ siècle) ; cette édition a été gravée de nouveau en 1827 par la maison Lien-mẹ hoei, planches gardées au pavillon Kien-koang.

30 livres (14 sections). — Cat. imp., liv. 135, f. 18.

In-18. Titre noir sur papier teinté. 1 vol. demi-rel., au chiffre de la République Française.
Nouveau fonds 547.

7500-7515. 太平廣記
Thai phing koang ki.

Recueil méthodique de biographies et autres notices.

Biographies de génies, fées, tao-chi, bonzes, devins, sages, hommes intègres, fonctionnaires, généraux, héros, littérateurs, lettrés, musiciens, calligraphes, calculateurs, sorciers, médecins, baladins, grands buveurs, amis, prodigues, fourbes, tyrans, esclaves ; faits relatifs à des magiciens,

14

spectres, esprits, démons, à des tombeaux, des stèles, au tonnerre, aux montagnes, aux pierres, aux plantes, dragons, tigres, renards, serpents, oiseaux, poissons, barbares, etc. Un décret de 977 prescrit la compilation de ce recueil qui a été gravé en 981; le travail fut exécuté par une commission de douze membres sous la présidence de Li Fang, surnom Ming-yuen, de Jao-yang (924-995). Préface pour la réédition de 1753 par Hoang Tchheng Hiao-fong, de Thien-tou. Rapport dédicatoire de Li Fang (978). Liste des ouvrages consultés (environ 350). Table des matières en 10 livres. Édition de la salle Tsiu-oen, à Kou-sou (1806).

500 livres formant 92 sections. — Cat. imp., liv. 142, f. 32.

In-18. Papier blanc; titre noir sur jaune. 16 vol. demi-reliure.

Nouveau fonds 1520 à 1535.

7516-7540. 太平御覽
Thai phing yu lan.

Encyclopédie des années Thaiphing.

Rédigée dans les mêmes conditions que l'ouvrage précédent par Li Fang (977-983). Préface pour la présente édition par Yuen Yuen, de Yang-tcheou (1812); autre préface (1818) par Pao Tchhong-

tchheng, de Hi. Liste des ouvrages consultés: 844 titres. Table des matières formant 15 livres; dans chaque section les matières sont rangées par ordre analogique, les sources des passages sont citées. Édition gravée sous la direction de Pao Tchhong-tchheng (1807 à 1812).

(7516-7517), ciel, livres 1 à 15.

(7517), saisons, livres 16 à 35.

(7517-7518), terre, livres 36 à 75.

(7518-7519), souverains, livres 76 à 116.

(7519-7520), usurpateurs, livres 117 à 134.

(7520), membres des familles impériales, livres 135 à 154.

(7520-7521), provinces et districts, livres 155 à 172.

(7521), lieux habités, livres 173 à 197.

(7521), féodalité, livres 198 à 202.

(7521-7523), fonctions, livres 203 à 269.

(7523-7525), armée, livres 270 à 359.

(7525-7528), vie sociale, livres 360 à 500.

(7529), solitaires, livres 501 à 510.

(7529), parents et alliés, livres 511 à 521.

(7529-7530), rites, livres 522 à 562.

(7530-7531), musique, livres 563 à 584.

(7531), littérature, livres 585 à 606.

(7531), éducation, livres 607 à 619.

(7531-7532), gouvernement, livres 620 à 634.

(7532), châtiments, livres 635 à 652.

(7532), bouddhisme, livres 653 à 658.

(7532-7533), taoïsme, livres 659 à 679.

(7533), rituels, livres 680 à 683.

(7533), vêtements et insignes, livres 684 à 698.

(7533-7534), tentes et équipages, livres 699 à 719.

(7534), arts, médecine, etc ; livres 720 à 737.

(7534), maladies, livres 738 à 743.

(7534-7535), métiers, livres 744 à 755.

(7535), ustensiles, livres 756 à 765.

(7535), objets divers, livres 766 et 767.

(7535), bateaux, livres 768 à 771.

(7535), voitures, livres 772 à 776.

(7535), ambassades et missions, livres 777 à 779.

(7535-7536), peuples barbares, livres 780 à 801.

(7536), joyaux, livres 802 à 813.

(7536), étoffes, livres 814 à 820.

(7536-7537), productions du sol, livres 821 à 836.

(7537), grains alimentaires, livres 837 à 842.

(7537), boissons et comestibles, livres 843 à 867.

(7537-7538), feu, livres 868 à 871.

(7538), météores et autres signes, livres 872 et 873.

(7538), signes néfastes, livres 874 à 880.

(7538), esprits, livres 881 à 884.

(7538), spectres et prodiges, livres 885 à 888.

(7538-7539), quadrupèdes, livres 889 à 913.

(7539), volatiles, livres 914 à 928.

(7539), animaux à écailles et à carapace, livres 929 à 943.

(7539-7540), insectes et reptiles, livres 944 à 951.

(7540), arbres, livres 952 à 961.

(7540), bambous, livres 962 et 963.

(7540), fruits, livres 964 à 975.

(7540), légumes, livres 976 à 980.

(7540), parfums, livres 981 à 983.

(7540), drogues, livres 984 à 993.

(7540), herbes, livres 994 à 1000.

Cat. imp., liv. 135, f. 20.

Grand in-8. Papier blanc, titre noir sur blanc. 25 vol. demi-rel., au chiffre de Louis-Philippe.

Nouveau fonds 49.

7541-7588. 册府元龜

Tshę fou yuen koei.

Encyclopédie.

Compilée et rédigée de 1005 à 1013 à la suite d'un décret impérial, par une commission sous la présidence de Oang Khin-jo surnom Ting-koę, de Sin-yu († 1024). Préfaces (1642) par Hoang Koę-khi, de Khoang-chan (Yu-tchang) et par Oen Siang-fong, de Si-ki ; notice sur l'ouvrage par Hoang Koę-khi ; postface de 1672 ; notice par Li Seu-king, de Hoai-nan (1642). La présente édition, conforme à celle de 1642, est donnée par Ting Siu Hien-jen, de Ning-tou, qui a écrit une introduction (1754). Texte avec notes. Table en 10 livres.

(7541-7550), souverains, livres 1 à 181.

(7550-7552), dynasties illégitimes, livres 182 à 218.

(7552), soi-disants souverains, livres 219 à 234.

(7552-7553), princes feudataires, livres 235 à 255.

(7553), princes héritiers, livres 256 à 261.

(7554), féodalité, livres 262 à 265.

(7554-7555), membres des familles impériales, livres 266 à 299.

(7555-7556), cognats des familles impériales, livres 300 à 307.

(7556-7557), ministres, livres 308 à 339.

(7557-7563), généraux, livres 340 à 456.

(7563-7564), censeurs, livres 457 à 482.

(7565-7566), finances, livres 483 à 511.

(7566), fonctionnaires judiciaires, livres 512 à 522.

(7566-7568), préposés aux remontrances, livres 523 à 549.

(7568), académies, livres 550 à 553.

(7568-7569), historiographes, livres 554 à 562.

(7569-7570), préposés aux rites, livres 563 à 596.

(7570-7571), éducation publique, livres 597 à 608.

(7571), châtiments, livres 609 à 619.

(7571), administrations secondaires, livres 620 à 625.

(7572), garde impériale, livres 626 à 628.

(7572), nomination des fonctionnaires, livres 629 à 638.

(7572-7573), concours, livres 639 à 651.

(7573), ambassades et missions, livres 652 à 664.

(7573), eunuques, livres 665 à 670.

(7574-7575), gouverneurs, livres 671 à 700.

(7575), préfets et sous-préfets, livres 701 à 707.

(7575-7576), grands dignitaires de la Cour, livres 708 à 715.

(7576), état-major, livres 716 à 730.

(7576-7577), officiers des feudataires, livres 731 à 750.

(7577-7586), section générale, vertus, vices, métiers, livres 751 à 955.

(7586-7588), préposés aux barbares, livres 956 à 1.000.

Cat. imp., liv. 135, f. 22.

Grand in-8. Bonne gravure. 48 vol. demi-rel., au chiffre de la République française.

Nouveau fonds 548.

7589-7600. 新編古今事文類聚

Sin pien kou kin chi oen lei tsiu.

Nouvelle collection encyclopédique ancienne et moderne.

Formée de sept recueils ; les quatre premiers recueils sont dus à Tchou Mou Hoo-fou, de Kien-'an, qui, enfant, fut élève de Tchou Hi ; les cinquième et sixième recueils sont de Fou Ta-yong

Chi-kho (époque des Yuen) ; le dernier est de Tchou Yuen Tsongli (ou Kiun-tse) écrivant vers 1335. Préface pour la réédition (1604) par Thang Fou-tchhoen Tseu-hoo, de Kin-ling. Cette réédition a été gravée de nouveau en 1763 et les planches furent gardées à la salle Tsi-sieou. Table générale pour chaque recueil. Titre général noir sur rouge.

前集
Tshien tsi.

Recueil antérieur.

(7589), ciel, livres 1 à 5.

(7589), saisons et calendrier, livre 6 à 12.

(7589), géographie, livres 13 à 18.

(7589-7590), empereurs, livres 19 à 22.

(7590), morale, livres 23 et 24.

(7590), service officiel, livres 25 à 31.

(7590), solitaires, livres 32 et 33.

(7590), génies et bouddhas, livres 34 et 35.

(7590), métiers, livres 36 et 37.

(7590-7591), arts, médecine, sorcellerie, etc., livres 38 à 43.

(7591), vie humaine, livres 44 à 46.

(7591), maladies, livre 47.

(7591), esprits et démons, livre 48.

(7591), funérailles, deuil, etc., livres 49 à 60.

Titre noir sur blanc.

後集
Heou tsi.

Recueil postérieur.

(7591-7592), **relations sociales,** livres 1 à 16.

(7592), **musiciennes et courtisanes,** livre 17.

(7592), **esclaves et serviteurs,** livre 17.

(7592), **air et maintien,** livres 18 à 21.

(7592), **grains et légumes,** livre 22.

(7592), **arbres,** livre 23.

(7592), **bambous,** livre 24.

(7592), **fruits,** livres 25 à 27.

(7593), **fleurs et herbes,** livres 28 à 32.

(7593), **animaux à écailles,** livres 33 et 34.

(7593), **animaux à carapace,** livre 35.

(7593), **animaux à poils,** livres 36 à 41.

(7593), **animaux à plumes,** livres 42 à 47.

(7593), **insectes et reptiles,** livres 48 à 50.

Titre noir sur blanc.

續集
Siu tsi.

Suite.

(7594), lieux habités, livres 1 à 11.

(7594), parfums et thé, livre 12.

(7594), banquets, livres 13 à 15.

(7594-7595), comestibles, livres 16 et 17.

(7595), lampes et feu, livre 18.

(7595), habits de cour, livre 19.

(7595), coiffures et chaussures, livre 20.

(7595), vêtements et couvertures, livre 21.

(7595), instruments de musique, livres 22 et 23.

(7595), chants et danses, livre 24.

(7595), sceaux et joyaux, livres 25 et 26.

(7595), ustensiles, livres 27 et 28.

Titre noir sur blanc.

別 集
Pie tsi.

Recueil spécial.

(7595), lettrés, livres 1 à 4.

(7595-7596), littérature, livres 5 à 11.

(7596), calligraphes, livres 12 et 13.

(7596), encre, encrier, pinceau, papier, livre 14.

(7596), rites et musique, livre 15.

(7596), caractère et actions des hommes, livres 16 à 21.

(7596), service officiel, livres 22 et 23.

(7596), vie sociale, livres 24 à 32.

Titre noir sur blanc.

外 集
Oai tsi.

Recueil extérieur.

(7597), fonctionnaires du Palais, livres 1 et 2.

(7597), suite aux fonctionnaires, livres 3 à 15.

Titre noir sur blanc.

新 集
Sin tsi.

Nouveau recueil.

(7598-7599), suite aux fonctionnaires, livres 1 à 36.

Titre noir sur blanc.

遺 集
Yi tsi.

Recueil supplémentaire.

(7600), suite aux fonctionnaires, livres 1 à 15.

Titre noir sur blanc.

Cat. imp., liv. 135, f. 36.

Grand in-8. 12 vol. demi-rel., au chiffre de Napoléon III.

Nouveau fonds 1755 à 1766.

7601-7609. 記纂淵海
Ki tsoan yuen hai.

La mer des connaissances.

Par Phan Tseu-mou, de Kinhoa, docteur en 1195 ; complété à l'époque des Ming par Oang Kiapin, de Tong-lou. Préfaces (1579) par Tchhen Oen-soei, de Lintchhoan, et par Hou Oei-sin, de Keou-yu. Table des matières.

(7601), ciel, livres 1 à 5.

(7601-7603), géographie, livres 6 à 25.

(7603-7609), vie sociale, livres 26 à 89.

(7609), objets matériels, livres 90 à 100.

Cat. imp., liv. 135. f. 38.

Grand in-8. Papier blanc, planches usées. 9 vol., demi-rel., au chiffre de la République française.

Nouveau fonds 108.

7610-7625. — I (7610-7622).

玉 海
Yu hai.

La mer de jade.

Encyclopédie par Oang Ying-lin Po-heou, de Siun-yi (1223-1296). Préface par Khang Ki-thien, de Ho-ho à Kiang-ning (1806). Introduction explicative. Préfaces par Hou Tchou, de Tong-yang (1338) ; par Li Hoan, de Tchong-chan (1340) ; introduction par Tchao Yong-hien, de Oou (1589) ; par Li Tchen-yu Oei-jao, de Ki-choei (1687) ; par Hiong Pẹn, de Nan-tcheou (1738) ; par Tchang Hoa, de Koang-tchhoan (1738). Table des matières, comprenant le Yu hai et les articles suivants.

(7610), astronomie, livres 1 à 5.
(7610), calendrier, livres 6 à 13.
(7611), géographie, livres 14 à 25.
(7611), empereurs, livres 26 et 27.
(7611-7612), compositions impériales, livres 28 à 34.
(7612-7614), littérature, livres 35 à 63.
(7614), documents officiels, livres 64 à 67.
(7614), rites, livres 68 à 77.
(7614-7615), voitures et vêtements, livres 78 à 84.
(7615), ustensiles, livres 85 à 91.
(7615-7616), sacrifices, livres 92 à 102.
(7616), musique, livres 103 à 110.
(7616), éducation publique, livres 111 à 113.
(7616-7617), choix des fonctionnaires, livres 114 à 118.
(7617-7618), fonctions, livres 119 à 135.
(7618-7619), armée, livres 136 à 151.
(7619), impôts, livres 152 à 154.
(7619-7620), palais, livres 155 à 175.
(7620-7621), denrées et marchandises, livres 176 à 186.
(7621), expéditions militaires, livres 187 à 194.
(7621-7622), signes de bon augure, livres 195 à 200.

Cat. imp., liv. 135, f. 48.

— II (7622).

辭 學 指 南
Seu hio tchi nan.

Guide pour la rédaction de pièces littéraires de divers genres.

Par Oang Ying-lin, avec préface par l'auteur ; forme les livres 201 à 204 à la suite du Yu hai.

Cat. imp., liv. 135, f. 48.

— III (7622).

詩 攷
Chi khao.

Examen du Chi king.

Par Oang Ying-lin, avec post-face de l'auteur.

1 livre.
Cat. imp., liv. 15, f. 31.

— IV (7622).

詩 地 理 攷
Chi ti li khao.

Examen de la géographie du Chi king.

Par le même; préface de l'auteur.

6 livres.
Cat. imp., liv. 15, f. 33.

— V (7623).

漢 藝 文 志 攷 證
Han yi oen tchi khao tcheng.

Examen critique de la « Bibliographie » du Livre des Han.

Par le même auteur.

10 livres.
Cat. imp., liv. 85, f. 12.

— VI (7623).

通 鑑 地 理 通 釋
Thong kien ti li thong chi.

Explication de la géographie du Tseu tchi thong kien.

Par Oang Ying-lin.

14 livres.
Cat. imp., liv. 47, f. 17.

— VII (7623).

周 書 王 會
Tcheou chou oang hoei.

Les assemblées royales dans le livre des Tcheou, Chou king.

Par le même.

1 livre.

— VIII (7623-7624).

漢 制 攷
Han tchi khao.

Examen des lois de l'époque des Han.

Par le même; préface de l'auteur (1281).

4 livres.
Cat. imp., liv. 81, f. 12.

— IX (7624).

踐 阼 篇 集 觧
Tsien tso phien tsi kiai.

Explication du passage tsien tso, des Li ki.

Par le même.

12 feuillets.

— X (7624).

姓氏急就篇

Sing chi ki tsieou phien.

Répertoire de noms de fa-
mille, noms d'hommes, etc.

Texte avec notes, par Oang
Ying-lin ; postface de l'auteur.

2 livres.

Cat. imp., liv. 135, f. 51.

— XI (7624).

急就

Ki tsieou.

Étude lexicographique.

Par Chi Yeou (Iᵉ s. a. C.) ; com-
mentaires par Yen Chi-kou, de
Oan-nien (579-645) et par Oang
Ying-lin ; postface de ce dernier.

4 livres (34 sections).

Cat. imp., liv. 41, f. 1 (Ki tsieou
tchang).

— XII (7624).

周易鄭康成注

*Tcheou yi tcheng khang tchheng
tchou.*

Le Yi king avec commentaires
de Tcheng Khang-tchheng.

Ouvrage reconstitué par Oang
Ying-lin, avec préface.

1 livre.

Cat. imp., liv. 1, f. 5.

A la table des matières, les art. XII
et XIII sont intervertis.

— XIII (7624).

六經天文編

Lou king thien oen pien.

L'astronomie des six King.

Étude sur les ouvrages suivants :
Yi king, Chou king, Chi king,
Tcheou li, Li ki, Tchhoen tshieou,
par Oang Ying-lin.

2 livres.

Cat. imp., liv. 106, f. 6.

— XIV (7625).

通鑑答問

Thong kien ta oen.

Réponses à des questions sur
le Thong kien.

Étude incomplète sur le Thong
kien et le Thong kien kang mou,
par Oang Ying-lin.

5 livres.

Cat. imp., liv. 88, f. 17.

— XV (7625).

小學紺珠

Siao hio kan tchou.

Petite encyclopédie numé-
rique.

Par le même auteur. Préfaces par Fang Hoei (1300) et par Meou Ying-long, de Ling-yang (1301).

10 livres.

Cat. imp., liv. 135, f. 50.

Grand in-8. 16 vol. demi-reliure. *Nouveau fonds* 106.

7626-7651. — I (7626-7645).

Yu hai.

Même ouvrage qu'aux n⁰ˢ 7610-7622, art. I ; réédition du Tchekiang (1883). Titre noir sur blanc, au verso liste des ouvrages annexés.

— II (7645).

詞學指南
Seu hio tchi nan.

N⁰ 7622, art. II.

— III (7646).

Chi khao.

N⁰ 7622, art. III.

— IV (7646).

Chi ti li khao.

N⁰ 7622, art. IV.

— V (7646).

漢藝文志攷
Han yi oen tchi khao.

N⁰ 7623, art. V.

— VI (7647).

Thong kien ti li thong chi.

N⁰ 7623, art. VI.

— VII (7648).

Tsien tso phien tsi kiai.

N⁰ 7624, art. IX.

— VIII (7648).

急就篇補注
Ki tsieou phien pou tchou.

Étude lexicographique, avec supplément et notes.

N⁰ 7624, art. XI.

— IX (7648).

王會篇補注
Oang hoei phien pou tchou.

Les assemblées royales, avec supplément et notes.

N⁰ 7623, art. VII.

— X (7648).

Han tchi khao.

N⁰ˢ 7623-7624, **art. VIII.**

— XI (7649-7650).

Siao hio kan tchou.

N⁰ 7625, **art. XV.**

— XII (7650).

Sing chi ki tsieou phien.

Nº 7624, art. X.

— XIII (7650).

Lou king thien oen pien.

Nº 7624, art. XIII.

— XIV (7650).

Tcheou yi tcheng khang tchheng tchou.

Nº 7624, art. XII.

— XV (7651).

Thong kien ta oen.

Nº 7625, art. XIV.

— XVI (7651).

校補玉海瑣記

Kiao pou yu hai soo ki.

Supplément à la Mer de Jade.

Précédé d'une note de Tchang Ta-tchhang.

2 livres.

In-4. Papier blanc. 26 vol. cartonnage.

Nouveau fonds 5784 à 5809.

7652-7663. 圖書編

Thou chou pien.

Encyclopédie illustrée.

Ouvrage composé de 1562 à 1577 par Tchang Hoang Pentshing Phing-kiun sien-cheng, de Nan-tchhang. Préface de l'auteur. Notice par Oan Chang-lie, de Sinkien (1613). Notice non datée par Tsien-tchhou-tseu. Préface non signée (1623). Avertissement; table des matières; liste des ouvrages consultés.

(7652-7654), sens des livres canoniques, livres 1 à 15.
(7654-7655), astronomie, calendrier, livres 16 à 28.
(7655-7658), géographie, livres 29 à 67.
(7659), l'homme physique et moral, livres 68 à 77.
(7659-7660), l'histoire, livres 78 à 80.
(7660-7663), la société, livres 81 à 125.
(7663), figures du Yi king, livre 126.
(7663), poésie et autres connaissances, livre 127.

Cat. imp., liv. 136, f. 12.

Grand in-8. Manquent quelques feuillets à la fin du livre 127. 12 vol. demi-rel., au chiffre de Louis Philippe.

Nouveau fonds 376.

7664-7675. 類書山堂肆考

Lei chou chan thang seu khao.

Examen des encyclopédies.

Recueil encyclopédique achevé en 1595 par Pheng Ta-yi Yun-kiu (et Yi-ho), de Yang-tcheou. Préfaces par Tsiao Hong Jo-heou, de Mo-ling (1595); par Ling Jou, de Hai-ling (1595); par Fong Jen Tchong-fou, de Keou-tchang; anonyme (1597); par Liao Tseu-chen Po-chang, de Hoang-kang (1595); par l'auteur (1595). Préface pour l'édition (vers 1619). Plusieurs postfaces. Notice et avertissement. Liste des personnes qui ont collaboré à l'édition, faite à Péking, à la salle Oen-kin.

(7664), astronomie, 6 livres.

(7664), calendrier, 8 livres.

(7664-7665), géographie, 17 livres.

(7665-7666), princes, 6 livres.

(7666), empereurs, 4 livres.

(7666-7668), ministres et fonctions, 7 + 31 livres.

(7668), service officiel, 3 livres.

(7668), concours, 3 livres.

(7668), éducation publique, 1 livre.

(7668), gouvernement, 4 livres.

(7668-7669), parents et serviteurs, 6 + 4 livres.

(7669), qualités de l'homme, 12 livres.

(7669), air et maintien, 2 livres.

(7669-7670), caractère et actions, 6 livres.

(7670), littérature, 12 livres.

(7670), calligraphie, 1 livre.

(7670-7671), noms honorifiques, 2 livres.

(7671), vie sociale, 6 livres.

(7671), naissance et élevage, 2 livres.

(7671), métiers, 1 livre.

(7671), bouddhisme, 3 livres.

(7671), taoïsme, 1 livre.

(7671), esprits, 1 livre.

(7671), génies, 1 livre.

(7671), démons et spectres, 1 livre.

(7671-7672), rites, 7 livres.

(7672), musique, 5 livres.

(7672), arts, médecine, etc., 6 livres.

(7672-7673), palais, 5 livres.

(7673), ustensiles, 9 livres.

(7673), joyaux, 3 livres.

(7673), étoffes, 1 livre.

(7673), vêtements, 3 livres.

(7673), boissons et comestibles, 2 + 2 livres.

(7673), grains alimentaires, 1 livre.

(7673), légumes, 1 livre.

(7674), fleurs, 5 livres.

(7674), herbes, 2 livres.

(7674), fruits, 5 livres.

(7674), arbres, 2 livres.

(7674), animaux à plumes, 6 livres.

(7674-7675), animaux à poils, 6 livres.

(7675), animaux à écailles, 2 livres.

(7675), animaux à carapace, 1 livre.

(7675), insectes, 3 livres.

(7675), supplément, 12 livres.

Cat. imp., liv. 136, f. 14 (Chan thang seu khao).

Petit in-8. Titre noir sur blanc. 12 vol. demi-rel., au chiffre de la République française.

Nouveau fonds 597.

7676-7688. 唐類函
Thang lei han.

Recueil méthodique des encyclopédies des Thang.

Compilé par Yu 'An-khi Sien-tchang (d'abord Tshẹ Kong-lin), de Tong-oou, lettré sans fonctions à la fin de la période Oan-li; publié par les soins de Siu Hien-khing. Préface par Li Oei-tcheng Pẹn-ning, de Nan-sin-chi; autre préface par Chen Seu Hiao-choẹn, de Sieou-choei (1603). Avertissement. Table des matières en 2 livres. Texte principal en gros caractères, avec explications en caractères fins; indication des sources.

200 livres. — Cat. imp., liv. 138, f. 19.

Grand in-8. 13 vol. demi-reliure, au chiffre de la République française.
Nouveau fonds 2265 à 2277.

7689-7695. 廣博物志
Koang po oou tchi.

Développement du Po oou tchi.

Voir n°s 3835, 3836. Recueil encyclopédique dû à Tong Seu-tchang Hia-tcheou, de Oou-tchheng; achevé en 1607, d'après Wylie; édité par Yang Ho, de Oou-ling. Préface de 1607; autre préface non datée par Han King Toẹn-'an. Table des matières. Texte avec notes. Réédition gravée à la salle Kao-hoei (1761).

(7689), ciel, livres 1 à 4.
(7689-7690), terre, livres 5 à 8.
(7690), empereurs, livres 9 à 11.
(7690-7691), prodiges, livres 12 à 15.
(7691), fonctions, livres 16 et 17.
(7691), relations sociales, livres 18 à 20.
(7691), grands solitaires, livre 21.
(7691), arts, médecins, etc., livre 22.
(7691-7692), harem, livres 23 et 24.
(7692), corps humain, livre 25.
(7692), métiers, livres 26 à 30.
(7692-7693), mérite militaire, livres 31 et 32.
(7693), musique, livres 33 à 35.
(7693), lieux habités, livre 36.
(7693), joyaux, livre 37.
(7693), vêtements et parures, livre 38.
(7693-7694), ustensiles, livres 39 et 40.
(7694), boissons et comestibles, livre 41.
(7694), végétaux, livres 42 et 43.
(7694-7695), oiseaux et quadrupèdes, livres 44 à 48.
(7695), insectes, livres 49 et 50.

Cat. imp., liv. 136, f. 16.

Grand in-8. Titre noir sur rouge. 7 vol. demi-rel., au chiffre de Louis Philippe.
Nouveau fonds 39.

7696-7705. 類書三才圖會
Lei chou san tshai thou hoei.

Collection illustrée universelle.

Par Oang Khi Yuen-han, de Yun-kien. Préfaces par Tcheou Khong-kiao, de Lin-tchhoan (1609); par Tchhen King-jou, de Hoa-thing; par Kou Ping-khien, de Yu-fong; par Ho Eul-fou, de Keou-oou; par Heou Khong-ho, de Khi-tcheou (1607). Avertissement; table générale et tables spéciales. Édition revue par Hoang Hiao-fong, de Than-pin; planches gardées à la salle Hoai-yin.

(7696), astronomie, 4 livres.
(7696-7697), géographie, 16 livres.
(7698), hommes et objets, 14 livres.
(7699), calendrier, 4 livres.
(7699), palais, 4 livres.
(7700), ustensiles, 12 livres.
(7701), corps humain, 7 livres.
(7701), vêtements, 3 livres.
(7702), vie sociale, 10 livres.
(7703), rites et lois, 8 livres.
(7703), joyaux, 2 livres.
(7704), littérature et histoire, 4 livres.
(7704), oiseaux et quadrupèdes, 6 livres.
(7705), végétaux, 12 livres.

Cat. imp., liv. 138, f. 3.

Grand in-8. Belle édition, titre noir sur blanc. 10 vol. reliure au chiffre de Charles X.
Nouveau fonds 334.

7706. 新增補李卓吾註釋素翁雜字併刊延賓帖式

Sin tseng pou li tcho oou tchou chi sou oong tsa tseu ping khan yen pin thie chi; alias:

增補素翁指掌雜著全集

Tseng pou sou oong tchi tchang tsa tchou tshiuen tsi.

Manuel encyclopédique pour l'éducation.

Composé par Tchhen Pin-kong et annoté par Oang Po-kou; explications de Li Tcho-oou (†1610). Ouvrage gravé par Oou Khi-siang (1628); comprenant: vie de Confucius, — en haut des pages, abrégé historique, en bas, vocabulaire méthodique, — renseignements divers, modèles de lettres, etc.

2 + 32 + 6 feuillets.

Petit in-8. Pages renversées à la reliure. 1 vol., demi-reliure.
Nouveau fonds 1941.

7707. 百備全書
Po pei tshiuen chou.

Manuel encyclopédique.

Édité par l'historiographe Tchang; comprenant: carte céleste, carte de la Chine, résumé historique avec portraits, caractères anciens, vie de Confucius, arithmétique, Po kia sing, vocabulaire, modèles de lettres, etc. ; tantôt le texte se suit du haut en bas de la page, tantôt la page est divisée horizontalement entre deux textes ; pagination multiple.

Petit in-8. Titre rouge sur jaune ; texte sur papier blanc. 1 vol. cartonnage. *Nouveau fonds* 4565.

7708. 東園雜字大全

Tong yuen tsa tseu ta tshiuen.

Manuel encyclopédique.

Publié dans la période Kia-khing (1796-1820) ; analogue au précédent, comprenant en outre le Tshien tseu oen (n° 3290). Cartes et planches, pages divisées entre deux textes, édition de la salle Yong-tẹ, à Canton.

53 feuillets.

Petit in-8. Édition commune, titre noir sur rouge. 1 vol. demi-rel., au chiffre de Napoléon III. *Nouveau fonds* 1463.

7709. 東園雜字

Tong yuen tsa tseu.

Même ouvrage, édition datant de Tao-koang (1821-1850), sans localité.

Petit in-8, 1 vol. cartonnage. *Nouveau fonds* 3406.

7710. 摘錦彙編

Thi kin hoei pien.

Aide mémoire.

Partie biographique (les souverains et les grands hommes de l'antiquité jusqu'en 1127) d'un ouvrage plus considérable.

Livres 2 et 3.

Grand in-8. 1 vol. cartonnage. *Nouveau fonds* 4714.

7711. 增訂袁了凡先生二三塲羣書備考

Tseng ting yuen liao fan sien cheng eul san tchhang khiun chou pei khao.

Recueil encyclopédique de Yuen Liao-fan, édition augmentée.

Par Yuen Hoang-khoẹn, avec notes de Yuen Yen-jo ; revu et augmenté par Chen Tchhang-chi Po-oen ; édité par Siu Hing-min. Avertissement de Chen Po-oen. Table des matières. Ouvrage du XVIIe siècle (?)

4 livres.

Grand in-8. Titre sur papier blanc. 1 vol. demi-reliure, au chiffre de Louis Philippe. *Fourmont* 355.

_____

7712-7723. 潛確居類書

Tshien khio kiu lei chou.

Encyclopédie du Tshien-khio kiu.

Par Tchhen Jen-si qui acheva cet ouvrage en 1632; préface et introduction de l'auteur. Liste des ouvrages consultés (environ 1500). Table générale des matières et tables spéciales pour chaque livre.

120 livres. — Cf. Wylie, Notes on Chinese literature, p. 150.

Grand in-8. 12 vol. demi-rel., au chiffre de Napoléon III.
Nouveau fonds 1467 à 1478.

7724-7727.
— I (7724-7727).

七脩類稾 (*alias* 藁)

Tshi sieou lei kao.

Notes rangées méthodiquement.

Notes prises au cours de lectures et mises en ordre, par Lang Ying Jen-pao, de Jen-hoo (dynastie des Ming). Préface primitive, sans date, par Tchhen Chi-hien Hi-tchai; préface de la réédition (1775) par Tcheou Khi, de Tshien-thang. Édition gravée à la salle Keng-yen.

(7724), ciel et terre, livres 1 à 6.
(7724), affaires publiques, livres 7 à 14.

(7725), philosophie, livres 15 à 18.
(7725), témoignages, livres 19 à 28.
(7726), littérature, livres 29 à 39.
(7726-7727), affaires et objets, livres 40 à 47.
(7727), choses merveilleuses ou plaisantes, livres 48 à 51.

— II (7727).

七條續藁

Tshi sieou siu kao.

Suite aux notes rangées méthodiquement.

Ouvrage du même auteur. Préface par Tchhen Chạn, de Tshien-thang. Table des matières.

7 livres correspondant aux 7 sections.

Cat. imp., liv. 127, f. 21.

In-12. Titre noir sur rouge. 4 vol. demi-rel., au chiffre de Louis Philippe.
Nouveau fonds 115.

7728-7729. 廣事類賦

Koang chi lei fou.

Développement du Chi lei fou.

Voir n° 7499. Encyclopédie par Hoa Hi-min Yi-yuen, de Oou-si, licencié en 1720; éditée de nouveau par Hoa Hi-hong Fen-yeou. Préface de ce dernier (1699); autre préface (1764). Table des matières.

40 livres. — Cat. imp., liv. 139, f. 13.

In-18. 2 vol. demi-rel. au chiffre de la République française.
Nouveau fonds 113.

7730-7759. 御定淵鑑類函

Yu ting yuen kien lei han.

Encyclopédie générale compilée par ordre impérial.

Préface impériale (1710) ; rapport dédicatoire de Tchang Ying et des autres rédacteurs (1701). Avertissement ; liste de la commission de rédaction ; table des matières en 4 livres. Impression de la salle Tshing-yin.

(7730), ciel, livres 1 à 11.
(7731), saisons, livres 12 à 22.
(7732), terre, livres 23 à 39.
(7733-7734), empereurs, livres 40 à 56.
(7734), impératrices, épouses impériales, livres 57 et 58.
(7734), princes héritiers, livre 59.
(7734), famille impériale, livre 60.
(7735-7737), fonctions, livres 61 à 117.
(7737), noblesse, livres 118 à 121.
(7738-7739), gouvernement, livres 122 à 153.
(7740-7741), rites, livres 154 à 183.
(7742), musique, livres 184 à 191.
(7743), littérature, livres 192 à 205.
(7744), mérite militaire, livres 206 à 229.

(7745), frontières, livres 230 à 241.
(7746-7749), hommes, livres 242 à 315.
(7750), bouddhisme, livres 316 et 317.
(7750), taoïsme, livres 318 et 319.
(7750), prodiges, livres 320 et 321.
(7750), arts, médecine, astrologie, etc., livres 322 et 323.
(7750), arts manuels, écriture, arc, jeux, livres 324 à 331.
(7751), capitales, livres 332 et 333.
(7751), provinces et districts, livres 334 à 339.
(7751-7752), lieux habités, livres 340 à 354.
(7753), métiers, livres 355 à 358.
(7753), feu, livres 359 et 360.
(7753), joyaux, livres 361 à 364.
(7753), étoffes, livres 365 et 366.
(7754), ornements, livres 367 à 369.
(7754), vêtements, livres 370 à 381.
(7755), ustensiles, livres 382 à 385.
(7755), bateaux, livre 386.
(7755), voitures, livre 387.
(7755), comestibles, livres 388 à 393.
(7755), grains alimentaires, livres 394 et 395.
(7755), drogues, livres 396 et 397.
(7756), légumes, livre 398.
(7756), fruits, livres 399 à 404.
(7756), fleurs, livres 405 à 407.
(7756), herbes, livres 408 à 411.
(7756), arbres, livres 412 à 417.
(7757), oiseaux, livres 418 à 428.
(7758), quadrupèdes, livres 429 à 436.
(7759), animaux à écailles et à carapace, livres 437 à 444.
(7759), insectes et reptiles, livres 445 à 450.

Cat. imp., liv. 136, f. 17.

15

Grand in-8. Titre noir sur jaune. 3o vol. reliure, au chiffre de Louis Philippe.

Nouveau fonds 335.

7760-9000. 御製 (*alias* 欽定) 古今圖書集成

Yu tchi (alias *Khin ting*) *kou kin thou chou tsi tchheng.*

Recueil de textes et de dessins anciens et modernes, compilé par ordre de l'empereur.

Cette encyclopédie, commencée par ordre de l'empereur Cheng-tsou, a paru après sa mort avec une préface de 1726 ; rapport dédicatoire (1725) par Tsiang Thing-si et autres rédacteurs. Avertissement. Table générale des 6 sections et des 32 sous-sections ; tables détaillées. Le présent exemplaire n'est pas uniforme ; la majeure partie appartient à l'édition originale ; un certain nombre de volumes sont d'une édition imitée, de format identique, mais moins soignée d'exécution. Les volumes étaient contenus dans des boîtes en bois portant les titre et sous-titres gravés ; celles qui étaient restées dans la condition primitive, renfermaient deux planchettes protégeant les volumes et servant à les tirer de la boîte ; les deux planchettes et les volumes étaient

liés par un ruban de soie bleue muni d'une boucle de métal. Beaucoup de ces boîtes se trouvant cassées, on n'a pu conserver cette disposition.

(7760-7763), tables, livres 1 à 40.

CIEL

(7764-7773), astronomie, livres 1 à 100.

(7774-7789), saisons, livres 1 à 116.

(7790-7806), calendrier, livres 1 à 140.

(7807-7830), régulateurs du temps, livres 1 à 188.

TERRE

(7831-7848), terre, livres 1 à 140.

(7849-8024), Empire, livres 1 à 1544.

(8025-8063), fleuves et montagnes, livres 1 à 320.

(8064-8082), pays barbares, livres 1 à 140.

SOCIÉTÉ

(8083-8122), dignité suprême, livres 1 à 300.

(8123-8140), palais, livres 1 à 140.

(8141-8247), fonctions, livres 1 à 800 (manquent les livres 643, 644).

(8248-8262), règles familiales, livres 1 à 116.

(8263-8276), devoirs sociaux, livres 1 à 120 (manquent les livres 47, 48).

(8277-8356), *gentes* et familles, livres 1 à 640.

(8357-8371), vie sociale, livres 1 à 112.

(8372-8418), harem, livres 1 à 376.

OBJETS DIVERS

(8419-8522), métiers et arts, livres 1 à 824.

(8523-8559), esprits et prodiges, livres 1 à 320 (manquent les livres 221 à 240).

(8560-8584), animaux, livres 1 à 192.

(8585-8623), végétaux, livres 1 à 320.

CONNAISSANCES HUMAINES

(8624-8687), livres canoniques, livres 1 à 500.

(8688-8725), éducation, livres 1 à 300.

(8726-8756), littérature, livres 1 à 260.

(8757-8776), calligraphie, livres 1 à 160.

GOUVERNEMENT

(8777-8793), choix des fonctionnaires, livres 1 à 136.

(8794-8809), nominations, livres 1 à 120.

(8810-8853), denrées et marchandises, livres 1 à 360.

(8854-8893), rites, livres 1 à 348.

(8894-8912), musique, livres 1 à 136.

(8913-8950), armée, livres 1 à 300.

(8951-8971), châtiments, livres 1 à 180.

(8972-9000), travaux, livres 1 à 252.

En tout 10.000 livres de texte et planches.

Grand in-8. Papier blanc. 1241 vol. demi-reliure.

Nouveau fonds 5838 à 10.847.

9001-9004.

Yu tchi kou kin thou chou tsi tchheng.

Volumes en double, partiellement d'impression différente.

(9001-9002), esprits et prodiges, livres 121 à 140 (nᵒˢ 8523 à 8559).

(9003), Empire, livres 453, 454, 855 à 858, 1155 à 1158 (nᵒˢ 7849 à 8024).

(9004), Empire, livres 1235, 1236, 1241 à 1244, 1391, 1392, 1399, 1400 (nᵒˢ 7849 à 8024).

4 vol. demi-reliure.

Nouveau fonds 10.848 à 10.867.

9005-9020.   樂律典

Yo liu tien.

Double de la sous-section Musique (nᵒˢ 8894 à 8912).

Édition originale, couvertures en papier jaune. 16 vol. demi-rel., au chiffre de Napoléon III.

Nouveau fonds 1120 à 1135.

9021-9034.   邊裔典

Pien yi tien.

Double de la sous-section Pays barbares (nᵒˢ 8064 à 8082).

Édition originale, couvertures en papier jaune. 14 vol. reliure au chiffre de Charles X.

Nouveau fonds 331.

9035-9050.   字學典

Tseu hio tien.

Double de la sous-section Calligraphie (nᵒˢ 8757 à 8776).

Édition originale, couvertures en papier jaune. 16 vol. reliure, au chiffre de Charles X.

Nouveau fonds 332.

9051-9060. 神異典

Chen yi tien.

Double de la sous-section. Esprits et prodiges (n⁰ˢ 8523 à 8559); manquent les livres 21 à 40 (tomes 3 et 4).

Édition originale, couvertures en papier jaune. 10 vol. (tomes 1, 2 et 5 à 12), reliure au chiffre de Charles X. *Nouveau fonds* 333.

9061. 廣東名人故事

Koang tong ming jen kou chi.

Hommes célèbres et antiquités du Koang-tong.

— I.

廣東名人

Koang tong ming jen.

Hommes célèbres du Koang-tong.

Liste des docteurs et hauts fonctionnaires originaires de la province sous les Ming et les Tshing; occupe le haut des pages.

— II.

新刻人物通考

Sin kho jen oou thong khao.

Examen des hommes et des choses.

Impôts, productions, indications administratives et autres, occupant le bas des pages; rédigé après 1732. Gravé à la salle Tchheng-tẹ.

19 feuillets.

Petit in-8. Gravure très grossière; titre noir sur rouge. 1 vol. cartonnage. *Nouveau fonds* 1314.

9062-9066. 格致鏡原

Ko tchi king yuen.

Miroir des connaissances.

Encyclopédie, avec citations de sources; traitant du ciel, de la terre, de l'homme, des vêtements, de l'administration, des ustensiles, des rites, de la guerre, des animaux, des plantes, etc. Par Tchhen Yuen-long Koang-ling, de Hai-ning. Préface de l'auteur (1735). Table générale; table spéciale en tête de chaque section.

100 livres (30 sections). — Cat. imp., liv. 136, f. 25.

Grand in-8. Titre noir sur rose. 5 vol. demi-rel., au chiffre de Napoléon III. *Nouveau fonds* 1286 à 1290.

9067-9068. 萬寶全書

Oan pao tshiuen chou; alias:

新刻增補四民便用萬事總覽

Sin kho tseng pou seu min pien yong oan chi tsong lan ; alias :

新刻 (*alias* 刊) 增補萬寶事山

Sin kho (alias *khan*) *tseng pou oan pao chi chan.*

Nouveau recueil de connaissances usuelles, illustré.

Ouvrage compilé par plusieurs auteurs anonymes, nouvellement gravé (1736) au San-lo tchai, de Oou. Préface par Kong Kiu-tchong Ying-yuen, de Yun-lin. Table.

(9067), ciel, terre, saisons, livre 1.

(9067), histoire, esprits et connaissances occultes, médecine, livre 2.

(9067), maladies éruptives, livre 3.

(9067), degrés officiels, géoscopie, choix des jours fastes, livre 4.

(9067), métoposcopie, sorcellerie, divination par les trigrammes, livre 5.

(9067), pas de livre 6 ; astrologie, livre 7 (feuillets 1 à 25, incomplet).

(9068), astrologie, livre 8.

(9068), mariages, funérailles, sacrifices domestiques, abstinences, etc., livre 9.

(9068), pas de livre 10 ; lettrés, livre 11.

(9068), connaissance du khin (sorte de cithare), livre 12.

(9068), échecs, dames, etc., livre 13.

(9068), écriture, banquets et jeux, livre 14.

(9068), onirocritie, plaisanteries, etc., livre 15.

Grand in-8. Titre noir sur jaune ; sur la couverture, indications manuscrites, table en langue russe. 2 vol. cartonnage.

Nouveau fonds 4723, 4724.

9069. 大萬寶全書

Ta oan pao tshiuen chou ; alias :

新鐫增補萬寶全書古本

Sin tsiuen tseng pou oan pao tshiuen chou kou pęn ; alias :

新刻天如張先生精選石渠彙要萬寶全書

Sin kho thien jou tchang sien cheng tsing siuen chi khiu hoei yao oan pao tshiuen chou.

Même ouvrage, autre édition ; le titre présente encore d'autres variantes ; l'une de celles qui sont citées, attribue le travail de choix des matières au lettré Tchang Thien-jou, à rapprocher de l'historiographe Tchang (n° 7707). Gravé à la salle Oen-ya. Préface (1758) écrite à Tchi kiun, au pavillon Oan-kiuen.

Livre 1, ciel.
— 2, terre.
— 3, histoire.
— 4, éducation.
— 5, peuples barbares.
— 6, objets d'usage.
— 7, vers, sentences appariées.
— 8, comment avoir et élever des fils.
— 9, divers.
— 10, banquets.
— 11, métoposcopie.
— 12, agriculture et sériciculture.
— 13, jeux, échecs, cartes, etc.
— 14, esprits, arts occultes.
— 15, plaisanteries.
— 16, armes, etc.
— 17, divination.
— 18, connaissance du khin (sorte de cithare).
— 19, géoscopie appliquée aux maisons.
— 20, lettres missives.
— 21, calcul.
— 22, géoscopie.
— 23, lois des Tshing.
— 24, noblesse et distinctions.
— 25, conseils moraux.
— 26, comment combatire les maladies.
— 27, saisons.
— 28, dessin.
— 29, écriture.
— 30, bœufs et chevaux.
— 31, pièces officielles.
— 32, onirocritie.

Petit in-8. Titre noir sur jaune; figures grossières; texte disposé de manière indépendante sur le haut et sur le bas des pages. 1 vol. demi-rel. au chiffre de Louis-Philippe.
Nouveau fonds 865.

9070. 新鐫增補萬寶全書古本

Sin tsiuen tseng pou oan pao tshiuen chou kou pẹn.

Même ouvrage; gravé à la salle Fou-hien (1827); même préface qu'au n° précédent; les livres 14 et 26 sont supprimés.

30 livres (5 sections).

In-12. Titre noir sur jaune. 1 vol. cartonnage.
Nouveau fonds 4528.

9071. 敬堂訂補萬寶全書

King thang ting pou oan pao tshiuen chou.

Ouvrage analogue (livres 10, 26, 3 et 13 entiers ou incomplets.

— I.

大清法律門
Ta tshing fa liu mẹn.

Lois des Tshing.

N° 9069, livre 23 (incomplet).

— II.

滿州字式
Man tcheou tseu chi.

Vocabulaire mantchou.

Feuillets 1 à 5.

— III.

千字文

Tshien tseu oen.

Le Tshien tseu oen.

En caractères sigillaires et modernes.

Feuillets 1 à 26. — Cf. n° 3290.

— IV.

牛馬門

Nieou ma men.

Bœufs et chevaux.

N° 9069, livre 30.

— V.

百家姓

Po kia sing.

Les cent noms de famille.

Cf. n° 921.

Petit in-8. 1 vol. demi-reliure.
Nouveau fonds 1944.

———

9072. 文家稽古編

Oen kia ki kou pien.

Recueil encyclopédique.

Par Oang Khien Yuen-kien; édité par Lieou Khi-si 'O-yai, de Kiang-ning, et Tchheng Mong-yuen Tsao-kiang, de Ho-fei. Man-

que une première préface, de Lieou Khi-si (1755), autre préface (1755) par Tchheng Mong-yuen. Table des matières; avertissement. Édition de la salle Chen-yi.

Livre préliminaire et 10 livres.

Grand in-8. Titre noir sur jaune. 1 vol. demi-rel., au chiffre de Napoléon III.

Nouveau fonds 1499.

———

9073. 較正幼學須知成語考

Kiao tcheng yeou hio siu tchi tchheng yu khao.

Petite encyclopédie.

Par Khieou Oen-tchoang Khiong-chan (voir n° 9075). Table des matières. Gravé au pavillon Oou-yun.

Grand in-8. Papier blanc, titre noir sur jaune. 1 vol. cartonnage.
Nouveau fonds 4529.

9074.

Kiao tcheng yeou hio siu tchi tchheng yu khao.

Même ouvrage; édition de la salle Yong-hien.

2 livres.

Petit in-8. Gravure médiocre, titre noir sur jaune. 1 vol. demi-reliure.
Nouveau fonds 897.

9075. 幼學故事尋源

Yeou hio kou chi sin yuen;
alias :

增訂故事尋源詳解全書

Tseng ting kou chi sin yuen siang kiai tshiuen chou.

Petite encyclopédie.

Ouvrage analogue par Khieou Siun Tchong-chen, de Khiong-chan ; annoté par Yang Ying-siang Kiai-yeou, de Tchhou-hoan. Préface par ce dernier. Gravé à la salle Lao-hoei-hien.

10 livres.

Petit in-8. Titre noir sur jaune. 1 vol. cartonnage.
Nouveau fonds 4530.

9076. 增補幼學故事尋源直解

Tseng pou yeou hio kou chi sin yuen tchi kiai.

Même ouvrage, complété par Tchheng Teng-ki, de Si-tchhang, et Oang Siang-tsin, de Lin-tchhoan. Gravé à la salle Oen-yuen.

10 livres.

Petit in-8. Titre noir sur jaune. 1 vol. demi-rel., au chiffre de Napoléon III.
Nouveau fonds 1507.

9077-9079. 增補記事珠

Tseng pou ki chi tchou.

Perles de la mémoire.

Encyclopédie éditée par Oang Kang Soen-hien, qui y a mis une préface (1815), et par son père, Oang Sie-thing Liao-'an, de Yun-kien, d'après le premier travail de Tchang Yi-khien Tsan-yu, de Phi-ling. Préface (1816) par Tchhen Hong-tchhi. Édition de la salle Thong-'an (1827).

10 livres.

Grand in-8. Titre noir sur jaune. 3 vol. demi-reliure.
Nouveau fonds 1547 à 1549.

9080. 博通便覽

Po thong pien lan.

Encyclopédie littéraire.

Gravée au Tchi-pou-tsou tchai, de Lan-tcheou (1822) ; préface par le maître du Tchi-pou-tsou tchai (1821). Avertissement, table des matières ; liste des ouvrages consultés. Les matières sont rangées dans l'ordre des sources.

30 livres répartis en 4 sections (compositions en prose, poésies, cano-niques, dissertations tskanc

Répertoire des "Collections Pelliot A" et "B" du Fonds Chinois de la Bibliothèque Nationale

国家图书馆中文藏书中的"伯希和藏品 A"和"B"目录

RÉPERTOIRE

DES «COLLECTIONS PELLIOT A» ET «B» DU FONDS CHINOIS DE LA BIBLIOTHÈQUE NATIONALE

PAR

PAUL PELLIOT.

———◄►———

Les deux listes de titres qui suivent constituent l'énumération des éditions chinoises que j'ai rapportées d'Extrême-Orient à la fin de 1909 pour enrichir les collections de la Bibliothèque Nationale. On n'y trouvera rien qui concerne les manuscrits d'Asie centrale, qu'ils soient chinois, tibétains, sanscrits, etc. De ce répertoire sont également exclus deux autres lots de mes collections: d'abord la série des estampages, qui devra faire plus tard l'objet d'une publication indépendante; puis des œuvres mandchoues et mongoles qui grossiront le catalogue futur de ce double fonds.

L'accroissement des fonds chinois des grandes bibliothèques d'Europe était devenu une nécessité urgente pour le progrès même des études sinologiques. A part la bibliothèque léguée par Sir Thomas Wade à l'Université de Cambridge, on peut dire qu'aucun de ces fonds n'avait été constitué d'une manière systématique. Envois et achats avaient été laissés un peu au hasard; le zèle le plus éclairé n'eût d'ailleurs pas permis à un conservateur d'assurer la venue des œuvres nouvelles quand aucune relation de librairie n'était encore possible entre l'Extrême-Orient et l'Europe il y a dix ans. Les circonstances m'avaient placé dans des conditions beaucoup plus favorables. A plusieurs reprises, j'avais séjourné en Chine, spécialement chargé de constituer un fonds chinois méthodique pour l'École

47*

française d'Extrême-Orient à Hanoi, et disposant de crédits suffisants pour faire affluer chez moi les libraires du Lieou-li-tch'ang. Tant par les catalogues que par un examen personnel, je connaissais les fonds de Paris, de Londres, de Cambridge, de Berlin, de Saint-Pétersbourg, de Moscou. Les grottes de Touen-houang venaient de nous livrer une collection unique de manuscrits chinois. A la fin de ma mission à travers l'Asie centrale, je pris alors sur moi de consacrer tous les crédits dont je pourrais encore disposer à l'acquisition de livres chinois qui, dans une certaine mesure, permettraient à la Bibliothèque Nationale de répondre aux exigences plus grandes de la sinologie nouvelle. Bientôt cependant je m'aperçus que ces crédits ne me laisseraient pas une marge suffisante, et j'acquis alors à mes frais une collection supplémentaire qui ne faisait pas double emploi avec la première, prêt à la céder si la Bibliothèque Nationale désirait la reprendre, et dans le cas contraire encore plus prêt à la garder. La Bibliothèque Nationale estima à bon droit qu'il valait mieux tout prendre, et me remboursa les sommes que j'avais avancées personnellement. De là sont nées nos deux listes. La première représente les œuvres entrées à la Bibliothèque à titre onéreux; la seconde, de beaucoup la plus considérable, énumère ce que la Bibliothèque a reçu sans bourse délier. La distinction entre les deux listes est purement administrative, et la répartition des œuvres y est tout artificielle [1]). Telles quelles, il nous a paru bon de les reproduire, puisqu'elles permettront de recourir à ces œuvres sans attendre le supplément du grand catalogue de M. Courant, et feront en outre connaître à nos confrères les titres d'un grand nombre d'ouvrages isolés ou de collections qu'aucune bibliothèque européenne ne possédait jusqu'ici.

S'il m'a été possible de réunir en si peu de temps et, relativement,

---

1) Ces deux listes sont rangées en principe par ordre alphabétique; mais il y a quelques inconséquences dues à des hasards de récolement.

à si peu de frais, une collection aussi considérable et où il entre vraiment tant d'ouvrages précieux, je le dois en partie aux concours qui m'ont été prêtés. Des amis chinois comme M. 裴景禧 P'ei King-fou, M. 羅振玉 Lo Tchen-yu, M. 董康 Tong K'ang m'ont fait don de publications devenues très rares. Enfin et surtout, je tiens à dire ma gratitude au vénérable vicaire apostolique de Pékin, Monseigneur Jarlin, qui m'a cédé, dans des conditions volontairement très avantageuses, un gros lot de livres que depuis longtemps j'avais cherchés en vain sur le marché.

Les œuvres énumérées dans nos deux listes relèvent un peu de tous les départements de la littérature chinoise. Naturellement, j'ai donné une attention spéciale à ce qu'il nous manquait encore d'anciennes œuvres d'histoire, de géographie ou d'archéologie. Beaucoup d'entre elles ont d'ailleurs été reproduites, à Chang-hai ou dans les bureaux officiels des provinces, en des éditions modernes dont il suffisait de s'enquérir pour les rencontrer. Les collections de revues archéologiques et de fac-similé n'ont malheureusement pas pu être continuées après mon départ; il est douteux qu'on arrive à les compléter. Pour l'époque moderne, je n'ai pas cru inutile de réunir un certain nombre d'années de la *Gazette de Pékin*; un jour viendra où ces documents seront du plus haut prix pour étudier l'histoire de la dynastie mandchoue dans la deuxième moitié du XIXe siècle; il est à souhaiter que les recherches soient poursuivies, avant le moment assez proche où ces volumes seront vraiment introuvables. Mais surtout, mes efforts ont été dirigés vers les 叢書 *ts'ong-chou* et vers les 志書 *tche-chou*.

On sait de reste la grande importance prise dans la librairie chinoise par ces éditions collectives d'œuvres d'époque et de nature souvent fort diverses et qu'on appelle des *ts'ong-chou*. La Bibliothèque Nationale en possédait relativement fort peu; c'est justement aux *ts'ong-chou* que doivent être consacrés les prochains fascicules du

　　　　　P A U L　P E L L I O T.

catalogue de M. Courant; les nôtres y pourront être dépouillés dès
maintenant, sans attendre le *Supplément*; on verra ainsi prochainement tout ce qu'ils apportent de nouveau et que la seule mention
sur nos listes du titre général ne permet pas d'apprécier.

Les *tche-chou*, ce sont ces monographies qui, en Chine, à côté du
t'ong-tche ou « *Description générale* » de la province, sont consacrées
à chaque préfecture, à chaque sous-préfecture, et aussi à des montagnes,
à des temples, à des institutions locales. Il s'est trouvé quelqu'un
pour s'étonner qu'on s'intéressât à ces « Joanne » chinois; un sinologue
ne pensera pas ainsi. Quiconque a eu à s'occuper, en un point
quelconque de la Chine, d'histoire, de géographie, d'archéologie, sait
tout le profit qu'il a tiré de la consultation du *tche-chou* qui porte
sur cette région, et de même dans quel embarras il s'est trouvé
quand le *tche-chou* en question lui est demeuré inaccessible. Or, si les
bibliothèques d'Europe possédaient un certain nombre de *t'ong-tche*
provinciaux, les *tche-chou* locaux y étaient à peine représentés.
Depuis plusieurs années, les Japonais font main basse sur les *tche-
chou* chinois qu'ils rencontrent; la bibliothèque des Jésuites de Zi-ka-
wei en possède près de quatre cents; celle de l'École française
d'Extrême-Orient à Hanoi ne lui cède guère. A la Bibliothèque
Nationale au contraire, le *Catalogue* de M. Courant indiquait à peine
quinze monographies de préfectures et de sous-préfectures; grâce à
nos collections, il y en a aujourd'hui plus de six cents. Mais il en
faudrait plusieurs milliers. Ce sont là des œuvres peu coûteuses,
mais qui ne se trouvent souvent que sur place; nous ne saurions
trop prier les voyageurs, les missionnaires de venir à notre aide, et
d'adresser à la Bibliothèque les *tche-chou* qui nous font encore défaut.

Des quatre départements traditionnels de la littérature chinoise,
classiques, historiens, philosophes, collections littéraires, les trois
premiers sont aujourd'hui assez bien représentés dans nos bibliothèques,
et en particulier à Paris; c'est vers le développement des séries de

«collections littéraires» que notre effort doit maintenant se tourner. Jusqu'à la fin des T'ang, nous possédons des recueils généraux de prose et de poésie qui ne laissent que peu de chose à désirer; mais il n'en va pas de même à partir des Song. Un certain nombre de collections littéraires des Song, des Yuan, des Ming nous sont accessibles dans des *ts'ong-chou*, mais la plupart n'ont eu que des éditions isolées, souvent anciennes et presque introuvables. Jamais les bibliothèques d'Europe ne s'en sont occupées. J'ai travaillé de mon mieux à combler en partie cette énorme lacune, mais il reste encore beaucoup à faire. En particulier pour l'époque mongole, où les collections littéraires nous permettent de suppléer aux insuffisances et aux erreurs de l'histoire officielle, nous constatons trop souvent que des documents existent, mais que nous sommes hors d'état de les consulter. C'est de ce côté que je crois devoir attirer tout particulièrement l'attention, tant en France qu'à l'étranger. Le souci d'avoir une bibliographie plus étendue est aujourd'hui commun aux bibliothèques chinoises de tous les grands pays. Le British Museum a acheté récemment beaucoup de bons livres; M. De Groot tâche à développer les ressources sinologiques, jusque-là assez faibles, des bibliothèques de Berlin; notre confrère M. Laufer a constitué à Chicago, dans les collections John Crerar et Newberry, un double fonds chinois excellent. Partout les ressources se développent, mais les besoins les devancent toujours. Dans l'état actuel des choses, aucune bibliothèque, hormis celles de Chine et du Japon, n'offre à la sinologie les mêmes ressources que la Bibliothèque Nationale. Mais ce n'est pas une raison pour nous en tenir là, et je souhaite ardemment que nos listes ne représentent, pour le fonds chinois de la principale bibliothèque de France, qu'un état transitoire et bientôt dépassé.

前　言

　　这两份名单是1909年末我从远东带回中文书籍的目录，以扩充法国国家图书馆的藏书。在这些书中，无论汉语、藏文还是梵文，没有涉及中亚的手稿。在这两份名单中也不包括我的两类藏书：一类是印本，之后会单独印刷出版；另一类是大量的满文和蒙古文的书籍。

　　为了汉学的发展，扩充欧洲大型图书馆的中文藏书刻不容缓。除了威妥玛爵士（Thomas Wade）捐赠给剑桥大学的书籍，这些中文藏书完全未经系统编目。邮寄和收购书籍有着很大的偶然性。当十年前远东和欧洲的图书资源没可能存在联系时，一位图书管理员有再多的热情也无法保证新书的引进。但我所处环境的条件要好得多。我多次旅居中国，主要任务是为法国远东学院（河内）建立一个系统的图书资源，并且用足够的资金将琉璃厂书店的大量藏书带回来。我通过藏书目录和个人考察了解过巴黎、伦敦、剑桥、柏林、圣彼得堡和莫斯科的中文藏书。在敦煌的藏经洞，我搜集到了大量罕见的中文抄本。在我中亚的任务结束后，我将用所有的资金来安置我所购买的书籍，这在一定程度上可以帮助法国国家图书馆来满足新汉学的更多要求。不过很快我意识到这笔资金没有多少剩余，当时我自己花钱买了一部分书，主要是为了自己收藏。然而国家图书馆经过鉴定认为值得全部购入，于是报销了我的预支款项。根据这些藏书，我编排了两个清单（I和II）。第一个呈现了国家图书馆计划收购的中文书籍，第二个数量可观，列出了国家图书馆计划之外的书籍，因此这两个名单的区别纯粹是行政上的。本目录分类完全由人工完成。这份目录的出版对学界必定有所助益，这样我们不必等待古郎（Maurice Courant）先生那庞大目录的增编完成，便可以开始使用这些藏书。这份目录会让我们的同行了解大量罕见著作的标题或是迄今为止任何欧洲图书馆都尚未收录的藏书标题。

　　我能够得以在如此短时间内花费相对较少的费用搜集到如此大量的、珍贵的藏书，还要感谢协助我的中国朋友们，比如裴景福先生、罗振玉先生、董康先生，他们向我赠予很多已经十分罕见的出版物。最后尤其要感谢北京的一位牧师加尔林神父（Jarlin），他赠送给我很多我曾在市场上苦苦寻觅的书籍。

　　中国的各类文献在本目录中均有所体现。我尤其注意收集了我们目前所缺乏的古代历史学、地理学和考古学方面的著作。本目录的很多书籍有翻印本，可以在上海或各省的官方机构找到一些现代版本，此类书不难获得。遗憾的是，考古刊物和复刻古本的搜集在我离开后都难以为继，这部分书籍的收集工作是否能够完成还是个问题。当代书籍方面，我并不认为花费几年时间收集《京报》是无用之举，总有一天，这些材料将会在研究满清王朝19世纪后期的历史方面发挥最大价值。希望可以在我们再也找不到这些卷本之前继续搜集工作，尤其是针对"丛书"和"志书"。

我们也知道，这些古代和类别的刊物在中国书店中所占的重要地位往往是非常不同的，它们被称为"丛书"。法国国家图书馆所藏丛书很少：关于丛书部分，恰恰是古郎先生将要出版的目录中的一部分。我们现在将所需部分整理出来，无需等待古郎先生的补编。仅通过书籍标题难以窥见内容全貌，但是我们带回来的这些书将会为学界带来新的研究。

志书，在中国是通志之外对一个省级地区的专论。主要描述每一个县、乡，还有山川、寺庙、地方机构等。一定有人会惊讶于我们对中国民生有兴趣，但是汉学家是不会这么想的。无论谁研究关于中国的历史、地理、考古方面的问题，都可以通过查询这个地区的志书来解决，但志书无处可寻时，人们就会陷入尴尬的境地。只要欧洲图书馆拥有一定数量的省通志，方志便不可或缺。近几年，日本人捐赠了一些他们所收集的中国志书；徐家汇的耶稣会图书馆收藏了近四百本中国志书；河内的法国远东学院也藏有不少此类书籍。然而在法国国家图书馆，古郎先生的藏书目录只有十五本中国县乡方志，加上我们的藏书后，如今已超过了六百本，但这些远远不够，还需要几千本。这些都是便宜的文本，但往往只能在当地才能找到。我们不能过多指望旅行者和传教士们的帮助，更不能指望本来就缺乏这类志书的国家图书馆。

在中国文献的四个传统分类经、史、子、集中，前三类如今在我们图书馆中收集较为全面，特别是在巴黎。现在我们必须向"集"的方向努力发展。我们拥有一些不太理想的唐末以前的散文集和诗歌集，但是宋代以后的集书就没有了。我们可以在丛书中找到宋代、元代、明代的文献集，但大多数只有孤本，往往非常古老且几乎找不到。欧洲的图书馆从来没有关注过这些文本，我尽力去填补这一巨大空白，但依然有很多需要去搜集。特别是对于元代，文献集可以弥补我们对官方历史的认识不足和错误，我们也经常找到现存却无法查阅的文献。在这方面，我认为必须在法国和国外都引起大家特别的关注。现在，所有重要国家的中文图书馆都希望拥有更为广泛的藏书。大英博物馆最近就购买了一批优质书籍；在柏林图书馆，高延（Jan Jakob Maria de Groot,1854–1921）先生致力于发展汉学资源，虽然迄今为止还相当薄弱；我的同行劳费尔（Berthold Laufer, 1874–1934）为芝加哥约翰·克里拉图书馆（John CrerarLibrary）和纽贝里（NewberryLibrary）图书馆的藏书贡献了两批非常优秀的资源。各地的汉学资源都在壮大，但首先需要更多的藏书。就目前的情况而言，除了中国和日本以外，尚未有一个图书馆能为汉学提供与法国国家图书馆相媲美的藏书资源。但这并不是我们要停留下来的理由，我殷切希望本目录的藏书对于法国图书馆的中国藏书来说只是一个暂时的贡献，很快便会有更多藏书被引进。

伯希和

（王辉译，卢梦雅校）

Liste A.

1 A wen tch'eng kong nien p'ou	32 pen		26 Che ki tsi kiai so yin tcheng yi		
2 Chang fang chan tche	2 ,,		tcha ki	2 pen	
3 Chang kiang leang hien tche	20 ,,		27 Che king che pen kou yi	16 ,,	
4 Chan kiang tsa tcho	1) 16 ,,		28 Che king houei han	16 ,,	
5 Chàn si nan chan kou k'eou k'ao	1 ,,		29 Che kouo kong ts'eu	1 ,,	
6 Chan si t'ong tche	100 ,,		30 Che li kiu houang che ts'ong chou	30 ,,	
7 Chàn si t'ong tche	100 ,,		31 Che lin chao hou	10 ,,	
8 Chàn tcheou tche	13 ,,		32 Siang yang hien tche	8 ,,	
9 Chan tong k'ao kou lou	7 ,,		33 Che ngo je ki	6 ,,	
10 Chan tong kiun hing ki lio	10 ,,		34 Che pou tchai yi chou	8 .	
11 Chan tong ts'iuan ho pei k'ao	6 ,,		35 Che tchong chan tche	8 ,,	
12 Chan yang hien tche	6 ,,		36 Che ts'i	12 ,,	
13 Chan yeou che k'o ts'ong pien	24 ,,		37 Che ts'iuan hien tche	2 ,,	
14 Chang hai hiang t'ou tche	1 ,,		38 Che wan kiuan leou ts'ong chou	112 ,,	
15 Chang hai hien tche	16 ,,		39 Che yi king yin hiun	36 ,,	
16 Chang ho hien tche	8 ,,		40 Che yi tch'ao cheng wou ki	8 ,,	
17 Chang nau hien tche	4 ,,		41 Chen che san sien cheng wen tsi	10 ,,	
18 Chang tch'eng hien tche	12 ,,		42 Chen k'ieou hien tche	4 ,,	
19 Chang tcheou tsong tche	10 ,,		43 Chen mou hien tche	4 ,,	
20 Chang yuan hien tche	16 ,,		44 Chen sicou t'ang tsi	10 ,,	
21 Chao hing sien tcheng yi chou	48 ,,		45 Chen wen sou kong tcheng chou	12 ,,	
22 Chao wou siu che ts'ong chou	20 ,,		46 Cheng houa kouan ts'iuan tsi	10 ,,	
23 Che hio ts'ong chou	32 ,,		47 Cheng king t'ong tche	20 ,,	
24 Che hio wen tao	2 ,,		48 Cheng ngan ho tsi	100 ,,	
25 Che hiun t'ang ts'ong chou	20 ,,		49 Yu han chau fang tsi yi chou	80 ,,	

1) Deficit.

中 國 書 目 錄 上 卷

1. 阿文成公年譜
2. 文方江薀南通志
3. 成山縣著山志
4. 上山陝著谷口敀
5. 陝西通志
6. 山西通志
7. 陝西通志
8. 陝州攷古錄
9. 山東攷古興備
10. 山東軍全河志
11. 山東全縣石刻土志
12. 山陽縣石鄉縣志
13. 山右石海鄉縣志
14. 上海縣志
15. 上海縣河南志
16. 上商縣城州志
17. 商州城縣總志
18. 商城縣志
19. 商州縣總志
20. 上元興先正
21. 上紹邵史興武學
22. 邵武學先徐正氏叢
23. 史學武氏叢書
24. 實學文堂遺書
25. 實式訓

26. 史記正義／索隱／集解
27. 記集世彙宮居古本函
28. 詩經石經國禮黃護志
29. 石十經國禮黃氏叢書
30. 國士林陽縣日齋山志
31. 詩襄陽日齋醫書
32. 襄使俄補世石詩泉
33. 使世石詩泉萬一縣志
34. 世石鐘緝萬一朝三縣志樓音聖先生文集
35. 石詩泉萬一朝三縣志
36. 石萬一三縣堂音聖先生文集
37. 石泉縣志卷經朝三館通合山房公全志集政書集
38. 石十卷經音聖館通合山樓音叢書
39. 十一一朝氏邱通卷京菴函訓武記集
40. 十沈一三先生志公全志集政書
41. 沈沈氏邱木修文全志集輯佚書
42. 沈神邱木華京菴函
43. 神慎木修文華京菴函
44. 慎沈沈華京菴房
45. 沈樫沈盛公全志集政書
46. 樫盛升房通合山房
47. 盛升玉函輯佚書
48. 升玉
49. 玉

50 Cheou t‘ang kin che wen tseu siu pa	6 pen	
51 Cheou t‘ang yi chou	14 „	
52 Cheou tchang hien tch’e	4 „	
53 Cheou yang hien tch’e	6 „	
54 Chö hien tche	12 „	
55 Chou houa kien ying	12 „	
56 Chou kou	12 „	
57 Chou kou ts‘ong tch‘ao	20 „	
58 Chou lou hien tche	4 „	
59 Chouang kouei t‘ang tsi	8 „	
60 (Wang che kiao) Chouei king tchou	16 „	
61 (Houang k‘o) Chouei king tchou	14 „	
62 Chouei king tchou che	12 „	
63 (Tchao kiao) Chouei king tchou che	12 „	
64 Chouei king tchou che ti pou yi	6 „	
65 Chouei king tchou chou yao chan	6 „	
66 Chouei king tchou houei kiao	16 „	
67 Chouei king tchou t‘ou	8 „	
68 Chouei sin wen tsi	16 „	
69 Chouei tao yuan lieou	4 „	
70 Chouen tö hien tche	16 „	
71 Chouen t‘ieu fou tche	64 „	
72 Chouo song	10 „	
73 Chouo wei	2 „	
74 Chouo wen kiai tseu kiao lou	14 „	
75 Chouo wen kiai tseu t‘ong che	8 „	
76 Chouo wen kiai tseu yi tcheng	32 „	
77 Chouo wen kou tcheou pou	2 „	

78 Chouo wen sin fou k‘ao	2 pen	
79 Chouo wen t‘ong hiun ting cheng	28 „	
80 Chouo wen t‘ong kien	2 „	
81 Chouo wen yin king k‘ao tcheng	2 „	
82 Eul fan ts‘iuan tsi	18 „	
83 Eul niu ying hiong ts‘iuan tchouan	10 „	
84 Eul sseu t‘ang ts‘ong chou	16 „	
85 Eul tche hiuan che tch‘ao	8 „	
86 Eul tch‘eng ts‘iuan chou	12 „	
87 Eul ya kou yi	6 „	
88 Eul ya kouo tchou yi ts‘ouen pou ting	6 „	
89 Eul yeou t‘ang ts‘ong chou	10 „	
90 Fa jen yeou t‘an ki	4 „	
91 Fan chan p‘i p‘an	10 „	
92 Fan chan ts‘iuan tsi	19 „	
93 P‘an fang po kong yi kao	6 „	
94 P‘an kou leou yi k‘i k‘ouan tche	2 „	
95 Fan sie chan fang ts‘iuan tsi	12 „	
96 Fang lou wen ts‘ouen	4 „	
97 Fang yen pei k‘ao	1 „	
98 Fei che kou yi ting wen	4 „	
99 Fei hien tche	10 „	
100 Fei ts‘ing ko kin che ts‘ong chou		
comprenant Li p‘ien	10 „	
K‘ai fa cho yuan	14 „	
Wang t‘ang kin che tch‘ou eul tsi	9 „	
Yua ts‘ing kouan kin wen	5 „	
Siao p‘eng lai kin che	5 „	

50. 授堂金石文字續跋
51. 授堂遺書
52. 壽陽縣志
53. 壽陽縣續志
54. 鄶縣志
55. 書畫鑑影
56. 蜀故
57. 述古叢鈔
58. 東鹿縣志
59. 雙桂堂集
60. 王氏校水經注
61. 黃刻水經注
62. 水經注釋
63. 趙校水經注釋
64. 水經注釋地補遺刪
65. 水經注疏要刪
66. 水經注匯校
67. 水經注圖集
68. 水心文集
69. 水道源流
70. 順德縣志
71. 順天府志
72. 說嵩
73. 說緯
74. 說文解字校錄
75. 說文解字通釋
76. 說文解字義證
77. 說文解字古籀補

78. 攷定聲韻譜傳
79. 新訓通檢攷證
80. 說文通檢攷
81. 說文引經全集
82. 說文二范英雄叢書鈔
83. 兒女英雄傳
84. 二思堂叢書
85. 二知軒詩書
86. 二程全書義
87. 爾雅郭注義疏
88. 爾雅郭注叢書記
89. 二酉堂遊批集
90. 法樊山全集
91. 樊山全集
92. 樊潘公牘房存考易
93. 潘伯鶚遺稿款識
94. 攀古樓彝器全集
95. 樊榭山房文集
96. 舫廬言備古志閣篇
97. 方氏縣志
98. 費氏縣志青隸法堂清館萊金石
99. 費青楷望筠小蓬萊金石
100. 金石叢書源石初文二集

101 Fen si hien tche	4 pen	
102 Fen tcheou fou tche	8 ,,	
103 Fen yang hien tche	8 ,,	
104 Feou chan hien tche	8 ,,	
105 Feou sseu ts'ao t'ang che tsi	2 ,,	
106 Feou yang hien tche	12 ,,	
107 Fo p'ing t'ing tche	1 ,,	
108 Fong hien tche	4 ,,	
109 Fong houa hien tche	4 ,,	
110 Fong k'ieou hien tche	8 ,,	
111 Fong ni k'ao lio	10 ,,	
112 Fong siang fou tche	12 ,,	
113 Fong siang hien tche	8 ,,	
114 Fong t'ai hien tche	16 ,,	
115 Li tcheou tche lin	24 ,,	
116 Fong tsie hien tche	8 ,,	
117 Fong yang hien tche	12 ,,	
118 Fou chan hien tche	8 ,,	
119 Fou fong hien tche	4 ,,	
120 Fou keou hien tche	4 ,,	
121 Fou k'iang hien tche	4 ,,	
122 { Fou k'iang tchai ts'ong chou / Ko tche ts'ong chou	144 ,,	
123 Fou k'ien tseou yi	8 ,,	
124 Fou kou hien tche	4 ,,	
125 Fou kou pien	3 ,,	
126 Fou p'ing hien tche	6 ,,	
127 Fou tchai che wen tsi	14 ,,	

128 Fou tchai ts'ong chou	20 pen	
129 Fou tcheou fou tche	32 ,,	
130 Fou tcheou tche	5 ,,	
131 Fou tch'ou tchai wen tsi	16 ,,	
132 Fou wong tsi	7 ,,	
133 Fou yu siuan houa loù	10 ,,	
134 Hai chan sien kouan ts'ong chou	120 ,,	
135 Hai chang ts'ouen kao	4 ,,	
136 Hai fong che tsi	2 ,,	
137 Hai fong hien tche	6 ,,	
138 Hai t'ang lan yao	12 ,,	
139 Hai t'ang tche	8 ,,	
140 Hai yang hien tche	10 ,,	
141 Han chou chou tcheng	40 ,,	
142 Han chou pou tchou	32 ,,	
143 Han chou ti li tche kiao pen	1 ,,	
144 Han kien ngan nou ki	1 ,,	
145 Han si yu t'ou k'ao	4 ,,	
146 Han tan hien tche	6 ,,	
147 Han tche chouei tao chou tcheng	2 ,,	
148 Han tch'eug hien tche	7 ,,	
149 Han t'ong yin ts'ong	8 ,,	
150 Han wei lieou tch'ao po san ming kia tsi	100 ,,	
151 Han wei yi chou tch'ao	16 ,,	
152 Han yin t'ing tche	6 ,,	
153 Han yuan lo wen tsi (苑, non 范)	10 ,,	
154 Hang hai chou k'i	2 ,,	

101. 汾西縣志
102. 汾州府志
103. 汾陽縣志
104. 浮山縣志
105. 罘罳草堂詩集
106. 阜陽縣志
107. 佛坪廳志
108. 鳳化縣志
109. 奉化縣志
110. 封邱縣志
111. 封尼攷署志
112. 鳳翔府志
113. 鳳翔縣志
114. 鳳臺縣志林
115. 澧州志
116. 奉節縣志
117. 鳳陽縣志
118. 福山縣志
119. 扶風縣志
120. 扶溝縣志
121. 伏羌縣志
122. 富格撫齋叢書 / 黔叢書
123. 撫奏議
124. 府復編縣志
125. 富黔谷古平齋詩文集
126. 復富齋詩文集
127. 復齋詩文集

128. 鄆州府志
129. 撫州志
130. 廓州齋文集
131. 復初齋集
132. 覆覽宣化錄
133. 撫豫宣化錄
134. 海上仙館稿集
135. 海上峯縣志要
136. 海豐縣志要
137. 海塘覽志
138. 海塘志
139. 海陽縣志證注理攷圖志道志叢朝書志文奇
140. 海書志疏
141. 漢書地理志補注
142. 漢書補地安域縣水
143. 漢書建西郡志城印六
144. 漢西郡志城印
145. 漢郢城銅魏集
146. 邯鄲志
147. 漢城銅魏集
148. 韓漢韓
149. 漢銅魏集遺廳范落海
150. 漢魏家集
151. 漢魏遺陰范
152. 漢陰范
153. 韓范航
154. 航海述

校本 志機攷 疏證 名 三 百 鈔集

PAUL PELLIOT.

155 Hang ta tsong ts‘i tchong ts‘ong chou	6 pen
156 Hao chan wen tch‘ao	24 „
157 Hei long kiang wai ki	2 „
158 Hei nou yu t‘ien lou	4 „
159 Heng chan tche	5 „
160 Heng chouei hien tche	5 „
161 Heng hiuan ki kin lou	2 „
162 Heng tcheou fou tche	20 „
163 Heou mong kou ki che pen mo	2 „
164 Heou ngan teng fou tseu yi chou	4 „
165 Hi kou t‘ang tsi	4 „
166 Hi tch‘ao tcheng ki	4 „
167 Si tch‘ouan (川, non 江)	
t‘ing tche	4 „
168 Hia kiang t‘ou k‘ao	2 „
169 Hia kouei tcheou tseou yi	12 „
170 Hia men tche	12 „
171 Hia tsin hien tche	6 „
172 Hiang chou tchai che tsi	6 „
173 Hiang lin ts‘ao t‘ang che wen tsi	3 „
174 Hiang tch‘eng hien tche	6 „
175 Hiao fong hien tche	10 „
176 Hien hien tche	12 „
177 Hien ts‘ouen lou lio	1 „
178 Hien tch‘ouen lin ngan tche	32 „
179 Hien yang hien tche	4 „
180 Hiu tcheou tche li tcheou tche	8 „
181 Hing hien tche	6 „
182 Hing lou cheng tien	10 „

183 Hing kiun je ki	2 pen
184 Hing ngan fou tche	8 „
185 Hing ngan hien tche	4 „
186 Hing ngan tcheou tche	4 „
187 Hing ning hien tche	12 „
188 Hing p‘ing hien tche	6 „
189 Hing sou t‘ang mou tou chou lou	10 „
190 Hing sou t‘ang kin che ts‘ong chou	40 „
191 Hio hai t‘ang ts‘iuan tsi	24 „
192 Hio kong t‘ou k‘ao	6 „
193 Hiu po tchai ts‘ouen kao	5 „
194 Hiu wen tcheng kong yi chou	5 „
195 Hiu yi hien tche	8 „
196 Ho che yi chou	83 „
197 Ho fang tche	12 „
198 Ho kien hien tche	6 „
199 Ho ta fou ts‘iuan tsi	20 „
200 Ho tong yen fa tche	12 „
201 Ho tsö hien tche	6 „
202 Ho wen tchong kong ts‘iuan tsi	16 „
203 Ho yang hien tche	4 „
204 Hong hing chan fang wen kao	6 „
205 Hong pei kiang sien cheng yi tsi	84 „
206 Hong tcheng sseu kie che tsi	16 „
207 Hou hai leou ts‘ong chou	32 „
208 Hou hien sin tche	4 „
209 Hou k‘o san tchong, comprenant	
Nan hiun tien t‘ou siang k‘ao	4 „

155. 杭大宗七種叢書
156. 鶴山文鈔
157. 黑龍江外記
158. 黑奴籲天錄
159. 恒山志
160. 衡山縣志
161. 恒軒吉金錄
162. 衡州府志
163. 後蒙齋集
164. 厚岡古政堂集
165. 希古堂文存
166. 熙朝紀政奏議
167. 浙江圖志
168. 峽江縣志
169. 夏桂洲文集
170. 廈門志
171. 夏津縣志
172. 香樹齋詩文集
173. 薌林草堂詩集
174. 項城縣志
175. 孝豐縣志
176. 獻縣志
177. 開存署志
178. 咸淳臨安志
179. 咸陽縣志
180. 忻州直隸州志
181. 興縣志
182. 幸魯盛典

183. 行軍日記
184. 興安府志
185. 興安縣志
186. 興安州志
187. 興寧縣志
188. 興平縣志
189. 行素堂目睹書錄
190. 行素堂集古金石全考
191. 學海堂圖齋正縣遺志叢書
192. 學宮圖齋正縣遺志
193. 虛白齋正縣遺志
194. 許氏防間縣復法志
195. 郝氏防間縣復鹽志
196. 河間府志
197. 河東鹽縣忠公志
198. 何大東澤文陽杏山江四樓志
199. 河東澤文陽
200. 郝陽杏北正海縣志
201. 紅忠公志房
202. 洪山江四樓志
203. 弘江四樓新刻
204. 紅洪北正海縣志
205. 洪弘湖鄠縣三種
206. 弘海縣三種殿
207. 湖鄠縣刻三種
208. 鄠縣新刻三殿
209. 胡南薰殿圖像考

	Kouo tch'ao yuan houa lou			235 Houang tch'ao fan pou yao lio	8 pen
	Si ts'ing tcha ki	} 4 pen		236 Houang tch'ao king che wen pien	60 „
210	Hou nan wen tcheng	100 „		237 Houang tch'ao king che wen siu pien	80 „
211	Hou pei ts'ong chou	100 „		238 Houang tch'ao tao hien t'ong	
212	Hou pei ts'ong chou san che san			kouang tseou yi	28 „
	tchong	80 „		239 Houang tcheou fou tche	32 „
213	Hou tcheou fou tche	24 „		240 Houang yen hien tche	16 „
214	Hou tou hien tche	12 „		241 Houang yu che tsi	14 „
215	Hou wen tchong kong yi			242 Houang yuan cheng wou ts'in	
	tsi	36 „		tcheng lou	1 „
216	Houa tcheou tch'ou siu tche	10 „		243 Houei chan ki	6 „
217	Houa yang hien tche	14 „		244 Houei hien tche	8 „
218	Houa yin hien tche	4 „		245 Houei li tcheou tche	8 „
219	Houa yo tche	4 „		246 Houei tcheou fou tche	30 „
220	Houa yo ts'iuan tsi	4 „		247 Houei t'ong hien tche	4 „
221	Houai hai tsi	6 „		248 Houen yuan tcheou tche	5 „
222	Houai jeou hien tche	4 „		249 Houen yuan tcheou siu tche	6 „
223	Houai k'ing fou tche	16 „		250 Houo che ts'ong chou	8 „
224	Houai lou ts'ong chou	80 „		251 Houo k'ieou hien tche	16 „
225	Houai ngan hien tche	4 „		252 Houo louan ping	2 „
226	Houai ning hien tche	10 „		253 Houo kia hien tche	6 „
227	Houai yuan hien tche	3 „		254 Houo lou hien tche	4 „
228	Houan hien tche	2 „		255 Houo tcheou tche li tcheou tche	12 „
229	Houan tou wo chou che lao jen			256 Jao p'ing hien tche	6 „
	nien p'ou	2 „		257 Jao tcheou fou tche	16 „
230	Houan yu hiuan tsi	2 „		258 Je tchao hien tche	4 „
231	Houan yu tcheng che t'ou	6 „		259 Je tche lou tsi che	16 „
232	Houang kang hien tche	24 „		260 Jen k'ieou hien tche	12 „
233	Houang kou chan tche	6 „		261 Jong tchai wen tch'ao	8 „
234	Houang ming che lou	130 „		262 Jong tch'eng san hien tsi	12 „

PAUL PELLIOT.

263 Jong tsö hien tche	4 pen	
264 Jong ts‘ouen yu lou	15 „	
265 Jong ts‘ouen ts‘iuan tsi	64 „	
266 Jong yang hien tche	4 „	
267 Jou ning fou tche	12 „	
268 Jou tcheou ts‘iuan tche	10 „	
269 K‘ai fong fou tche	8 „	
270 K‘ai tcheou tche	8 „	
271 K‘ai yeou yi tchai tou chou tche	4 „	
272 Kan hien tche	18 „	
273 Kan t‘ang siao tche	4 „	
274 Kan tcheou fou tche	10 „	
275 Kan ts‘iuan hien tche	14 „	
276 K‘an ting sin kiang ki	2 „	
277 Kao lan hien tche	4 „	
278 Kao ngan hien tche	20 „	
279 Kao tch‘ang che tsi	4 „	
280 Kao tch‘eng hien tche	4 „	
281 Kao yeou wang che wou tchong	60 „	
282 K‘ao tch‘eng hien tche	4 „	
283 K‘ao ting tchou chou	6 „	
284 Keng tch‘en ki tch‘eng	3 „	
285 K‘eou pei san t‘ing tche	6 „	
286 Ki chen tchai ts‘ong chou	48 „	
287 Ki fou t‘ong tche	240 „	
288 Ki fou ts‘ong chou	[1] 442 „	
289 Siu wen tch‘ang ts‘iuan tsi	8 „	
290 Ki hien tche	6 „	

291 Ki jang tsi	6 pen	
292 Ki k‘i t‘ing tsi	24 „	
293 Ki kou leu	4 „	
294 Ki kouo tchai ts‘ong chou	58 „	
295 Ki lin t‘ong tche	49 „	
296 Ki ngan fou tche	42 „	
297 Ki tcheou tche	6 „	
298 Ki tcheou tche	10 „	
299 Ki t‘ing ts‘ao	6 „	
300 Ki wen ta kong yi tsi	18 „	
301 Ki yi wen ts‘ouen	2 „	
302 K‘i tcheou tche	6 „	
303 K‘i tchong houei kong tsi	4 „	
304 K‘i tong lou	2 „	
305 Kouei sseu lei kao	8 „	
306 Kia che kong tseu heou tchai ts‘ong chou	14 „	
307 Kiai hieou hien tche	8 „	
308 Kiai tcheou ts‘iuan tche	4 „	
309 Kiang yin hien tche	16 „	
310 Kien p‘ou tchai yi pei t‘an lou ki	15 „	
311 K‘ien k‘ouen tcheng k‘i tsi	160 „	
312 Kieou t‘ang chou kiao k‘an ki	24 „	
313 Kieou tch‘ao cheng hiun	214 „	
314 Kieou t‘ong (84, 72, 48)	204 „	
315 K‘ieou k‘iue tchai ti tseu ki	16 „	
316 K‘ieou wen ta kong ts‘iuan tsi	8 „	
317 Kin che siang kiao	10 „	
318 Kin che so	24 „	

[1] Manquent les fascicules 381—383.

714   PAUL PELLIOT.

319 Kin che t'ou chouo	4 pen	miao fei fang lio	40 pen
320 Kin che tsiu	16 „	326 K'in ting p'ing ting yun nan	
321 Kin che tsö	16 „	houei fei fang lio	51 „
322 Kin che ts'ong chou	23 „	327 K'in ting ts'iao ting nien fei fang	
323 Kin che wen tch'ao	10 „	lio	321 „
324 K'in ting p'ing ting chan kan sin		328 K'in ting ts'iao ting yue fei fang	
kiang houei fei fang lio	322 „	lio	422 „
325 K'in ting p'ing ting kouei tcheou		329 K'in ting ts'iuan t'ang wen	504 „

319. 金石圖說
320. 金石聚
321. 金石摘
322. 金氏叢書
323. 金石文鈔
324. 欽定平定陝甘新疆回匪方畧
325. 欽定平定貴州苗匪方畧
326. 欽定平定雲南回匪方畧
327. 欽定勦定捻匪方畧
328. 欽定勦定粤匪方畧
329. 欽定前唐文

Liste B.

1 Chan kiuan t'ang sseu lieou	4 pen	
2 Chan kou che ts'iuan tsi	20 „	
3 Chan tche tch'ou tsi eul tsi	1) 5 „	
4 Chan tong yen fa tche	10 „	
5 Chang chou siang kiai (de Hia Tchouan 夏僎)	16 „	
6 Chang hai tche wei sin tang	1 „	
7 Chang han louen	6 „	
8 Chao tcheou fou tche	24 „	
9 Che kouo tch'ouen ts'ieou	24 „	
10 [Tseng pou] che lei fou t'ong pien	48 „	
11 Che san king tcha ki	6 „	
12 [Song pen] Che san king tchou chou	32 „	
13 Che tchai kiu che tsi (exact ainsi)	8 „	
14 Che tchai kiu che tsi (id.)	2 „	
15 Che tchong kou yi chou	6 „	
16 Che t'ong siao fan	4 „	
17 Che t'ong t'oug che	8 „	
18 Che ts'i che mong k'ieou	6 „	
19 Che ts'ien fou tche (incomplet)	3 „	
20 Che tsong hien houang ti yu tche wen tsi	32 „	
21 Che wai	8 „	
22 [Eul che yi] Che wei	120 „	
23 Chen che tsouen cheng chou	26 „	
24 Chen ngan che wen tch'ao	4 „	

25 Chen siang chouei king tsi ts'iuan pien	4 pen	
26 Chen tcheou kouo kouang tsi (fasc. 1—8) plus les tseng-k'an (fasc. 1—56, moins les Nos 11, 14, 37) et les tsi-wai pei-pan (fasc. 1—10)	71 „	
27 Chen yu yi chou	4 „	
28 Cheng hien sien jou sseu tien	4 „	
29 Cheng hiuan k'ao kou lei pien	8 „	
30 Cheng king tien tche pei k'ao	6 „	
31 Cheng tchai che ts'ouen	2 „	
32 Cheng tiao san p'ou	4 „	
33 Cheou mo tchai tsi	4 „	
34 Cheou pien tsi yao	2 „	
35 Cho fang pei cheng	8 „	
36 Chö tcheng wang tche li tsie	1 „	
37 Chö wen tseu kieou avec le Pie hia tchai ts'ong chou	48 „	
38 Chou hio	2 „	
39 Chou houa so yen	2 „	
40 Chou ki	6 „	
41 Chou kou t'ang tsi	4 „	
42 Chou lu wen tch'ao	4 „	
43 Chou tien	4 „	
44 Chou wen tsing kong tsi	4 „	
45 Chou yeou je ki	2 „	
46 Chouei tao t'i kang	6 „	

1) Manquent les chap. 3—4 du tch'ou-tsi, comme dans tous les exemplaires que j'ai vus.

中 國 書 目 錄 下 卷

718 PAUL PELLIOT.

47	Eul che lou	10 pen
48	Eul chen ye lou	4 „
49	Fang che mo p'ou	8 „
50	Fang hai tsi yao	12 „
51	Fang wang k'i sien cheng ts'iuan tsi	16 „
52	Fang wang k'i ts'iuan tsi	64 „
53	Fou tcheou fou tche	40 „
54	Fou ts'ing tchou nan niu k'o	2 „
55	Hai tao t'ou chouo	10 „
56	Han chou kiao pou (avec 4 commentaires moins importants)	14 „
57	[K'ien tao pen] Han fei tseu	7 „
58	Han kouo yen ko che	2 „
59	Han li tseu yuan	6 „
60	Han song t'ang ts'iuan tsi	13 „
61	Han ta tchong tcheng tseou yi	12 „
62	Han tche t'ang ts'iuan tsi	14 „
63	Hiang chan hien tche	9 „
64	Hiang siao tsi tsien tchou	6 „
65	Hiang yen lao jen cheou yen	1 „
66	Hien che tche na king	1 „
67	Hien ning hien tche	4 „
68	Hien ning hien tche (autre recension) [pl. chin. faut. pour nos 68—73.]	8 „
69	Hing ngan houei lan	40 „
70	Hing t'ong kiai (Mss. offert par M. Tong K'ang)	1 „
71	[Ts'ou kiai] Hing t'ong fou (Mss. datant des Ming offert par M. Tong K'ang)	1 „
72	Hio kou tchai kin che ts'ong chou	32 „
73	Hiuan yuan pei ki yi hio tchou yeou che san k'o	2 „
74	Ho uei hien tche	10 „

75	Ho pi leao tchai	24 pen
76	Ho ping tseu hio tsi yun	6 „
77	Hong king lio tseou touei pi ki	1 „
78	Hong wou tcheng yun	5 „
79	Hou hai che tchouan	16 „
80	Hou hai wen tchouan	16 „
81	Hou kou tsi	6 „
82	Hou siue yen	1 „
83	Houa tch'an che souei pi	4 „
84	Houa che houei tchouan	24 „
85	Hou kien tsi	2 „
86	Houa ngan ts'eu siuan	2 „
87	[Siu tsouan] Houai kouan t'ong tche	6 „
88	Houai pei p'iao yen tche lio	6 „
89	Houan che lou	8 „
90	Houan ts'ouei chan fang che wou tchong kiu (Manuscrit important ayant appartenu à Ye Tche-chen 葉志詵)	15 „
91	Houan yen tchai yi kao	32 „
92	Houan yeou ti k'ieou sin lou	4 „
93	Houan yu fen ho tche	8 „
94	Houang che yi chou pa tchong	16 „
95	Houang houa tsi	4 „
96	Houang siao song ts'ang han pei wou tchong	5 „
97	Houang tch'ao chang yeou lou	8 „
98	Houang tch'ao fan chou yu ti ts'ong chou	48 „
99	Houang ts'ing ming tch'en tseou yi houei pien tch'ou tsi	8 „
100	Houang tch'ao tsi k'i yo wou lou	2 „
101	Houang ts'ing king kiai siu pien	32 „

47. 耳食錄．
48. 二神野錄
49. 方氏墨譜
50. 防海輯要
51. 方望溪先生全集
52. 方望溪全集
53. 福州府志
54. 傅青主男女科
55. 海道圖書校補
56. 漢隸字原
57. 乾道稿
58. 韓非子
59. 漢魏叢書
60. 寒松堂全集
61. 韓大中丞奏議
62. 寒香館遺稿
63. 香山縣志
64. 香屑集
65. 香嚴齋言
66. 現世壽鏡
67. 咸寧縣志覽
68. 刑案匯覽
69. 刑統賦解
70. 祝由科
71. 學古齋金石叢書
72. 軒轅碑三內
73. 十國
74. 河

75. 聊齋集韻記
76. 合璧字學對筆記
77. 合併字學集韻傳
78. 洪武正韻
79. 洪海詩文集
80. 湖海文傳
81. 湖海谷集
82. 虎谷嚴室彙集
83. 胡畫禪室隨筆
84. 畫史彙傳
85. 花間菴史間集
86. 花菴詞選
87. 續纂淮鹽關統志
88. 淮北拾錄志略
89. 官房遺球合書
90. 環翠山齋地分醫集曲
91. 還硯游宇氏花錄
92. 寰宇氏花小朝志八種
93. 黃黃松尚藩名漢碑錄五種
94. 黃皇朝清集藏友屬臣輿地議叢書編
95. 黃皇朝清初樂舞錄
96. 皇朝清祭器解續編
97. 皇

102 [Siu] Houei k°o chou mou	12 pen	
103 Houei lan ki yao, avec le Ngan lan ki yao	4 „	
104 Je ngo tchan tcheng tche yeou lai	1 „	
105 Je pen wei sin san che nien che	6 „	
106 Jen cheng pi tou chou (manquent les chap. 6—8)	8 „	
107 Jen cheng tsi	12 „	
108 Jen fan	2 „	
109 Jouei fan	4 „	
110 Jouei tche chan fang che tch°ao	15	
111 K°ai yuan tchan king	16 „	
112 Kan kieou tsi	8 „	
113 K°ang hi ki hia ko wou louen	2 „	
114 K'ang leang yen yi	4 „	
115 Kao ling hien tche	4 „	
116 Kao ling hien tche (autre recension)	6 „	
117 Kao yao t°ang yi tsi	4 „	
118 K°ao kong ki pien tcheng	2 „	
119 [Sin yi] keng tseu tchong wai tchan ki	2 „	
120 Keng tseu yi houo k°iuan ngan tsa ts°ouen	1 „	
121 Ki keng pien	2 „	
122 Ki kin so kien lou	4 „	
123 Ki kou ko sseu che	24 „	
124 K°i chan hien tche	4 „	
125 K°i chan hien tche (autre recension)	2 „	
126 Kia pao sseu tsi	8 „	
127 Kia tch°en k°ao tch°a je pen chang wou je ki	1 „	

128 Kia tcheou tche	2 pen	
129 Kiai t'ing wen tsi	8 „	
130 Kiang chan hien tche	8 „	
131 Kiang hien tche	4 „	
132 Kiang ning fou tche	12 „	
133 [Siu tsouan] Kiang ning fou tche	12 „	
134 Kiang pei t°ing tche	8 „	
135 Kiang si che tcheng	64 „	
136 Kiang si t'ong tche	120 „	
137 Kiang siue chan fang che tch°ao	6 „	
138 Kiang sou hai t°ang siu tche	4 „	
139 Kiang tcheou tche	10 „	
140 Kiang tou hien siu tche	8 „	
141 Kiao ho tsi	4 „	
142 Kiao king lu wen kao	4 „	
143 Kiao pin lu k°ang yi	2 „	
144 Kiao tcheou tche	8 „	
145 Kiao yu tch°ang ko tsi	1 „	
146 Kie houa tchai yin p°ou	6 „	
147 Kien nan che tch°ao	6 „	
148 Kien ngan sin tche	6 „	
149 Kien ngan kin kouan lou pa tchong	12 „	
150 Kien tchai tsi	8 „	
151 Kien tche chouei tchai tsi	8 „	
152 Kien chan t°ang tsi	8 „	
153 K°ien k°ouen tcheng k°i tsi siuan tch°ao	32 „	
154 K°ien tcheou tche kao	7 „	
155 K°ien yang hien tche	8 „	

由來十年史
目要紀之三書

102. 續彙刻書目
103. 彙刻書目
104. 日俄戰爭新讀（刻紀瀾戰維必集）
105. 日本維新必讀
106. 人生聲範
107. 仁人範
108. 蠕範
109. 芝範
110. 瑞芝山房詩鈔
111. 開元占經
112. 感舊集（山房經）
113. 康熙幾暇格物編（論）
114. 康梁演義
115. 高陵縣志
116. 高陵縣志遺（堂記）
117. 高陶工譯
118. 敬辨證子庚義
119. 新庚子譯
120. 庚子義編
121. 巳庚金所閱
122. 吉古山縣四
123. 汲古閣山四志集
124. 岐山縣志
125. 岐家寶四志集
126. 家甲辰察
127. 甲辰日記

中外戰雜存
戰記案
外案
見四志集
錄史
日本商務
敬察

128. 志文集
129. 段亭山縣志
130. 介江絳縣志
131. 江絳府志
132. 江寧府志
133. 續江寧府志
134. 江北廳志
135. 江西詩徵
136. 江西通志
137. 江絳雪苑志
138. 江絳蘇州縣志
139. 江絳都河縣集
140. 江都縣續集
141. 交河經顧廬
142. 校顧廬詩集
143. 校邠州志
144. 膠州志唱齋詩
145. 教育華南安詩
146. 擷華南安錦集
147. 劍南安茸齋止
148. 建茸齋止山坤
149. 見聞間鑑止山坤州
150. 間鑑兼乾州陽
151. 鑑兼乾乾州陽
152. 兼乾坤正志縣
153. 乾乾州陽
154. 乾陽縣
155. 黔陽縣

志徵志
房堂詩鈔新志
續志彙議
文抗歌印鈔志集譜
官錄八種集
齋集氣稿志
集選鈔

156 K⁀ien yang hien tche (avec supplément)	10 pen	
157 Kien yun yin yi	8 „	
158 Kieou tö tsi	4 „	
159 Kieou yi chan tche	2 „	
160 K⁀ieou hai eul kong ho tsi	10 „	
161 K⁀ieou tsai wo tchai ts⁀iuan tsi	30 „	
162 Kin che hio lou	1 „	
163 Kin che k⁀i	4 „	
164 Kin che k⁀i (autre édition)	5 „	
165 Kin che san tchong	4 „	
166 Kin che tchong kouo pi che	1 „	
167 Kin che ts⁀ouei pien pou tcheng	4 „	
168 [Tchang k⁀o] Kin che wen tseu	2 „	
169 Kin che yun fou	6 „	
170 Kin hien tche	16 „	
171 Kin hien tche	2 „	

172 Kin houa wen ts⁀ouei; exemplaire

fragmentaire comprenant:

Tch⁀ou yue tsi		
Ying siue ts⁀ong chouo		
Po tchai pien		
Hong wou cheng tcheng ki	9 „	
P⁀ou yang jen wou ki		
Chou pei ki		
Ming kouo tch⁀ou che tsi		
Yuan tchen tseu		

173 Kin ling che tcheng	40 „	
174 Kin sseu lou fa ming	12 „	
175 Kin t⁀o ts⁀ouei pien	12 „	

176 Kin wen siang kong tseou chou	8 pen	
177 Kin wen ta p⁀ien	4 „	
178 Kin wen tsouei	16 „	
179 Kin wen ya	4 „	
180 Kin yao tch⁀eou pi	4 „	
181 Kin yuan ki che che	4 „	
182 K⁀in hio jou men	2 „	
183 K⁀in p⁀ou hiai cheng	6 „	
184 K⁀in tche leou ts⁀ong chou	20 „	
185 K⁀in ting che king yo p⁀ou ts⁀iuan chou	24 „	
186 K⁀in ting cheou che t⁀ong k⁀ao	6 „	
187 K⁀in ting chou king t⁀ou chouo	16 „	
188 K⁀in ting hi tch⁀ao ya song tsi	24 „	
189 K⁀in ting hie ki pien fang chou	8 „	
190 K⁀in ting hio tcheng ts⁀iuan chou	16 „	
191 K⁀in ting hou pou tsö li	72 „	
192 K⁀in ting houang yu si yu t⁀ou tche	12 „	
193 K⁀in ting kong pou tso fa tsö li	73 „	
194 K⁀in ting kouang lou sseu tsö li	54 „	
195 K⁀in ting li pou tsö li	24 „	
196 K⁀in ting man tcheou yuan lieou k⁀ao	4 „	
197 K⁀in ting p⁀ing ting tchouen ko eul fang lio (exemplaire incomplet; manquent: tables; ts⁀ien pien, chap. 1—12; tcheng pien, chap. 42, 43, 45, 46, 47, partie du 48)	101 „	
198 Autre exemplaire incomplet	36 „	
199 K⁀in ting siu mong kou wang kong piao tchouan (en mandchou, mongol et chinois)	72 „	
200 K⁀in ting ta ts⁀ing houei tien che li (édition nouvelle de 1908—1909)	160 „	
201 K⁀in ting t⁀ai kouei	8 „	

724 PAUL PELLIOT.

202	K'in ting t'ien lou lin lang chou mou	10	„
203	K'in ting ts'iao p'ou lin ts'ing yi fei ki lio	8	„
204	K'in ting ts'iao p'ing san cheng sie fei fang lio (manquent les chap. 46 et 92)	409	„
205	K'in ting ts'iuan t'ang che	32	„
206	K'in ting tsong jen fou tsö li	24	„
207	K'in ting tsong kouan nei wou fou t'ang hien (現) hing tsö li	4	„
208	King hiun t'ang ts'ong chou	16	„
209	King k'eou chan chouei tche	4	„
210	King kiu chouo	8	„
211	King men tche li tcheou tche	12	„
212	King tcheou fou tche	32	„
213	King tcheou ki	1	„
214	King tcheou tche	4	„
215	King tcheou tche	2	„
216	King tcheou wan teh'eng t'i tche	10	„
217	King tch'ouan ts'ong chou (Exemplaire incomplet)	20	„
218	King tchouan yi yi	20	„
219	King tch'ouan ts'iuan tsi	10	„
220	King t'o yi che	24	„
221	King tsi fang kou tche	8	„
222	King tsi tsouan kou 經籍纂詁 (omis sur la liste chinoise)	40	„
223	King tsin k'iuan fei ki lio	6	„
224	King yang hien tche (manque 1 pen)	5	„
225	King ye t'ang tsi	16	„
226	King yi k'ao	50	„
227	[Sin tsien] King yuan	77	„

228	King yun leou ts'ong chou	24	pen
229	K'ing yuan hien tche	8	„
230	K'ing yun hien tche	4	„
231	K'iong tcheou fou tche	24	„
232	K'iong tcheou tche	12	„
233	K'iu kiang hien tche	8	„
234	K'iu lou	4	„
235	K'iu tcheou fou tche	12	„
236	K'iu tchong siuan kong tsi	4	„
237	K'iu wei tchai wen tsi	28	„
238	K'iu yao hien sin tche	8	„
239	K'iuan fei ki lio	6	„
240	K'iuan heng yi chou	24	„
241	K'iuan hio p'ien chou heou	2	„
242	K'iuan houo ki	2	b
243	Kiuan tsai tche wen tsi	8	„
244	K'iue li tche	10	„
245	K'iue li wen hien k'ao	8	„
246	Kiun tchai tou chou tche	10	„
247	Kiun tcheou tche	8	„
248	Ko kou yao louen	4	„
249	Ko kouo je ki houei pien	4	„
250	Ko kouo t'iao yue	14	„
251	Kong kien kong tche yo	13	„
252	Kong tou leou chou mou	2	„
253	Kong touan yi kong tseou chou	5	„
254	Kong yen tsi	1	„
255	K'ong t'ong chan tche	2	„

256 [Song chou pen] K‘ong tseu kia yu   4 pen

257 K‘ong tseu tsi yu pou yi   1 „

258 Kou hio ki wen lou   8 „

259 Kou kin che wen lei tsiu pie tsi (manquent le chap. 15 et une portion du chap. 16)   26 „

260 Kou kin chouo hai (Superbe exemplaire d’une moitié de l’édition originale des Ming; a appartenu à Wong Fang-kang 翁方綱)   20 „

261 Kou kin lei tchouan   2 „

262 Kou kin liu li k‘ao   24 „

263 Kou kin sing che chou pien tcheng   8 „

264 Kou kin ts‘ien lio   16 „

265 Kou kin tsong fan yi hing k‘ao (Très bel exemplaire de cet ouvrage très rare)   10 „

266 Kou kin yun lien houei k‘o   13 „

267 Kou kin yun houei kiu yao   10 „

268 Kou kin yun lio   5 „

269 Kou king kiai houei han, avec le Siao hio houei han   80 „

270 Kou tcheou che yi   1 „

271 Kou tch‘eou souan k‘ao che   6 „

272 Kou ts‘iuan houei   20 „

273 Kou ts‘iuan so. Estampages de monnaies   14 „

274 Kou wei chou   6 „

275 Kou wei t‘ang nei wai tsi   4 „

276 Kou wen ts‘eu lei tsouan   24 „

277 Kou yao yen   20 „

278 Kou yi ts‘ong chou   49 „

279 Kou yin lei piao   4 „

280 Kou yu t‘ou k‘ao   4 „

281 Kou yo p‘ou   8 „

282 Kou yo yuan   24 „

283 Kouan hio pien   2 pen

284 Kouan kou ko ts‘ong kao   8 „

285 Kouan si ma che che hing lou   8 „

286 Kouan t‘ao hien tche   4 „

287 Kouan tch‘ang hien hing ki   15 „

288 Kouan tchong tseou kao   6 „

289 Kouan ti che tsi tcheng sin pien   6 „

290 Kouan tseu tö tchai ts‘ong chou   24 „

291 Kouang fong hien tche   10 „

292 Kouang ling hien tche   6 „

293 Kouang p‘ing fou tche   24 „

294 Kouang po wou tche   48 „

295 Kouang si kin che lio   4 „

296 Kouang si t‘ong tche   80 „

297 Kouang siu kouei ki piao   4 „

298 Kouang siu ti   1 „

299 Kouang siu yi sseu nien kiao chö yao lan   5 „

300 Kouang tcheou jen wou tchouan   4 „

301 Kouang tcheou tche   32 „

302 Kouang tong k‘ao kou tsi yao   10 „

303 Kouang tong t‘ou chouo   21 „

304 Kouang ya chou tcheng   8 „

305 Kouang yen tang chan tche   8 „

306 K‘ouang tchö k‘o king song   6 „

307 K‘ouang tcheng tsi lio   8 „

308 K‘ouang tsing ngan tsi   4 „

309 Kouei hing t‘ang tsi   4 „

256. 孔子家語　蜀本
257. 孔子集語補錄
258. 古學彙刊
259. 古今事文類聚別集
260. 古今說海
261. 古今類傳
262. 古今律曆考
263. 古今姓氏書辨證
264. 古今錢略
265. 古今宗藩懿行考
266. 古今楹聯彙刻
267. 古今韻會舉要
268. 古今韻略
269. 古經解彙函
270. 古籀拾遺
271. 古籌算考釋
272. 古泉匯
273. 古泉叢書
274. 古微書
275. 古微堂內外集
276. 古文辭類纂
277. 古謠諺
278. 古逸叢書
279. 古音表攷
280. 古玉圖譜
281. 古樂苑
282. 古樂...

283. 關學編
284. 觀古閣叢刻
285. 關西馬氏世行錄
286. 關中陶塚記
287. 官場現形記
288. 關中奏疏稿蹟齋
289. 關帝廟徵信編叢書
290. 觀自得齋叢書
291. 廣靈縣志
292. 廣平府志
293. 廣博物志
294. 廣西金石畧
295. 廣西通志
296. 光緒會典
297. 光緒帝自豐縣志
298. 光緒乙巳年交涉要覽
299. 光緒......覽
300. 廣州人物傳
301. 廣州光志
302. 廣東攷古圖説證山經輯要
303. 廣東雅雁詰政說證
304. 廣雅山經誌頌
305. 廣...雁...署集
306. 廣匡...署集
307. 廣礦政靖菴堂馨
308. ...況靖馨
309. 桂...

310	Kouei ki san fou	4 pen
311	Kouei sseu ts^couen kao	6 ,,
312	Kouei mao lu hing ki	2 ,,
313	Kouei ngan hien tche	16 ,,
314	Kouei p^cou k^can ts^cong kao	6 ,,
315	K^ci yang hien tche (incomplet)	8 ,,
316	Kouei tch^ca ts^cong k^co ts^ci tchong	4 ,,
317	Kouei tchai tsi	6 ,,
318	Kouei tcheou tche	6 ,,
319	Kouei tö fou tche	10 ,,
320	Kouei yang tcheou tche	12 ,,
321	K^couei tcheou fou tche	10 ,,
322	Kouei tong hien tche	6 ,,
323	Kouei tch^ce eul miao tsi	12 ,,
324	Kouei tch^ce t'ang jen tsi	4 ,,
325	Kouo che lang tsi	28 ,,
326	Kouo che tch^couan kia yi chouo	8 ,,
327	Kouo hio ts^cong chou (fasc. 1-15)	15 ,,
328	Kouo ki tseu pai p^can ming k'ao	1 ,,
329	Kouo min tch^cang ko tsi	1 ,,
330	Kouo ts^couei hio pao (comprend: 1905, 7 fasc.; 1906, 7 fasc.; 1907, 8 fasc.; 1908, 8 fasc.; 1909, 3 fasc.)	33 ,,
331	Kouo ts^couei ts^cong chou (Première série)	17 ,,
332	Kouo ts^couei ts^cong chou (Deuxième série, 24 pen; Troisième série, 18 pen)	42 ,,
333	Kouo tch^cao houa tcheng lou	2 ,,
334	Kouo tch^cao hio ngan siao tche	12 ,,
335	Kouo tch^cao hou tcheou fou hiang sien cheng tchao chou	8 ,,
336	Kouo tch'ao hou tcheou fou k^co ti piao	2 ,,
337	Kouo tch^cao jeou yuan ki	6 ,,

338	Kouo tch^cao ki hien lei tcheng tch^cou pien	300 pen
339	Kouo tch^cao king hio ming jou ki	1 ,,
340	Kouo tch^cao ming jen cheou tsi (fasc. 1—8)	8 ,,
341	Kouo tch^cao tchong tcheou wen tcheng	28 ,,
342	Kouo tch^cao wen lou	.16 ,,
343	Kouo tch^ce siao che	1 ,,
344	Kouo ti yi ming lou	1 ,,
345	Kouo ts^cang kin che tche	8 ,,
346	Kouo yu kiao tchou pen san tchong	8 ,,
347	Kouo yun leou chou houa ki	4 ,,
348	Lai hao t^cang che tch^cao	8 ,,
349	Lai lou t^cang tsi	12 ,,
350	Lai tcheou fou tche	8 ,,
351	Lai yang po sien cheng che tsi	8 ,,
352	Lai yang po wen tsi	10 ,,
353	Lan chan hien tche	10 ,,
354	Lan tcheou fou tche	8 ,,
355	Lan t^cien hien tche	6 ,,
356	Leang han kin che ki	8 ,,
357	Leang li lio	4 ,,
358	Leang tang hiuan ts^ciuan tsi	6 ,,
359	Leang tchö hai t^cang t^cong tche	12 ,,
360	Leang tchö kin che tche (志)	12 ,,
361	Leang tchö kouan yeou ki wen	8 ,,
362	Leang tchö yen fa pei k^cao	5 ,,
363	Leang tchö yeou hiuan lou	72 ,,
364	[Yuan heng] Leao ma tsi	8 ,,
365	Leao wen ts^couei	1 ,,

366 Lei p‘ien	14 pen	
367 Lei po t‘ing tché	6 „	
368 Lei t‘ang ngan tchou ti tseu ki	2 „	
369 Leou tseu tsing wen tsi	6 „	
370 Li che (avec le Li siu)	8 „	
371 Li che yi chou	7 „	
372 Li che yin kien	4 „	
373 Li chou (avec le Yo chou)	32 „	
374 Li chouei hien tche	12 „	
375 Li fa t‘ong chou ta ts‘iuan	12 „	
376 Li hien tche	10 „	
377 Li hio tsong tchouan	12 „	
378 Li hong tchang	1 „	
379 [Yu ting] Li tai fou houei	48 „	
380 Li tai ming tch‘en yen hing lou siu tsi	12 „	
381 Li tai tche kouan piao	32 „	
382 [Yu ting] Li tai t‘i houa che lei	24 „	
383 Li tai yn ti yen ko t‘ou	1 „	
384 Li tchong tiug kong tsi	18 „	
385 Li tsin hien tche	4 „	
386 Li ts‘iuan hien tche	4 „	
387 Li wen kong kong tsi	2 „	
388 Li wen tchong kong hai kiun han kao	2 „	
389 Li wen tchong kong p‘eng leao han kao	12 „	
390 Li wen tchong kong tseou yi	20 „	
391 Li wen tchong kong ts‘iuan chou	100 „	
392 Li yang tien lou	12 „	

393 Lie kouo tcheng yao	32 pen	
394 Lien hou tche	4 „	
395 Lien tcheou tche	6 „	
396 Lien yun yi ts‘ong chou	30 „	
397 Lieou chou yun tcheng	24 „	
398 Lieou ho bien tche	10 „	
399 Lieou kieou hiuan souan chou	4 „	
400 Lieou king ts‘iuan t‘ou (un volume xylographié)	1 „	
401 Lieou king ts‘iuan t‘ou (un volume estampé blanc sur noir)	1 „	
402 Lieou k‘ouen yi	1 „	
403 Lieou li pou tsi	6 „	
404 Lieou li tchai yi chou che tchong	24 „	
405 Lieou pa t‘ing tche	4 „	
406 Lieou tch‘ao che tsi pien lei	4 „	
407 Lieou tch‘ao wen kie	1 „	
408 Lieou tchen p‘ou	12 „	
409 Lieou tch‘ouen chou wou che tsi	4 „	
410 Lieou touan lin sien cheng yi chou	4 „	
411 Lieou wen (édition précieuse des Yuan)	12 „	
412 Lieou wen ngan kong ts‘iuan tsi	16 „	
413 Lin hai hien tche	8 „	
414 Lin hien tche	4 „	
415 Lin kiu hien tche	6 „	
416 Lin kouei hien tche	16 „	
417 Lin lang pi che ts‘ong chou	24 „	
418 Lin sou yuan fa t‘ie	8 „	
419 Lin sou yuan han yin p‘ou	18 „	
420 Lin t‘ong hien tche	6 „	

421 Lin tseu ts'iuan tsi	24 pen	
422 Lin tsin hien tche	4 „	
423 Lin ts'ing tche li tcheou tche	11 „	
424 Lin wen tchong kong tcheng chou	14 „	
425 Lin wou hien tche	12 „	
426 Lin yeou hien sin tche ts'ao	4 „	
427 Lin yeou hien tche	2 „	
428 Lin yu hien tche	8 „	
429 Ling che hien tche	8 „	
430 Ling hien tche	8 „	
431 Ling kien ko ts'ong chou	48 „	
432 Ling ling hien tche	12 „	
433 Ling long chan kouan ts'ong chou	48 „	
434 Ling nan cho che ki	12 „	
435 Ling nan tsa che che	6 „	
436 Ling nan tsi	7 „	
437 Ling nan ts'ong chou	18 „	
438 Ling nan yi chou	60 „	
439 Ling tch'ou king	8 „	
440 Ling tch'ouan hien sin tche	10 „	
441 Lio yang hien tche	4 „	
442 Liu fa siu tche	2 „	
443 Liu king ye ts'iuan tsi	16 „	
444 Liu t'ing tche kien tch'ouan pen chou mou	10 „	
445 Lo chan hien tche	6 „	
446 Lo kiang hien tche	2 „	
447 Lo king kiai ting	4 „	
448 Lo ling hien tche	8 „	

449 Lo nan hien tche	4 pen	
450 Lo tao t'ang ts'iuan tsi	13 „	
451 Lo tch'ang hien tche	6 „	
452 Lo tche hien tche	4 „	
453 Lo tch'ouan hien tche	4 „	
454 Lo t'ing hien tche	6 „	
455 Lo wen tchong kong tseou yi	24 „	
456 Lo yu tchang ts'iuan tsi	4 „	
457 Long hou chan tche	6 „	
458 Long tch'ouan wen tsi	10 „	
459 Long tchouang yi chou	6 „	
460 Long tcheou (州) siu tche	4 „	
461 Long tcheou (州) tche	4 „	
462 Lu chan tche	10 „	
463 Lou fong hien tche	4 „	
464 Lou k'i hien tche	6 „	
465 Lu ling wen tcheng siang ts'iuan tsi	12 „	
466 Lou ngan fou tche	24 „	
467 Lu tcheou fou tche (incomplet)	15 „	
468 Lou tcheou ts'iuan tsi	18 „	
469 Lou yi hien tche	6 „	
470 Louan tch'eng hien tche	6 „	
471 Louan tcheou tche	8 „	
472 Louen yu tchou chou kiai king	2 „	
473 Lu siue t'ang yi tsi	6 „	
474 Lu ye tchai tsi	8 „	
475 Lu yi t'ang wen tsi	16 „	
476 Ma che wen t'ong	2 „	

477 Ma kou chan tche	6 pen	
478 [T'ong tch'eng] Ma t'ai p'ou tseou lio	2 „	
479 Ma touan sou kong tseou yi	4 „	
480 Man han chang yu	16 „	
481 Man kieou t'ing tsi	6 „	
482 Mao ming hien tche	7 „	
483 Mei che ts'ong chou	24 „	
484 Mei hien tche	4 „	
485 Mei tcheou tche	10 „	
486 Mi hien tche	4 pen + 1 carte	
487 Miao che chouo wen sseu tchong	4 pen	
488 Miao fang pei lan	8 „	
489 Miao wou lie kong yi tsi	4 „	
490 Mien hien tche	1 pen + 1 carte	
491 Mien tch'e hien tche	8 pen	
492 Mien yi tchai ngeou ts'ouen kao	10 „	
493 Min k'ieou ki yao	4 „	
494 Ming chan hien tche	8 „	
495 Ming che kao 10 t'ao	100 „	
496 Ming che ki che	24 „	
497 Ming che ts'ong	32 „	
498 Ming hing kouan kien lou	1 „	
499 Ming jou hio ngan	48 „	
500 Ming ki nan pei lio	16 „	
501 Ming ki pai che houei pien	6 „	
502 Ming k'o wen pien	2 „	
503 Ming pien tchai ts'ong chou	32 „	
504 Ming ta sseu ma lou kong tseou yi	8 „	

505 Ming tai ming tch'en mo pao (fasc. 1—8)	8 pen	
506 Ming tai ming jen cheou tsi (fasc. 1—5)	5 „	
507 Ming t'ang ta tao lou	3 „	
508 Ming t'ong kien	40 „	
509 Ming t'ong kien mou lou	8 „	
510 Ming wen tsai	10 „	
511 Ming yi lei ngan	20 „	
512 Mo hiang ko tsi	6 „	
513 Mo jou leou che siuan ho k'o	4 „	
514 Mo k'o lieou tchong	6 „	
515 Mo lin kin houa	6 „	
516 Mo ling tsi	4 „	
517 Mo miao t'ing pei mou k'ao	2 „	
518 Mo tch'e pien	16 „	
519 Mo yuan houei kouan	6 „	
520 Mong hien tche	70 „	
521 Mong kou tche	1 „	
522 Mong tchai t'ien che ts'ong chou	28 „	
523 Mong tchong yi kong tseou yi	2 „	
524 Mong tsin hien tche	4 „	
525 Mong yen tchai yi kao	4 „	
526 Mou ling ts'iuan chou	14 „	
527 Mou ngan tsi. Incomplet, a seulement ch. 1—16, 20—22	7 „	
528 Mou si hiuan ts'ong chou	48 „	
529 Mou t'ang tch'ou pie kao	36 „	
530 Na chou yun k'iu p'ou ts'iuan tsi	24 „	
531 Na p'o louen pen ki	4 „	
532 No wen yi kong tseou yi	48 „	

477. 麻姑山志
478. 桐城續修縣志書
479. 馬端肅公奏議
480. 滿漢名臣諭集
481. 鈒上亭縣志
482. 茂名氏縣志叢書
483. 梅氏縣志
484. 眉縣志
485. 眉州志
486. 蜜縣志
487. 苗氏說文四種
488. 苗防備覽遺集
489. 繆武烈公遺集
490. 沔縣志
491. 澠池縣志
492. 勉益齋偶存稿
493. 敏求機要
494. 名山史事
495. 明詩綜
496. 明詩紀事
497. 明刑管見錄
498. 明儒學案
499. 明季南北史彙編
500. 明季稗史彙編
501. 明季柯文
502. 茗柯文編
503. 明辨齋叢書
504. 明大司馬盧公奏議

505. 明代名臣墨蹟錄
506. 明代名人道錄
507. 明代大鑑目錄
508. 明堂通鑑
509. 明通鑑
510. 明文在類案集
511. 明名醫類案
512. 墨香閣詩選合刻
513. 莫如樓六種
514. 莫刻今話
515. 墨林今集
516. 秣陵妙亭碑目攷
517. 墨妙亭編彙觀
518. 墨池緣彙志
519. 墨緣縣志
520. 孟縣志
521. 蒙古齋田毅叢書
522. 蒙齋忠縣齋公奏議稿
523. 孟忠津縣齋遺書
524. 孟津硯令全集
525. 夢硯令菴稿
526. 牧菴犀初別書
527. 牧犀堂初楣叢書
528. 木堂書楣嵚曲稿譜全集
529. 穆堂書破毅本紀
530. 納書破文公奏議
531. 拿那文

533 Nan k'ang fou tche	12 pen	
534 Nan k'ang hien tche	12 „	
535 Nan king mo kiue	6 „	
536 Nan ling siao tche	6 „	
537 Nan ngan fou tche	26 „	
538 Nan pei che pou tche	6 „	
539 Nan siun cheng tien	8 „	
540 Nan song k'iun hien siao tsi; y sont joints: Tou houa tchai ts'ong chou Kiang hou heou tsi	110 „	
541 Nan song tsa che che (詩, non 記)	4 „	
542 Nan song wen fan	16 „	
543 Nan song wen lou lou	6 „	
544 Nan tch'ang kiao ngan ki lio	1 „	
545 Nan tcheng hien tche	4 „	
546 Nan yang fou tche	12 „	
547 Nan yang hien tche + 1 carte	6 „	
548 Nan yang jen wou tche	12 „	
549 Nan yo tche	12 „	
550 Nan yue yeou ki	2 „	
551 Nei cheng t'ang ts'iuan tsi	4 „	
552 Nei houang hien tche	6 „	
553 [Houang ti] Nei king sou wen	10 „	
554 Ngai je tsing lou ts'ang chou tche	10 „	
555 Ngai je tchai tsi	2 „	
556 Ngai kouo hing ki	1 „	
557 Ngan fou hien tche	12 „	
558 Ngan houei t'ong tche	120 „	

559 Ngan jen hien tche	10 pen	
560 Ngan wou sseu tchong	16 „	
561 Ngan p'ing hien tche	5 „	
562 Ngan yang hien kin che lou	4 „	
563 Ngan yang hien tche	10 „	
564 Ngan yang tsi	10 „	
565 Ngen yu t'ang king tsin kao	18 „	
566 Ngen yu t'ang tou chou pa wei	2 „	
567 Ngeou hiang kouan tsi	4 „	
568 Ngeou hiang ling che	22 „	
569 Ngeou koua wen lou	16 „	
570 Ngeou ning hien tche	6 „	
571 Ngeou po lo che chou houa kouo mou k'ao	4 „	
572 Ngeou tcheou che yi kouo yeou ki	2 „	
573 Ngeou tcheou tsou lei yuan lieou lio	2 „	
574 Ngo tsai sseu tchong	2 „	
575 Ngeou yang wen tchong kong ts'iuan tsi	24 „	
576 Ngeou yeou souei pi	2 „	
577 Ngeon yi lei kao	6 „	
578 Ngo chou pien	20 „	
579 Ngo chou tsi	8 „	
580 Ngo mei chan tche	6 „	
581 Ngo yeou houei pien	6 „	
582 Nie kiun men tong tcheng je ki	1 „	
583 Nien eul che louen tsan	30 „	
584 Nien sseu che yo pien	8 „	
585 Nicou k'ong chan sien cheng ts'iuan tsi	50 „	

533. 南康府志
534. 南康縣志
535. 南難經脉訣志
536. 南陵小志
537. 南安府志
538. 南北史補志
539. 南巡盛典
540. 南宋群賢小集　讀畫齋叢書　江湖後集
541. 南宋雜事範記
542. 南宋文錄
543. 南宋文案紀畧
544. 南昌教案紀署
545. 南鄭縣志
546. 南陽府志
547. 南陽縣志
548. 南陽人物志
549. 南嶽志
550. 南越游記
551. 南內堂全集
552. 內黃縣志
553. 黃帝內經素問
554. 愛日精廬藏書志
555. 愛日齋行志
556. 愛國縣志
557. 安福縣志
558. 安徽通志

559. 安仁縣志
560. 安吳四種
561. 安平縣志
562. 安陽縣金石錄
563. 安陽縣志
564. 安陽集
565. 恩餘堂經進藁
566. 恩餘堂讀書跋尾
567. 甌香館集拾
568. 藕香零拾
569. 甌括文錄志
570. 甌寧縣志
571. 甌鉢羅室書畫過目攷
572. 歐洲十一國游記
573. 歐洲族類源流畧
574. 鄂宰四種
575. 歐陽文忠公全集
576. 歐游隨筆類稿
577. 藕頤類編
578. 蛾術編
579. 蛾術集
580. 峩眉山志
581. 峩游彙編
582. 晶軍門東征日記
583. 念廿二四史論讚
584. 廿四史論讚約編
585. 牛空山先生全集

586 Ning chan t'ing tche	4 pen	
587 Ning hai tcheou tche	6 „	
588 Ning ho hien tche	6 „	
589 Ning houa hien tche	8 „	
590 Ning k'iang tcheou tche	5 „	
591 Ning tou san wei ts'iuan tsi	68 „	
592 Ning wou fou tche	6 „	
593 Ning yuan fou tche	8 „	
594 Ning yuan hien tche	6 „	
595 Pa hien tche	6 „	
596 Pa k'i man tcheou che tsou t'ong p'ou	25 „	
597 Pa k'i wen king	12 „	
598 Pa kia sseu lieou wen tchou	4 „	
599 Pa tcheou tche	4 „	
600 Pai cha tseu ts'iuan tsi	10 „	
601 Pai chouei hien tche	4 „	
602 Pai fou t'ang souan hio ts'ong chou nien yi tchong	32 „	
603 Pai han pei yen tchai so pen ko tchong han pei	1 „	
604 Po hiang chan che tsi	12 „	
605 Pai ho hien tche	4 „	
606 Pai king leou che tchong	10 „	
607 Pai kiu siang k'i p'ou	4 „	
608 Pai lou chou yuan tche	8 „	
609 Pai lou tcheou chou yuan tche	4 „	
610 Po tseu ts'iuan chou	110 „	
611 Pai yen ming	1 „	

612 Po yun chan fang ts'iuan tsi	4 pen	
613 P'an chan tche	4 „	
614 P'an chao po sien cheng tsi	8 „	
615 P'an yu lou ts'ouen	4 „	
616 P'ang hi tchai ts'ong chou	32 „	
617 Pao hiao sou kong tseou yi	4 „	
618 Pao ki hien tche	4 „	
619 Pao louen t'ang tsi	8 „	
620 Pao ngan tcheou tche	4 „	
621 Pao tch'eng hien tche	4 „	
622 Pao tch'ong tchai che tsi	12 „	
623 Pao tch'ouen ko tsi	12 „	
624 Pao ting fou tche	12 „	
625 Pao ting hien tche	4 „	
626 Pao yi ts'ao t'ang tsi	10 „	
627 Pao ying hien tche	10 „	
628 Pei hien tche	8 „	
629 Pei kiao houei pien	6 „	
630 Pei pie tseu	3 „	
631 Pei t'ang chou tch'ao	20 „	
632 Pei tchouan tsi	60 „	
633 P'ei wen tchai yong wou che siuan	64 „	
634 Pen king chou tcheng	12 „	
635 Pen tch'ao che	1 „	
636 Pen tch'ao che ts'an k'ao chou	1 „	
637 Pen ts'ao kang mou	40 „	
638 Pen ts'ao ts'ong sin	6 „	
639 P'eng hien tche	4 „	

586. 寧陝廳志
587. 寧海州志
588. 寧河縣志
589. 寧化縣志
590. 寧羌州志
591. 寧都三魏全集
592. 寧武府志
593. 寧遠府志
594. 寧遠縣志
595. 巴縣志
596. 八旗滿洲氏族通譜
597. 八旗文經
598. 八家四六文注
599. 巴州志
600. 白沙子全集
601. 白水縣志
602. 白芙堂算學叢書廿一種
603. 百種漢碑
604. 白香山詩集
605. 白河縣志
606. 拜經樓叢書
607. 白鹿洲書院志
608. 白鹿洞書院志
609. 白鷺洲書院志
610. 百鹿洞書院全書
611. 百硯齋

612. 白雲山房全集
613. 盤山志
614. 潘少白先生存稿
615. 判語
616. 滂喜齋叢書
617. 包孝肅公奏議
618. 寶雞縣志
619. 寶繪堂集
620. 保安州志
621. 褒城縣志
622. 抱沖齋詩集
623. 葆淳閣集
624. 保定府志
625. 保定縣志
626. 寶應縣志
627. 彙字書集
628. 徽州別集
629. 北碑傳
630. 北碑
631. 北碑
632. 北文經
633. 佩文齋詠物詩選
634. 本經疏證
635. 本朝史綱
636. 本草綱目
637. 本草從新
638. 本縣志
639. 彭縣志

640 P'eng kang tche kong heou kao	4 pen
641 P'eng tch'eng (城) hien tche	4 „
642 P'eng tsö hien tche	15 „
643 P'eng wen king kong tsi	8 „
644 Pi chou nien yi tchong	16 „
645 Pi ki sin chou	16 „
646 Pi tö hing ngo ki	1 „
647 P'i ling wang che tche p'ou	6 „
648 P'iao mou ts'eu tche	2 „
649 Pien ya hiun tsouan	8 „
650 P'ien hai	10 „
651 Pin lo ngan yi tsi	8 „
652 [Tche-li] Pin tcheou tche	4 „
653 Pin tcheou tche	4 „
654 Ping t'a mong hen lou	2 „
655 P'ing chan hien tche	4 „
656 P'ing fan tseou yi	4 „
657 P'ing hiang hien tche	5 „
658 P'ing hou hien tche (12 pen + P'ing hou siun nan lou)	13 „
659 P'ing li hien tche	2 „
660 P'ing lo ki lio	2 „
661 [Kiai tcheou] P'ing lou hien tche	4 „
662 P'ing nan hien tche	10 „
663 P'ing p'an ki	4 „
664 P'ing tchai wen tsi	4 „
665 P'ing tchö ki lio	4 „
666 P'ing ting tcheou tche	16 „
667 P'ing ting yue k'eou ki lio	8 „

668 P'ing tsin kouan ts'ong chou	50 pen
669 P'ing yao hien tche	4 „
670 P'ing yuan tsa tcho	6 „
671 Po che tch'ang k'ing tsi	12 „
672 Po hai fan yu lou	6 „
673 Po hing hien tche	4 „
674 Po lo hien tche	5 „
675 Po ngan sin pien	30 „
676 Po p'ing hien tche	6 „
677 Po t'ang yi chou	64 „
678 I'o tcheou tche	16 „
679 Po tsiang ts'iuan t'ou	2 „
680 Po wou tien houei	12 „
681 Po yang hien tche	12 „
682 P'o sie tsi (manque)	8 „
683 Pou chou t'ing ts'iuan tsi (15 + 笛漁小槁 Ti yu siao kao)	16 „
684 Pou kin che ts'ouen	8 „
685 P'ou ning hien tche	8 „
686 P'ou tch'eng hien tche	6 „
687 P'ou t'ien hien tche	20 „
688 San cheng pien fang pei lan	6 „
689 San chouei hien tche	2 „
690 San hi t'ang fa t'ie che wen	4 „
691 San kouo kiang yu t'ou	1 „
692 San kouo kiun hien piao pou tcheng	4 „
693 San kouo tche k'ao tcheng	2 „
694 San kouo tche tcheng wen	2 „
695 San li sseu tchouan	2 „

696 San sou ts'iuan tsi	80	pen
697 San tai leang han yi chou tou pen (manque)	8	„
698 San tch'ang wou tchai ts'ong chou	80	„
699 San tch'ao pei mong houei pien	40	„
700 San ts'ai tsao yi	16	„
701 San wou chouei li t'ou k'ao	6	„
702 San yu t'ang tsi	8	„
703 San yuan hien sin tche	4	„
704 San yuan hien tche	6	„
705 Seou fang ko tsi	2	„
706 Seou lieou chan fang tsi (manque ch. 5—8)	4	„
707 Si chan king wou lio	5	„
708 Si chan ts'iuan tsi	72	„
709 Si fang kong kiu (manque)	1	„
710 Si fen yin tchai che tch'ao	4	„
711 Si han houei yao	10	„
712 Si hia ki che pen mo	4	„
713 Si hia king yi	12	„
714 Si hio chou mou piao	1	„
715 Si hio tseu k'iang ts'ong chou (manque)	60	„
716 Si ho ts'iuan tsi	70	„
717 Si hou che yi	16	„
718 Si houa hien tche	6	„
719 Si houo hien sin tche	4	„
720 Si k'ou tchai houa siu	4	„
721 Si kouen tch'eou tch'ang tsi	1	„
722 Si kouo ts'ao t'ang ho k'o (manque)	16	„
723 Si li tong tsin che	1	„
724 Si ngan fou tche	32	pen
725 Si ngeou ts'iuan tsi	16	„
726 Si ning fou tche	12	„
727 Si ning hien sin tche	4	„
728 Si ning teng tch'ou kiun wou ki lio	1	„
729 Si pao hiuan ts'iuan tsi	16	„
730 Si p'ou tsi	6	„
731 Si siun houei louan che mo ki	6	„
732 Si t'ang ts'iuan tsi	24	„
733 Si tsang fou	1	„
734 Si tsang t'ou k'ao	6	„
735 Si ts'iao che tch'ao	2	„
736 Si ts'ing san ki	4	„
737 Si yeou je ki	2	„
738 Si yin hiuan ts'ong chou	120	„
739 Si yo houa chan miao pei	3	„
740 Si yuan che tch'ao	1	„
741 Siang fou hien tche	12	„
742 Siang kiun ki	8	„
743 Siang ling hien tche	8	„
744 Siang t'ai cheou mo	2	„
745 Che men chou che	4	„
746 Siang tch'eng hien tche (oeuvre officielle + carte)	10	„
747 Siao che chan fang yin p'ou	6	„
748 Siao chouo ts'ong chou	130	„
749 Siao fang hou tchai yu ti ts'ong tch'ao (il y en a 64 seulement)	66	„
750 Siao fang hou tchai yu ti ts'ong tch'ao pou pien tsai pou pien	20	„

696. 三蘇全集
697. 三代兩漢遺書讀本
698. 三長物齋叢書
699. 三朝北盟會編
700. 三才藻異
701. 三吳水利圖攷
702. 三魚堂集
703. 三原縣新志
704. 三原縣志
705. 潄芳閣集
706. 潄六山房集
707. 錫山景物畧
708. 西山全集
709. 西方公據
710. 惜分陰齋詩鈔
711. 西漢會要
712. 西夏紀事本末
713. 西夏經義
714. 西學書目表
715. 西學自强叢書
716. 西河全集
717. 西湖拾遺
718. 西華縣志
719. 西和縣新志
720. 習苦齋畫絮
721. 西崑酬唱集
722. 西郭草堂合刻
723. 西力東侵史
724. 西安府志
725. 西漚全集
726. 西寧府志
727. 西寧縣新志
728. 西寧等處軍務紀畧
729. 惜抱軒全集
730. 西圃集
731. 西巡回鑾始末記
732. 西堂全集
733. 西藏賦
734. 西藏圖考
735. 西樵詩鈔
736. 西青散記
737. 西遊日記
738. 惜陰軒叢書
739. 西嶽華山廟碑
740. 西垣詩鈔
741. 祥符縣志
742. 湘軍記
743. 襄陵縣志
744. 象台首末
745. 釋門疏式
746. 襄城縣志
747. 小石山房印譜
748. 小說叢書
749. 小方壺齋輿地叢鈔
750. 小方壺齋輿地叢鈔
補編再補編

751 [Siu] Siao hien tche	6 pen
752 Siao mo tchʿang kouan tsʿiuan tsi	4 „
753 Siao pi tʿang tsi	10 „
754 Siao pou kʿi chan fang tsʿiuan tsi	8 „
755 Siao tien ki nien fou kʿao	12 „
756 Siao tien ki tchouan	18 „
757 [Tsou pen] Siao tʿing tsa lou	4 „
758 Siao wan kiuan leou tsʿong chou (4 tʿao)	20 „
759 Siao wan kiuan tchai tsʿiuan tsi	24 „
760 [Ying song tchʿao] Sie chang kong tchong ting kʿouan tche	4 „
761 Sie che wou tchong	16 „
762 Sie tchʿouan tsi	3 „
763 Sie tʿie chan tsʿiuan tsi	4 „
764 Sie wen tsing kong tou chou lou	8 „
765 Sie wen tsing kong hing che lou	4 „
766 Sie wen tsing kong wen tsi	12 „
767 Sien yeou hien tche	18 „
768 Sieou pen tʿang tsʿong chou	18 „
769 Sin hou nan	1 „
770 Sin kiao ti li tche	8 „
771 Sin kien hien tche	20 „
772 Sin kieou tʿang chou ho tchʿao 10 tʿao	80 „
773 Sin kiu tchai tsʿong chou	12 „
774 Sin mao che hing ki	6 „
775 Sin min tsʿong pao années 甲辰 kia-tchʿen & 乙巳 yi-sseu	8 „
776 Sin tcheng hien tche	12 „
777 Sin yi hien tche	9 „

778 Sing wou tʿang sseu tchong	8 pen
779 Sing yao je ki lei pien	16 „
780 Sing yao tche tchang	4 „
781 Siu che yi chou pa tchong	12 „
782 Siu han kiun kouo tʿou	1 „
783 Siu hiao mou tsi tsien tchou	3 „
784 Siu kʿi cheng tsi	8 „
785 Siu mou tʿang sien cheng tsi	30 „
786 Siu pei tchouan tsi	12 „
787 Siu si lin	1 „
788 Siu sien tcheng che lio	2 „
789 Siu tche na tʿong che	4 „
790 [Tʿong tche] Siu tcheou fou tche	16 „
791 [Kʿien-long] Siu tcheou fou tche	10 „
792 Siu tseu tche tʿong kien tchʿang pien	120 „
793 Siu tseu tche tʿong kien tchʿang pien che pou	16 „
794 Ki hiao sin chou	8 „
795 Siuan ngen hien tche	6 „
796 Siuan tchʿeng hien tche	26 „
797 Siuan tsi han yin fen yun	4 „
798 Siue tsʿiao king kiai	8 „
799 Siun tche tchai tsi	16 „
800 Siun yang hien tche	4 „
801 Song che (詩, non 記) ki che	48 „
802 Song che yi	10 „
803 Song fen yong lie pien	20 „
804 Song fong yin pʿou	2 „

751	續蕭縣志
752	小謨觴館集
753	小碧山房全攷
754	小不其山房紀年攷
755	小賟本紀傳雜錄書
756	小脄本嘯亭叢書
757	小足本萬卷樓全集
758	小萬卷齋薛尚功鐘鼎
759	小景宋鈔薛尚功鐘鼎
760	景款識氏五種
761	薛氏五種
762	薛斜川集
763	謝疊山全集
764	薛文靖公讀書錄
765	薛文靖公行實錄
766	薛文靖公文集
767	仙遊縣志
768	修本堂叢書
769	新湖南地理志
770	新斠理志
771	新建縣唐賢齋侍叢
772	新舊合璧書錄
773	新心卯民報志
774	辛卯侍行記
775	新鄭縣志
776	新宜縣志
777	信宜縣志

種類編 / 八種 / 圖註 / 生集

778	四記掌書國集事史
779	星軺日記
780	星軺指掌
781	徐氏醫郦穆省集
782	續徐孝穆集
783	徐孝騎堂傳麟
784	徐睦碑
785	續徐錫麟
786	續先正事略
787	續支那正史
788	同治徐州府志
789	乾隆徐州府志通鑑
790	續資治通鑑長編
791	續資治通鑑長編拾補
792	書志
793	新縣志
794	紀效恩漢經齋縣印解集分韻事
795	宣城集
796	選雪樵志陽縣紀翼
797	雪遙洵宋記史咏印
798	宋宋芬峰烈譜
799	誦松
800	宋詩紀事
801	宋史翼
802	誦芬印
803	松峰印譜
804	松峰印譜

805 Song kiang fou siu tche	24 pen	
806 Song kiang fou tche	40 „	
807 Song kin yuan che yong	10 „	
808 Song ming tch'en yen hing lou ts'iuan tsi	24 „	
809 Song po kia che ts'ouen	20 „	
810 Song siu ting tch'en lin ts'in (纂) kie che song	1 „	
811 Song tchang siuan kong ts'iuan tsi	12 „	
812 Song tcheou kiun tche kiao k'an ki	1 „	
813 Song wang tchong wen kong tsi	20 „	
814 Song wen kien	24 „	
815 Song yuan hio ngan	48 „	
816 Song yuan ming kia ts'eu	4 „	
817 Song yuan mo pao. Fasc. I	1 „	
818 Sou k'i ts'iuan tsi	16 „	
819 [Tchang-che] Sou ling lei tsouan yo tchou	3 „	
820 Sou mi tchai lan t'ing k'ao	2 „	
821 Sou ngan tsi	5 „	
822 Sou tcheou fou tche	80 „	
823 Sou tcheou fou tche (1er t'ao seulement)	6 „	
824 [Houang-ti] Sou wen tche kiai	8 „	
825 Sou wen tchong kong che pien tchou tsi tch'eng	32 „	
826 Sou wen tchong kong che tsi	12 „	
827 Souan king che chou	8 „	
828 Souei hiuan kia che wen tseu	4 „	
829 Souei houai t'ang wen tsi tsien tchou	6 „	
830 Souei king tsi tche k'ao tcheng	4 „	

831 Souei ngan hien tche	8 pen	
832 Souei ngan ts'ong chou. Don de Mr. Tong K'ang	12 „	
833 Souei ning hien tche	6 „	
834 Souei t'chang hien tche	12 „	
835 Souei tö tcheou tche	6 „	
836 Souen tseu che kia tchou	8 „	
837 Souen yuan jou ts'iuan tsi	10 „	
838 Sseu chou pien mong k'ouo pen	16 „	
839 Sseu k'i t'ang sseu lieou wen tsi	10 „	
840 Sseu kong ho tche	8 „	
841 Sseu k'ou chou mou lio	12 „	
842 Sseu kong yeou ki	4 „	
843 Sseu ma wen tcheng kong tch'ouan kia tsi	24 „	
844 Sseu pou jou ts'iuan tsi	12 „	
845 Sseu pou tchai che tsi	2 „	
846 Sseu pou tchai tsö kao	1 „	
847 Sseu tche t'ang wen tsi	16 „	
848 Sseu t'ong kou tchai louen houa tsi k'o	4 „	
849 Sseu yin ting ts'ie	2 „	
850 Ta je pen wei sin che	2 „	
851 Ta li hien tche	2 „	
852 Ta li hien sin tche	6 „	
853 Ta mei chan kouan tsi	16 „	
854 Ta ming fou tche	24 „	
855 Ta ming liu tsi kiai fou li	10 „	
856 Ta ning hien tche	8 „	
857 Ta pie chan tche	4 „	
858 Ta t'ang k'ai yuan li	16 „	

805. 松江府續志
806. 松江府志
807. 宋金元詩咏
808. 宋名臣言行錄全集
809. 宋百家詩存
810. 宋徐鼎臣臨奏碣石頌
811. 宋張宣公全集
812. 宋州郡志校勘記
813. 宋王忠文公集
814. 宋文鑑
815. 宋元學案
816. 宋元名家詞
817. 宋元墨寶全集
818. 蘇溪全集
819. 張氏素靈類纂約注
820. 蘇米齋蘭亭攷
821. 蘇盦集
822. 蘇州府志
823. 肅州府志
824. 黃帝素問直解
825. 蘇文忠公詩編註集成
826. 蘇文忠公詩集
827. 算經十書
828. 隨軒金石文字
829. 蓬懷堂文集箋注
830. 隋經籍志攷證

831. 遂安縣志
832. 隨菴叢書課六文集
833. 雎寧縣志
834. 遂昌縣志
835. 綏德州志
836. 孫子十家注集
837. 孫淵如全集
838. 四書便蒙課本文集
839. 思綺堂合集
840. 泗虹合志
841. 四庫書目記器
842. 四國游記
843. 司馬正公傳家集
844. 思不辱齋詩摺文稿集論畫集刻
845. 思補齋補文齋切新史
846. 思補堂知鼓定維志集
847. 四知銅音定本縣續館志集
848. 四銅鼓定本縣山府集志
849. 四音日荔縣山府律解附例
850. 大日本維新史
851. 大荔縣志
852. 大荔縣續志
853. 大梅山府志集
854. 大名明縣律志
855. 大明寧山志解附例
856. 大寧縣山開元
857. 大別唐開元禮
858. 大唐開元禮

859 Ta tch'eng t'ong tche	20	pen
860 Ta tchou hien tche	6	„
861 Ta t'ong hien tche	8	„
862 Ta ts'iuan tsi 1 + t'ao	4	„
863 Ta yo t'ai houo chan ki lio	8	„
864 Ta yo yuan yin	2	„
865 Ta yue che ki ts'iuan chou	10	„
866 Ta yun chan fang wen kao	8	„
867 Tai che	7	„
868 Tai che ts'ong chou che eul tchong	12	„
869 Tai che yi chou	27	„
870 Tai king t'ang che houa	24	„
871 Tai king t'ang ts'iuan tsi	22	„
872 Tai lan	8	„
873 Tai tcheou tche	8	„
874 Tai tong yuan tsi	4	„
875 Tai yuan ts'ong chou	11	„
876 T'ai chan tao li ki	1	„
877 T'ai chan tche	10	„
878 T'ai chan tsi jouei tsi	4	„
879 T'ai hing hien tche	10	„
880 T'ai hou hien tche	12	„
881 T'ai houo hien tche	20	„
882 T'ai k'ou hien tche	8	„
883 T'ai kou tch'ouan tsong (très bel exemplaire)	6	„
884 T'ai ngan hien tche	14	„
885 T'ai ping hien tche	8	„
886 T'ai p'ing yu lan	100	„

887 T'ai si ko kouo ts'ai fong ki	4	pen
888 T'ai tcheou tche	16	„
889 T'ai tcheou ts'ong chou	20	„
890 T'ai wan wai ki	10	„
891 Tan chouei t'ing tche	8	„
892 Chan hien tche	12	„
893 Tan t'ou hien tche	32	„
894 Tan yang hien tche	16	„
895 Tan yu hiuan tsi	8	„
896 T'an tch'eng hien tche	4	„
897 T'an tchö chan sieou yun sseu tche	2	„
898 T'an ying lou	2	„
899 T'an yun ko tsi	4	„
900 T'ang chan hien tche	8	„
901 T'ang che king kiao wen	4	„
902 T'ang chou tche pi	1	„
903 T'ang hien tche	6	„
904 T'ang houei yao	24	„
905 T'ang k'eou tche	24	„
906 T'ang jen siao tsi	16	„
907 T'ang kien	6	„
908 T'ang lei han	40	„
909 T'ang liu chou yi (éd. de Tchou K'o-pao)	8	„
910 T'ang liu chou yi (éd. de Chen Kia-pen)	12	„
911 T'ang song pa ta kia wen tch'ao	56	„
912 [Yu-siuan] T'ang song wen tch'ouen	20	„
913 T'ang tchong tcheng ts'iuan tsi	20	„
914 T'ang tseu wei tsi	4	„

859. 大通縣志
860. 大竹縣志
861. 大同縣志
862. 大全集
863. 大嶽太和山紀畧
864. 大元一統志
865. 大越史記全書
866. 大雲山房文稿
867. 岱史
868. 戴氏遺書
869. 戴氏叢書
870. 帶經堂詩話
871. 帶經堂全集
872. 岱覽
873. 代州志
874. 戴東原集
875. 貸園叢書
876. 泰山道里記
877. 泰山志
878. 泰山輯瑞集
879. 泰興縣志
880. 太湖縣志
881. 泰和縣志
882. 太谷縣志
883. 太古縣志
884. 泰安縣志
885. 太平縣志
886. 太平御覽

887. 泰西采風記
888. 泰州志
889. 台州叢書
890. 臺灣外記
891. 淡水廳志
892. 單縣志
893. 丹徒縣志
894. 丹陽縣志
895. 瞻餘軒志
896. 郯城縣志
897. 潭柘山岫雲寺志
898. 曇雲閣集
899. 曇華山石經
900. 唐經直志
901. 唐書要志
902. 唐縣會志
903. 唐會要
904. 唐寇人
905. 蕩寇志
906. 唐人小集
907. 唐鑑
908. 唐類函
909. 唐律疏議
910. 唐律疏議
911. 唐宋八大家文鈔
912. 御選唐宋文醇
913. 唐宋文全集
914. 唐子畏集

915.	唐文粹	942.	張氏醫通集
916.	唐文粹補遺	943.	張亭甫集
917.	湯文正公遺書	944.	張忠敏公遺集
918.	湯陰縣志	945.	彰德府志
919.	唐音戊籤	946.	彰德府七縣水道圖集
920.	唐寫本集韻	947.	張文達公集
921.	道鄉集	948.	張文貞公集
922.	道古堂全集	949.	長沙府縣志
923.	道國元公濂溪周夫子志	950.	長山山貞圖說
924.	道腴堂詩編錄	951.	常山貞石記
925.	道園學古館吟稿	952.	長江黎縣志
926.	桃花仙館志	953.	昌黎先生詩增注
927.	桃花源文集	954.	昌黎先生詩集
928.	陶廬吉金錄	955.	昌黎樂縣志
929.	匋齋吉江先生全集	956.	長樂縣志
930.	陶堇江縣先生全集	957.	長安縣志
931.	桃源明志集	958.	長恩書屋叢書
932.	陶淵明集	959.	常寧縣志
933.	陶淵明集	960.	長寧縣志
934.	陶淵明先生秦疏	961.	長治縣志
935.	陶雲汀先生秦疏	962.	常德府志
936.	茶陵州志	963.	長武縣志
937.	多華堂文鈔	964.	長文襄公年譜
938.	摘星樓治疫全書	965.	長陽縣志
939.	靁化縣志	966.	長垣縣志
940.	戰國疆域圖	967.	惕園全集
941.	澹靜齋全集	968.	趙氏七種
		969.	趙恭毅公自治官書

49

970	Tchao ling pei k'ao	6 pen
971	Tchao song siue tao kiao pei	4 „
972	Tchao tai ming jen tch'e tou (2 t'ao)	26 „
973	Tchao tai ts'ong chou ho k'o	172 „
974	Tchao tchong lou pou yi sseu siu	4 „
975	Tchao wen min kong chou tchen tsi	1 „
976	Tchao wen min kong song siue tchai ts'iuan tsi	4 „
977	Tch'ao che ping yuan	8 „
978	Tch'ao yang hien tche	10 „
979	Tch'ao yi hien tche	2 „
980	Tch'ao yi hien tche (autre recension)	6 „
981	Tche cheng che tien li yo ki	4 „
982	Tche fou tchai ts'ong chou (Don de Mr. Tong K'ang)	26 „
983	Tche kiang hien tche	6 „
984	Tche na kiang yu yen ko t'ou	2 „
985	Tche na t'ong che	5 „
986	Tche tchai chou lou kiai t'i	6 „
987	Tche t'ing sien cheng tsi	6 „
988	Tche yi ts'ong houa	8 „
989	Tch'e chang ts'ao t'ang pi ki	8 „
990	Tche tsin tchai ts'ong chou (dé-fectueux)	24 „
991	Tchen fan hien tche	5 „
992	Tchen hai hien tche	16 „
993	Tchen king t'ang kin che siao p'in t'ou pa	1 „
994	Tchen ngan hien tche	8 „
995	Tchen p'ing hien tche.	3 „

996	Tchen tch'ouan sien cheng ts'iuan tsi	16 pen
997	Tcheng ting sien cheng yi tsi	1 „
998	Tch'en che ts'ing fen lou	4 „
999	Tch'en sieou yuan yi hio nien san tchong	36 „
1000	Tch'en tcheou fou tche	10 „
1001	Tch'en tcheou fou yi t'ien tsong ki	2 „
1002	Tch'en tcheou tsong tche	28 „
1003	Tch'en ts'ieou ping sien cheng yi mo t'i yong	1 „
1004	Tcheng che yi chou	10 „
1005	Tcheng k'i t'ang tsi	8 „
1006	Tcheng kio leou ts'ong chou	36 „
1007	[Tcheng houo tch'ong sieou] Tcheng lei pen ts'ao	24 „
1008	Tcheng siao kou sien cheng ts'iuan tsi	82 „
1009	Tcheng tcheou tche	6 „
1010	Tcheng yi t'ang ts'iuan chou	160 „
1011	Tcheng yi t'ang wen tsi	10 „
1012	Tcheng yun hai p'ien	10 „
1013	Tch'eng ch'an t'ang che kia p'ou	1 „
1014	Tch'eng hien tche	12 „
1015	Tch'eng houa che lio pou t'ou	1 „
1016	Tch'eng kou hien tche	4 „
1017	Tch'eng ngan sien cheng tsi	4 „
1018	Tch'eng tcheng tchai wen tsi	8 „
1019	Tch'eng tch'eng hien tche	4 „
1020	Tch'eng tö fou tche	24 „
1021	Tch'eng tou hien tche	16 „
1022	Tch'eng yi po tsi	10 „

970.	昭陵備攷					
971.	趙松雪名蹟四種	碑				
972.	昭代名人尺牘					
973.	昭代叢書補遺					
974.	昭宗文敏公遺書續真蹟					
975.	趙文敏公松雪齋全集					
976.	趙文敏公					
977.	巢氏病源					
978.	潮陽縣志					
979.	朝邑縣志					
980.	朝邑縣志					
981.	直省釋奠禮樂記					
982.	知服齋叢書					
983.	芷江縣志					
984.	支那疆域沿革圖					
985.	支那通史					
986.	直齋書錄解題					
987.	芷庭先生議草叢話筆記					
988.	制上進齋叢書					
989.	池巴縣志					
990.	鎮蕃縣志					
991.	鎮海經堂金石小品圖					
992.	枕跋					
993.	鎮安縣志					
994.	鎮平縣志					

996.	震川先生全集					
997.	貞定先生遺錄					
998.	陳氏清芬學廿參種					
999.	陳脩園醫志田總記					
1000.	陳州府義志					
1001.	辰州府總志					
1002.	郴州坪先生遺墨題					
1003.	陳詠秋					
1004.	鄭氏佚書					
1005.	正氣堂集					
1006.	正覺樓叢書					
1007.	政和重修證類本草					
1008.	鄭小谷先生全集					
1009.	鄭州志					
1010.	正誼堂全書					
1011.	正誼堂文篇					
1012.	正韻海山氏家譜					
1013.	成唐縣志補圖					
1014.	成嶔華事署集					
1015.	承城固先生文					
1016.	承巷正齋縣志					
1017.	承誠城德府志					
1018.	承誠澄縣志					
1019.						
1020.	承成都集					
1021.	成誠意伯					
1022.	誠意					

PAUL PELLIOT.

1023 Tch'eng yue t'ang che tsi	10 pen	
1024 Tcheou che ts'eu pien	1 ,,	
1025 Tcheou chou nei wai p'ien	2 ,,	
1026 Tcheou mong heou sien cheng ts'iuan chou	10 ,,	
1027 Tcheou tche hien tche	6 ,,	
1028 Tcheou ts'in kou mo	2 ,,	
1029 Tch'eou hai tch'ou tsi	4 ,,	
1030 Tch'eou ngo kouei kien (avec le Ngo che sin chou)	8 ,,	
1031 Tcho tcheou siu tche	4 ,,	
1032 Tchö kiang hai yun ts'iuan ngan tch'ou siu pien	14 ,,	
1033 Tchö yu kouei kien	2 ,,	
1034 Tchong fou t'ang ts'iuan tsi	48 ,,	
1035 Tchong hing ming tsiang tchouan lio	1 ,,	
1036 Tchong kiang hien tche	8 ,,	
1037 Tchong kouo houen	1 ,,	
1038 Tchong kouo li che kiao k'o chou	2 ,,	
1039 Tchong kouo ming houa tsi (Fasc. 1—5, plus 9 fasc. hors série)	14 ,,	
1040 Tchong kouo pai houa che	4 ,,	
1041 Tchong kouo pai houa ti li	4 ,,	
1042 Tchong kouo tche kin jong	2 ,,	
1043 Tchong kouo t'ie lou hien che t'ong louen	2 ,,	
1044 Tchong meou hien tche	6 ,,	
1045 Tchong ngo kiao tchö ki	4 ,,	
1046 Tchong pou hien tche	4 ,,	
1047 Tchong si ki wen	6 ,,	
1048 Tchong si p'ou t'ong chou mou piao	2 ,,	

1049 Tchong sou tsi	4 pen	
1050 Tchong tcheou ming hien tsi	16 ,,	
1051 Tchong tcheou tsi	10 ,,	
1052 Tchong ting tseu yuan	2 ,,	
1053 Tchong ting yi k'i tchouan wa t'a pen	3 ,,	
1054 Tchong tsang king	2 ,,	
1055 Tchong wai ti yu t'ou chouo tsi tch'eng	24 ,,	
1056 Tchong wou heou ts'eu mou tche	4 ,,	
1057 Tchong wou tche	8 ,,	
1058 Tchong ya t'ang tsi	10 ,,	
1059 Tch'eng k'ing tcheou tche	4 ,,	
1060 Tch'ong k'ing fou tche	12 ,,	
1061 Tch'ong ming hien tche	10 pen + 1 carte	
1062 Tch'ong tcheng pi mieou yong ki t'ong chou ta ts'iuan	6 pen	
1063 Tchou chan hien tche	6 ,,	
1064 Tchou che k'ao yi	3 ,,	
1065 Tchou che k'iun chou	5 ,,	
1066 Tchou ki hien tche	12 ,,	
1067 Tchou ko k'ong ming sien cheng ts'iuan tsi	12 ,,	
1068 Tchou po chan fang che wou tchong	40 ,,	
1069 Tchou tseu yu lei	48 ,,	
1070 Tchou wen kong san tchouan ho pien	24 ,,	
1071 Tchou wen touan kong tsi	6 ,,	
1072 Tchou yue pa k'i tche	16 ,,	
1073 Tch'ou che kieou kouo je ki	1 ,,	
1074 Tch'ou che mei je pi kouo je ki	12 ,,	
1075 Tch'ou che t'ai si ki	8 ,,	

1023. 澄悦堂詩集
1024. 周氏詞辨
1025. 籀書内外篇
1026. 周孟侯先生全書
1027. 鹽庭縣志
1028. 周秦古墨集
1029. 周初龜鑑新書
1030. 籌鄂俄事續志
1031. 涿州海運全案初續編
1032. 浙江編
1033. 折獄龜鑑
1034. 中復堂全集
1035. 中興名將傳畧
1036. 中江縣志
1037. 中國魂
1038. 中國歷史教科書
1039. 中國名畫集
1040. 中國白話史地
1041. 中國白話地理
1042. 中國之金融現勢
1043. 中國鐵路志
1044. 中年縣志
1045. 中俄交涉志
1046. 中部縣紀聞
1047. 中西普通書目表
1048. 中西...通書目表

1049. 中肅集
1050. 中州名賢集
1051. 中州集
1052. 中鐘鼎字源
1053. 鐘鼎彝器磚瓦拓本
1054. 中藏經
1055. 中外地輿圖說集成
1056. 中忠武侯祠墓志
1057. 忠武堂州誌
1058. 忠雅堂集
1059. 崇慶州志
1060. 重慶府縣志
1061. 崇明縣志
1062. 崇正闢謬永吉通書
1063. 竹史群志異書
1064. 諸氏群縣志
1065. 朱氏暨孔山語明房類三公旗國先生全集五種合編
1066. 諸暨孔山語公端八九美泰傳集志日祕記國日記
1067. 諸萬柏子文粵
1068. 竹
1069. 朱文文
1070. 朱文粵使日西
1071. 朱駐出使
1072. 朱駐出使
1073. 出使
1074. 出使
1075. 中初使

1076 Tch'ou hio ki	16	pen
1077 Tch'ou pao	28	„
1078 Tch'ou t'ang sseu kie tsi	6	„
1079 Tch'ou tcheou fou tche	28	„
1080 Tch'ou tcheou tche	10	„
1081 [Fang ki kou ko pen] Tch'ou ts'eu	4	„
1082 Tch'ou ts'eu tsi tchou pien tcheng heou yu	4	„
1083 Tchouan hi lu ts'ong chou	6	„
1084 Tchouan tsao je ki	2	„
1085 Tch'ouan chan yi chou	96	„
1086 Tchouang houei t'ang tsi	8	„
1087 Tch'ouen houa ko che wen	1	„
1088 Tch'ouen houei t'ang ts'ong chou	12	„
1089 Tch'ouen ngan hien tche	8	„
1090 Tch'ouen tsai t'ang ts'iuan chou	160	„
1091 Tch'ouen ts'ao t'ang tsi	24	„
1092 Tch'ouen ts'ieou lie kouo t'ou	1	„
1093 Tch'ouen ts'ieou ta che piao	24	„
1094 Tch'ouen ts'ieou tso che tchouan kia fou tchou tsi chou	6	„
1095 Tcho tsouen yuan ts'ong kao	4	„
1096 Teng fong hien tche	8	„
1097 Teng t'an pi kieou	77	„
1098 Teng tcheou fou tche	24	„
1099 T'eng hien tche	6	„
1100 Ti ki lou	8	„
1101 Ti tchai tsi	12	„
1102 T'i kin kouan tch'ang houo tsi	2	„
1103 T'i wei tchai yi pien 1 t'ao	6	pen
1104 T'iao k'i yu yin ts'ong houa	12	„
1105 T'ie houa kouan ts'ong chou	6	„
1106 T'ie k'in t'ong kien leou chou mou	10	„
1107 T'ie wang chan hou chou houa p'in	10	„
1108 T'ie yun ts'ang kouei ts'ang t'ao	10	„
1109 Tien k'ien tseou yi	8	„
1110 Tien nan wen lio 1 t'ao	6	„
1111 Tien po hien tche	8	„
1112 T'ien hiang ts'iuan tsi	12	„
1113 T'ien jang ko ts'ong chou	19	„
1114 T'ien t'ong sseu tche	4	„
1115 T'ien tsin fou tche	16	„
1116 T'ien tsin hien tche	16	„
1117 T'ien yi ko chou mou	10	„
1118 T'ien yi ko hien ts'ouen chou mou	4	„
1119 T'ien yong tseu tsi	10	„
1120 T'ien yuan ts'ao	1	„
1121 Ting chan t'ang che tsi	24	„
1122 Ting hai hien tche	8	„
1123 Ting hiang t'ing pi t'an	4	„
1124 Ting ngan ts'iuan tsi	6	„
1125 Ting pien hien tche	4	„
1126 Ting siang hien tche	12	„
1127 Ting t'ao hien tche	4	„
1128 Ting tcheou fou tche	20	„
1129 Ting tcheou tche	6	„
1130 Ting tseng yang wou tseou yi ho kao	4	„

1076 初學記
1077 楚寶
1078 初唐四傑集
1079 處州府志
1080 滁州志
1081 楚辭後語
1082 楚辭辯證
1083 楚辭集注
1084 汲古閣本書
1085 廬日遺堂集
1086 喜漕山悔集
1087 淳化閣帖釋文
1088 春暉堂叢書
1089 淳安縣志
1090 春在草堂全集
1091 春草堂集
1092 春秋列國圖
1093 春秋大事表
1094 春秋左氏傳賈服注輯疏
1095 拙尊園叢稿
1096 登封縣志
1097 登壇必究
1098 登州府志
1099 滕縣志錄
1100 迪吉錄
1101 砥齋集
1102 題襟館唱和集

1103 陶齋藏器目
1104 苕溪漁隱叢話
1105 鐵華館叢書
1106 鐵琴銅劍樓書目
1107 鐵網珊瑚
1108 鐵雲藏龜
1109 滇南奏議
1110 滇南文見錄
1111 天香樓
1112 天壤閣叢書
1113 天童寺志
1114 天津府志
1115 天津縣志
1116 天一閣書目
1117 天一閣見存書目
1118 天傭子草堂集
1119 天傭子集
1120 天元山海
1121 定山堂詩集
1122 定海縣志
1123 定香亭筆談
1124 定盦全集
1125 定邊縣志
1126 定襄縣志
1127 定陶縣志
1128 汀州府志
1129 定州志
1130 丁曾洋務奏議合稿

1131 Ting wei houo houei lei yao	4 pen	
1132 Ting yuan t'ing tche	6 "	
1133 T'ing kiun ki lio	6 "	
1134 T'ing lin sien cheng yi chou	24 "	
1135 Tö ngan fou tche	20 "	
1136 Tö tcheou tche	7 "	
1137 Tö tchouang kouo kong nien p'ou	16 "	
1138 Tö wou jen tchai ts'ouen kao	4 "	
1139 Tö yang hien tche	9 "	
1140 Tö yi tchai tsa chou sseu tchong	2 "	
1141 Tö yin t'ang tsi	4 "	
1142 Tong chan ts'ao t'ang ts'iuan tsi	16 "	
1143 Tong a hien tche	12 "	
1144 Tong chou tou chou ki	4 "	
1145 Tong chou ts'ong chou	12 "	
1146 Tong fang li yi chou	6 "	
1147 Tong fang ping che ki lio	5 "	
1148 Tong han houei yao	8 "	
1149 Tong hou hien tche	10 "	
1150 Tong houan hien tche	8 "	
1151 Tong li cheng tsin yu tsi	1 "	
1152 Tong ming hien tche	8 "	
1153 Tong ngan hien tche	4 "	
1154 Tong ngeou kin che tche	4 "	
1155 Tong p'ing tcheou tche	16 "	
1156 Tong p'o che lei	8 "	
1157 Tong siun kin che lou	2 "	
1158 Tong tou che lio	8 "	

1159 Tong yeou ts'ong lou	1 pen	
1160 Tong ying yeou ki	1 "	
1161 Tong yuan che chou	16 "	
1162 T'ong chan hien tche	12 "	
1163 T'ong chang che mo ki	6 "	
1164 T'ong hiang hieu tche	24 "	
1165 T'ong kien kang mou fen tchou pou yi	4 "	
1166 T'ong kien ta wen	2 "	
1167 T'ong kou chou t'ang yi kao (1 t'ao)	4 "	
1168 T'ong kouan hien tche	6 "	
1169 T'ong kouan tche (avec le supplément)	6 "	
1170 T'ong tche tchong hing king wai tseou yi yo pien	8 "	
1171 T'ong tch'eng fang che che tsi	40 "	
1172 T'ong tcheou fou tche	24 "	
1173 T'ong tcheou fou siu tche	6 "	
1174 T'ong tcheou tche (du Tche-li)	12 "	
1175 T'ong tcheou tche (du Kiang-sou)	16 "	
1176 T'ong tch'ouan fou tche	12 "	
1177 T'ong wei hien siu tche	4 "	
1178 T'ong ya	16 "	
1179 T'ong yi lou	20 "	
1180 T'ong yin louen houa	8 "	
1181 Tou che fang yu ki yao 32 pen avec le T'ien hia kiun kouo li ping chou 28 pen	60 "	
1182 Tou che king tsiuan	12 "	
1183 Tou che ping lio (4 t'ao)	16 "	
1184 Tou che tch'ouen tchai tsi	4 "	

1131. 會典要略
1132. 定遠廳志
1133. 霆軍紀略
1134. 亭林先生遺書
1135. 德安府志
1136. 德州志
1137. 德壯果公年譜存稿
1138. 德陽縣志
1139. 德一齋雜集
1140. 得一齋書四種
1141. 德蔭山房全集
1142. 東洲草堂詩集
1143. 東阿縣志
1144. 東塾讀書記
1145. 東塾叢書
1146. 董方立遺書
1147. 東方兵事紀略
1148. 東漢會要
1149. 東湖縣志
1150. 東莞縣志
1151. 東里生祠志
1152. 東明縣志
1153. 東安縣志
1154. 東甌金石志
1155. 東平州志
1156. 東坡事類
1157. 東坡金石跋
1158. 東都事略

1159. 東游叢錄
1160. 東瀛游記
1161. 東垣縣志
1162. 銅梁縣志
1163. 通商始末記
1164. 桐鄉縣志
1165. 通鑑綱目分註補遺
1166. 通鑑答問
1167. 銅鼓書堂遺稿
1168. 同官縣志
1169. 潼關志
1170. 同治中興京外奏議約編
1171. 桐城方氏詩輯
1172. 同州府續志
1173. 同州府志
1174. 通州志
1175. 通州直隸州志
1176. 潼川府志
1177. 通渭縣新志
1178. 通雅
1179. 通藝錄
1180. 桐陰論畫
1181. 讀史方輿紀要
　　　天下郡國利病書
1182. 杜詩鏡銓
1183. 讀史兵略
1184. 都是春齋集

760   PAUL PELLIOT.

1185 Tou che souei kin siang tchou	80 pen	1213 Tseng houei min kong ts'iuan tsi	4 pen
1186 Tou chou ki chou lio	16 „	1214 Tseng tch'eng hien tche	10 „
1187 Tou chou t'ang tsi	12 „	1215 Tseng wen tchao kong tsi (1 t'ao)	4 „
1188 Tou chou yin	6 „	1216 Tseng wen tcheng kong che lio	4 „
1189 Tou eul ya je ki	1 „	1217 Tseng wen tcheng kong ts'iuan tsi	146 „
1190 Tou fan tch'ouan che tsi tchou	6 „	1218 Tseou tcheng kiun yi chou	4 „
1191 Tou liu siang kiai	8 „	1219 Tseou ting tseu yi kiu ki yi yuan siuan kiu tchang tch'eng	1 „
1192 Tou long ki	2 „	1220 Tseu fong wen tsi	8 „
1193 Tou wen tchong kong ts'iuan tsi	6 „	1221 Tseu jen hao hio tchai che tch'ao	3 „
1194 T'ou k'ai cheng tsi	8 „	1222 Tseu k'iang hio tchai tche p'ing che yi	12 „
1195 Touan che chouo wen tchou ting (avec notes manuscrites)	2 „	1223 Tseu si tsou tong 1 t'ao	5 „
1196 T'ouei pou tchai tsi (2 t'ao)	8 „	1224 [Tcheng-siu] tseu tche t'ong kien	72 „
1197 Touen houang hien tche	4 „	1225 Tseu tche t'ong kien ti li kin che	3 „
1198 Touen ken ki tchai che ts'ouen	6 „	1226 Tseu yang hien tche	4 „
1199 Touen ken tchai yi chou	5 „	1227 Tseu yi kiu tchang tch'eng kiang yi	1 „
1200 T'ouen ngan ts'in han kou t'ong yin p'ou	8 „	1228 Tseu yu t'ang che tsi	1 „
1201 Tsai siu houan yu fang pei lou	2 „	1229 Tseu yu t'ang wen tsi	3 „
1202 Ts'ai che kieou jou chou	10 „	1230 Ts'eu ho che wen tsi	14 „
1203 Ts'an sang ts'ouei pien	8 „	1231 Ts'eu liu	16 „
1204 Ts'ang chou che pa tchong	96 „	1232 Ts'eu tcheou tche	6 „
1205 Ts'ang lang tch'ou tsi	8 „	1233 Ts'eu tsong	24 „
1206 Tche tch'eng ki lio wou tchong (manuscrit)	10 „	1234 Ts'eu yen tchai tsi	6 „
1207 Ts'ang tch'eng siun nan lou	4 „	1235 Tsi chan hien tche	8 „
1208 Tsao k'iang hien tche (avec suppléments)	8 „	1236 Ts'i chao pao nien p'ou	10 „
1209 Ts'ao hien tche	12 „	1237 Tsi hio tchai ts'ong chou	20 „
1210 Ts'ao k'i t'ong tche	4 „	1238 Tsi hiu tchai tsi	6 „
1211 Ts'ao ngo kiang tche	1 „	1239 Tsi hiu ts'ao t'ang ts'ong chou	24 „
1212 Ts'ao t'ang che yu	2 „		

1185. 讀史碎金詳註畧
1186. 讀書紀數畧
1187. 讀書堂集
1188. 讀書引
1189. 讀爾雅日記
1190. 杜樊川詩集注
1191. 杜律詳解
1192. 度隴記
1193. 堵文忠公全集
1194. 圖開勝蹟
1195. 段氏說文集注訂
1196. 退補齋詩存
1197. 敦煌縣志
1198. 敦艮齋詩存
1199. 敦艮齋遺書
1200. 遯盦古訪碑書
1201. 再續寰宇訪碑錄
1202. 蔡氏銅印譜
1203. 蠶桑八集
1204. 藏書莨印譜錄
1205. 蒼城初紀種五錄
1206. 芝城殉難志
1207. 滄棗城城
1208. 棗強縣志
1209. 曹縣志
1210. 曹縣通志
1211. 曹娥堂詩
1212. 草堂詩餘

1213. 曾惠敏公全集
1214. 增城縣志
1215. 曾文昭公事畧
1216. 曾文正公全書局及議員署
1217. 曾文正公遺議程
1218. 鄒徵君諮議程
1219. 奏定選舉章文
1220. 紫峰然好學齋東詩鈔十議
1221. 自然好學齋東通地理今釋講義
1222. 自強西續資治通鑑
1223. 自西資治通縣局堂
1224. 正續資治通鑑地理今釋講義
1225. 資治通鑑志章詩文集
1226. 資陽縣局章詩文集
1227. 諮議局及議員選舉章程
1228. 自愉愉堂詩文集
1229. 自愉愉堂河律州志
1230. 笥河詩集
1231. 詞律
1232. 磁州志
1233. 詞宗硯齋縣志保齋年譜叢書
1234. 賜硯齋縣志保齋年譜叢書
1235. 稷山少學虛齋草
1236. 戚積集虛齋虛草叢書
1237. 集虛草堂叢書
1238. 集虛草堂叢書
1239. 集虛叢書

1240 Tsi mo hien tche (志)	7 pen	
1241 Tsi nan fou tche	40 „	
1242 Tsi nan kin che tche	4 „	
1243 Ts'i che yi chouo k'ao	4 „	
1244 Ts'i ho hien tche	5 „	
1245 Ts'i kia heou han chou	6 „	
1246 Tsiao che ts'ong chou	40 „	
1247 Ts'ie ngau che tch'ao	2 „	
1248 Ts'ie wen tchai tsi	4 „	
1249 Ts'ie yun mong yiu	1 „	
1250 Ts'ie yun tche kouei	8 „	
1251 Ts'ien chen tche	7 „	
1252 Ts'ien han ki (avec le Heou han ki)	12 „	
1253 Ts'ien han ti li t'ou	1 „	
1254 Ts'ien hiu tchai che wen tch'ao	2 „	
1255 Ts'ien kin yao fang (avec le Ts'ien kin yi fang)	20 „	
1256 Ts'ien mong kou ki che pen mo	2 „	
1257 Ts'ien nan yuan yi tsi	2 „	
1258 Ts'ien p'i t'ing kou tchouan t'ou che	4 „	
1259 Ts'ien p'i t'ing tchouan lou	3 „	
1260 Ts'ien seou yen che	36 „	
1261 Ts'ien yuan tsong tsi (avec le Song che ki che pou yi)	154 „	
1262 Ts'ieou chen tch'eng ngan	24 „	
1263 Ts'ieou p'ou chouang tchong lou	6 „	
1264 Ts'ieou teng ts'ong houa (話)	6 „	
1265 Tsin chou kiao k'an ki	1 „	
1266 Tsin chou ti li tche	1 „	

1267 Tsin men tsa ki	3 pen	
1268 Tsin tcheng tsi yao	8 „	
1269 Tsin tcheou tche	5 „	
1270 Tsin yun hien tche	10 „	
1271 Ts'in chou ki	1 „	
1272 Ts'in chouei hien tche	6 „	
1273 Ts'in han tsin wei wen siuan	10 „	
1274 Ts'in ngan hien tche	4 „	
1275 Ts'in tcheou tche li tcheou sin tche	16 „	
1276 Tsing k'ang tch'ouan sin lou	2 „	
1277 Tsing ngan hien tche	12 „	
1278 Tsing pien tche kao	4 „	
1279 Tsing yuan hien tche	8 „	
1280 Ts'ing fen leou ts'iuan chou	26 „	
1281 Ts'ing fen t'ang ts'ong chou	48 „	
1282 Ts'ing fong hien tche	4 „	
1283 Ts'ing hien tche	4 „	
1284 Ts'ing hien tsi	4 „	
1285 Ts'ing ho chou houa fang	12 „	
1286 Ts'ing ho hien tche	4 „	
1287 Ts'ing ho hien tche (autre recension)	6 „	
1288 Ts'ing k'i hien tche	4 „	
1289 Ts'ing kiang fong tsi ts'ang t'ou	1 „	
1290 Ts'ing kiang hien tche	10 „	
1291 Ts'ing kien hien tche	4 „	
1292 Ts'ing leang chan tche	1 „	
1293 Ts'ing leang tchouan	4 „	
1294 Ts'ing pi chou wen siu	5 „	

(左欄 1240–1266)

- 1240. 即墨縣志
- 1241. 濟南府志
- 1242. 濟南金石志
- 1243. 濟南詩
- 1244. 齊河縣志
- 1245. 齊家詩
- 1246. 七焦後漢書鈔
- 1247. 焦氏易林
- 1248. 切韻指掌圖
- 1249. 切韻指南
- 1250. 切韻
- 1251. 錢神志
- 1252. 前漢書
- 1253. 前漢紀
- 1254. 潛虛
- 1255. 千頃堂書目
- 1256. 前漢蒙求
- 1257. 錢南園
- 1258. 千
- 1259. 千
- 1260. 千
- 1261. 潛
- 1262. 秋浦雙忠錄
- 1263. 秋登
- 1264. 秋
- 1265. 晉書
- 1266. 晉書

(分類標目：攷書、志、圖文、鈔、末、圖、本、釋遺、集、事補遺、磚錄、事、記志、勘理、校地、書記等)

(右欄 1267–1294)

- 1267. 津門雜記（記要・雜輯志）
- 1268. 晉政輯要
- 1269. 晉州志
- 1270. 絳縣志（晉屬縣志）
- 1271. 親屬記
- 1272. 沁水縣志
- 1273. 秦漢魏志
- 1274. 秦安縣志
- 1275. 秦州直隸州志
- 1276. 靖康傳信錄
- 1277. 靖安縣志
- 1278. 靖邊縣志
- 1279. 靖遠縣志
- 1280. 清芬樓全書（全書叢書）
- 1281. 清芬縣志
- 1282. 清豐縣志
- 1283. 青縣志集
- 1284. 清河縣獻書畫集
- 1285. 清河書畫舫
- 1286. 清河縣志
- 1287. 清河溪志
- 1288. 清溪縣志
- 1289. 清江縣志
- 1290. 清江縣志
- 1291. 清澗縣志
- 1292. 清涼山志
- 1293. 清涼傳
- 1294. 清秘述聞（續）

(分類標目：文選、新志錄、書畫舫、倉志、圖、續聞等)

1295	Ts'ing p'ing hien tche	5 pen
1296	Ts'ing po che tsi	12 „
1297	Ts'ing p'ou hien tche	12 „
1298	Ts'ing t'ien hien tche	14 „
1299	Ts'ing ts'iuan hien tche	10 „
1300	Ts'ing yuan hien tche	4 „
1301	Ts'ing yuan hien tche (autre recension)	10 „
1302	Tsiu hio hiuan ts'ong chou	20 „
1303	Ts'iuan chang kou san tai ts'in han san kouo lieou tch'ao wen	100 „
1304	Ts'iuan chou yi wen tche	15 „
1305	Ts'iuan pou t'ong tche	15 „
1306	Ts'iuan t'ang wen ki che	34 „
1307	Ts'iue miao hao ts'eu tsien	4 „
1308	Tsiun hien tche	6 „
1309	Tso hai ts'iuan tsi	30 „
1310	Tso k'o tsing po tseou kao	32 „
1311	Tso wen siang tsi	64 „
1312	Tso wen siang kong nien p'ou	10 „
1313	Tsö k'o lou	4 „
1314	Tsö ts'ouen t'ang wou tchong	8 „
1315	Tsong chan tsi	8 „
1316	Tsong che wang kong che tche tchang king tsio tche si ts'eu ts'iuan tsi	10 „
1317	Ts'ong chou che eul tchong	12 „
1318	Ts'ong chou lieou tchong	24 „
1319	Ts'ong mou wang che yi chou	40 „
1320	Ts'ong ye t'ang ts'ouen kao	4 „

1321	Ts'ouei kiu yin	5 pen
1322	Tsouen houa tcheou tche	8 „
1323	Tsouen ts'ien tsi	1 „
1324	Wai k'o tcheng tsong	6 „
1325	Wai kouo pai houa che	4 „
1326	Wai kouo pai houa ti li	4 „
1327	Wai t'ai pi yao	40 „
1328	Wai wou pou tchang tch'eng	1 „
1329	Wan che king hio wou chou	4 „
1330	Wan chan houa che tsi	8 „
1331	Wan cheou kong tche	8 „
1332	Wan cheou kong tche (autre recension)	10 „
1333	Wan hiang ts'ouen kao	5 „
1334	Wan nien k'iao tche	6 „
1335	Wan ts'iuan hien tche	4 „
1336	Wan wen yi t'ong	10 „
1337	Wan ya tch'ou eul san pien	12 „
1338	Wang che chou houa yuan	24 „
1339	Wang che kia ts'ang tsi	2 „
1340	Wang chou houo mo king	4 „
1341	Wang kiang hien tche	10 „
1342	Wang lin tch'ouan ts'iuan tsi	16 „
1343	Wang tchong wen kong ts'iuan tsi	10 „
1344	Wang tseu ngan tsi	4 „
1345	Wang tseu ngan tsi tchou	6 „
1346	Wang wen tche kong yi tsi	4 „
1347	Wang wen t'cheng kong ts'iuan tsi	24 „
1348	Wang wen touan kong ts'iuan tsi	14 „

1295. 清平縣志
1296. 清白縣志
1297. 青浦縣志
1298. 青田縣志
1299. 清泉縣志
1300. 清苑縣志
1301. 清苑縣學上古
1302. 聚學軒叢書
1303. 全上古三代秦漢三國六朝文
1304. 全蜀藝文志
1305. 全唐文紀事
1306. 全唐妙好詞
1307. 絕妙好詞
1308. 濬縣志
1309. 左海文集
1310. 左海恪文存山室
1311. 左文襄公奏稿
1312. 左文襄公全集
1313. 則克錄堂集
1314. 澤存山室
1315. 總山室
1316. 宗室王公世次
1317. 爵秩全覽
1318. 叢書
1319. 叢書睦野
1320. 叢睦汪氏遺書

1321. 唃州志
1322. 錦化集
1323. 遵化前志
1324. 外科正宗
1325. 外國白話
1326. 外國白話
1327. 外臺秘要
1328. 外務部氏經
1329. 萬氏善壽
1330. 萬壽宮志
1331. 萬壽宮志稿
1332. 萬壽宮存稿
1333. 晼香年全
1334. 萬年全文
1335. 萬全文一初
1336. 萬文雅氏
1337. 宛雅氏
1338. 王氏叔和
1339. 王氏叔江臨
1340. 王叔江臨川
1341. 王望臨川文
1342. 王臨川文安
1343. 王忠文安成
1344. 王文成端
1345. 王子文安直
1346. 王子文直
1347. 王文端
1348. 王文

史地　地理　程五集　書
編　三苑集經　集　集　集注遺全集

1349 Wang yi ngan tsi	10 pen	
1350 Wang yu yang sien cheng che wen tsi	24 ”	
1351 Wei che hien tche	8 ”	
1352 Wei king tchai yi chou	12 ”	
1353 Wei nan hien tche	10 ”	
1354 Wei nan wen tsi	10 ”	
1355 Wei po tseu tsi	6 ”	
1356 Wei siue tchai tsi	6 ”	
1357 Wei tcheng tchong kao	2 ”	
1358 Wei tsang t'ong tche	8 ”	
1359 Wei ts'ing tchai ts'iuan tsi	10 ”	
1360 Wei yi ken tchai ts'iuan chou	8 ”	
1361 Wen chau wen tsi	4 ”	
1362 Wen chang hien tche	4 ”	
1363 Wen che t'ong yi	5 ”	
1364 Wen chouei hien tche	8 ”	
1365 Wen fei k'ing che tsi tsien tchou	2 ”	
1366 Wen hi hien tche	6 ”	
1367 Wen hien tche	4 ”	
1368 Wen hien tche	1 ”	
1369 Wen hien tcheng ts'ouen lou (1 t'ao)	10 ”	
1370 Wen pien	2 ”	
1371 Wen siuan leou ts'ong chou	24 ”	
1372 Wen siuan tsi p'ing	16 ”	
1373 Wen tch'ang hien tche	8 ”	
1374 Wen ti ts'iuan chou	24 ”	
1375 Wen mo che che	2 ”	
1376 Wen yi louen pou tchou	2 ”	

1377 Wen ying leou yu ti ts'ong chou	10 pen	
1378 Wen yuan ying houa	112 ”	
1379 Wen yuan ying houa siuan	20 ”	
1380 Wo long kang tche	2 ”	
1381 Wo wen touan kong yi chou (1 t'ao)	6 pen	
1382 Wou chan tch'eng houang miao tche	4 ”	
1383 [Nan t'ong tcheou] Wou chan ts'iuan tche	5 ”	
1384 Wou chan wang wang miao tche lio	1 ”	
1385 Wou che chan tche	4 ”	
1386 Wou che tsi lan	20 ”	
1387 Wou che ying houan lio	1 ”	
1388 Wou hio che wen tsi che tsi	6 ”	
1389 Wou hio lou tch'ou pien	6 ”	
1390 Wou kang tcheou tche	12 ”	
1391 Wou k'i tsi	8 ”	
1392 Wou kiai pei tche	4 ”	
1393 Wou king siang chouo (avec le Sseu chou siang chouo) (50 t'ao)	500 ”	
1394 Wou kong hien tche (avec suppléments)	8 ”	
1395 Wou kouei leou chon mou	2 ”	
1396 Wou leang k'ao tche lieou tö tsi	5 ”	
1397 Wou lin tchang kou t'song pien (2 pen manquent. Total: 160 au lieu de 162)	162 ”	
1398 Wou ling hien tche	16 ”	
1399 Wou wei ts'ouen che tsi tsien tchou	12 ”	
1400 Wou pei tche	80 ”	
1401 Wou pao hien tche (en double)	3 ”	
1402 Wou pou king tchai tsi	17 ”	
1403 Wou si kin kouei hien tche	20 ”	

右欄（1377–1403）

叢書

輿地選

書志署

遺廟山廟　道書志

志全志署

集詩集編

1377　問文

1378　文卧倭

1379　卧倭吳

1380　倭吳南

1381　吳南吳

1382　南吳鳥

1383　吳鳥吳

1384　鳥吳五

1385　吳五吳

1386　五吳吾

1387　吳吾武

1388　吾武梧

1389　武梧武

1390　梧武五

1391　武五武

1392　五武五

1393　武五

志說詳志

書治故志

1394　武五

1395　五五

1396　五武

1397　武武

1398　武吳

1399　吳武

1400　武備堡

1401　吳堡不錫

1402　冊敬金匱無錫縣志

1403　無錫

目六叢集　德編

注箋　齋匱縣志

左欄（1348–1376）

集先生詩文集書

1348　王

1349　抑漁洋縣志

1350　奄洋縣文子齋

1351　王氏經南

1352　味渭渭南伯

1353　渭渭魏

1354　魏味

1355　味爲

1356　爲衛

1357　衛惟

1358　惟味

1359　味問

1360　問汶

1361　汶文

1362　文温

1363　温聞

1364　聞温

1365　温文

1366　文文

1367　温文獻

1368　文獻變

1369　文獻變選

1370　變選選

1371　選昌帝

1372　選昌帝莫

1373　文昌帝莫疫

1374　文帝莫疫

1375　文莫疫

1376　温疫

全集全書

集筏注

志存錄書

叢評詩補註

1404 [P'eng tchou] Wou tai che	40 pen	1428 Yang kouei chan sien cheng tsi	10 pen
1405 Wou tai che pou	2 „	1429 Yang mei t'ang wen tsi	5 „
1406 Wou tai houei yao	6 „	1430 Yang sou t'ang che tsi	14 „
1407 Wou tch'ao siao chouo	40 „	1431 Yang sou t'ang wen tsi	16 „
1408 Wou tche hien tche	8 „	1432 Yang souen tchai wen tch'ao	6 „
1409 Wou tche tchai k'in p'ou	8 „	1433 Yang tcheou fou tche (recension de 1733)	12 „
1410 Wou tchong je kouei	10 „	1434 Yang tcheou fou tche (supplément)	8 „
1411 Wou tch'ouan hien tche	6 „	1435 Yang tcheou fou tche (autre recension)	48 „
1412 Wou teng houei yuan	12 „	1436 Yang tcheou houa fang lou	4 „
1413 Wou ting fou tche	24 „	1437 Yang tchong lie kong tsi	6 „
1414 Wou t'ing wen pien	16 „	1438 Yang tch'ouen hien tche	4 „
1415 Wou tsin hien tche	12 „	1439 Yang tsie t'ang tsi	8 „
1416 Wou ts'ing hien tche	8 „	1440 Yang wou hien tche 6 pen + 1 carte	
1417 Wou wen tsie kong yi tsi	16 „	1441 Yang yi tchai wen tsi	12 pen
1418 Wou yang hien tche	4 „	1442 Yang yuan sien cheng ts'iuan tsi	16 „
1419 Wou yi chan tche	8 „	1443 Yang yuan sien cheng ts'iuan tsi (autre édition)	16 „
1420 Wou ying tien tsiu tchen pan ts'ong chou. Du Kiang-si	130 „	1444 Yao tcheou tche, avec le Siu yao tcheou tche	4 „
1421 Wou ying tien tsiu tchen pan ts'ong chou. Ed. incomplète du Foukien, y compris le Fang song wou king, King tien che wen, et Siu tseu tche t'ong kien kang mou	813 „	1445 Yao tcheou tche (autre recension)	10 „
		1446 Yao touan k'o kong wen tsi	8 „
		1447 Yao tsi tsi	16 „
		1448 Yao wen min kong tsi	2 „
1422 Ya yu t'ang ts'ong chou	36 „	1449 Yi hien tche	8 „
1423 Ya ngan chou wou tsi	5 „	1450 Ye k'o ts'ong chou	12 „
1424 Yang che ts'ien ts'i pai eul che kieou hao tchai ts'ong chou	18 „	1451 Yen che hien tche	16 „
		1452 Yen king t'ang ts'iuan tsi	24 „
1425 Yang fang tsi yao	20 „	1453 Yen k'ing tcheou tche	6 „
1426 Yang hien tche	4 „	1454 Yen lou kong ts'iuan tsi	13 „
1427 Yang k'iu hien tche	10 „	1455 Yen ngan fou tche	16 „

史

五代史補
五代史補要説志
五代史會要
五代史小説
五朝小説
陝西... 種川
種川燈
燈定
... 午
武午
... 吳舞
舞夷英
夷英... 殿
殿宋典資堂
仿宋... 千叢
經續... 雨安視齋防縣曲

- 1404. 彭
- 1405. 注五代
- 1406. 五代
- 1407. 五朝
- 1408. 武陝
- 1409. 五知
- 1410. 五種
- 1411. 吳川
- 1412. 五燈
- 1413. 武定
- 1414. 武午
- 1415. 武
- 1416. 武
- 1417. 吳舞
- 1418. 武夷
- 1419. 武英
- 1420. 武英
- 1421. 武

譜 — 遺集 — 板本叢書 — 珍本叢書 — 書目 — 綱目 — 鑑

板板
珍經文通書
聚聚釋治叢書綱目
殿五典資屋集百十九
殿宋典書七書二
仿宋書屋要志
經續千叢輯
雨安視齋輯志
雅雨堂叢書

- 1422. 雅雨
- 1423. 雅安
- 1424. 仰視齋
- 1425. 鶴洋
- 1426. 洋防縣
- 1427. 陽曲縣志

集

生集集
先文詩文集鈔
山堂堂齋
龜晦素素堂
先生集
先生文集
先生詩文集
先生文集鈔
山堂... 府志
楊損州府志
揚州府志
揚州府志
揚州畫舫錄
揚州忠烈公志
楊春節堂縣集
陽節武一園先生集全
仰陽武齋一園先生集全續
養楊一園先生志
楊園州志
楊園州志全
耀州志
耀端集文集
姚文客縣叢志書志全志
遙縣經慶魯安府
姚客師慶魯府公府
掖師經慶魯公府安
野經慶魯公府安志
偃犖延顏延

- 1428. 楊養素
- 1429. 龜晦素
- 1430. 素養
- 1431. 素養
- 1432. 楊損
- 1433. 揚州
- 1434. 揚州
- 1435. 揚州
- 1436. 揚州
- 1437. 楊忠
- 1438. 陽春
- 1439. 仰節
- 1440. 陽武
- 1441. 養一
- 1442. 楊園
- 1443. 楊園
- 1444. 耀州
- 1445. 耀端
- 1446. 姚文
- 1447. 遙縣
- 1448. 姚客
- 1449. 掖師
- 1450. 野經
- 1451. 偃慶
- 1452. 犖魯
- 1453. 延安
- 1454. 顏延
- 1455. 延

1456	Yen p'ing fou tche	24 pen
1457	Yen souei tchen tche	6 „
1458	Yen tcheou fou tche	12 „
1459	Yen tcheou fou tche	27 „
1460	Yen tch'ouan tsi	6 „
1461	Yeou che hiuan yin ts'ouen	1 „
1462	Yeou hiuan yu (avec le Chou mou ta wen)	4 „
1463	Yeou li je pen t'ou king	16 „
1464	Yeou li kia na ta t'ou king	2 „
1465	Yeou li mei li kia t'ou king	12 „
1466	Yeou li pa si t'ou king	2 „
1467	Yeou li pi lou t'ou king	2 „
1468	Yeou li t'ou king yu ki	4 „
1469	Yeou ming chan ki	11 „
1470	Yeou t'ai sien kouan pi ki	4 „
1471	Yeou tchou ts'ao t'ang che wen tsi	3 „
1472	Yeou tcheng wei tchai ts'iuan tsi	16 „
1473	Yi chan sien cheng tsi	16 „
1474	Yi fang tsi kiai	6 „
1475	Yi fong t'ang kin che wen tseu mou	8 „
1476	Yi hing king k'i hien sin tche (serait complet en 6 pen)	5 „
1477	Yi hio sin wou	3 „
1478	Yi kia t'ang ts'ong chou (8 t'ao)	64 „
1479	Yi kiao ts'ong pien	4 „
1480	Yi kie lou	4 „
1481	Yi kiug yuan tche	6 „
1482	Yi kiun hien tche	2 „
1483	Yi li ngan pei ts'eu kouang tcheng p'ou	6 pen
1484	Yi lin kai ts'o	2 „
1485	Yi men tou chou ki	16 „
1486	Yi sieou t'ang yi hio ts'ong chou	40 „
1487	Yi sseu k'ao tch'a je pen k'ouang wou je ki	1 „
1488	Yi tchai tsi	10 „
1489	Yi tche tchai ts'ong chou	16 „
1490	Yi tch'ouan hien tche	6 „
1491	Yi tch'ouen cheng yi (avec le Yi fang louen)	6 „
1492	Yi tou hien tche	6 „
1493	Yi tou hiuan ts'ouen kao	1 „
1494	Yi tseu chou yin pai houa kiai	2 „
1495	Yi tsin tchai tsi	6 „
1496	Yi tsong pei yao	1 „
1497	Yi tsong pi tou	6 „
1498	Yi wei hiuan yi chou	10 „
1499	Yin hio wou chou	12 „
1500	Yin houo tsing sien cheng wen tsi	2 „
1501	Yin ping che wen tsi lei pien	2 „
1502	Yin yun je yue teng	32 „
1503	Yin tchai wen tsi	4 „
1504	Yin ts'ie p'ou	10 „
1505	Yin wen siang kiai	10 „
1506	Yin yun tch'an wei	5 „
1507	Ying hai louen	I „
1508	Ying k'ouei liu souei	10 „

（漢籍書目索引，第1456–1508條，中文書名豎排）

1456. 延綏鎮志
1457. 延安府志
1458. 平涼府志
1459. 克州府志
1460. 嚴州府集
1461. 書目答問
1462. 輶軒語
1463. 游歷圖經
1464. 游歷加那大圖經
1465. 游歷美利加圖經餘
1466. 游歷巴西圖經紀
1467. 游歷秘魯圖經紀
1468. 游歷名山館記
1469. 遊名山記
1470. 右臺仙館筆記
1471. 友竹草堂詩全集
1472. 遺山先生文集
1473. 醫方叢話
1474. 宜興荊溪縣新志
1475. 宜稼堂叢書
1476. 醫學叢書
1477. 宜稼堂叢編
1478. 翼教叢編
1479. 遺教匧錄
1480. 醫經原旨
1481. 宜君縣志
1482. 宜（存目）

1483. 北詞廣正譜
1484. 醫林改錯
1485. 義門讀書記
1486. 聿修堂醫學叢書
1487. 考察日本礦務日記
1488. 一畫齋集
1489. 頤齋叢書
1490. 宜川縣志
1491. 醫醇賸義
1492. 益都金石存稿
1493. 儀禮白話解
1494. 一音集
1495. 詁醫宗備要
1496. 醫宗備要讀
1497. 醫宗必讀遺書
1498. 儀禮衛生遺書
1499. 音衛生五靖室文集
1500. 尸和氷文集月
1501. 飲水韻齋文集
1502. 音文韻齋文譜
1503. 鳥音切文詳解
1504. 音文韻齋闡論
1505. 印音文韻論律
1506. 音韻闡微
1507. 瀛奎律論
1508. 瀛奎律髓

1509	Ying k'ouei liu souei k'an wou	16 pen
1510	Ying pa tsa tche	2 ,,
1511	Ying tcheou pi t'an (1 t'ao)	6 ,,
1512	Ying yao je ki	2 ,,
1513	Ying wou tcheou siao tche	2 ,,
1514	Yo fou che tsi	16 ,,
1515	Yo tchang ta ts'iuan	48 ,,
1516	Yo tcheou fou tche	10 ,,
1517	Yo tchong wou wang wen tsi	3 ,,
1518	Yo wou mou tche	6 ,,
1519	Yong cheou hien sin tche	6 ,,
1520	Yong chouen fou tche	4 ,,
1521	Yong hing hien tche	10 ,,
1522	Yong k'ang hien tche	8 ,,
1523	Yong kia hien tche	32 ,,
1524	Yong kia ts'ong chou	44 ,,
1525	Yong lo ta tien mou lou (moitié seulement)	10 ,,
1526	Yong ngan ts'iuan tsi che tchong	48 ,,
1527	Yong p'ing fou tche	32 ,,
1528	Yong tcheou fou tche	14 ,,
1529	Yong tcheng tchou p'i yu tche	60 ,,
1530	Yong tchouang siao p'in	32 ,,
1531	Yong ting ho tche	16 ,,
1532	Yu chan hien tche	8 ,,
1533	Yu hai (avec les suppl. Ed. du Ssen-tch'ouan) (12 t'ao)	96 ,,
1534	Yu han chan fang tsi yi chou (éd. p^t format)	120 ,,
1535	Yu han chan fang tsi yi chou (éd. g^d format)	80 ,,
1536	Yu hien tche	4 ,,

1537	Yu hien tche	10 pen
1538	Yu houa tong tche	6 ,,
1539	Yu houa tsi	5 ,,
1540	Yu kiun ki lio	6 ,,
1541	Yu koua kouo tchai pi ki	4 ,,
1542	Yu lin fou tche	12 ,,
1543	Yu pei li hien yi kien chou	2 ,,
1544	Yu p'ien ling pen	1 .,
1545	Yu p'o tseou yi	2 ,,
1546	Yu tchang ts'ong chou	18 ,,
1547	Yu tche t'ang t'an houei	24 ,,
1548	Yu tcheou tche	8 ,,
1549	Yu tcheou tche	13 ,,
1550	Yu ti ki cheng	48 ,,
1551	Yu ti kouang ki	4 ,,
1552	Yu ti pa tchong	2 ,,
1553	Yu tseu chan ts'iuan tsi	12 ,,
1554	Yu ts'eu hien tche	8 ,,
1555	Yu ts'ing touan kong tcheng chou	11 ,,
1556	Yu tsö houei ts'ouen: années 1894 (7e mois incomplet), 1895, 1897, 1899, 1900 (1er à 5e mois), 1903	409 ,,
1557	Yu yao hien tche	8 ,,
1558	Yu yang chan jen kou che siuan	10 ,,
1559	Yu yuan ts'ong k'o	16 ,,
1560	Yuan che hien tche	8 ,,
1561	Yuan che sin pien	32 ,,
1562	Yuan che siuan	20 .,
1563	Yuan fong kicou yu tche	4 ,,
1564	Yuan fong lei kao	10 ,,

記　書

筆記

意見書　舊

議書談　齋志憲本

政書

勝記　種全志　公存志

域彙志　人刻志編

古詩選

№				
1535	孟	志洞集		
1538	玉	縣華琴軍賽林備篇		
1539	玉	過府立零奏叢堂志		
1540	豫	坡章		
1541	欲	榆		
1542	榆	預		
1543	預	玉	坡章	
1544	玉	玉	芝州	
1545	玉	豫	州	
1546	豫	玉	州地	廣八山縣端彙縣山叢縣
1547	玉	蔚	地地	
1548	蔚	禹	子次清摺姚洋圜氏史詩	
1549	禹	輿		
1550	輿	輿		
1551	輿	輿		
1552	輿	庚		
1553	庚	榆		
1554	榆	于		
1555	于	諭		
1556	諭	餘		
1557	餘	漁		
1558	漁	榆	新選九豐豐	
1559	榆	元		
1560	元			
1561	元			
1562	元			
1563	元			
1564	元			

誤列

志

髓志　談記　小集

全志　王志　新志

文志

縣府志　武穆縣府志　府縣志

集

錄種　目十　諭旨

志書　典集志　集志批

品志　志

書佚

輯輯

書

房房

山山志

№			
1509	瀛	奎	
1510	瀛瀛	壩	
1511	瀛	舟	英
1512	鸚鸚	軺府	
1513	樂樂	章州	約
1514	約	岳	
1515	岳	岳	
1516	岳	忠武	
1517	忠武	壽順	
1518	壽順	興	
1519	興	康	
1520	康	嘉	
1521	嘉	嘉	
1522	嘉	樂	
1523	樂	盦平	
1524	盦平	州	
1525	州	正幢	
1526	正幢	定	
1527	定	山	
1528	山	海	
1529	海	函	
1530	函	縣	
1531	永		
1532	玉	玉	山海
1533	玉	玉	山海
1534	玉	玉	山山志
1535	玉	蔚	縣
1536	蔚		

1565 Yuan hien wen lou	8 pen
1566 Yuan hou chan fang tsi	4 ,,
1567 Yuan houo kiun hien tche	8 ,,
1568 Yuan houo sing tsouan	4 ,,
1569 Yuan ming pa ta kia wen siuan	12 ,,
1570 Yuan siang ki kieou tsi .	64 ,,
1571 Yuan siang t'ong yi lou	10 ,,
1572 Yuan tch'ao pi che tchou 4 pen avec le Yuan che yi wen tcheng pou 4 pen	8 ,,
1573 Yuan tch'eng hien tche	5 ,,
1574 Yuan tchong lang ts'iuan tsi	16 ,,
1575 Yuan wen lei	10 ,,
1576 Yuan wen tsien tcheng	6 ,,
1577 Yuan yi chan che tsi tsien tchou	6 ,,
1578 Yue che san kia tsi	40 ,,
1579 Yue ho tsing chö ts'ong tch'ao	8 ,,
1580 Yue je ki kou	12 ,,
1581 Yue nan ti yu t'ou chouo	4 ,,
1582 Yue nan tsi lio	4 ,,
1583 Yue nan wang kouo ts'an	1 ,,
1584 Yue tchong kien wen	10 ,,
1585 Yue tcheng ts'ong tchong lou	4 ,,
1586 Yue wei ts'ao t'ang pi ki	10 ,,
1587 [Tcheng siu] Yue ya t'ang ts'ong chou	400 ,,
1588 Ling cheou hien tche	6 ,,
1589 Yun hai leou che	2 ,,
1590 Yun hio tsi tch'eng	13 ,,
1591 Yun houo hien tche	1 ,,

1592 Yun k'i	2 pen
1593 Yun kou	6 ,,
1594 Yun pien yi yu	12 ,,
1595 Yun tseu tsai k'an ts'ong chou	25 ,,
1596 Yun wo chan tchouang pie tsi	2 ,,
1597 Yun yang hien tche	12 ,,
1598 Yun yang tche	7 ,,
1599 Siuan hiuan k'ong che so tcho chou	10 ,,
1600 Kiun kou lou kin wen	9 ,,
1601 Kiao pin ts'ai sien cheng yi chou	4 ,,
1602 Tchouang t'ao ko t'ie, recueil d'estampages. Donné de la part de l'auteur de la collection, Mr. 裴景福 P'ei King-fou	24 ,,
1603 Estampage de l'inscription du To-pao-t'a écrite sous les T'ang par 顏真卿 Yen Tchen-k'ing	1 vol.
1604 Estampage du Ta t'ang san tsang cheng kiao siu, écrit sous les T'ang par 懷仁 Houai-jen	1 ,,
1605 Estampage d'une stèle funéraire des T'ang, non identifiée	1 ,,
1606 Estampage de la stèle du Houei-fou-sseu, écrite sous les Wei	1 ,,
1607 Estampage de la stèle funéraire de M. Wang, sous les T'ang	1 ,,
1608 Estampage d'inscription non identifiée	1 ,,
1609 Collection d'estampages dite Kiang-t'ie	12 ,,
1610 Estampage d'une inscription écrite par Yen Che-kou des T'ang	1 ,,
1611 Estampage de l'inscription de Li Hi des Han	1 ,,
1612 Estampage d'une inscription non identifiée	1 ,,
1613 Estampage fragmentaire d'une inscription du Tchao-ling des T'ang	1 pen
1614 Estampage du To-sin-king écrit par Lin Tsö-siu	
1615 Estampage d'une inscription non identifiée	
1616 Estampage d'une inscription non identifiée	
1617 Tong yi pao kien. Ouvrage de médecine coréen, mais en chinois. Ed. imprimée en Corée	25 ,,
1618 Tong yi pao kien, éd chinoise	25 ,,
1619 Che ki. Ex. fragm. d'une éd. de circa 1300 A. D. Doit compléter l'ex. frag. entré antérieurement à la bibliothèque sous les n°s 10952—10983	25 ,,

1563. 原獻文錄集　古文選
1564. 元厖山房縣纂
1565. 元和郇縣姓
1566. 元和郡姓
1567. 元和和八家集錄註文證補
1568. 元明者大舊
1569. 沅湘通藝
1570. 沅湘秘史史譯註
1571. 元朝史縣
1572. 元城郎類全集
1573. 元袁中文
1574. 元袁文箋注
1575. 袁遺山正詩集箋鈔
1576. 元袁十三精家集叢說
1577. 元粵河日紀舍圖慘
1578. 粵月日南地古輿錄
1579. 月南南輯國筆堂
1580. 越南亡聞中錄
1581. 越南見聞記
1582. 越粵中草雅記
1583. 粵中微粵志
1584. 越中續縣成
1585. 閩正壽樓志
1586. 正靈海集書
1587. 靈雲學縣
1588. 雲韻和
1589. 韻雲

1592. 韻岐
1593. 韻詁
1594. 韻辨一隅
1595. 雲自在龕莊志　叢書別集
1596. 雲陽卧山縣志
1597. 雲陽陽志
1598. 郇軒孔氏　所著書
1599. 轑古氏金先生文遺書
1600. 據古錄帖
1601. 淩濱蔡閣碑
1602. 壯陶陶塔
1603. 多寶寶藏　聖教序碑
1604. 大唐三碑
1605. 唐碑福碑
1606. 暉唐寺氏
1607. 唐王氏
1608. 未詳帖
1609. 降師帖　古碑　唐碑
1610. 顏翁古書
1611. 李詳陵則
1612. 未詳醫
1613. 昭陵殘碑書　多心經
1614. 林則徐寶鑑
1615. 未詳醫寶
1616. 未詳醫記
1617. 東寶鑑
1618. 東寶記
1619. 東史

1620 Collection de 141 brochures populaires contenant des chants et des airs de théâtre.

1621 Ta song sin yi pi mi tsouei chang king, ch. 1. Beau manuscrit de l'époque des Song acquis au Japon par Mr.

董康 Tong K'ang, et remis en son nom à la Bibl. Nle.   1 rouleau

1622 Collection des estampages de la chambre dite de Wou-leang (bas-reliefs du IIe siècle).

1623 Kou wen kieou chou k'ao   4 pen
1624 Tchen fong ko ts'ong chou   16 ,,
1625 Siu tsiun hien tche   2 ,,
1626 Siu kao tch'eng hien tche   1 ,,
1627 P'ing yao hien tche   8 ,,
1628 Lexique chinois-turc, imprimé.
1629 Long estampage, monté en rouleau, de gravures et textes se rapportant à la réunion rendue célèbre par le Lan t'ing siu.

1630 Plan manuscrit du Houa chan.

1631 Manuscrit autographe du Kin che ts'ouei pien pon yi de

毛鳳枝 Mao Fong-tche   2 ,,

1632 Répertoire épigraphique. Mss. autographe de Mao Fong-tche   1 ,,

1633 Mss. en grande partie autographes et en partie inédits du célèbre Tchang Tchou (circa 1800 A.D.). Parmi les œuvres inédites, le Si hia sing che lou, le Siu touen houang che lou, etc. . .   84 liasses

1634 T'ang t'ou ming cheng houei t'ou (ouvrage japonais)   6 pen

1635 K'in ting p'ing ting t'ai wan ki lio. Ex. fragmentaire   9 ,,

1636 Ming hien ming han   1 ,,

1637 Ming che wou wan jen cheou t'ie   1 ,,

1638 Ming wang wen tch'eng yu tchou che yu san tcha   1 ,,

1639 Yeou ming leang ta jou cheou t'ie   1 ,,

1640 K'iu kia hiuan cheou tcha ki la wan chou   1 ,,

1641 Houang che tchai cheou sie che kiuan   1 ,,

1642 Ming tong lin pa hien yi tcha   1 ,,

1643 Tchang kao wen cheou sie mo tseu king chouo kiai   1 pen

1644 Tsiang tchouo ts'ouen chou kiang po che chou p'ou   1 ch.

1645 Fou ts'ing tchou tseu chou che kiuan   1 ,,

1646 Fang ts'iuan che tsi   1 ,,

1647 Ming ta ts'an tch'en kong cheou tsi t'ong jen tch'e tou   2 pen

1648 Mou ngan sien cheng che   1 ch.

1649 Li chang yin che tsi   2 pen

1650 Li chang yin che tsi (double)   2 ,,

1651 Mi tche hien tche   1 ,,

1652 Han yin ngeou ts'ouen   2 ,,

1653 Yao che yin ts'ouen   1 ,,

1654 Pou tsin chou king tsi tche   1 ,,

1655 Eul li tch'ang houo tsi   1 ,,

1656 Oeuvres diverses de Wang Jeu-tsiun, offertes en son nom à la Bibliothèque   10 ,,

1657 Wei hio yuan lieou hing fei k'ao   1 ,,

1658 Lao che souei kin   1 ,,

1659 Kong sieu cheng nien p'ou   1 ,,

1660 T'ien hia t'ong wen   1 ,,

1661 Tsong k'ong pien   1 ,,

1662 Tch'eou tchen pien wang   1 ,,

1663 Song t'a t'ang kiang jeou yuan pei   1 ,,

1664 Ming t'a han li sseu tchong   1 ,,

1665 San hi t'ang siao k'ai pa tchong   1 ,,

1666 San hi t'ang siao k'ai sseu tchong   1 ,,

1667 Song t'a tsin t'ang siao k'ai che yi tchong tche pao   2 ,,

1620. 閣書零本
1621. 大宋新譯祕密最上經
1622. 武梁祠拓本攷
1623. 古文舊閣叢書攷書
1624. 晨風閣叢書
1625. 續濬縣志
1626. 續平遙縣志
1627. 漢回譯語卷
1628. 蘭亭序圖
1629. 蘭亭序卷本
1630. 華山圖
1631. 金石萃編補遺稿本
1632. 毛鳳枝金石萃編補遺
1633. 張澍西夏姓氏錄　續敦煌實錄
1634. 唐土名勝圖會
1635. 欽定平定臺灣紀略
1636. 明賢十五人手帖
1637. 明王文成完人與朱侍御手帖
1638. 明三賢手札
1639. 有明稼軒兩大儒手札及蠟丸
1640. 有明瞿氏大軒手寫詩
1641. 黃石齋手寫詩遺札
1642. 明東林八賢手遺札

1643. 張臬文手寫墨子經說解
1644. 蔣拙存書姜白石書譜
1645. 傅青主自書詩卷
1646. 陳眉公手集詩集同
1647. 明人尺牘先生詩集
1648. 木庵先生詩集
1649. 李商隱詩集
1650. 李商隱詩志存
1651. 米脂縣志偶存
1652. 漢印氏印書經籍志
1653. 姚補晉唱和集集興廢攷
1654. 二李仁學氏原碎金年文譜
1655. 王緯勞先生同編辨妄
1656. 勞襲氏先生同編辨妄
1657. 龔天下孔真訓
1658. 天下同文編辨妄
1659. 宋拓唐姜業遠碑四種
1660. 明拓漢隸堂小唐楷八四楷種
1661. 明三希希晉堂小楷十一
1662. 宋訓真辨妄
1663. 宋拓唐姜業遠碑四種
1664. 明拓漢隸堂小楷八種
1665. 明三希晉堂小楷四種
1666. 三宋希拓小楷十一
1667. 宋拓晉小楷

778   PAUL PELLIOT.

1668 Ming tai ming hien cheou tcha mo tsi   1 pen

1669 T'ang li houai lin chou ts'iue kiao chou   1 „

1670 Kou houan t'ang tsi   12 „

1671 Nan houa tchen king. Magnifique exemplaire ancien ayant fait partie de la célèbre bibliothèque de 黃丕烈 Houang P'ei-lie   6 „

1672 Fo kouo ki. Bel exemplaire de l'édition de 胡震亨 Hou Tchen-heng des Ming   1 „

1673 Mong kou hiug tch'eng ki. Manuscrit. L'ouvrage est inédit   1 „

1674 Ha mi tche. Fragmentaire; seulement ch. 7 et 8 de cette description inédite de Qomoul. Manuscrit   2 „

1675 Che mo ts'ien houa. Bel ex. des Ming, avant fait partie de la bibliothèque du prince 禮 Li   4 „

1676 T'ang song pa ta kia fa t'ie   12 „

1677 Wen tchong tseu   4 „

1678 Siao mo tch'ang kouan che wen tsi   10 „

1679 Tch'ouen houa ko t'ie   4 „

1680 Wang che chouo wen   4 „

1681 Wei nan hien tche   8 „

1682 Oeuvres de Siu Wen-tsing   22 „

1683 Recueils d'autographes.

1684 Yu t'i mien houa t'ou   2 albums

1685 Ts'in han wa tang wen tseu (incomplet)   1 pen

1686 Estampage reproduisant un autographe de Tchong Yeou

1687 Wou che san ts'an kouan yin siang. La dernière manifestation de Kouan-yin dans cet album est sous la figure d'un guerrier européen, copié d'une estampe occidentale   1 album

1688 Wen che wen p'ou (manuscrit)   1 pen

1689 Divers Che-hien-chou (calendriers impériaux) allant de 1846 à 1894   21 „

1690 Collection de bronzes archaïques inscrits. Manuscrit finement dessiné   6 „

1691 Recueil de suppliques émanant du Bureau des interprètes

1692 Estampage de l'inscription Tsouan Long-yen au Yunnan; pris dans la 1ère moitié du XIXe siècle.

1693 Chan hai king ts'ouen   4 „

1694 Kouang si ts'iuan cheng t'i yu t'ou chouo   4 „

1695 Estampages du Wou king wen tseu et du Kieou king tseu yang   8 pen

1696 Houang yu ts'iuan t'ou   1 „

1697 So lo chou pei ts'an tseu   1 „

1698 Règlement commercial russo-chinois de 1902.

1699 Song kin yuan ts'eu tsi kien ts'ouen kiuan mou   1 „

1700 Chouo wen pen king ta wen   1 „

1701 San t'ong chou siang chouo   1 „

1702 Tou chou ts'ong lou   1 „

1703 Chouei king tchou si nan tchou chouei k'ao   1 „

1704 Sie chang kong tchong ting yi k'i k'ouan tche   4 „

1705 Houa tou sseu yong tch'an che t'a ming   1 „

1706 Cheng yu kouang hiun   1 „

1707 Etat de dépenses faites aux tombeaux impériaux en 1777 (manuscrit)   1 „

1708 Tableau généalogique de la famille impériale (manuscrit)   1 „

1709 K'in ting sieou tsao ki fang li tch'eng   1 „

1710 Chàn si ts'iuan cheng yu ti t'ou   2 „

1711 Inscription de Heng Fang   1 „

1712 Kiai tseu yuan houa p'ou. Ex. incomplet   2 „

1713 Yen tien cheou yao pi kiao t'iao k'ouan (manuscrit)   1 „

1714 Estampage du Kin kang pan jo po lo mi king, écrit par 趙孟頫 Tchao Mong-fou   1 „

1715 Inscription dite de P'ou-kiun   1 „

1716 Estampage du Tchouan t'a ming   1 „

1717 Sao ye chan fang chou tsi mou lou   1 „

1718 Eul king tsiug kiai   8 „

種

至寶名賢手書（札）墨跡

1668 明代…
1669 唐李懷琳絕交書
1670 古歡堂集真記
1671 南華真經
1672 佛國記
1673 蒙古行程記
1674 哈密…志
1675 石墨鐫華
1676 唐宋八大家法帖
1677 文中子館詩文集
1678 小…館閣帖
1679 淳化閣帖
1680 王氏…縣志集
1681 渭南文集
1682 徐文…稿題
1683 雜題…
1684 御製棉華圖
1685 秦漢瓦當文字
1686 鍾縣…
1687 五十…氏祭譜觀音像
1688 溫…三文書譜
1689 時…書種種
1690 古銅…館書數種
1691 四譯館…眼謠碑存
1692 爨龍顏碑
1693 山海經存
1694 廣西全省輿地圖說

字樣
九經字樣
五經文字
文字圖碑殘章
鐘鼎彝器款識考

1695 五經九皇…
1696 皇輿全覽圖
1697 娑羅樹碑通商詞集
1698 中俄…通商章程見存卷
1699 宋金元詞…目
1700 說文…本經答問
1701 三統書詳錄說
1702 讀書叢錄注
1703 水經注…南諸彝水考
1704 薛尚功…鐘鼎彝器款識
1705 化度寺邕禪師塔銘
1706 度論廣陵…訓經冊費
1707 修…皇陵皇族圖
1708 清…皇定修造…
1709 欽定…西修全…吉立成興圖
1710 陝西方…園碑地省
1711 衡方子…碑
1712 芥子園…花譜比較條款
1713 識…金剛般若…要若波羅蜜
1714 金剛碑…般
1715 浦君塔銘碑
1716 塼…碑銘
1717 垿房山…葉房書籍目錄
1718 二…精經解

1719 Inscription de Kao Tcheng des Wei   1 pen

1720 Inscription de Wang Ki des Wei   1 „

1721 Inscription de Che Tchen   2 „

1722 Tcheou wen kong ts'eu yi t'ie   1 „

1723 Estampage non identifié   1 „

1724 Inscription dite Sien yu che li men pei   1 „

1725 Estampage du Tcheou kin t'ang ki   1 „

1726 Tsiang heng fa t'ie   1 „

1727 Estampage du K'iun sien kao houei fou   1 „

1728 Li t'ai wei ts'eu t'ang ki   1 „

1729 Texte du Lo chouei lan t'ing (photographies du duc Lan 灡 ; 5 photographies, dont 1 très grande).

1730 Texte et appendices du même. Offert par le duc Lan   52 photos

1731 Reproductions de peintures chinoises anciennes   26 planches

1732 Kieou tch'eng kong li ts'iuan ming   1 „

1733 Hien sie kong kia tchouan. Estampage d'après Tchao Mong-fou   1 planche

1734 Yen lou kong ts'eu ki   1 „

1735 Tch'ouen houa ko fa t'ie   10 „

1736 Traduction turki du Yu tche k'iuan chan yao yen   1 pen

1737 Ex. très endommagé et incomplet du code chinois (?) en chinois et en turc.

1738 Magnifique exemplaire du K'iuan chan yao yen, en mandchou et en chinois   1 „

1739 Ming houa chan kouan yin p'ou   1 „

1740 Histoire de la Kachgarie, en turc. Manusc. copié sur celui de l'auteur, un indigène de Bai au Turkestan Chinois (l'ouvrage a été édité à Kazan)   1 „

1741 4 photos donnant le plan de tombeaux impériaux.

1742 Kouo hio pao ts'ouen houei tchang tch'eng   1 „

1743 Kou che yi chou   8 „

補遺

222. 經籍纂詁

1719. 高貞碑
1720. 王基碑
1721. 史晨碑
1722. 周文公祠遺帖碑
1723. 未詳
1724. 鮮于氏里記帖
1725. 畫錦堂法帖會記照本
1726. 蔣衡仙高賦堂帖跋本照本
1727. 群仙太尉詞亭帖後
1728. 李蘭亭集銘
1729. 落水蘭亭畫宮棗傳
1730. 落水成宮醴家記銘本照本
1731. 九成宮醴泉銘
1732. 開成石經御製勸律要言殘本
1733. 顏魯公家廟碑法帖善例言譜
1734. 淳化閣帖大勸山新圖要印本會章程
1735. 淳化閣帖御大勸清善館疆照存書
1736. 回漢文回漢花文陵學氏會例言章
1737. 漢滿回漢文新圖保存書要印本
1738. 滿茗回花文新疆照存書
1739. 茗回皇文陵學氏遺書
1740. 回文新疆照存書
1741. 皇陵圖本會
1742. 國學保存會章程
1743. 顧氏遺書

Catalogue des Livres et Manuscrits Chinois Collectionnés par A. Lesouëf

勒苏埃夫藏中文书籍与手稿目录

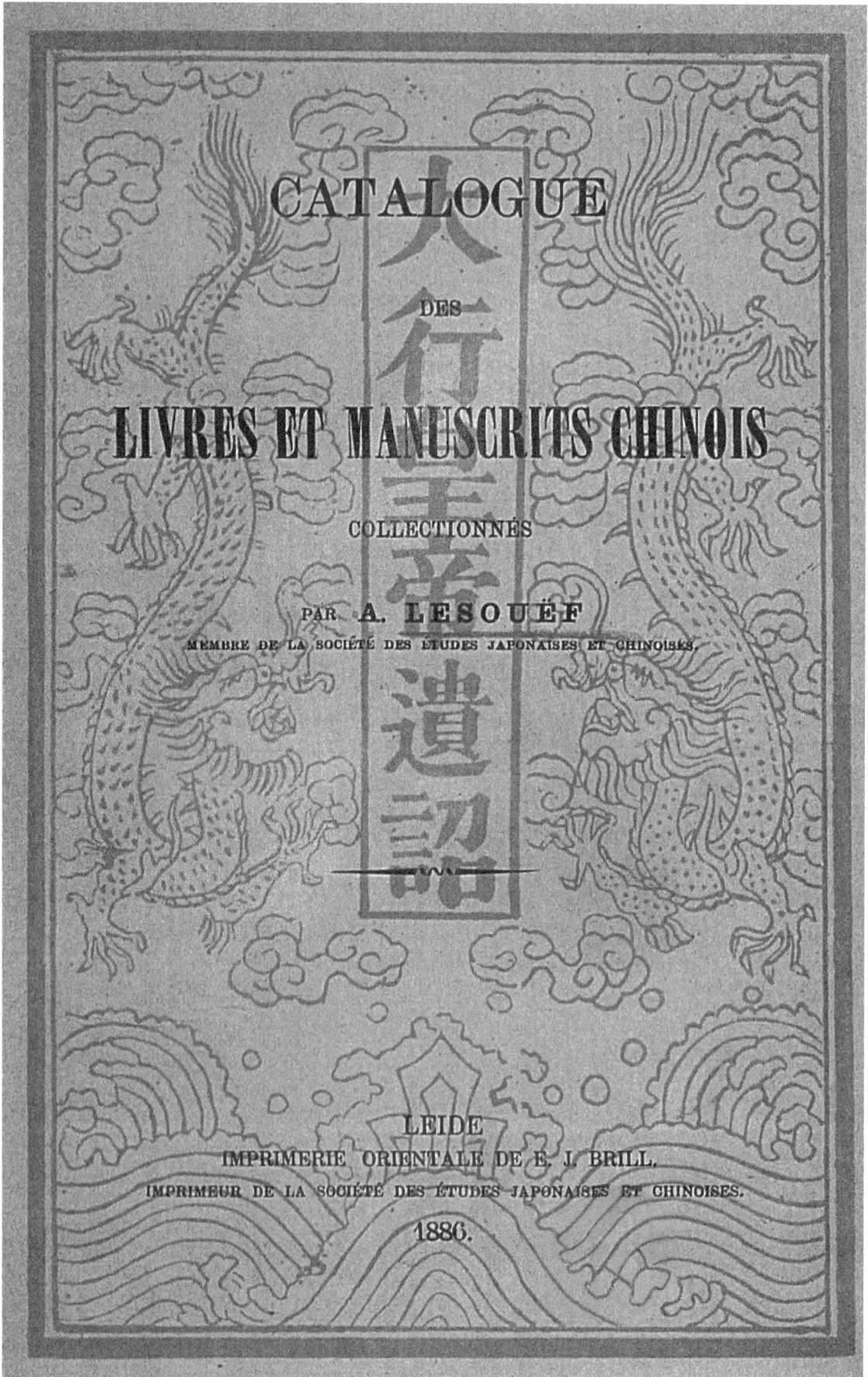

CATALOGUE

DES

LIVRES ET MANUSCRITS CHINOIS

COLLECTIONNÉS

PAR A. LESOUËF

MEMBRE DE LA SOCIÉTÉ DES ÉTUDES JAPONAISES ET CHINOISES.

大行皇帝遺詔

LEIDE

IMPRIMERIE ORIENTALE DE E. J. BRILL.

IMPRIMEUR DE LA SOCIÉTÉ DES ÉTUDES JAPONAISES ET CHINOISES.

1886.

CATALOGUE

DE

LIVRES ET MANUSCRITS CHINOIS.

CATALOGUE

DES

LIVRES ET MANUSCRITS CHINOIS

COLLECTIONNÉS

PAR **A. LESOUËF**

MEMBRE DE LA SOCIÉTÉ DES ÉTUDES JAPONAISES ET CHINOISES.

LEIDE
IMPRIMERIE ORIENTALE DE E. J. BRILL.
IMPRIMEUR DE LA SOCIÉTÉ DES ÉTUDES JAPONAISES ET CHINOISES.
1886.

前　言

　　本目录所涉及的藏书主要涉及远东民族志和艺术史领域，并将加入另一个日文、鞑靼—满文和藏文的书籍和手稿目录。我们十分希望再加入一定数量的文学著作以反映这些遥远的亚洲世界知识发展的一些面貌。

　　目前还没有较具规模的中国本土藏书，但我们每天都会公布一些最新进展，以便尽快完成这项工作。本目录所包含的信息将有助于这项工作的进展，毕竟对于东方学家特别是汉学家来说，这些书籍已经变得越来越必要。

　　在当前东方学的研究条件下，如果一本目录仅包含书卷的标题，除了在阅读时会让人觉得枯燥无味以外，可能对学界没有更多助益。因此，本书有时提供一些分析性和描述性的注解，在某些情形下可能会让读者非常受用。

　　最后，我们认为有必要在参考书目中增加一些图像，以方便读者了解一些有趣作品的艺术特征。

　　本藏书目录中没有包含特别多的书目，所以没有必要划分成若干类别。目前按照收藏时间来编排这些藏书足以，以方便之后继续出版目录补编。同时，书目分类的缺失可以通过系统的索引来弥补。

（王辉译，卢梦雅校）

CATALOGUE

DES

LIVRES ET MANUSCRITS CHINOIS

COLLECTIONNÉS

PAR A. LESOUËF.

La collection dont nous donnons ici la notice, et qui sera complétée par un Catalogue de livres et de manuscrits Japonais, Tartare-Mandchoux et Tibétains, a été entreprise tout particulièrement au point de vue de l'histoire de l'art et de l'ethnographie dans l'extrême Orient. On a jugé néanmoins désirable d'y joindre un certain nombre d'ouvrages de littérature, destinés à représenter sous quelques unes de ses faces le mouvement intellectuel qui s'est produit dans ces contrées éloignées du monde asiatique.

Il n'existe pas encore de Bibliographie Chinoise indigène de quelque étendue, mais chaque jour de nouveaux renseignements sont publiés de façon à permettre bientôt l'accomplissement d'un tel travail. Les indications renfermées dans le présent catalogue pourraient peut-être contribuer à préparer cette entreprise de plus en plus nécessaire pour les orientalistes en général et pour les sinologues en particulier.

Dans les conditions actuelles des études orientales, un catalogue qui ne renfermerait que la simple mention des titres des volumes, outre l'aridité qu'il présenterait à la lecture, n'aurait peut-être pas toute l'utilité qu'on est en droit d'attendre d'une telle publication. C'est pourquoi on a cru utile de donner parfois des notices analytiques et descriptives qu'on peut être bien aise de rencontrer en certaines occasions.

Enfin, on a cru devoir ajouter à la bibliographie proprement dite quelques figures destinées à faire connaître le caractère artistique de certaines œuvres particulièrement intéressantes.

La collection décrite ci-après ne renfermant pas un nombre considérable de numéros, il n'a pas paru nécessaire de la répartir sous un certain nombre de rubriques; et il a semblé suffisant de décrire les volumes suivant leur ordre d'entrée, de façon à pouvoir publier par la suite, s'il y a lieu, une liste supplémentaire. Il a été remédié toutefois à cette absence de classification bibliographique par un index méthodique qui facilitera les recherches.

1.

五經讀本 *Ou-king tou-pen*. Les Cinq Livres Canoniques de la Chine. *Canton*, Impr. des *Ou-yun leou*, 1780. —

Les Livres Canoniques de l'antiquité chinoise sont communément désignés sous le nom de 經 *king*. Le nombre de ces livres a plusieurs fois varié: on en compte habituellement cinq, et parfois jusqu'à neuf, qui sont les suivants:

1. 易經 *Yih-king*. Le Livre des Transformations.

2. 書經 *Chou-king*. Le Livre par excellence (Bible).

3. 詩經 *Chi-king*. Le Livre des Poésies populaires.

4. 周禮 *Tcheou-li*. Le Rituel de la dynastie des Tcheou (1134 à 256 avant notre ère).

5. 儀禮 *I-li*. Le recueil des Rites.

6. 禮記 *Li-ki*. Le Grand Rituel.

7. 春秋 *Tchun-tsieou*. Le Printemps et l'Automne.

8. 孝經 *Hiao-king*. Le livre de la Piété filiale.

9. 爾雅 *Eul-ya*. Le Lexique.

On a ajouté parfois aux Livres Canoniques, les *Sse-chou* ou Quatre Livres de l'École de Confucius (Voy. Nos 10, 11, 12), ce qui a porté le nombre des *King* à treize.

2.

監本易經 *Kien-pen Yih-king*. Le livre canonique des Transformations, avec un commentaire perpétuel. Impr. *Kiaï-tse-youen.* — Deux vol. in-4°.

3.

書經傳說彙（欽定） *Chou-king tchouen-choueh-weï (king-ting)*. Le Livre par excellence on Bible des anciens Chinois, second Livre Canonique, avec un commentaire perpétuel. — Vingt-deux vol. gr. in-8°, avec **figures**, dans deux boites.

4.

詩經傳說彙（欽定） *Chi-king tchouen-choueh-weï (king-ting)*. Le Livre des Poésies et des Chants populaires, troisième livre canonique, avec un commentaire perpétuel. — Vingt-quatre vol. gr. in-8°.

5.

禮記義疏 *Li-ki i-sou*. Le Grand Rituel, publié avec un commentaire perpétuel, par ordre impérial. — *S. l. n. d.* — Quatre-vingt deux tomes en 40 vol. in-4°.

Voy., plus haut, la note du n° 1.

6.

監本春秋 *Kien-pen Tchun-tsieou*. Le Printemps et l'Automne, ouvrage de Confucius, avec un commentaire perpétuel. — Six vol. in-4°, avec **carte**.

Ce *King* renferme l'Histoire du royaume de 魯 *Lou*, patrie de Confucius: il a été traduit en anglais par M. James Legge.

7.

左傳 *Tso-tchouen*. Les Traditions du célèbre Tso Kieou-ming, au sujet de l'histoire du royaume de Lou, patrie de Confucius, pour servir de développement au *Tchun-tsieou*; avec un commentair perpétuel. — Six vol. in-8°, dans une boite.

8.

小學體註大成 *Siao-hioh ti-tchu-ta-tching*. La Petite Étude, avec un commentaire perpétuel. — Quatre vol. gr. in-8°, dans une boite.

8   A. LESOUËF.

Cet ouvrage renferme en outre:

a. 孝 經 *Hiao-king* on Livre sacré de la Piété filiale.

b. 忠 經 *Tchoung-king* on Livre sacré du Devoir.

Il existe plusieurs traductions du *Hiao-king* de Confucius; quant au *Tchoung-king*, il a été traduit en français par M. Léon de Rosny.

9.

國 策 *Koueh tseh*. Chronique des Royaumes, durant l'époque agitée comprise entre les années 468 et 255 avant notre ère; avec un commentaire perpétuel. *S. l. n. d.* — Quatre vol. in-4°.

Cet ouvrage est également intitulé *Tchen-koueh-tseh* «Chronique des Royaumes belligérants».

10.

四 子 書 *Sse-tse chou*. Les Quatre Livres philosophiques de Confucius et de son École, avec un commentaire perpétuel. Impr. *Yu-chan leou*. — In-8°.

Les Quatre Livres philosophiqnes ou 四 書 *Sse-chou* de l'École de Confucius, sont:

1. 大 學 *Ta-hioh*. La Grande Étude.

2. 中 唐 *Tchoung-young*. L'Invariabilité dans le Milieu.

3. 論 語 *Lun-yu*. Les Discussions philosophiques.

4. 孟 子 *Meng-tse*. Les œuvres du philosophe Mencius.

11.

四 書 眞 本 *Sse-chou tchin-pen*. Texte correct des Quatre Livres de l'École de Confucius, avec un commentaire perpétuel. — Six vol. in-8°, dans une boite.

12.

論 語 *Lun-yu*. Le livre des Discussions philosophiques engagées entre Confucius et ses disciples. — Deux vol. in-4°.

13.

聖 諭 廣 訓 *Ching-yu kouang-yun*. Les Saintes Instructions, composées par l'empereur *Kang-hi*, de la dynastie mandchoue actuellement régnante, pour l'instruction du peuple. — Deux vol. in-12.

Cet ouvrage est composé de phrases de sept caractères. On en a écrit un développement en chinois moderne (*kouan-hoa*).

14.

三字經訓詁 *San-tse king hiun-kou.* Le Livre scolaire des phrases composées de Trois caractères, avec un commentaire perpétuel. — Trois vol. in-4°, belle édition.

Cet ouvrage a été traduit en français par Julien.

15.

唐詩 *Tang-chi ho-siuen tsiang-kiaï.* Poésies les plus remarquables de l'époque des Tang, avec un commentaire perpétuel. — Impr. *Weï-king tang*, 1831. — Six vol. in-12.

Un choix de pièces de vers extraites de ce recueil a été traduit en français par le marquis de Saint-Denys.

16.

感應篇圖說 *Kan-ing-pien tou-choueh.* Historiettes avec images relatives du Livre des Récompenses et des Peines, attribué au célèbre philosophe Lao-tse (V° siècle de notre ère). — *S. l. n. d.* — In-8°; figures.

17.

錢志新編 *Tsien-chi tsin-pien.* Traité de Numismatique Chinoise. Édition de l'époque de l'empereur Kang-hi. — Quatre vol. in-4°, avec de nombreuses figures.

18.

明心寶鑑 *Ming-sin pao-kien.* Le Miroir des trésors du cœur illuminé, publié dans la salle de la littérature heureuse. — Un vol. in-4°.

Ouvrage de morale confucéiste.

19.

幼學故事 *Yeou-hioh-kou-sse.* Explication des locutions littéraires, allusions et fait historiques que doivent connaître en Chine les personnes instruites. — Quatre vol. in-4°.

20.

靖海氛記 *Tsing-haï fen-ki*. Histoire de la destruction des pirates qui infestaient les mers de la Chine. — Un vol. in-12. Traduit en anglais par Neumann, de Munich.

21.

芥子園畫傳 *Kiaï-tse-youen Hoa-tchouen*. Histoire du Dessin, composée dans le Jardin de la Moutarde. Croquis de l'une des écoles célèbres de la Chine; ouvrage de 李笠翁 *Li Lih-oung*. 1679. — Un vol. in-4°, **figures**.

Cet ouvrage comprend quatre parties: 1. Du Paysage. — 2. De l'Epidendrum, du Bambou, du Pêcher et du Chrysanthème. — 3. Des fleurs, des oiseaux, des hommes et des édifices. — 4. Du Portrait.

Les beaux-arts ont été cultivés en Chine depuis les temps les plus reculés, car certain vases, remontant à la dynastie des *Chang* et même au delà (XVIII à XX siècles avant notre ère), prouvent que l'étude des formes plastiques était en honneur chez les Chinois dès les premiers temps de leur monarchie. Il ne semble cependant pas que l'art du dessin ait été l'objet de principes et de règles écrites avant les premiers siècles de notre ère, tandis que l'art de la musique était depuis longtemps l'objet de savants travaux lorsque vécut Confucius (VIe siècle av. n. è.).

Li Lih-oung est considéré à juste titre comme un des plus éminents restaurateurs de l'art chinois du dessin, et ses principes ont été successivement adoptés par la plupart des artistes de la Chine moderne. Ce peintre célèbre fut un des premiers qui vinrent réagir contre la tendance qu'on avait avant lui à employer dans la peinture de chaque objet des formes arrêtées un certain jour, apprises ensuite par cœur par tous les dessinateurs, et reproduites sans cesse sans autres variation que celles qui résultent du mode de disposition des objets représentés.

Le père de Li Lih-oung, durant la première jeunesse de celui-ci, apprenait à son fils à faire des dessins ou des caricatures en se servant, en guise de pinceau, d'un tube mince de bambou dont il avait amolli l'extrémité en partageant les fibres du bois. Il prétendait que les mauvais artistes seuls recherchaient toujours de bons pinceaux, et que ceux qui avaient du talent devaient pouvoir dessiner avec le premier objet venu, pourvu qu'ils aient de l'encre pour le tremper.

Dessins de Li Lih-oung (N° 21).

12　　　　　　　　　A. LESOUËF.

22.

艸字彙 *Tsao-tse weï*. Dictionnaire de l'écriture cursive dite *tsao* ou rapide et embrouillée. *S. l. n. d.* — Six vol. in-8. maj.

23.

雷峯塔 *Loui-foung tah*. Conte populaire chinois. *S. l. n. d.* — Trois vol. in-12.

Traduit en français par Stanislas Julien sous le titre de *Blanche et Bleue*.

24.

Notices biographiques sur les personnages célèbres de l'histoire de Chine. — Un vol. in-4° plié en paravent et orné de 14 portraits **peints** sur feuilles d'arbres.

25.

Album de sujets variés peints sur soie. — Un vol. in-4° plié en paravent, dans une boite.

26.

妙法蓮華經 *Miao-fah Lien-hoa king*. Le Livre sacré du Lotus de la bonne Loi; l'un des neuf dharmas du canon bouddhique. — Deux vol. in-8° en paravent, imprimés sur papier à reflets argentés; dans une boite de soie noire (Édition japonaise).

27.

龍圖公安 *Loung-tou-koung-ngan*. Les Causes célèbres de la Chine, ou les Jugements de Pao-koung, le Salomon chinois. Impr. *Yih-king tang*, 1816. — Cinq vol. in-12, avec **figures**.

Plusieurs contes de ce recueil ont été traduits en français par M. Théodore Pavie et par M. Léon de Rosny.

28.

大行皇帝遺詔 *Ta-hing hoang-ti i-tchao*. Le Testament de l'empereur Kia-king (1795-1820). — Une pièce in-4°, imprimée sur papier jaune; titre à l'encre bleue.

29.

京報 *King-pao*. Le Moniteur Officiel du gouvernement Chi-

PEINTURE CHINOISE
sur feuille d'arbre
Collection de A.Lesouëf, N° 24.

nois, publié à Péking sous le règne de l'empereur Hien-foung. — Recueil de numéros dans une boite.

[Quelques numéros de ce Journal sont **Manuscrits**].

30.

感 應 篇（太 上） *Kan-in-pien* (*Taï-chang*). Le Livre des Récompenses et des Peines, attribué du célèbre philosophe Lao-tse (VIᵉ siècle avant notre ère). *Canton*, Impr. *Wen-king tang*, s. d. — Deux tomes en un vol. in-12.

Traduit en français par Abel-Rémusat et par Stanislas Julien.

31.

碑 在 京 興 福 寺 *Peï tsaï king Hing-fouh sse.* Inscription du Monastère de Hing-fouh sse, à la capitale. — Un vol. in-8°, en paravent, imprimé en lettres blanches sus fond noir; entre deux ais de bois.

Impression fort ancienne en écriture dite *pan-tching-pan-tsao*, c'est-à-dire moité correcte et moitié cursive.

32.

La culture du thé. Collection de grandes peintures sur papier. — Deux albums dans un carton gr. in-fol.

33.

百 篇 大 全 *Peh-pien-ta-tsuen.* Petite Encyclopédie populaire. *Canton*, s. d. — Un vol. in-8°.

34.

西 清 古 鑑 *Si-tsing-kou-kien.* Miroir des Antiquités de la collection Si-tsing, classées par ordre chronologique. Ouvrage connu sous le nom de «Musée impérial de Péking». *S. l.*, 1749. — Quarante vol. in-fol. en quatre tao, imprimés sur papier blanc, **figures**.

35.

集 古 名 公 画 式 *Tsih-kou-ming-koung-hoa-cheh.* Traité

chinois de l'art du dessin; édition japonaise. *Kyau-to*, s. d. —
Quatre vol. in-8°, dans une boite.

36.

高王觀世音經 *Kao-wang kouan-chi-in-king*. Le Livre
sacré de Kouan-in, ouvrage bouddhique. Édition populaire avec
une gravure représentant Kouan-in au milieu d'une fleur de Lotus.

37.

高古圖 *Kao-kou-tou*. Figures pour l'étude de l'antiquité.
S. l., 1752. — Six vol. petit in-fol., dans une boite.

38.

Métiers des hommes et des femmes. Album de peintures sur papier de riz. — Deux vol. in-fol. min.

39.

工匠画譜 *Koung-tsiang-hoa-pou*. Peintures sur papier de
riz représentant les différents métiers des Chinois. — Deux vol.
in-fol. MSC.

40.

大清一統志 *Taï-tsing Yih-toung-tchi*. Géographie Impériale de la dynastie mandchoue des Très-Purs, actuellement
régnante. — Douze vol. in-fol. min.

41.

衛藏圖識 *Weï-tsang-tou-cheh*. Description du Tibet. —
Deux vol. in-12, avec figures, cartes, titre en caractères antiques.

42.

三國志 [*Ti-yih tsaï-tse chou*] *San-koueh tchi*. Histoire des
Trois Royaumes, le premier des dix chefs-d'œuvre de la littérature chinoise moderne, composé par 羅貫中 *Lo Kouan-tchoung*,
sous la dynastie Mongole des Youen. Impr. *Ching-teh tang*. —
Vingt vol. in-8°.

On appelle 才子 *tsaï-tse* « lettrés de talent » les auteurs
de dix ouvrages romanesques généralement considérés comme

les chefs-d'œuvre de la littérature chinoise moderne. Ce sont les suivants :

1. 三國志 *San-koueh tchi.* Histoire des Trois Royaumes.

2. 好逑傳 *Hao-kieou tchouen.* Histoire de l'Épouse accomplie.

3. 玉嬌梨 *Yu-kiao-li.* Mesdemoiselles Jade Rouge, Sans-Beauté et Fleur de Prunier.

4. 平山冷燕 *Ping-chan-lin-yen.* Les Deux jeunes filles lettrées.

5. 水滸傳 *Choui-hou tchouen.* Histoire des Pirates.

6. 西廂記 *Si-siang ki.* Histoire du Pavillon d'Occident.

7. 琵琶記 *Pi-pa ki.* Histoire du Luth.

8. 花箋 *Hoa-tsien.* Le Papier d'amour.

9. 平鬼傳 *Ping-koueï tchouen.* Histoire de la pacification des Démons.

10. 白圭志 *Peh-koueï-tchi.* Histoire du Sceptre blanc.

43.

好逑傳 *Hao-kieou tchouen.* Histoire de l'union bien assortée: le second des chefs-d'œuvres de la littérature chinoise moderne. *Canton*, s. d. — Quatre vol. in-12.

Traduit en français par Guillard d'Arcy.

44.

玉嬌梨 [*Ti-san tsaï-tse*] *Yu-kiao-li.* Jade Rouge, Sans-Beauté et Fleur de Prunier; roman chinois. *Canton*, s. d. — Quatre volumes in-12.

Le *Yu-kiao-li* est, sans contredit, un des romans les plus remarquables de la Chine moderne. Il a été traduit d'abord d'une façon spirituelle par Abel-Rémusat, et ensuite d'une façon philologique par St. Julien.

Cet ouvrage, très populaire à la Chine, renferme le récit romanesque des événements qui se sont passés en Chine de 168 à 265 de notre ère, et qui ont abouti à la formation des Trois

Royaumes de *Chouh*, *Weï* et de *Wou*. Une traduction française de ce roman a été entreprise par M. Théodore Pavie, mais il n'en a paru que les deux premiers volumes.

45.

平山冷燕 *Ping-chan-ling-yen*. Les deux jeunes filles lettrées; le quatrième des chefs-d'œuvre de la littérature chinoise moderne (*Tsaï-tse chou*). Édition du citoyen Fleur-de-Ciel. Impr. *Yu-tchih tang*. — Quatre vol. in-12.

Traduit par Julien. — Voy. n° 42.

46.

Scènes empruntées au Théatre Chinois. Collections de peintures sur papier de riz. — Album in-4°, MSC., relié en soie damassée rouge.

47.

Représentation de la Cour Impériale de Péking. Album de peintures sur papier de riz. — MSC. in-fol. min., relié en soie damassée rouge.

48.

佛說高王白衣觀音菩薩經 *Foh-choueh kao wang peh-i kouan-in pou-sah*. Le Livre sacré de la déesse Kouan-in. — Un vol. in-4° en paravent, avec 2 **figures**, impression sur papier blanc; relié entre deux ais recouverts de toile rouge.

49.

萬壽成典 *Wan-cheou tching-tien*. Les fêtes de l'empereur Kien-loung. — Trente huit vol. de texte et huit vol. de **figures** in-4°.

Ce grand ouvrage est une des publications les plus remarquables que l'on connaisse parmi les livres à illustrations des Chinois. Les nombreuses figures qui représentent, jusque dans leurs moindres détails, les fêtes célèbres données en l'honneur de l'empereur *Kien-loung* (1736-1795), sont extrêmement curieuses, tant à cause de la variété des scènes et des paysages qui y sont représentés qu'en raison du talent exceptionnel avec lequel on a su dessiner, dans mille et attitudes différentes, chacun des personnages qui figurent dans les foules. Ces dessins montrent, en outre, une connaissance déjà assez approfondie des lois de la perspective qui est sans cesse «aérienne», c'est-à-d re qui suppose le spectateur placé sur une hauteur d'où il domine la scène exposée devant ses yeux. Un spécimen de ces nombreux dessins a été repoduit photographiquement sur la page ci-contre.

Dessin extrait du *Wang-cheou tching-tien* (N° 49).

50.

御製西湖景詩 *Yu-tchi Si-hou king chi*. Poésies sur les sites du lac Si-hou, composées par ordre impérial. Texte chinois en caractères *li*, avec dessins, le tout **tissé en soie**. — Un vol. en paravent; reliure chinoise en bois de fer avec incrustations.

51.

謝遂畫樓閣 *Sie-soui hoa leou-koh*. Album de peintures sur papier. — Trois vol. in-4° entre de ais de bois.

Tome I : Les Montagnes et les Rivières. — Tome II : L'Homme. — Tome III : Les Bâtiments.

52.

風月秋聲 *Foung-youeh tsieou-ching*. Les sons d'automne du vent et de la lune; recueil MSC. de peintures représentant les principales scènes du célèbre roman chinois intitulé *Si-siang ki*. (Voy. N° 72.) — Un vol. in-4° en paravent, entre deux ais.

53.

御製養正圖讃 *Yu-tchi Yang-tching-tou-tsan*. Recueil MSC. de peintures sur papier saupoudré d'or. — Un vol. in-24, entre deux ais de bois.

54.

草菴紀遊詩 *Tsao-ngan-ki yeou-chi*. Poésies sur une promenade. — Un vol. in-8°, imprimé en caractères blancs sur fond noir et daté de 1315; entre deux ais de bois.

Beau spécimen d'écriture ancienne dite *pan-tching-pan-tsao*.

55.

龍威秘書九集 *Loung-weï pi-chou kieou-tsi*. Fragment renfermant un Vocabulaire en langue et en caractères *si-fan* expliqué en chinois. — Deux vol. in-16.

56.

Arts et Métiers. — Collections de peintures Chinoises et Japonaises sur papier représentant divers sujets. — Un vol. gr. in-f°, relié à l'européenne.

57.

阿羅漢册 *O-lo-han tcheh.* Le registre du Vénérable. — Un vol. in-4°, plié en paravent et orné de scènes bouddhiques peintes sur feuilles d'arbre; texte en lettres d'or sur fond bleu; entre deux ais de bois.

Les signes chinois *O-lo-han* représentent le mot sanscrit अर्हत् *arhat* par lequel on désigne ceux qui ont atteint le 4e dégré de la perfection bouddhique. Dans son acception vulgaire, ce mot signifie «un saint» du Bouddhisme.

Un autre ouvrage du même genre est catalogué plus haut sous le N° 19. Celui-ci parait plus ancien.

58.

Album de huit peintures sur soie représentant des fleurs. — Un vol. gr. in-8°, plié en paravent.

59.

圓明園牧藏册頁 *Youen-ming-youen cheou-tsang tche-hieh.* Album de fleurs et d'oiseaux peints sur papier. — Un vol. in-4°, plié en paravent, provenant du palais impérial de Youen-ming-youen.

60.

La culture du riz en Chine. — Album renfermant douze peintures sur papier. — Un vol. gr. in-8°, plié en paravent.

61.

高情逸趣 *Kao-tsing yih-tsou.* Recueil de peintures chinoises sur papier représentant des fleurs, des fruits et divers autres sujets, par une société d'artistes qui ont apposé leur sceau sur leurs œuvres. — Un album in-4° obl., plié en paravent, entre deux ais de bois de fer.

62.

列僊圖贊 *Lieh-sien-tou-tsan*. Exposition des portraits des

Le philosophe Lao-tse en route pour l'Occident (N° 50).

Immortels; édition japonaise *S. l.*, 1784. — Trois vol. in-8°, nombreuses **figures**.

La figure, que nous repoduisons ici, à titre de spécimen de cette remarquable collection, représente le célèbre philosophe Lao-tse, émule et contemporain de Confucius (VIᵉ siècle avant notre ère). La légende, en caractères antiques dits *ta-tchouen*, désigne ce philosophe sans le titre de 太上老君 «Le Très-Suprême Vénérable-Prince». Il est représenté au moment où, suivant la légende, il quitte la Chine pour se rendre en Occident, dans un attelage conduit par un bœuf.

63.

Collections de 12 peintures sur papier de riz, représentant des Oiseaux. — Un album MSC. in-4° obl., relié en soie damassée rouge.

64.

Album de peintures sur papier de riz, représentant une procession et des cérémonies religieuses. — Un vol. MSC. in-4° obl., relié en soie damassée rouge.

65.

Collections de 12 peintures sur papier de riz, représentant des navires. — Un album MSC. in-4° obl., relié en soie.

66.

Collections de vues peintes sur soie. — Un album MSC. in-4° en paravent, entre deux ais de bois.

67.

明呂吉文画溝休笏鄙 *Ming Liu-ki-wen hoa keou-hieou-hoh-pi*. — Un album MSC. de peintures anciennes de Liu Ki-wen, sur soie, plié en paravent; gr. in-4°.

68.

晚笑堂竹莊画傳 *Wan-siao-tang Tchuh-tchouang-hoa tchouen*. Histoire des peintures conservées dans la salle où l'on rit dans la soirée. — Un vol. in-fol. min., **figures**.

69.

御製耕織圖 *Yu-tchi Keng-tcheh tou*. Figures relatives à l'Agriculture et au Tissage, publié par ordre impérial. — Un vol. in-4° maj. en paravent, entre deux ais de bois de fer.

70.

Album de sujets chinois peints sur soie, avec des pages inter-calaires prépareés pour recevoir un texte explicatif. — Un vol. in-4° maj., plié en paravent.

71.

Fragment d'un album de peintures chinoises représentant divers métiers, notamment celui de tisserand. — In-4°, plié en paravent.

72.

西廂記 *Si-siang ki.* Histoire du Pavillon d'Occident; ouvrage du 6ᵉ des tsaï-tse modernes; édition publiée par 聖歎 *Ching-tan. S. l.*, Impr. *Wen-ki tang.* — Six tomes, ornés d'une jolie collection de figures, en un vol. in-12; dem. maroq. vert.

Voy. les Nᵒˢ 42 et 60.

73.

水滸傳 *Choui-hou tchouen.* Histoire des pirates qui infestaient les mers de la Chine; ouvrage du 5ᵉ des tsaï-tse modernes; édition de *Ching-tan. S. l.*, Impr. *Kiaï-tse youen.* — Vingt tomes dans deux boites; figures.

Voy. le Nᵒ 42.

隷書 *Li-chou.* Recueil de caractères de l'ancienne écriture dite *li-chou*, comprenant des signes découpés et réunis sur un album. Impression très ancienne. — Un vol. in-4°, en paravent, entre deux ais.

75.

耕織圖(御製) *Keng-tcheh-tou (Yu-tchi).* Figures relatives à l'Agriculture et au Tissage, avec texte encadré d'ornements imprimés en couleur; édition impériale. Préface datée de 1696. — In-4°.

76.

風月 *Foung-youeh.* Album de peintures érotiques collées sur papier européen. — Une série in-fol. dans un carton.-In-4°.

77.

中獄大帝讚 *Tchoung-yoh ta-ti tsan*, etc. Représentation des scènes mythologiques de la religion taosséiste et de la religion bouddhique. Recueil de peintures accompagnées d'un texte explicatif en regard de chaque planche. — Un vol. gr. in-fol., plié en paravent, entre deux ais doublés de soie.

78.

Collection manuscrite de figures représentant les différents métiers de l'industrie chinoise. — Dix vol. gr. in-4°, reliés en soie damassée rouge.

79.

康熙字典 *Kang-hi Tse-tien*. Les règles des caractères, ouvrage composé par ordre de l'empereur Kang-hi (1662-1723) et désigné communément sous le nom de Dictionnaire de l'Académie Chinoise. — Trente-deux vol. in-12.

Ce dictionnaire renferme l'explication de plus de 42,000 caractères différents.

80.

七巧新譜 *Tsih kiao tsin-pou*. Nouveau traité des sept habiletés. Manuel du Jeu de casse-tête chinois. *Canton*, Impr. *Wen-youen tang*, 1861. — Deux vol. in-12.

81.

花箋 *Hoa-tsien (Ti-pah tsaï-tse chou)*. Le Papier d'Amour ou «Papier à Fleurs d'or»; roman cantonais en vers, composé par le huitième des *tsaï-tse* ou «lettrés de talent», avec un commentaire explicatif des expressions difficiles. Impr. *Fouh-wen tang*. — Quatre vol. in-12.

Voy. N° 42.

82.

Recueil de peintures chinoises relatives à la culture du Thé. Album composé de 50 planches, plus deux planches supplémentaires représentant des paysages. *S. l. n. d.* — Un vol. in-4° oblong.

Ces peintures paraissent avoir été faites vers le commencement du XVIIe siècle.

83.

京師城內首善全圖 Plan complet de la ville ca-
pitale de Péking. — Une grande feuille in-plano en rouleau.

84.

Grande peinture chinoise formée par une *natte* fabriquée en papier,
et représentant les filles du prince de Tsi s'ennivrant pendant le
sommeil de leur père, au clair de la lune. — Un rouleau.

85.

Grande peinture représentant un lettré, avec ses deux filles
et deux jeunes garçons s'amusant à des jeux chinois. — Un rouleau
suspension.

86.

Grande peinture populaire représentant toute une famille chinoise en un seul groupe. On voit au milieu l'aieul avec les che-
veux et la barbe blancs, au haut ses deux fils devenus mandarins
et autour d'eux leurs petits enfants. — Un rouleau suspension.

87.

La flotte anglo-française, à Tien-tsin, lors de la guerre contre
la Chine sur le cours du fleuve Pe-ho. — Un rouleau.

88.

Collection de dix anciennes peintures faites en Chine et en
genre chinois, par un Européen qui a cherché à contrefaire les
œuvres de l'art indigène. — Un vol. in-fol. min.

89.

Album de quatre peintures chinoises, dont trois en style populaire sur papier ordinaire, et une en style recherché sur papier
de riz. — Un vol. in-4°.

90.

Peinture populaire représentant des divinités bouddhiques. —
Deux grands rouleaux suspensions.

91.

耶穌會例 *Ya-sou hoeï li*. Les Règles de la Compagnie de Jésus. — **MSS**. en caractères chinois microscopiques, écrit en Chine sur papier anglais Bath. — Un vol. in-16, avec une gravure, relié en soie blanche avec le chiffre de la C. de J.

Chaque page est ornée de coins peints en couleurs au pinceau et représentant des plantes et des fleurs. Remarquable spécimen de calligraphie et d'ornamentation chinoises.

92.

風女月蝶 *Foung-niu youeh-tieh*. Filles du Vent et Papillons de la Lune. Recueil de 24 peintures sur papier représentant des jeunes filles et des papillons de toutes sortes. — Un vol. in-4°, plié en paravent.

93.

鴈山名勝圖 *Yen-chan ming-tsing tou*. Représentations des endroits remarquables de la montagne des Oies sauvages. Recueil de huit peintures sur soie. — Un vol. in-4°, plié en paravent.

94.

Album de six peintures chinoises représentant la Cour, des tribunaux, des promenades sur l'eau, etc. — Un vol. in-4° obl.

95.

山海經註解 *Chan-haï-king tchu-kiaï*. Le Livre des Montagnes et des Mers, avec le commentaire de Kouo-poh. — S. l. n. d. — Deux vol. in-12.

C'est la plus ancienne géographie des Chinois et probablement la plus ancienne géographie du monde. Traduit par M. Léon de Rosny, dans les *Mémoires de la Société des études Japonaises*.

96.

大清搢紳全書 *Taï-tsing tsin-chen tsuen-chou*. Almanach officiel de la dynastie impériale chinoise des Très-Purs. — Quatre vol. in-12.

97.

致富新書 *Tchi-fou tsin-chou.* Le nouveau livre pour arriver à la fortune; traité d'Économie politique. *S. l.*, 1847. — Un vol. in-8°.

98.

善人安死之道 *Chen-jin ngan-sse tchi tao.* Moyen d'obtenir une mort calme pour les hommes bons. *S. l.*, Impr. *Ing-hoa-chou-youen,* 1846. — In-8°.

99.

八銘塾鈔 *Pah-ming-choh tchao.* Le Livre de la salle des Huit Inscriptions. Traité exégétique et philologique pour l'interprétation des livres classiques de l'École de Confucius. Avec supplément. *S. l.*, Impr. *Sse-king-tang*, 1792-1832. — Dix vol. in-8°.

100.

西域聞見錄 *Si-yuh wen-kien loh.* Récit d'un voyage dans les contrées occidentales de l'Asie. *S. l.*, 1767. — Deux vol. in-12, cartes.

LISTE DES IMPRIMERIES CHINOISES

CITÉES DANS CE CATALOGUE.

———

聖德堂 *Ching-teh-tang.* — 42.

福文堂 *Fouh-wen tang.* — 81.

英華書院 *Ing-hoa-chou-youen* (Impr. anglo-chinoise) — 98.

芥子園 *Kiaï-tse-youen.* — 73.

五雲樓 *Ou-yun leou.* — 1.

筍經堂 *Sse-king tang.* — 99.

味經堂 *Weï-king-tang.* — 15.

文綺堂 *Wen-ki tang.* — 72.

文經堂 *Wen-king-tang.* — 30.

文元堂 *Wen-youen tang.* — 80

一經堂 *Yih-king-tang.* — 27.

玉山樓 *Yu-chan leou.* — 10.

玉尺堂 *Yu-tchih-tang.* — 45.

CONCORDANCE DES DATES

CHINOISES ET JAPONAISES

POUR LES XVIIᵉ, XVIIIᵉ ET XIXᵉ SIÈCLES

PAR

ALFRED MILLIOUD

élève de l'École des Hautes-Études

A.C.	CHINE		JAPON		CYCLE
1600	萬曆	28	慶長	5	庚子
1601	—	29	—	6	辛丑
1602	—	30	—	7	壬寅
1603	—	31	—	8	癸卯
1604	—	32	—	9	甲辰
1605	—	33	—	10	乙巳
1606	—	34	—	11	丙午
1607	—	35	—	12	丁未
1608	—	36	—	13	戊申
1609	—	37	—	14	己酉
1610	—	38	—	15	庚戌
1611	—	39	—	16	辛亥
1612	—	40	—	17	壬子
1613	—	41	—	18	癸丑
1614	—	42	—	19	甲寅
1615	—	43	元和	1	乙卯
1616	—	44	—	2	丙辰
1617	—	45	—	3	丁巳
1618	—	46	—	4	戊午
1619	—	47	—	5	己未
1620	泰昌	1	—	6	庚申
1621	天啓	1	—	7	辛酉
1622	—	2	—	8	壬戌
1623	—	3	—	9	癸亥
1624	—	4	寛永	1	甲子
1625	—	5	—	2	乙丑
1626	—	6	—	3	丙寅
1627	—	7	—	4	丁卯
1628	崇禎	1	—	5	戊辰
1629	—	2	—	6	己巳
1630	—	3	—	7	庚午
1631	—	4	—	8	辛未
1632	—	5	—	9	壬申
1633	—	6	—	10	癸

A.C.	CHINE	JAPON	CYCLE	A.C.	CHINE	JAPON	CYCLE
1634	— 7	— 11	甲戌	1658	— 12	萬治 1	戊戌
1635	— 8	— 12	乙亥	1659	—* 13	— 2	己亥
1636	— 9	— 13	丙子	1660	順治 17	— 3	庚子
1637	— 10	— 14	丁丑	1661	— 18	寛文 1	辛丑
1638	— 11	— 15	戊寅	1662	康熙 1	— 2	壬寅
1639	— 12	— 16	己卯	1663	— 2	— 3	癸卯
1640	— 13	— 17	庚辰	1664	— 3	— 4	甲辰
1641	— 14	— 18	辛巳	1665	— 4	— 5	乙巳
1642	— 15	— 19	壬午	1666	— 5	— 6	丙午
1643	— 16	— 20	癸未	1667	— 6	— 7	丁未
1644	—* 17	正保 1	甲申	1668	— 7	— 8	戊申
1645	弘光 1	— 2	乙酉	1669	— 8	— 9	己酉
1646	隆武 1	— 3	丙戌	1670	— 9	— 10	庚戌
1647	永曆 1	— 4	丁亥	1671	— 10	— 11	辛亥
1648	— 2	慶安 1	戊子	1672	— 11	— 12	壬子
1649	— 3	— 2	己丑	1673	— 12	延寶 1	癸丑
1650	— 4	— 3	庚寅	1674	— 13	— 2	甲寅
1651	— 5	— 4	辛卯	1675	— 14	— 3	乙卯
1652	— 6	承應 1	壬辰	1676	— 15	— 4	丙辰
1653	— 7	— 2	癸巳	1677	— 16	— 5	丁巳
1654	— 8	— 3	甲午	1678	— 17	— 6	戊午
1655	— 9	明曆 1	乙未	1679	— 18	— 7	己未
1656	— 10	— 2	丙申	1680	— 19	— 8	庚申
1657	— 11	— 3	丁酉	1681	— 20	天和 1	辛酉

* Voir la note à la fin de cette concordance.

欧洲藏汉籍目录丛编

A.C.	CHINE	JAPON	CYCLE
1682	— 21	— 2	壬戌
1683	— 22	— 3	癸亥
1684	— 23	貞享 1	甲子
1685	— 24	2	乙丑
1686	— 25	3	丙寅
1687	— 26	4	丁卯
1688	— 27	元祿 1	戊辰
1689	— 28	2	己巳
1690	— 29	3	庚午
1691	— 30	4	辛未
1692	— 31	5	壬申
1693	— 32	6	癸酉
1694	— 33	7	甲戌
1695	— 34	8	乙亥
1696	— 35	9	丙子
1697	— 36	10	丁丑
1698	— 37	11	戊寅
1699	— 38	12	己卯
1700	— 39	13	庚辰
1701	— 40	14	辛巳
1702	— 41	15	壬午
1703	— 42	16	癸未
1704	— 43	寶永 1	甲申
1705	— 44	2	乙酉
1706	— 45	— 3	丙戌
1707	— 46	4	丁亥
1708	— 47	5	戊子
1709	— 48	6	己丑
1710	— 49	7	庚寅
1711	— 50	正德 1	辛卯
1712	— 51	2	壬辰
1713	— 52	3	癸巳
1714	— 53	4	甲午
1715	— 54	5	乙未
1716	— 55	享保 1	丙申
1717	— 56	2	丁酉
1718	— 57	3	戊戌
1719	— 58	4	己亥
1720	— 59	5	庚子
1721	— 60	6	辛丑
1722	— 61	7	壬寅
1723	雍正 1	8	癸卯
1724	— 2	9	甲辰
1725	— 3	10	乙巳
1726	— 4	11	丙午
1727	— 5	12	丁未
1728	— 6	13	戊申
1729	— 7	14	己酉

CATALOGUE DE LIVRES CHINOIS.   31

A.C.	CHINE		JAPON		CYCLE	A.C.	CHINE		JAPON		CYCLE
1730	—	8	—	15	庚戌	1754	—	19	—	4	甲戌
1731	—	9	—	16	辛亥	1755	—	20	—	5	乙亥
1732	—	10	—	17	壬子	1756	—	21	—	6	丙子
1733	—	11	—	18	癸丑	1757	—	22	—	7	丁丑
1734	—	12	—	19	甲寅	1758	—	23	—	8	戊寅
1735	—	13	—	20	乙卯	1759	—	24	—	9	己卯
1736	乾隆	1	元文	1	丙辰	1760	—	25	—	10	庚辰
1737	—	2	—	2	丁巳	1761	—	26	—	11	辛巳
1738	—	3	—	3	戊午	1762	—	27	—	12	壬午
1739	—	4	—	4	己未	1763	—	28	—	13	癸未
1740	—	5	—	5	庚申	1764	—	29	明和	1	甲申
1741	—	6	寬保	1	辛酉	1765	—	30	—	2	乙酉
1742	—	7	—	2	壬戌	1766	—	31	—	3	丙戌
1743	—	8	—	3	癸亥	1767	—	32	—	4	丁亥
1744	—	9	延享	1	甲子	1768	—	33	—	5	戊子
1745	—	10	—	2	乙丑	1769	—	34	—	6	己丑
1746	—	11	—	3	丙寅	1770	—	35	—	7	庚寅
1747	—	12	—	4	丁卯	1771	—	36	—	8	辛卯
1748	—	13	寬延	1	戊辰	1772	—	37	安永	1	壬辰
1749	—	14	—	2	己巳	1773	—	38	—	2	癸巳
1750	—	15	—	3	庚午	1774	—	39	—	3	甲午
1751	—	16	寶曆	1	辛未	1775	—	40	—	4	乙未
1752	—	17	—	2	壬申	1776	—	41	—	5	丙申
1753	—	18	—	3	癸酉	1777	—	42	—	6	丁酉

A.C.	CHINE		JAPON		CYCLE	C.A.	CHINE		JAPON		CYCLE
1778	—	43	—	7	戊戌	1802	—	7	—	2	壬戌
1779	—	44	—	8	己亥	1803	—	8	—	3	癸亥
1780	—	45	—	9	庚子	1804	—	9	文化	1	甲子
1781	—	46	天明	1	辛丑	1805	—	10	—	2	乙丑
1782	—	47	—	2	壬寅	1806	—	11	—	3	丙寅
1783	—	48	—	3	癸卯	1807	—	12	—	4	丁卯
1784	—	49	—	4	甲辰	1808	—	13	—	5	戊辰
1785	—	50	—	5	乙巳	1809	—	14	—	6	己巳
1786	—	51	—	6	丙午	1810	—	15	—	7	庚午
1787	—	52	—	7	丁未	1811	—	16	—	8	辛未
1788	—	53	—	8	戊申	1812	—	17	—	9	壬申
1789	—	54	寬政	1	己酉	1813	—	18	—	10	癸酉
1790	—	55	—	2	庚戌	1814	—	19	—	11	甲戌
1791	—	56	—	3	辛亥	1815	—	20	—	12	乙亥
1792	—	57	—	4	壬子	1816	—	21	—	13	丙子
1793	—	58	—	5	癸丑	1817	—	22	—	14	丁丑
1794	—	59	—	6	甲寅	1818	—	23	文政	1	戊寅
1795	—	60	—	7	乙卯	1819	—	24	—	2	己卯
1796	嘉慶	1	—	8	丙辰	1820	—	25	—	3	庚辰
1797	—	2	—	9	丁巳	1821	道光	1	—	4	辛巳
1798	—	3	—	10	戊午	1822	—	2	—	5	壬午
1799	—	4	—	11	己未	1823	—	3	—	6	癸未
1800	—	5	—	12	庚申	1824	—	4	—	7	甲申
1801	—	6	享和	1	辛酉	1825	—	5	—	8	乙酉

A.C.	CHINE		JAPON		CYCLE
1826	—	6	—	9	丙戌
1827	—	7	—	10	丁亥
1828	—	8	—	11	戊子
1829	—	9	—	12	己丑
1830	—	10	天保	1	庚寅
1831	—	11	—	2	辛卯
1832	—	12	—	3	壬辰
1833	—	13	—	4	癸巳
1834	—	14	—	5	甲午
1835	—	15	—	6	乙未
1836	—	16	—	7	丙申
1837	—	17	—	8	丁酉
1838	—	18	—	9	戊戌
1839	—	19	—	10	己亥
1840	—	20	—	11	庚子
1841	—	21	—	12	辛丑
1842	—	22	—	13	壬寅
1843	—	23	—	14	癸卯
1844	—	24	弘化	1	甲辰
1845	—	25	—	2	乙巳
1846	—	26	—	3	丙午
1847	—	27	—	4	丁未
1848	—	28	嘉永	1	戊申
1849	—	29	—	2	己酉
1850	—	30	—	3	庚戌
1851	咸豐	1	—	4	辛亥
1852	—	2	—	5	壬子
1853	—	3	—	6	癸丑
1854	—	4	安政	1	甲寅
1855	—	5	—	2	乙卯
1856	—	6	—	3	丙辰
1857	—	7	—	4	丁巳
1858	—	8	—	5	戊午
1859	—	9	—	6	己未
1860	—	10	萬延	1	庚申
1861	—	11	文久	1	辛酉
1862	同治	1	—	2	壬戌
1863	—	2	—	3	癸亥
1864	—	3	元治	1	甲子
1865	—	4	—	2	乙丑
1866	—	5	—	3	丙寅
1867	—	6	—	4	丁卯
1868	—	7	明治	1	戊辰
1869	—	8	—	2	己巳
1870	—	9	—	3	庚午
1871	—	10	—	4	辛未
1872	—	11	—	5	壬申
1873	—	12	—	6	癸酉

A.C.	CHINE	JAPON	CYCLE	A.C.	CHINE	JAPON	CYCLE
1874	—	—	甲戌	1898	—	—	戊戌
1875	—	—	乙亥	1899	—	—	己亥
1876	—	—	丙子	1900	—	—	庚子
1877	—	—	丁丑	1901	—	—	辛丑
1878	—	—	戊寅	1902	—	—	壬寅
1879	—	—	己卯	1903	—	—	癸卯
1880	—	—	庚辰	1904	—	—	甲辰
1881	—	—	辛巳	1905	—	—	乙巳
1882	—	—	壬午	1906	—	—	丙午
1883	—	—	癸未	1907	—	—	丁未
1884	—	—	甲申	1908	—	—	戊申
1885	—	—	乙酉	1909	—	—	己酉
1886	—	—	丙戌	1910	—	—	庚戌
1887	—	—	丁亥	1911	—	—	辛亥
1888	—	—	戊子	1912	—	—	壬子
1889	—	—	己丑	1913	—	—	癸丑
1890	—	—	庚寅	1914	—	—	甲寅
1891	—	—	辛卯	1915	—	—	乙卯
1892	—	—	壬辰	1916	—	—	丙辰
1893	—	—	癸巳	1917	—	—	丁巳
1894	—	—	甲午	1918	—	—	戊午
1895	—	—	乙未	1919	—	—	己未
1896	—	—	丙申	1920	—	—	庚申
1897	—	—	丁酉	1921	—	—	辛酉

A.C.	CHINE	JAPON	CYCLE	A.C.	CHINE	JAPON	CYCLE
1922	—	—	壬戌	1940	—	—	庚辰
1923	—	—	癸亥	1941	—	—	辛巳
1924	—	—	甲子	1942	—	—	壬午
1925	—	—	乙丑	1943	—	—	癸未
1926	—	—	丙寅	1944	—	—	甲申
1927	—	—	丁卯	1945	—	—	乙酉
1928	—	—	戊辰	1946	—	—	丙戌
1929	—	—	己巳	1947	—	—	丁亥
1930	—	—	庚午	1948	—	—	戊子
1931	—	—	辛未	1949	—	—	己丑
1932	—	—	壬申	1950	—	—	庚寅
1933	—	—	癸酉	1951	—	—	辛卯
1934	—	—	甲戌	1952	—	—	壬辰
1935	—	—	乙亥	1953	—	—	癸巳
1936	—	—	丙子	1954	—	—	甲午
1937	—	—	丁丑	1955	—	—	乙未
1938	—	—	戊寅	1956	—	—	丙申
1939	—	—	己卯	1957	—	—	丁酉

L'année 1644, date de la mort de l'empereur des *Ming*, est en même temps la 17e année du règne de ce prince (崇禎) suivant la computation des légitimistes chinois, et la 1re année du règne de l'empereur (Mandchou) des *Taï-tsing*, suivant la computation des conquérants tatares. En 1660, la dynastie chinoise des *Ming* est considérée comme définitivement éteinte, et les Chinois, légitimistes ou autres, sont réduits à ne plus compter les années qu'à partir de la date de l'avénement de l'empereur mandchou *Chun-chi*. Il en résulte qu'après la 13e année *Young-li* (1659), on place la 17e année *Chun-chi* (1660) comme l'indique notre tableau.

DE LA CLASSIFICATION DES LIVRES

D'APRÈS LE SYSTÈME DES BIBLIOGRAPHES CHINOIS.

Le plus important livre de bibliographie chinoise est le catalogue descriptif et raisonné de la grande bibliothèque de l'empereur *Kien-loung*. Ce catalogue est intitulé 欽定四庫全書總目 *Kin-ting Sse-kou tsuen-chou tsoung-mouh*. Il en existe un abrégé qui, sous le titre de 欽定四庫全書簡明目錄 *Kin-ting Sse-kou tsuen-chou kien-ming mouh-loh*, a l'avantage de ne nous citer que les livres les plus importants de l'immense littérature du Céleste-Empire.

Voici la liste des divisions bibliographiques, telle qu'on la trouve dans ce catalogue:

I. 經部 *King-pou*. SECTIONS DES LIVRES CANONIQUES.

   1. *Yih-loui*. Éditions du Livre des Transformations.

   2. *Chou-loui*. Éditions du Livre par excellence (Bible)

   3. *Chi-loui*. Éditions du Livre des Poésies populaires.

   4. *Li-loui*. Éditions du Grand Rituel.

   5. *Tchun-tsieou-loui*. Éditions du Printemps et l'Automne.

   6. *Hiao-king-loui*. Editions du Livre de la Piété filiale.

   7. *Ou-king tsoung-i-loui*. Interprétation générale des livres canoniques.

   8. *Sse-chou loui*. Éditions des Quatre Livres classiques.

   9. *Yoh loui*. Éditions du Livre sur la Musique.

   10. *Siao-hioh loui*. Éditions de la Petite Étude.

II. 史部 *Chi-pou*. SECTIONS DES HISTORIENS.

   1. *Tching-sse*. Historiens corrects ou officiels.

   2. *Pien-nien loui*. Annales.

3. *Ki-ssé pen-mo loui.* Histoires particulières.

4. *Pieh-sse-loui.* Histoires complémentaires.

5. *Tsah-sse-loui.* Historiens divers.

6. *Tchao-ling-tseou-i loui.* Diplomatique.

7. *Tchouen-ki loui.* Biographie.

8. *Sse-tchao loui.* Résumés historiques.

9. *Tsaï-ki loui.* Histoire des pays étrangers et tributaires.

10. *Chi-ling loui.* Connaissance du temps.

11. *Ti-li loui.* Géographie.

12. *Tchi-kouan loui.* Histoire administrative.

13. *Tching-chou loui.* Science gouvernementale.

14. *Mouh-loh loui.* Bibliographie.

15. *Sse-ping loui.* Critique historique.

III. 子部 *Tse pou.* SECTION PHILOSOPHIQUE.

1. *Jou-kia-loui.* École des Lettrés.

2. *Ping-kia loui.* École de Stratégie.

3. *Fah-kia loui.* École de Législation.

4. *Nong-kia loui.* École Agronomique.

5. *I-kia loui.* École Médicale.

6. *Tien-wen souan-fah loui.* Astronomie et Mathématiques.

7. *Chuh-sou loui.* Divination.

8. *I-chuh loui.* Beaux-Arts.

9. *Pou-loh loui.* Polygraphes.

10. *Tsah-kia loui.* Écoles diverses.

11. *Loui-chou loui.* Encyclopédies.

12. *Siao-choueh-kia loui.* École de Littérature légère.

13. *Cheh-kia loui.* École Bouddhique.

14. *Tao-kia loui.* École Taoïste et Taosséisme.

IV. 集部 *Tsih-pou.* BELLES-LETTRES.

1. *Tsou-tse loui.* Poésies du royaume de Tsou.

2. *Pieh-tsih.* Littérature et Poésies diverses.

3. *Tsoung-tsih.* Collections.

4. *Chi-wen ping.* Critique poétique et littéraire.

5. *Tse-kioh-loui.* Poésie lyrique.

GRANDES ANNALES DE LA CHINE.

En dehors des *King*, qui peuvent être considérés comme les bases de l'histoire nationale de la Chine, on a réuni, sous le titre de Grandes Annales de la Chine, vingt-quatre ouvrages dont voici l'énumération:

1. 史記 *Sse-ki*. Mémoires Historiques, par le grand historiographe 司馬遷 *Sse-ma Tsien*, surnommé l'Hérodote de la Chine (Comprend l'histoire de l'empire depuis les temps les plus reculés jusqu'en 122 avant notre ère.

2. 前漢書 *Tsien Han-chou*. Annales des Han-Primitifs, par 班固 *Pan-kou*. (De 206 av. n. è., à 24 de n. è.).

3. 後漢書 *Heou Han-chou*. Annales des Han-Postérieurs, par 范曄 *Fan Ye* (De 25 à 220 de n. è.).

4. 三國志 *San-koueh tchi*. Histoire des Trois Royaumes, par 陳壽 *Tchin Cheou* (De 220 à 280).

5. 晉書 *Tsin chou*. Annales des Tsin, par 房喬 *Fang-kiao* (De 265 à 419).

6. 宋書 *Soung chou*. Annales des Soung, par 沈約 *Tchin Yoh* (De 420 à 478).

7. 南齊書 *Nan-Tsi chou*. Annales des Tsi-Méridionaux, par 蕭子顯 *Siao Tse-hien* (De 479 à 501).

8. 染書 *Liang chou*. Annales des Liang, par 姚思廉 *Yao Sse-lien* (De 502 à 556).

9. 陳書 *Tchin chou*. Annales des Tchin, par *le méme* (De 557 à 580).

10. 魏書 *Weï chou*. Annales des Weï, par 魏收 *Weï-cheou* (De 386 à 556).

11. 北齊書 *Peh-Tsi chou*. Annales des Tsi-Septentrionaux, par 季百藥 *Li Peh-yoh* (De 550 à 577).

12. 周書 *Tcheou chou.* Annales de la petite dynastie des Tcheou, par 令狐德棻 *Ling-hou Teh-fen* (De 557 à 281).

13. 隋書 *Soui chou.* Annales des Soui, par 魏徵 *Weï Tching.* (De 581 à 617).

14. 南史 *Nan-se.* Histoire du Midi, par 李延壽 *Li Yen-cheou* (De 420 à 589).

15. 北史 *Peh-sse.* Histoire du Nord, par *le même.* (De 386 à 581).

16. 舊唐書 *Kieou Tang chou.* Anciennes Annales des Tang, par 劉昫 *Lieou Hiu* (De 618 à 906).

17. 新唐書 *Tsin Tang chou.* Nouvelles Annales des Tang, par 歐陽修 *Ngeou-yang-sieou* et 宋祁 *Soung-ki* (De 618 à 906).

18. 舊五代史 *Kieou Ou-taï sse.* Ancienne Histoire des Cinq dynasties, par 薛居正 *Sien Kiu-ching* (De 907 à 959).

19. 新五代史 *Tsin Ou-taï sse.* Nouvelle Histoire des Cinq dynasties, par 歐陽修 *Ngeou-yang-sieou* (De 907 à 959).

20. 宋史 *Soung chi.* Histoires des Soung, par 脫脫 *Toh-toh.* (De 960 à 1279).

21. 遼史 *Liao sse.* Histoire des Liao, par *le même.* (De 916 à 1125).

22. 金史 *Kin sse.* Histoire des Kin, par *le même.* (De 1115 à 1234).

23. 元史 *Youen sse.* Histoire des Youen, par 宋濂 *Soung Lien* (De 1206 à 1367).

24. 明史 *Ming sse.* Histoire des Ming, par 張廷玉 *Tchang Ting-yuh* (De 1368 à 1643).

Suivant les principes de la politique chinoise, lès annales de la dynastie des 大清 *Taï-tsing*, actuellement régnante (depuis 1616) n'ont pas été publiées.

BRILL, Imprimeur de la Société des études Japonaises, à Leide.

Pour paraître prochainement :

CATALOGUE DES LIVRES ET MANUSCRITS JAPONAIS

COLLECTIONNÉS

par A. LESOUËF.

In-8° avec planches et figures

———

Catalogue des Kaké-Monos et des Maki-Monos Chinois et Japonais Collectionnés par A. Lesouëf

勒苏埃夫藏中日文卷轴目录

CATALOGUE

DES

KAKÉ-MONOS

ET DES

MAKI-MONOS

CHINOIS ET JAPONAIS

COLLECTIONNÉS

PAR **A. LESOUËF**

MEMBRE DU COUNSEIL DE LA SOCIÉTÉ D'ETHNOGRAPHIE DE PARIS.

LEIDE
LIBRAIRIE ET IMPRIMERIE, CI-DEVANT E. J. BRILL
IMPRIMEUR DU COMITÉ SINICO-JAPONAIS
DE LA SOCIÉTÉ D'ETHNOGRAPHIE DE PARIS

1900.

CATALOGUE

DES

KAKÉ-MONOS

ET DES

MAKI-MONOS.

CATALOGUE

DES

KAKÉ-MONOS

ET DES

MAKI-MONOS

CHINOIS ET JAPONAIS

COLLECTIONNÉS

PAR A. LESOUËF

MEMBRE DE LA SOCIÉTÉ SINICO-JAPONAISE DE PARIS.

LEIDE

E. J. BRILL

IMPRIMEUR DE LA SOCIÉTÉ SINICO-JAPONAISE

1892.

AVERTISSEMENT.

J'avais d'abord projeté de joindre au Catalogue des livres et manuscrits japonais de ma collection celui des peintures chinoises et japonaises comprises dans la série à laquelle on a donné le nom de *kaké-mono* et celui de *maki-mono*. Le caractère tout particulier de ce genre de peintures m'a engagé à en faire l'objet d'un Catalogue spécial. Ces peintures, en effet, sont beaucoup moins des objets de bibliothèque que des objets de musée. La peinture à l'huile n'ayant été pratiquée, en Chine et au Japon, qu'à une époque très récente, les véritables tableaux de ces deux pays étaient généralement des aquarelles et des gouaches sur papier ou sur soie destinées à être suspendues aux murailles par des cordons ou à être conservées sous forme de rouleaux.

Les mots *kaké-mono* et *maki-mono* sont l'un et l'autre japonais; mais les amateurs ont pris l'habitude de s'en servir pour désigner les documents du même genre que nous fournit l'art chinois. Nous avons cru devoir suivre leur exemple.

Par *kaké-mono*, on entend généralement une peinture destinée à orner une chambre ou la salle d'un musée à la manière de nos tableaux.

Au contraire, par *maki-mono*, on désigne une suite plus ou moins longue d'images que l'on aperçoit en déroulant un rouleau de papier sur lequel elles ont été peintes.

Une partie des peintures comprises dans cette série est due à des artistes célèbres qui ont signé leurs œuvres ou y ont apposé leur sceau à l'encre rouge. Quelques-unes d'entre elles mériteraient une notice descriptive assez étendue, mais qui eût pu paraître déplacée dans un simple Catalogue. Nous avons fait exception cependant pour un curieux kaké-mono dont le titre aurait été, sans explications additionnelles, de nature à donner au lecteur une bien fausse idée des sujets qui y sont représentés.

Paris, le 23 avril 1890.

A. L.

前　言

　　我本打算将包含有命名为kaké-mono（挂轴画）和maki-mono（卷轴画）的一系列中国和日本的绘画加入我的日本书籍和手稿藏书目录。但出于这类画作的特殊性，我还是单列了一个专门目录。这些画作比图书馆或博物馆的收藏品要少得多。

　　油画在中国和日本是不久前才出现的，这两个国家的传统绘画方式是在纸或者丝绸上用水彩或水粉描画，然后用绳子挂在墙壁上或者以卷轴方式保存。

　　kaké-mono和maki-mono是两个日文单词，但艺术爱好者们已经习惯用来特指类似的中国艺术，我们对这种惯例也予以延续。

　　人们通常把用来装饰房间或博物馆大厅的画作叫作kaké-mono，把用卷轴卷起或展开的长幅画作叫作maki-mono。

　　本系列画作一部分是由著名艺术家署名或者盖有朱印。其中一些画作本值得加以详细的描述性说明，但是在这样一个简明的目录中似乎不合适。我们仅对一幅挂画作了长篇注释，因为这幅画的题目十分奇特，如果不加说明会让读者不明所以。

（王辉译，卢梦雅校）

CATALOGUE

DES KAKÉ-MONOS ET DES MAKI-MONOS

COLLECTIONNÉS

PAR AUG. LESOUËF.

KAKÉ-MONOS ET MAKI-MONOS
CHINOIS ET JAPONAIS.

1.

Dessin représentant un homme ivre et deux jeunes filles, reproduit en couleurs à l'aide de bandes de papier natté. — Un rouleau.

2.

Peinture sur soie représentant les diverses opérations de la culture du riz. — Un maki-mono.

3.

Collection d'instruments de musique reproduits en couleurs de grandeur naturelle, avec le nom de chacun d'eux en caractères chinois. — Un maki-mono.

4.

京師城內首善全圖 *King-sse tching neï-cheou chen tsuen tou.* Carte complète de la ville de Péking. — Une grande feuille roulée.

5.

老鼠本國 *Ro-so hon-kokŭ.* La patrie des Rats. Peintures grossières représentant diverses scènes fantaisistes. — Un maki-mono.

8   A. LESOUËF.

6.

四李之遊圖 *Si-ki-no asobi dŭ.* Promenades des quatre saisons. Peintures sur soie. — Un maki-mono.

7.

衣類裁物圖 *I-rui tati-mono dŭ.* Peinture représentant des costumes japonais avec le nom de chacune de leurs parties. — Un maki-mono.

8.

小人國 *Seô-zin kokŭ.* Le royaume de Lilliput. Peintures japonaises sur papier. — Un maki-mono.

9.

鵰鳥嶋鳥の圖 *Ondori to mendori-no dŭ.* Le coq et la poule. Peinture originale du célèbre 探幽 TAN-YÛ. — Un kaké-mono.

10.

Une famille chinoise. Grande peinture. — Une feuille en forme de kaké-mono.

11.

Peintures originales sur soie de deux peintres célèbres du Japon : 楓湖 Fû-KO (Matŭ-moto), artiste contemporain de Tôkyau, et de 山雪 SAN-SETŬ, M. Neige de Montagne. — Un album en paravent.

12.

Image chinoise représentant une déesse bouddhique avec deux enfants. — Une feuille en forme de kaké-mono.

13.

酒呑童子繪 *Siu-ten dô-zi ye.* Représentation du voleur Siu-ten-dô-zi, célèbre pour avoir dérobé des couteaux et les avoir enfermés dans un rocher de la province de Tamba. Il fut battu par Rai-kô, à l'époque de Yori-tomo. Peintures de 狩野良信 藤原榮信 KA-NO YOSI-NOBU et de FUDIVARA HIDE-NOBU, avec l'empreinte de leur sceau. — Deux maki-monos comprenant la seconde et la dernière partie de l'œuvre.

14.

Scènes diverses: Peintures japonaises sur papier, sans indication de sujet. — Un maki-mono.

15.

Rouleau factice composé de peintures japonaises de divers artistes, faites en partie d'après des modèles chinois. — Un maki-mono.

16.

Un Lettré chinois et ses enfants. — Grande peinture sur papier destinée à être suspendue comme ornement.

17.

Rouleau représentant plusieurs Scènes de Musiciens, avec la représentation des principaux instruments de musique. — Un maki-mono.

18.

住吉內記廣行畫 *Sŭmi-yosi nui-ki hiro-yuki-no ye.* Tableaux de la vie des campagnes et scènes de l'Agriculture au Japon. — Un maki-mono.

19.

Une Famille chinoise et ses serviteurs, en présence de la déesse *Kouan-in.* — Un kaké-mono chinois.

20.

Trois stores japonais peints sur soie, représentant des Oiseaux et des fleurs. — Peinture d'un tigre sur papier. — Fleurs de pêcher et oiseau. — Cinq kaké-monos dans une boîte.

21.

万鬼國圖 *Ban-ki kokŭ-no dŭ.* Représentation du Royaume des dix-mille Démons; scènes de personnages fantastiques. — Un maki-mono japonais, dans une boîte.

22.

奥州孝子善之烝繪傳 *O-siu kau-si Zen-no-zyau-no ye den.* 二幅對 *ni fuku-tŭi.* Histoire peinte de M. Zen-no-zyau, qui pratiqua hautement les sentiments de la Piété filiale pendant sa vie. — Deux pendants (dont nous ne possédons qu'un seul). — Un kaké-mono japonais imprimé en couleurs.

　On ne se douterait guère, en jetant les yeux sur ce singulier kaké-mono qu'il s'agit des récompenses qui attendent dans l'autre monde les fils qui ont pratiqué pendant toute leur vie les devoirs de la Piété filiale envers leurs parents. Ce ne sont en effet que des scènes infernales où l'on a représenté, il est vrai, à côté de l'image horrible et grimaçante de Satan, la figure calme et pure du Bouddha indien. Ce sont des enfants que des démons découpent avec un grand coutelas, qui se nourrissent de soupe enflammée ou qui nagent dans un lac de sable brûlant, exhalant un souffle de feu. Ailleurs, c'est un diable à tête de bœuf qui dévore les pauvres créatures précipitées dans le sombre empire, ou bien des malheureux qui cuisent dans une chaudière ou se débattent dans une mare enflammée. Le grand juge du Di-gokŭ prononce ses cruelles sentences, et le Bouddha les entend sans mot dire. L'incendie est partout. Un serviteur de l'Enfer met en marmelade des damnés qu'il broie dans un pilon. Le Bouddha se décide à jeter les yeux sur le théatre de ces tortures, mais il ne quitte pas pour cela son siège de lotus, et reprend son calme au moment où les victimes enfermées dans une cage de fer reçoivent, à travers les barreaux, d'immenses cuillerées de bitume rouge. D'innombrables obus éclatent de toutes parts, au point de faire voltiger au vent les plis de la robe du Bouddha. Celui-ci commence à froncer les sourcils et place le petit M. Zen-no-zyau sous ses jupes. Le grand juge des Enfers, qui, lui aussi, commence à comprendre ce que le Bouddha est venu faire dans l'empire des Morts, en est tout hébété: il cherche dans ses codes s'il n'y a pas des précédents pour modifier le verdict qu'il a rendu. Un de ses gendarmes, qui a peur sans doute d'être mis à pied, profite du moment d'incertitude pour donner une effroyable raclée aux gens de la terre confiés à ses soins. Le Bouddha projette alors les rayons lumineux de sa perle sacrée sur les ténèbres où se passent ces gentillesses; mais on n'y voit pas plus clair pour cela, et les victimes continuent à barboter dans les charbons et dans la cendre. Des animaux fantastiques se précipitent dans l'arène pour se repaître des chairs de ces pauvres victimes, tandis que des oiseaux de proie dévorent ceux qui ont rebondi dans les airs. Le Bouddha n'y comprend plus rien et détourne la tête. Une fumée épaisse entoure l'échafaud, roule et grossit sans cesse. M. Zen-no-zyau commence par n'être plus qu'à demi-rassuré, lui qui avait soulevé la jupe de son protecteur pour assister à la comédie, et cela d'autant plus que la perle lumineuse a cessé d'éclairer la scène, et qu'il fait tout noir. Cependant comme ce M. Zen-no-zyau n'est pas une bête, il se cache doucement sous la sainte robe de son protecteur et se dérobe de nouveau sous un de ses sacrés replis. (La suite de ce kaké-mono sera expliquée de même si M. Lesouëf a la chance de pouvoir le retrouver un jour quelque part.). — Note de M. Léon de Rosny.

23.

四李花鳥 *Si-ki kwa-teô*. Fleurs et Oiseaux des quatre saisons. — Un maki-mono, dans une boîte de bois.

24.

馬具圖 *Ba-gu dŭ*. Représentations de Chevaux caraparaçonnés. Peintures japonaises. 1836. — Un maki-mono.

25.

朝鮮貴人 *Tchao-sien koueï jin*. Homme noble de la Corée. — 朝鮮貴女 *Tchao-sien koueï niu*. Femme noble de la Corée. — Deux kaké-mono Coréens peints sur papier.

26.

Officier japonais en costume de cérémonie; peinture sur étoffe. — Un kaké-mono japonais.

27.

異國人物 *I-kokŭ zin-butŭ*. Les Habitants des pays étrangers. — Grande collection ethnographique de types et de costumes, accompagnés de notices descriptives. — Un maki-mono japonais sur papier.

Cette très curieuse collection est datée de l'été de 1842.

Voici la liste des figures et notices qu'elle renferme:

1. 大明人 *Ta Ming jin*, les Chinois de l'époque des Ming.

1bis. 大清人 *Ta Tsin jin*, les Chinois de l'époque des Tsing.

A. LESOUËF.

2. 朝鮮人 *Tchao-sen jin*, les Coréens.

3. 琉球人 *Lieou-kieou jin*, les Loutchouans.

Ce pays, situé dans la mer du sud, était désigné sous le nom de 龍宮 *Loung-koung* »Palais du Dragon". Le nom de *Lieou-kieou* (Jap. リウキウ *Riu-kiu*), écrit 琉求, lui a été donné dans la moyenne antiquité. Ce n'est que plus tard qu'on s'est servi pour le désigner des signes 琉球.

4. 東ト京キン人 *Tong-king jin*, les Tonkinhois.

Ce pays, tributaire de la Chine depuis l'antiquité, fait usage des caractères chinois. On l'appelle aussi 交趾 *Kiao-tchi*. Plus tard il a été divisé en deux royaumes: celui du 東京 *Tong-king* à l'est, et celui de 廣南 *Kouang-nan* au sud.

5. 韃靼人 *Tah-tan jin*, les Tatars.

Le nom de ce peuple est une abréviation de son nom primitif 達多而チ靼タ *Tatitan*. — Il formait dans l'antiquité les pays de 胡國 *Hou-koueh* et de 蒙古國 *Meng-kou koueh* (Mongolie).

6. 呱ジ哇ワ人 *Zya-wa-no hito*, les Javanais.

7. 馬マ加カ擎サ爾ル人 *Ma-kia-sa-eul jin*, les Macassars.

Leur pays est situé au sud de 呂ル宋ス *Rusun* (Luçon).

8. 暹シ羅ム人 *Siamŭ-no hito*, les Siamois.

Pays situé dans l'Inde méridionale et dans le royaume de 摩マ羯ガ陀ダ *Magada*, appartenant au même groupe ethnographique que celui des 東ト埔ホ寨ぎ *Ton-po-dya* »Cambogiens adonnés à la religion bouddhique.

9. 莫モ臥ゴ爾ル人 *Mo-go-ru hito* ou モヲル *Mowaru*.

Peuple de la race des 回ウイ々 *Ui-ui* (peuples Arabes).

10. 阿ヲ蘿シ陀ダ人 *Oranda-no hito*, les Hollandais.

11. 百ハ兒ル齊シ亞ヤ *Harŭsya*, les Persans.

12. 度ト爾ル格コ人 *Torŭko hito*, les Turks.

13. 莫ハ斯ス哥カツ米ヒ亞ヤ人 *Musukauvia-no hito*, les Russes (Moscovites).

14. 以イ西ス把ハ尼ニ亞ヤ人 *Isŭpanya-no hito*, les Espagnols.

15. 波ホ爾ル杜ト瓦カ爾ル人 *Porŭtogarŭ-no hito*, les Portugais.

16. 意イ太タ里リ亞ア人 *Itaria-no hito*, les Italiens.

17. 齊ゼ爾ル瑪マ尼ニ亞ヤ人 *Zermania-no hito*, les Allemands.

18. 諳イン尼ギ利リ亞ヤ人 *Ingiria-no hito*, les Anglais.

19. 魯ヲロ西シ亞ヤ人 *Orosya-no hito*, les Russes.

Le pays s'appelait anciennement ムスコシビイヤ *Musŭkôbiiya*.

20. 伯バ刺ラ西シ爾ィル人 *Barasiirŭ-no hito*, habitants de l'Est de l'Amérique (Brésil).

21. 爲ギ匿ネイ亞ヤ人 *Gineiya-no hito*, les Guinéens.

22. 羅ラ烏ウ人 *Rau-no hito*, les Lao. Dans la dépendance du royaume de Siam et dans l'intérieur du *Magada*.

23. 亞ア爾ル然メ尼ニ亞ヤ人 *Arŭmeniya-no hito*, les Arméniens.

24. 槃ハン朶タ人 *Hanta-no hito*, Habitant des environs de Sumatra.

25. 亞ア費メ利リ加カ人 *Amerika-no hito*, les Américains.

26. 比ビ里リ太タ尼ニ亞ヤ人 *Biritaniya-no hito*, les habitants de la Grande-Bretagne.

27. 工ゴン答タ里リ亞ヤ人 *Gontariya-no hito*. Habitants d'un pays rattaché à la Russie.

28. 大タ泥ニ亞ヤ人 *Taniya-no hito*, Hommes du pays de Taniya.

29. 翁ヲン加ガ里リ亞ヤ人 *Ongariya-no hito*, les Hongrois.

30. 撒サ兒ル本モ人 *Sarŭmo-no hito*, hommes d'un pays situé au Nord de l'Inde Occidentale.

31. 阿ア勒ゼ戀レ人 *Azeren-no hito*. Peuple d'un grand pays situé dans l'Amérique du Sud.

32. 加カ拿ナ林タ人 *Kanata-no hito*. Peuple de l'Amérique également appelé 加カ納ナ戀レ *Kanaren*.

33. 答タ加カ沙サ谷ゴ人 *Takasago-no hito*. Peuple qui habite dans une île située dans la mer du Sud-Est de la Chine. On nommait anciennement leur pays 臺灣 *Taï-wan* (Formose).

34. 兀ヲ良ラン哈カイ人 *Orankai-no hito*. Habitants d'un pays situé au Nord-Est de la Corée.

35. 呂ロ宋ソン人 *Roson-no hito*. Habitants de Luçon.

36. 刺ラ答タ蘭ラン人 *Rataran-no hito*. Insulaires d'un pays situé au Sud-Est du Japon.

37. 蘇ソン門モン答タ刺ラ人 *Somontara-no hito*. Habitants de Sumatra, île aussi appelée サマダラ *Samadara* (Malay: سمنتر *Samantra* ou *Samudra*).

38. 小人 *Seô-nin*, les Nains. Habitants d'un pays nommé 波ハ智チ亞ア *Atiya*.

39. 長人 *Tyau-nin*, les Géants. Habitants d'un pays nommé 智チ加カ *Ti-ka* dans l'Amérique du Sud. — Ce sont les 巴バ太タ温ウン *Pataun* (Patagons).

28.

Faucon au milieu de branches de momidzi (érable japonais à feuillage écarlate) et sortant d'un bouquet de fleurs au dessus d'un torrent. — Paon sous un prunier en fleurs, au dessus d'un étang. — Deux kakémonos sur étoffe.

29.

不フ二ニ山 *Fu-zi yama*, la Montagne sans pareille, par le peintre 伊ヤ川法印 I-SEN HAU-IN. — Un kakémono.

30.

Les Européens à Tien-tsin en 1860. Navires de guerre Américains, Anglais et Français, avec des troupes de débarquement. — Un maki-mono chinois en couleurs sur papier.

31.

Guerrier Japonais portant un arc et un carquois sur un cheval caparaçonné. Peinture de 美信 MASA-NOBU. — Un kaké-mono sur papier.

32.

Portraits et costumes de Femmes Japonaises, imprimés en couleurs sur étoffe. — Quatre kakémonos.

33.

オウライザン *Hô-rai zan.* — Voyage de trois Japonais au mont Hô-rai. — Un maki-mono en couleurs sur papier.

Ce très curieux maki-mono, divisé en plusieurs compartiments, représente une légende érotique très-populaire au Japon et qui rappelle celle de l'île de Calypso.

34.

Vue d'un Pont aux environs du Fouzi-yama. — Vue d'une rivière avec des canards mandarins.

35.

Drapeau national du Japon, et pavillons des principaux daï-myaux ou princes féodaux. — Un maki-mono en couleurs sur papier.

36.

Paysage japonais au Clair de lune. — Un kaké-mono à l'encre de Chine.

37.

Vue d'une Rivière avec un gros poisson, et sur la rive des oiseaux et des fleurs. — Autre vue représentant des oiseaux et des fleurs sur le bord d'une rivière. — Deux kaké-monos japonais peints du soie.

38.

Iris, Glycine de Chine et autres plantes. — Deux kaké-monos japonais peints sur étoffe.

39.

諒山陣圖 *Leang-chan tchin tou*. Image populaire en couleurs représentant la prise de Lang-son par les Français. — Deux kaké-monos cochinchinois sur papier.

40.

衣類織物 *I-rui ori-mono*. Collection de peintures pour l'étude du Costume chez les Japonais. — Un maki-mono sur papier.

Ce curieux maki-mono est précédé par trois compartiment de peintures, comprenant: I. 士 *Samurai*, les officiers ou fonctionnaires publics; — II. 商 *akibito*, les marchands; — III. 娼婦 *ukareme*, les filles de Joie. — A la suite ces trois sections, on trouve la représentation et la nomenclature détaillée des différents partes du Vêtement japonais.

41.

Le Kami ou Dieu de la Longévité. — Un kaké-mono peint sur étoffe.

Ce dieu, désigné par les Japonais sur le nom de 福祿壽 *Fukŭ-rokŭ-zyu*, est un des Sept Génies du Bonheur 七福神 *Siti fŭku zin*; il est caractérisé par le developpement extraordinaire de sa tête.

FINIS

E. J. BRILL, imprimeur du Comité Sinico-Japonais, à Leide.

Bibliothèque de A. LESOUËF.

CATALOGUES PUBLIÉS.

Livres et manuscrits Chinois. *Leide*, 1886. — In-8°.

Livres et manuscrits Japonais. *Leide*, 1887. — In-8°.

Kaké-monos et Maki-monos Chinois et Japonais. *Leide*, 1900. — In-8°.

Sous presse ou en préparation :

Livres et manuscrits Tartares. — In-8°.

Livres et manuscrits Annamiques. — In-8°.

Livres et manuscrits Arabes, Turcs et Persans. — In-8°.

Livres et manuscrits Hébreux, Éthiopéens, etc. — In-8°.

Livres et manuscrits Arméniens. — In-8°.

Livres et manuscrits Indiens. — In-8°.

Livres et manuscrits Indo-Chinois. — In-8°.

Livres et manuscrits Américains. — In-8°.

Le Catalogue des *Livres relatifs à l'Amérique* est l'objet d'un bulletin trimestriel publié de format in-8° (1899 et années suivante).

Imprimerie E. J. BRILL, à Leide.

Catalogue de la Bibliothèque Orientale de Feu M. Jules Thonnelier

已故托奈利埃先生东方藏书目录

CATALOGUE

DE LA

BIBLIOTHÈQUE

ORIENTALE

DE FEU

M. JULES THONNELIER

ORIENTALISTE
MEMBRE DE LA SOCIÉTÉ ASIATIQUE ET DE LA SOCIÉTÉ
DE L'HISTOIRE DE FRANCE

PARIS

ERNEST LEROUX, ÉDITEUR

LIBRAIRE DE LA SOCIÉTÉ ASIATIQUE
DE L'ÉCOLE DES LANGUES ORIENTALES VIVANTES
DE LA SOCIÉTÉ DE L'ORIENT LATIN, ETC.
28, RUE BONAPARTE, 28

—

1880

SAINT-QUENTIN. — IMPRIMERIE JULES MOUREAU.

La Bibliothèque dont nous offrons le catalogue au public est celle d'un bibliophile et d'un savant.

M. Thonnelier fut, en effet, un véritable bibliophile, aimant passionnément les bons livres, les recherchant avec sollicitude, les faisant couvrir de belles reliures, et ne ménageant pour augmenter sa précieuse collection ni ses soins, ni sa fortune. C'est ainsi qu'il a pu former cette belle Bibliothèque Orientale qui va être dispersée au vent des enchères, et qui abonde en livres rares, dont beaucoup n'ont passé dans aucune vente depuis celles de Silvestre de Sacy et de Klaproth, auxquelles M. Thonnelier les avait acquis.

Les noms de ces deux savants se présentent à nous tout naturellement à propos de la Bibliothèque dont nous venons de dresser le Catalogue, car il semble que M. Thonnelier se soit efforcé de reconstituer les deux collections fameuses laissées par Klaproth et par Silvestre de Sacy et dispersées après leur mort. Si l'on compare notamment le beau catalogue de la Bibliothèque de Sacy rédigé par Merlin avec celui que nous publions ici, on pourra voir que les deux collections ont une grande analogie. Et cette ressemblance s'accusera bien plus nettement encore si l'on examine le premier volume de sa Bibliothèque publié en 1864 par M. Thonnelier sous le titre de *Bibliothèque d'un Orientaliste,* et si on le compare au premier volume du Catalogue de Sacy.

Chargés de la rédaction de la partie orientale et linguistique de cette belle collection, nous avons voulu répondre au désir de Madame Thonnelier en nous efforçant de dresser un Catalogue qui pût conserver le souvenir de la Bibliothèque que son mari avait formée avec tant d'amour. C'était aussi nous conformer aux derniers vœux de M. Thonnelier. Au lieu donc de rédiger le Catalogue uniquement en vue de la vente, et de ne donner qu'une sèche énumération de titres plus ou moins tronqués, nous avons essayé de compléter le travail que M. Thonnelier avait entrepris en publiant en 1864 la première partie du *Catalogue de la Bibliothèque d'un Orienta-*

liste, travail qui, dans la pensée de son auteur, devait constituer un important document pour la Bibliographie Orientale. C'est dans ce but que, comme l'avait fait M. Thonnelier, nous avons donné la plupart des titres in-extenso et décrit minutieusement, avec les indications bibliographiques nécessaires, tous les ouvrages de quelque valeur et notamment tous les textes orientaux. Déjà, lorsque nous avions eu à faire le catalogue de la Bibliothèque chinoise de M. G. Pauthier, nous avions pris à tâche de grouper à la suite de chaque titre toutes les notices qui pouvaient aider à faire connaître et apprécier les mérites de l'ouvrage ou de l'édition, que nous avions sous les yeux. Notre travail en cette circonstance fut bien accueilli, et nous croyons qu'il n'a pas été jugé tout à fait inutile. Il faut, en effet, considérer que les Manuels de Bibliographie, même les meilleurs et les plus complets, ont quelque peu négligé la section orientale ; d'un autre côté, les bons travaux spéciaux de Bibliographie sont, en ce qui touche l'Orient, fort peu nombreux encore. Des catalogues détaillés fourniront donc, en se multipliant, des matériaux indispensables pour un travail d'ensemble. C'est en nous plaçant à ce point de vue, que nous n'avons pas hésité à entrer dans beaucoup de détails, et nous souhaitons que notre travail, malgré ses imperfections, ne soit pas trop blâmé pour cet excès de développements. Quant aux fautes qu'on y rencontrera, nous demandons qu'on veuille bien les excuser en songeant que, par suite des exigences de la vente, ce volumineux Catalogue a dû être rédigé et imprimé en moins de quatre mois.

La partie européenne de la Bibliothèque a été confiée à M. Labitte, si connu par toutes les belles ventes de livres qu'il dirige, à chaque saison, avec tant de compétence. Cette seconde partie est également fort riche en bons ouvrages ; plus encore que la partie orientale, elle abonde en belles reliures et en exemplaires de choix.

On cherchera inutilement, dans ces deux Catalogues, les livres frivoles, les curiosités bibliographiques qui doivent toute leur valeur à quelques millimètres de marge, les précieuses futilités qui composent souvent la plus grande partie des collections *d'Amateurs*. M. Thonnelier n'était pas un simple amateur, c'était, avons nous dit, un savant, savant modeste, évitant le bruit, publiant peu, ne faisant jamais étalage de sa science, mais qui n'en possédait pas moins des connaissances aussi étendues que variées.

Il s'était d'abord occupé de géologie, et avait publié quelques notes sur une mine de sel gemme, qui était une propriété de sa famille. Mais l'étude de l'histoire l'emporta sur celle des sciences et, dès 1840, il publiait, à l'occasion de son admission comme Membre de la Société de l'Histoire de France, un savant mémoire :

Sur les Origines sémitiques et indo-tartares de la nation et de la langue celtiques ou des anciens Gaulois.

L'histoire de l'Orient surtout l'attirait, et afin de pouvoir l'étudier dans les textes mêmes il se livra avec ardeur à l'étude des langues. L'Orient encore tout enveloppé de mystères au siecle dernier venait en quelque sorte de soulever le voile qui l'avait si longtemps recouvert. L'Inde, grâce aux travaux des savants anglais et français étalait déjà aux yeux des Européens les trésors de sa riche littérature ; la Chine commencait à être étudiée sérieusement ; nos missionnaires avaient montré la voie, et ils étaient suivis par toute une pléïade de savants sinologues ; Champollion venait de déchiffrer les hiéroglyphes égyptiens ; les premiers travaux sur les inscriptions cunéiformes de la Perse voyaient le jour. Et la France comptait parmi ses professeurs des savants tels que les Sacy, les Rémusat, les Burnouf, les Quatremère, etc, etc. Tous les esprits curieux étaient tournés vers ces régions qui étaient demeurées si longtemps impénétrables. M. Thonnelier fut parmi les plus avides de science. Il se livra presque simultanément à l'étude de l'arabe, du persan, du zend, du pehlvi, du chinois et du mandchou.

En 1845, il publiait une élégante traduction du :

Kitabi Kulsum Naneh, ou livre des Dames de la Perse, contenant les règles de leurs mœurs, usages et superstitions d'intérieur etc.

Un peu plus tard, il entreprit une grande publication :

Le Vendidad Sadé, traduit en langue huzvaresch ou pehlevie. Texte autographié d'après les textes zend-pehlewis de la Bibliothèque nationale.

C'était le complément du *Vendidad Sadé*, texte zend, publié par Eug. Burnouf. Malheureusement, cet important ouvrage est resté inachevé ; il n'en a paru que neuf livraisons sur quinze qui étaient annoncées.

M. Thonnelier s'en laissa peut-être détourner par ses études en chinois, en mongol et en mandchou qui l'absorbaient. Il avait en vue une grande publication sur l'Asie Centrale, pour laquelle il avait réuni d'importants documents, traduit de nombreux textes persans, chinois, mandchoux et mongols. Il en publia même comme spécimen une première livraison sous le titre de :

Dictionnaire géographique de l'Asie Centrale, offrant, par ordre alphabétique, les transcriptions en caractères mandchoux et chinois, des noms géographiques donnés en langue nationale de chaque contrée,

— VIII —

accompagnées de notices extraites ou traduites des ouvrages chinois et autres ouvrages originaux de l'Orient musulman, etc.

Mais la guerre de 1870 survint au moment où ce premier fascicule venait de paraître. Le travail commencé resta interrompu. Depuis cette époque, M. Thonnelier ne publia plus qu'un volume, une petite curiosité littéraire, sous le titre : *Marché aux esclaves et Harem*, où il chercha et réussit à imiter le style des récits analogues du XVIIIᵉ siècle.

Ses autres travaux sont restés inédits, et cette partie est considérable. Sans parler de toutes les notes, de tous les documents, de tous les mémoires que sa veuve a trouvés dans ses cartons et qu'elle a tenu à conserver, nous nous contenterons de signaler ceux de ses manuscrits qui figurent dans le présent catalogue.

Ce sont : la *traduction de la Grammaire Parsi de Spiegel*, et celle de la *Grammaire Mongole de Schmidt*, l'*Aperçu grammatical de la langue pehlvie*, traduit de Haug, le *Tableau des conjugaisons arabes*, un *Vocabulaire pehlevi-persan-français*.

La mort a surpris M. Thonnelier au milieu de ses travaux et, malheureusement, avant qu'il ait pu les terminer et mettre au jour les résultats définitifs de ses longues et sérieuses études.

Cette perte inattendue a été un coup cruel pour tous ceux qui ont connu cet excellent homme qui ne comptait que des amis ; elle a été vivement ressentie également parmi ses collègues de la Société de l'histoire de France et de la Société Asiatique.

Nous ne pouvons terminer cette notice sans remercier Madame Thonnelier de nous avoir donné toutes facilités et toute liberté pour la rédaction du catalogue ; nous remercions aussi M. S. Guyard qui a bien voulu transcrire et traduire pour nous une partie des titres des manuscrits orientaux, ainsi que M. Carrière qui nous a fort obligeamment aidés dans ce long travail. Nous devons à M. Pierret l'indication des papyrus égyptiens et à M. Revillont, celle des manuscrits coptes-arabes.

ERNEST LEROUX.

前　言

本目录来自一位藏书家和学者儒勒·托奈利埃（Jules Thonnelier）先生。

他是一位真正的藏书家，钟爱好书，因此热衷于搜寻书籍并且覆之以精美的封面。为了扩充珍贵的藏书，他毫不吝惜自己的精力和财富。通过拍卖获得这些书籍，并建成了这一精美的东方藏书库。这些罕见的书籍中有很多自从西尔维斯特尔·德·萨西（Antoine Issac Silvestre de Sacy, 1758–1838）先生和克拉普罗特（JuliusKlaproth, 1783–1835）先生去世之后就散逸了。

要介绍本目录就不得不提到这两位学者的名字，因为托奈利埃先生似乎就是要努力恢复克拉普罗特和萨西两位先生死后遗留下来并不幸散逸的藏书。如果把梅林（Merlin）编写的萨西藏书目录与本目录相比较，人们就会发现两个藏书目录有很多相似之处。如果我们将托奈利埃先生1864年出版的《一位东方学者的藏书》第一卷与萨西目录的第一卷作比较，这种相似性更加明显。

整理这一藏书的东方和语言部分不仅是托奈利埃先生的遗愿，也是其遗孀的期盼，她希望通过这份目录来保存丈夫费尽心血建立藏书的回忆。编写藏书目录不单单是为了出售或者简单地罗列标题，我们试图按照托奈利埃先生在《一位东方学者的图书馆》（1864）第一卷目录的思路来完成，使这份目录成为东方学文献的重要组成部分。出于这个目的，我们仿照托奈利埃先生的做法，细致介绍了大部分书目的形制、必要的图书信息，特别是对于较为有价值的著作和所有东方书籍。在编写颇节（G. Pauthier）先生的中文藏书目录时，我们就已经开始将书目进行分组并加以概述，以方便后人了解和评价藏书或藏书版本的价值。这种工作方式得到了好评，我们也认为这不是完全没有用处的。事实上，有必要考虑到的是，即使是最好最完整的参考书目也一定程度上忽略了东方的相关内容；另一方面，关于东方书籍的优秀编目仍然很少。因此，越来越多的详细的藏书目录将为研究工作提供必要的材料。正是秉承这种观点，我们才毫不犹豫地深入到了许多细节之上，尽管有许多不完善之处，但我们仍为这项推进东方藏书目录发展的工作而自豪。出于出版需要，这个庞大的藏书目录在不到四个月的时间里完成了编写和印刷，如果您在阅读中察觉到有错误之处，恳请谅解。

藏书目录的欧洲部分已经委托给拉比特（Labitte）先生，他主持的编辑和销售能力是有目共睹的。这部分藏书数量更多、质量上乘，甚至比东方部分还要多，而且装订精美、副本充足。

读者们不会在这两卷目录里看到无足轻重的书籍、满足业余藏书者好奇心的书籍。托奈利埃先生不是一位简单的藏书爱好者，他是一位学者，一位谦逊的、不喜浮名虚誉的学者，他著述寥寥，从不炫耀他的学问，即便他拥有丰富广博的知识。

托奈利埃先生首先研究了地质学，发表过一些关于井盐矿方面的研究（该矿是他的家族产业）。但是，自从1840年以后，不久他研究人文历史的兴趣超过了自然科学。他在加入成为法国历史学会时发表了一篇学术论文《关于凯尔特或古高卢民族和语言中的闪族和印度—鞑靼起源》（*Sur les Origines sémitiques et indo-tartares de la nation et de la langue celtiques ou des anciens Gaulois*）。

尤其是东方的历史吸引了他，为了能够研究文本资料，他同时刻苦学习多种语言。上个世纪，东方仍然笼罩在神秘之中，如今渐渐揭开了长久遮盖的面纱。由于英法学者的努力，印度已经将丰富的文学宝藏传播到欧洲，而欧洲学者对中国文学作品的严肃研究才刚刚开始。传教士们率先开辟了道路，一大批杰出的汉学家紧随其后；商博（Champollion）破译了埃及的象形文字，关于研究波斯楔形文字的第一批专著也诞生了。法国出现了一批学者，包括萨西（Sacy）、雷慕莎（Rémusat）、布尔奴夫（Burnouf）、卡特勒梅卡(Quatremère)，等等。所有的好奇心都转向了那些长久以来难以到达的地区，托奈利埃先生是最热衷的学者之一，他几乎同时学习阿拉伯语、波斯语、古波斯语、帕拉维语、汉语和满语。

1845年，他出版了译著《波斯妇女：她们的道德规范、习俗和迷信》（*Kitabi Kulsum Naneh, ou livre des Dames de la Perse, contenant les règles de leur mœurs ,usages et superstitions d'intérieur etc.*）

不久，他又着手撰写一本重要著作《Le Vendidad Sadé帕拉维语译本》（*Le Vendidad Sadé,traduit en langue hurzvaresch ou pehlevie.Texte autographié d'après les textes zend-pehlewis de la Bibliothèque Nationale*）

这是著作Vendidad Sadé的补充，用帕拉维语（中古波斯语）书写，由俄热纳·布尔奴夫（Eugène Burnouf, 1801-1852）出版。遗憾的是，这本重要著作最终没有完成；本来计划有十五章内容却只完成九章。

也许是因为托奈利埃先生的兴趣转移到了对汉语、蒙古语和满语的学习。他写了一部关于中亚的重要著作，为此收集了许多重要文献，翻译了很多波斯文、汉文、满文和蒙古文的材料。他甚至还以标题的形式出版了第一个分册：

《中亚地理词典，按字母顺序，注音、满文、汉语对照，各国和地区的地名，并附有中国著作和来自于东方穆斯林著作的摘要或翻译》（*Dictionnaire géographique de l'Asie centrale, offrant par ordre alphabétique, les transcriptions, en caractères mandchoux et chinois, des noms géographiques donnés en langue nationale de chaque contrée, accompagnées de notices extraites ou traduites des ouvrages chinois et autres ouvrages originaux de l'Orient musulman, etc.*）。

但是在1870年第一分册出版时，战争打响了。刚开始进行的工作被迫中断。之后，托奈利埃先生就只出版了别致的作品，题为《穆斯林奴隶市场与后宫》（*Marché aux esclaves et Harem*），这是一本成功模仿18世纪叙事风格的作品。

他未发表的作品数目相当可观的，更不用说所有的笔记、资料以及他的遗孀在箱子里找到的所有回忆录，她想要自己保存这些回忆录。我们很荣幸将在本目录中呈现这些手稿，包括：《Spiegel 的波斯语语法翻译》（*la traduction de la Grammaire Parsi de Spiegel*）、《Schmidt 的蒙古语语法翻译》（*la traduction de la Grammaire Mongole de Schmidt*）、《帕拉维语语法概要》（*l'Aperçu grammatical de la langue pehlvie,traduit de Haug*）、《阿拉伯语动词变位表》（*le Tableau des conjugaisons arabes*）、《帕拉维语–波斯语–法语单词表》（*Vocabulaire pehlevi-persan-français*）.

不幸的是，托奈利埃先生长期认真的研究尚未取得最终成果之前就突然去世了。

这位杰出学者的离世对所有认识他的朋友们来说都是一个残酷的打击，他在法国历史学会和亚洲学会的同事们也深表遗憾。

最后，感谢托奈利埃夫人为我们提供了编写这一藏书目录所需要的材料和权利；还要感谢居亚尔（S. Guyard）先生友善地帮我们转录和翻译部分东方手稿的标题，同样感谢卡利尔（*Carrière*）先生对我们工作的长期帮助，感谢皮埃莱（Pierret）先生在埃及纸莎草方面对我们的帮助以及勒维庸（Revillont）先生在科普特–阿拉伯手稿方面对我们的帮助。

出版商欧内斯特·勒鲁克斯（Ernest Leroux, 1845–1917）

（王辉译，卢梦雅校）

TEXTES CHINOIS ET MANDCHOUX

IMPRIMÉS ET MANUSCRITS

LIVRES CLASSIQUES

Les Cinq King

3918. OU KING PHANG HIUN. Les *Cinq Livres* canoniques ou *Kings*, avec notes explicatives interlinéaires. 5 *pèn* en un vol. gr. in-8, d. r.

Ce volume contient seulement l'*Y King*, le *Chou King*, le *Chi King*, et le *Tchlum thsieou*. Le titre, la préface et la date de l'édition manquent.

3919. LOU KÎNG THOU KHAO. Figures et planches des six livres canoniques de la Chine. 6 *pèn* petit in-folio, avec figures et cartes.

Belle édition imprimée la 8e année de Kian-Loung (1743). — C'est à Tchou-hi, l'illustre compilateur des *King* que l'on est redevable de cette collection de figures des objets dont il est parlé dans ces livres canoniques. Elles sont de diverses sortes, les unes représentent des instruments de musique et d'astronomie, les autres, des habits, des armes, des ustensiles de toute espèce et jusqu'à des édifices. Enfin, l'on y trouve des notions géographiques sur la situation des pays dont il est parlé dans les anciens livres, ainsi que la généalogie des premiers empereurs et des princes tributaires. Les explications qui les accompagnent sont, en général, fort courtes, mais toujours suffisantes pour l'intelligence de la chose et du texte où il en est fait mention. Aussi cet ouvrage est-il indispensable pour la lecture des livres canoniques ; c'est comme une sorte d'atlas que Tchou-hi aurait eu l'intention de joindre au grand corps de commentaires qu'il a composé sur les textes sacrés. Il l'acheva la première année Khian-tao (1165).

3920. TCHEOU GOUROUN I TCHITCHOUNGGE NOMOUN. L'*Y King* de la dynastie des Tcheou, traduit en mandchou, et publié avec le texte chinois en regard. 4 *pèn* in-4 en un *tao* (Belle édition.

3921. KHAN I ARAKHA OUPALIYAMBOUKHA DASAN I NOMOUN; (en chinois) : IU TCHI FAN I CHOU KING. Le *Chou King*, livre des Annales Impériales, en chinois et en mandchou. 4 *pèn* in-folio en un *tao*.

Belle édition imprimée la 28e année de Khian Loung (1760), et publiée par ordre de cet empereur. — Le *Chou King* est le second et le plus important des Cinq Livres Canoniques. Il a été traduit en français par le P. Gaubil.

3922. KHAN I ARAKHA OUPALIYAMBOUKHA IRGEBOUN I NOMOUN; (en chinois) : IU TCHI FAN I CHING. Le *Chi King*, livre des Vers, en chinois et en mandchou. 4 *pèn* in-folio en un *tao*.

Le *Chi King* est le troisième des Livres canoniques. Il a été traduit en latin par le P. Lacharme, en français par G. Pauthier, en anglais par Legge, etc. — La traduction en mandchou a été faite par ordre de l'Empereur Kian Loung. La présente édition, précédée d'une préface de Tchou-hi a été imprimée la 33e année du règne de Kian Loung (1768).

3923. KHAN I ARAKHA OUPALIYAMBOUKHA DOROLON I NOMOUN;
(en chinois) : YU TCHI FAN I LI KI. Le *Li Ki*, mémorial des
Rites, publié en chinois, avec une traduction juxtalinéaire
en mandchou. 12 *pèn* in-folio en 2 boîtes.

> Belle édition sur papier blanc de cette traduction mandchoue du *Li Ki*
> faite par ordre de l'Empereur Khian Loung et imprimée la 48ᵉ année du
> règne de cet Empereur (1783). — Le *Li Ki,* un des Livres Canoniques, a
> été traduit en français par Callery.

3924. THSIOUAN PEN LI KI TSI TCHOU. Le *Mémorial des rites*,
édition complète avec les commentaires réunis. 10 parties
en 2 vol. in-4, dem. rel., cuir de Russie.

> Quoique le *Li Ki* ne soit pas émané de Confucius, et qu'il ne jouisse pas
> de la même authenticité que les ouvrages attribués à ce philosophe,
> néanmoins l'importance du sujet auquel il est consacré l'a fait admettre
> au nombre des Livres Canoniques. Les détails qu'il renferme sur tout ce
> qui regarde les cérémonies publiques et les moindres usages de la vie
> privée, le rendent très-précieux pour la connaissance des mœurs chinoises
> jusque dans les temps les plus reculés. On ne peut guère en faire remonter
> la rédaction plus haut que la dynastie des Han, un peu avant notre ère;
> mais il n'est pas douteux qu'elle n'ait été faite sur des documents de la
> plus haute antiquité. Taï te est le principal auteur du *Li Ki*. Il l'avait
> divisé en 180 livres, que l'on a depuis réduits à 49. Le commentaire dont
> cette édition est accompagnée est celui de Tchin hao, écrivain de la fin
> du XIIᵉ siècle et disciple de Tchou hi. Fan tseu teng y a joint le résumé
> des gloses les plus estimées. Le tout fut publié la 33ᵉ année de Khian
> Loung (1766). L'ouvrage est imprimé à deux colonnes horizontales. La
> colonne inférieure contient le texte et le commentaire de Tchin hao; la
> colonne supérieure est remplie par le résumé des gloses.

3925. KHAN I ARAKHA OUPALIYAMBOUKHA CHADJINGGA NOMOUN.
· (En chinois) : IU TCHI FAN I TCHUN THSIEOU. Le printemps
et l'automne, ou chronique des évènements accomplis de
721 à 480, le quatrième des cinq *King* ou livres classiques.
Texte chinois et commentaire avec traduction mandchoue
juxtalinéaire. 64 livres en 48 *pèn* pet. in-folio en 8 *tao*.

> Edition magnifique et fort rare du *Tchun Thsieou* en chinois et mandchou.
> Cette traduction a été faite par ordre de l'empereur Khian Loung, et
> imprimée la 49ₑ année de son règne (1784).

3926. TCHUN THSIEOU TSO TCHOUAN KIAI YAO. Abrégé expliqué
de la chronique, par Tso Khieou Ming, du printemps et de
l'automne, ou du Royaume de Lou. 6 *pèn* en 1 volume gr.
in-8, veau.

> Edition ponctuée, revue, corrigée, avec une explication phrase par
> phrase. — Nouvelle édition publiée l'année Ting Tchheou (1817).

LIVRES MORAUX

Les quatre Livres (Sse Chou)

3927. TOUNG PAN SSE CHOU TSUN TCHOU HO KIANG; les *Quatre
livres*, avec la paraphrase impériale conforme au commen-

33

taire (de Tchou hi), gravés sur planches de cuivre. 2 vol.,
in-4, dem. rel., mar. r.

Grande édition, publiée l'année Koueï Yeou de Kia King (1813). On sait
que les *Quatre Livres* occupent le second rang parmi les ouvrages classiques des Chinois, et qu'ils sont dûs à quatre des principaux disciples de
Confucius. C'est en quelque sorte la somme de la doctrine morale de ce
philosophe, rédigée sous l'inspiration de ses entretiens et de ses leçons, et
presque sous sa dictée. Le 1ᵉʳ est le Thaï Hio; le 2e, le Tchoung Young;
le 3ᵉ, le Lun Yu; le dernier, plus considérable à lui seul que les trois
autres, porte le nom de son auteur, Meng Tseu (Mencius, que les Chinois
regardent comme le premier des philosophes après Confucius, et qui
mourut vers l'an 314 avant Jésus-Christ. Il existe des centaines d'éditions
de ces quatre livres et le nombre de leurs commentaires n'est pas moins
considérable. Celle-ci est une des meilleures.

3928. TCHOUNG JOU TONG SSE CHOU TCHING WEN. Les *Quatre
Livres*, texte correct (sans commentaires). 5 *pèn* in-8.

Petite édition en gros caractères, datée de la 9ᵉ année de Tao-Kouang
(1828).

3929. KHAN I ARAKHA OUPALIYAMBOUKHA DOUÏN BITKHE. (En
chinois): IU TCHI FAN I SSE CHOU. Les *Quatre Livres*, en chinois et en mandchou, traduits par l'Empereur (Khian Loung),
avec commentaires. 6 *pèn* in-4, en un *tao*.

Grande et belle édition, imprimée à Pekin la 20e année de Khian Loung
(1755). Cette traduction passe pour la meilleure qui ait été faite en
mandchou; les commentaires sont ceux de Tchou-Hi.

LIVRES CLASSIQUES ÉLÉMENTAIRES

3930. HIAO KING, SIAO HIO TSOUAN TCHOU. Le livre de l'obéissance filiale et celui de la petite étude, avec un commentaire abrégé. In-12, d. rel.

Jolie édition imprimée la 1ʳᵉ année de Khian Loung (1736). Ces deux
ouvrages sont les premiers que l'on mette entre les mains des enfants.
Ils prennent rang dans la littérature chinoise immédiatement après les
quatre Livres. Le *Hiao King* est attribué à Confucius qui aurait légué à
son disciple favori Tseng-tseu le soin de le publier; mais on peut croire
que ce dernier seul en est l'auteur, car il n'a fait que résumer, dans la
forme même du dialogue, ses entretiens avec son maître sur la piété
filiale. Le *Siao hio* est un recueil de maximes appuyées d'exemples
rédigé par Tchou hi en 1176.

3931. MANDCHOU NIKAN KHERGEN KAMTCHIME ARAKHA AD-
CHIGE TATCHIKO BITKHE. (en chinois): MAN HAN HO PI SI'AO
HIO. La petite étude, en mandchou et en chinois, avec com-
mentaire dans ces deux langues. 8 *pèn* gr. in-8 en un *tao*.

Cette édition en chinois et mandchou est très belle et fort rare.

3932. Collection de livres élémentaires en chinois. 4 *pèn* in-8,
dans un étui.

Cette édition comprend les ouvrages suivants:
1ᵉ *Kiai youan San Tseu king*: livre (en phrases) de trois caractères.
2ᵉ *Hoeï youan Thsian tseu wen*; traité des mille mots.

3º *Tchouang youan Yeou hio chi;* leçons en vers pour les commençants.
4° Un exemplaire de ce dernier ouvrage imprimé en gros caractères ·réguliers.

3933. Mandchou Monggou Khergen i Kantchime soughe San Tseuging ni bitkhe. (En chinois): *Man Mong ho pi San tseu King tchou Kiaï.* Le Livre (en phrases) de trois caractères, avec commentaire et paraphrase en mandchou, en mongol et en chinois. 4 *pèn* gr. in-8 en un *tao.*
Belle édition de la 12ᵉ année de Tao-Kouang (1831).

PHILOSOPHIE

3934. Yu tsouan Sing li tsing i. La philosophie rationnelle, réduite à ses traités essentiels, par ordre impérial. 12 *kiouan* ou livres en 6 *pèn* in-folio, en un *tao.*
Cette édition publiée la 56ᵉ année de Khang hi (1717), est ornée d'une préface de la main de cet Empereur. Vingt membres de l'Académie des *Han-lin,* sous la présidence de Li Kouang-ti, furent employés, par Khâng-hi, à extraire du grand Recueil intitulé : *Sing-li-ta-thsiouân,* en 70 livres, publié pour la première fois en 1415, sous les Ming, les principaux traités de l'école philosophique rationnelle qui florissait au onzième siècle de notre ère, et dont Tchéou Lien-Ki, les deux frères Tching, et le célèbre Tchoû-hi, furent les principaux chefs. L'ouvrage ci-dessus peut donc être considéré comme la « philosophie officielle » de l'empire chinois actuel. Il est d'ailleurs un des ouvrages prescrits, par décret impérial, pour le haut enseignement des Collèges de l'empire.

3935. Kan i bandchibouka Sing li dching i bitkhe. Livre de la philosophie rationnelle compilée (en mandchou) par ordre impérial. 12 *kiouan* en 8 *pèn* pet. in-fol. en un *tao.*
Traduction en mandchou du *Sing li.* Belle édition publiée aussi la 56e année de Khang hi (1717).

3936. Philosophie chinoise et indienne, Boudhisme, etc, 10 cahiers. — Transcription en caractères romains des Sankhya Soutras. — Traduction et annotations du Bhagavad Gîta. — Traduction du *Kin-Kâng-pân-jô-pô-lô-mi-King,* ou le livre sacré de la *Pradjnâ-paramitâ.* Un cahier contient le texte chinois de cet ouvrage et le texte original sanskrit donné en caractères romains, d'après la copie d'un manuscrit en caractères tibétains. — Transcription en caractères romains du *Vadjratchhêdika.* — Traduction du même. — Transcription en caractères romains du *Gita Govinda.*
Manuscrits de la main de M. G. Pauthier.

TAOISME

3937. Thsêng ting King sin lou. Recueil des ouvrages les plus populaires de la secte Tao-ssé. Edition revue et augmentée. 1 *pèn* gr. in-8.
Ce volume, publié à Canton en 1843, contient le *Kan-fng-pien* (Livre

des récompenses et des peines), traduit en français en 1816 par Abel Rémusat, et 33 autres traités tào-ssé, les plus répandus.

3938. THSÈNG TING KHAN-YING-PIEN. Le « Livre des récompenses et des peines » suivi de huit petits traités *Tao-ssé,* et d'un formulaire médical avec figures. 2 *pèn* in-12 en 1 vol. demi maroq. rouge.

> Le *Khan-ying-pien* a été traduit en français une première fois par Abel Rémusat, puis par Stanislas Julien. — C'est un recueil de préceptes de morale religieuse à l'usage des sectateurs de Lao-tseu, et en quelque sorte, le livre fondamental de leur foi. Il a été compilé à une époque fort ancienne par plusieurs philosophes, qui ont puisé dans les annales les pensées qui leur ont paru les plus propres à faire fleurir la doctrine à laquelle ils étaient attachés. — Cette jolie édition date de la 14ᵉ année de Tao-Kouang (1833).

3939. *Thaï Chang Kan ing pien choue ting.* Le Livre des récompenses et des peines de Thaï chang, avec son entière explication. 8 *pèn* in-4, en un *tao.*

> Belle édition publiée l'année ping siu de Khian-Loung (1767). Texte ponctué imprimé sur papier jaune.
>
> Cet ouvrage est un recueil de préceptes de morale religieuse à l'usage des sectateurs de Lao-tseu, et, en quelque sorte, le livre fondamental de leur foi. Il a été compilé à une époque inconnue, mais fort ancienne, par plusieurs philosophes anonymes qui ont puisé, dans les annales, les pensées qui leur ont paru les plus propres à faire fleurir la doctrine à laquelle ils étaient attachés.

3940. NAN HOA TCHIN KING FOU ME. Le véritable livre de la Fleur du Midi, par Tchouang Tseu, commenté par Fou-me. 4 *pèn* in-4.

> Belle édition, dont l'exemplaire ne porte ni titres, ni date, et est endommagé par les piqûres de vers. Le *Nan hoa*, dit Landresse, est mis à côté du *Tao Te king*, à cause de l'excellence de la doctrine qu'il renferme sur la constitution de l'univers, l'action de la cause première et des causes secondes, la nature de l'homme et les principes de ses devoirs. Le style en est moins obscur que celui de Lao-tsen, mais aussi il ne présente pas cette précision sentencieuse que les Chinois estiment tant dans les ouvrages de ce dernier.

3941. TAO-TE-KING, de Lao Tseu. Recueil de pièces importantes, copies de la main de M. G. Pauthier sur cet ouvrage, etc.

> Cette liasse comprend : *Textes des Commentaires chinois sur le Tao-te-King* calqués sur l'édition impériale Lao-Tseu-i. — Traduction du *Tao-te-King,* accompagnée de la glose, des scholies, et d'un grand nombre de Commentaires (1832). Mss. de M. G Pauthier (190 pp.). — 2 autres manuscrits contenant une traduction du même ouvrage. — Notes diverses sur le *Tao-te-King* et Lao-tseu par Pauthier. — Copie du manuscrit suivant : Liber Sinicus *Tao-te-King* inscriptus, in latinum idioma versus. Textus undecim ex libro *Tao-te-King* excerpti, quibus probatur sanctissimæ Trinitatis et Dei incarnati mysteria Sinicæ genti olim nota fuisse. — Presented by Math. Raper, 1788. (127 pp.) Copie de G. Pauthier.

BOUDDHISME

3942. HIAN KIE THSIAN FO HAO. Les noms, en cinq langues, des mille Bouddhas du Kalpa des Sages. 2 *pèn* in-4.

> Ce bel ouvrage est un vocabulaire pentaglotte, non moins important que le *Man han si fan Tsi yao*. Il donne une synonymie des plus précieuses pour la connaissance des 1000 Bouddhas qui, d'après la religion Bouddhique, apparaissent dans la période de temps désignée sous le nom de *Kalpa des sages*, ou de stabilité (en sanscrit *Bhadrakalpa*), expression de la perfection qui approche du grand système des mondes. L'ouvrage est en tibétain, en sanscrit (transcrit en caractères tibétains), en mandchou, en mongol et en chinois.

3943. ULIGERUN DALAI. La mer des Paraboles, ou Histoires allégoriques sur la vie et les actions du Bouddha Çakhya Mouni et de ses disciples, en Mongol. In-4, oblong en 3 parties.

> Bel exemplaire, avec figures, imprimé en rouge et en noir.

3944. ARBAN DSUK OUN ETZEN GHESSER KHAGHAN OU TOGHODJI OROSIBA. Histoire des hauts faits de Ghesser Khan, le maître des dix régions, en mongol. In-4, oblong.

> Poëme héroïque Bouddhique en 7 chants, dont le présent texte mongol imprimé à Péking a été publié à Saint-Pétersbourg et traduit en allemand par J.-J. Schmidt en 1836 et 1839. — Bel exemplaire, avec figures, imprimé en rouge et noir.

3945. FO CHOUE O MI TO KING. Le Soutra d'Amitaba, expliqué par Bouddha. 3 *pèn*. avec figures, gr. in-8.

> Belle édition publiée la 25ᵉ année de Kia-King (1821). *Amitaba*, en chinois *O mi to fo*, est un des principaux personnages de la mythologie bouddhique, et la lumière de ce *Bouddha divin*, éclaire mille myriades de mondes, sans limite et sans fin Cet ouvrage particulièrement destiné à faire connaître sa puissance et ses attributions comprend le résumé des différentes doctrines du Bouddhisme, ainsi que l'exposition du système si compliqué de la cosmographie samanéenne. — Exemplaire incomplet du livre 2.

3946. NIYAMAN I NOMOUN (en chinois) : SIN KING. Livre sacré du cœur, en chinois, en mandchou et en tibétain, avec la transcription des mots en caractères mandchoux. In-8, allongé, plié en paravent, impression en rouge.

> Ce petit livre paraît être un abrégé de l'ouvrage plus étendu, dont le titre entier est en chinois : *Pan jo po lo mi to sin King*, ce qui est une traduction du sanscrit : *Pradjna pâramitâ hridaya Sûtra*. Fort connu et répandu en Chine, ce même ouvrage qu'on trouve fréquemment dans l'intérieur des petites idoles (nommées *Pou-sa*), qui garnissent les autels domestiques est celui de tous les livres bouddhiques qui a été le plus souvent traduit en diverses langues, publié et commenté.

3947. KIN KANG PAN JO PO LO MI KING. Livre sacré de l'arrivée à l'autre rive par l'intelligence pénétrante. In-4, allongé, plié en paravent, couvert en bois.

> Cet ouvrage, imprimé sous le règne de Khang-hi, est un chef-d'œuvre d'exécution typographique ; il est imprimé en caractères blancs sur fond noir, et sur une seule feuille pliée en paravent.

3948. MIAO-FA-LIEN-HOA-KING. Le livre sacré du Lotus de la Bonne loi. En 7 livres, magnifique édition chinoise in-folio,

avec fig. *Pèn* 3 et 4 (seulement) in-fol., cart., en un étui.

> Cette remarquable édition, imprimée en paravent, contient une partie de la traduction du *Saddharma poundarica Soutra*, traduit du sanscrit en chinois l'an 403 de l'ère chrétienne par Kieou-mo-lo-chi (Koumâra-djîva), religieux bouddhiste. Le texte sanscrit a, comme on sait, été traduit en français par Eug. Burnouf.

3949. KOUAN CHI YIN PHOU-SA PHOU MEN PHIN KING. (En sanscrit) : *Avalokiteçvara Bodhisatva Samanta moukha mahá yâna soûtra.* Ouvrage Boudhique. In-4, allongé, plié en paravent, avec fig.

> Publié l'année i-mao de Khian Loung (1795).

3950. BILIG PARAMIT NERETOU SOUDOUR. Le célèbre Soûtra du cœur parvenu à l'autre rivage par l'intelligence pénétrante. En Mongol. In-12, plié en paravent, fig.

> Traduction mongole du *Sin-King* (Livre sacré du Cœur.)

3951. THSE PEI MING-FOU-CHI-WANG TSAN FA. Préceptes pour la contrition, adressés aux dix rois miséricordieux du monde inférieur. Livre bouddhique, traduit du sanscrit. 3 vol. in-4 allongé, pliés en paravent.

3952. FO CHOUE MA-LI-TCHI THIAN TO-LO-NI KING, ou le *Maritschi devî dhávani soûtra*, expliqué par Bouddha. Pet. in-4, allongé, plié en paravent.

> Formulaire de prières attribué au Bouddha-Shâkya-Mouni, contenant des invocations à la déesse Maritschi devi pour s'assurer de sa protection. Cet ouvrage a été traduit du sanscrit en chinois par Woù nêng sching (Aparâ-dschita).

CHRISTIANISME

3953. MOUSEI EDCHEN ISOUS KHERISTOS I TOUT ABOUKHA ITCHE KHESE. Le Nouveau Testament de N. S. Jésus-Christ, traduit en mandchou. 8 cahiers in-4, br.

> Grande édition, publiée sous les auspices de la Société Biblique anglaise et étrangère, de la traduction de M. Lipovtsov, parue à Saint-Pétersbourg en 1823.

3954. *Tchhing chi thsou Jao.* Discours général sur la religion chrétienne et violente attaque contre les superstitions de la Chine. 1 *pèn* in-8.

> Cf. *Wylie. Notes on chinese literature*, p. 143.

JURISPRUDENCE. — POLITIQUE. — RITES

3955. CHING YU KOUANG YUN. Le saint édit de l'empereur Khang-hi, texte chinois avec commentaire. Edition moderne sur papier blanc. 1 *pèn* in-8.

> Ce célèbre ouvrage, qui a été traduit en anglais, en 1817, par W. Milne

et récemment en français par T. Piry, consiste en seize maximes de l'empereur Kang-hi, dont le nom posthume est Ching-tsen, le saint ancêtre ; ces maximes, de sept caractères chacune, ont été amplifiées et commentées par l'empereur Young-tching, et ensuite, en style des mandarins, avec d'amples explications, par le mandarin Liang-yen-min. Ces instructions morales roulent sur les devoirs des enfants envers leurs parents, etc.

3956. CHENGDSOU GOSIN KHOWANDGI I BOOI TATCHIGGIYEN I SEN I GISOUN. Sublimes instructions domestiques de l'Empereur Chengdsou (Khang hi). Edition impériale de 1730, en mandchou. 2 *pèn* gr. in-4. en un *tao*.

Ces instructions, adressées par Khang-hi aux princes ses fils, ont été publiées par son successeur Young-tching, la huitième année du règne de ce dernier. C'est un des ouvrages les meilleurs et les plus importants qui aient été composés en mandchou. On en trouve une double traduction, italienne et française, dans le IX° volume des *Mémoires concernant les Chinois*.

3957. TERGHI KHESE DCHAKOU GOSADE WESIMBOUM KHANGGE. Ordonnances souveraines relatives aux huit bannières, en mandchou. 10 *pèn* en 1 *tao* et traduction chinoise. — SHANG YU PA KI. 8 *pèn* en 1 tao. — YU HING KE FOO TSOW I. Rapports sur le contrôle impérial des Bannières. En chinois 4 *pèn* et en mandchou, 4 *pèn*. 8 *pèn* en 1 *tao*. — SHANG YU KE FOO E FOW. Délibérations sur les édits des Empereurs aux Bannières. En chinois, 4 *pèn* et en mandchou, 6 *pen*. 10 *pèn* en 1 *tao*. Ensemble 4 *tao*.

Collection rare et fort importante pour l'histoire de la nation mandchoue.

3958. DAHTCHIM GOUROUM I ABKAI WEKHIYEKHE I TEKHI TCHAKOUTCHI ANIYA I ERIN FORKHON TON I BITKHE. Almanach impérial mandchou, pour la 48° année de Khiang Loung (1783). In-fol., dem. rel. mar. v.

C'est un tableau complet et authentique de la situation politique et de l'état administratif de la Tartarie chinoise.

3959. KIN TING TAI THSING THOUNG-LI. Rites et cérémonial complets de la dynastie des Tai thsing actuellement régnante. 50 *kiouan* en 8 *pèn* in-fol. reliés en 2 vol. demi-mar. Lavallière. Edition impériale de 1743.

Cette édition fut rédigée et publiée par Lei Pao, grand mandarin des lettres, assisté de Tchin Chi-kouan, de Wang Gan-koue et de Kao Chéou ; modifiée, mise en ordre et surveillée par neuf autres mandarins ; revue soigneusement dans toutes ses parties par quinze docteurs, membres du Ministère des rites et cérémonies, dont les noms sont inscrits, comme ceux des autres mandarins, en tête de l'ouvrage.

Cet ouvrage contient le *texte officiel* des rites et cérémonies prescrits par la dynastie actuellement régnante. Ces rites sont toujours de cinq sortes : 1° Les rites heureux (*ki-li*), au nombre de 123 (liv. 1-16) ; 1° les rites nuptiaux et domestiques (*kia-li*), au nombre de 74 (liv. 17-38) ; 3° les

rites militaires (*kiu-li*). au nombre de 18 (liv. 39-42) ; 4° les rites hospitaliers (*kiun-li*), au nombre de 20 (liv. 43-44) ; et enfin 5° les rites de
deuil et funéraires (*kioúng-li*), au nombre de 15 (liv. 45-50).

HISTOIRE

3960. Yu ting tseu sze tsing hoa. La fleur ou quintessence
des historiens et des philosophes moralistes; rédigé par
ordre impérial. 160 *kiouan* en 40 *pèn* reliés en 8 volumes
in-4, dem. mar. rouge. Edition impériale de 1727.

Cette magnifique édition sur papier blanc, ordonnée par l'empereur
Khâng-hî, et publiée seulement la 5ᵉ année du règne de son fils Young-
tching, qui y a joint une préface de sa main, renferme, comme le porte le
titre, la « fleur ou quintessence des historiens et des philosophes » extraite
de leurs ouvrages par quarante-neuf des principaux lettrés dont les noms
et titres sont énumérés en tête de l'ouvrage. Tous les sujets sur lesquels
les écrivains en question se sont prononcés ont été divisés par classes
(*pou*), et les textes extraits ont été placés chronologiquement sous chaque
classe avec les noms des auteurs ou les titres des ouvrages cités, renfermés
dans des cartouches pour être mieux distingués. La première classe est
celle du *Ciel* : la deuxième. celle de la *Terre* ; la troisième, celle des empereurs et rois ; la quatrième, celle des membres des familles impériales;
la cinquième, celle des années, temps et saisons ; la sixième, celle des
rites et des cérémonies ; la septième, celle de toutes les magistratures et
fonctions publiques ; la huitième, celle de la science administrative ; la
neuvième, celle des études littéraires ; la dixième. celle des mérites et
qualités militaires ; la onzième, celle de la garde des frontières ; la dou-
zième, celle des relations sociales ; la treizième, celle de la conduite à
observer dans les différentes positions sociales; la quatorzième, celle qui
concerne les affaires des hommes ; la quinzième, celle de la musique ; la
seizième, celle des écoles ou sectes de Tchou Bouddha et du Tao ; la dix-
septième, celle des intelligences surnaturelles ; la dix-huitième, celle de
l'art médical, comprenant la divination ; la dix-neuvième, celle des arts :
la vingtième, celle des formes et des apparences ; la vingt et unième,
celle du langage ; la vingt-deuxième, sur les occupations des femmes :
la vingt-troisième, sur les animaux ; la vingt-quatrième, sur les parures;
la vingt-cinquième, sur les vêtements ; la vingt-sixième, sur les habita-
tations ; la vingt-septième, sur les produits de l'agriculture et du commerce ; la vingt-huitième, sur le boire et le manger ; la vingt-neuvième,
sur les minéraux et pierres précieuses ; la trentième, sur les vases,
ustensiles et instruments divers à l'usage des lois, de la musique, de l'agriculture, de la guerre, etc. On voit par cette analyse sommaire quelle
immense variété de sujets embrasse cet ouvrage.

3961. Szè Ki. Les mémoires historiques de Szè-ma-Thsien, en
130 *kiouan* ou livres, reliés en 6 vol. in-4, demi-veau bl.

Szè-ma Thsien est le premier, par le rang et par la date, des 24 grands
historiens des différentes dynasties de la Chine, dont les histoires réunies
forment un corps de 740 volumes. Ces histoires sont comme des « Encyclopédies méthodiques » des époques et des dynasties, dont les auteurs
ont pour but de retracer l'histoire. L'ouvrage de Szé-ma Thsien en a été
le premier modèle. Ce grand historien vivait dans le second siècle avant
notre ère. Son livre a été successivement enrichi d'un grand nombre de
commentaires, dont les plus importants sont reproduits dans notre édition.

Le Szé-Ki est divisé en 5 grandes sections, la 1ʳᵉ comprend des « Mémoires sur les souverains » (Ti-ki) qui ont régné eu Chine depuis l'empereur Hoûng--ti (2697 avant notre ère) jusqu'à Hiao Wou-ti, de la dynastie des Han (qui régna de 140 à 87 av. J.-C.). La 2ᵉ comprend des « Tables chronologiques » (Nièn piào) des souverains des trois dynasties qui ont précédé celle des Thsin, des chefs des royaumes féodaux, des princes, en général, qui avaient exercé un pouvoir plus ou moins indépendant. La 3ᵉ section, intitulée Pah choû, les « Huit livres ». comprend autant de grands traités historiques sur les Rites, la Musique, les accords, le calendrier, l'astronomie, les sacrifices, les fleuves et canaux, les poids et mesures. La 4ᵉ section renferme des « Mémoires généalogiques » sur les familles des grands personnages qui se sont fait un nom dans l'histoire (Chi-Kiâ). Enfin la 5ᵉ section comprend des « Notices biographiques et historiques (Lie tchoûan) » sur les hommes célèbres qui ont vécu dans la Grande Période embrassée par l'historien et sur les pays étrangers (la Bactriane, etc.) avec lesquels la Chine avait eu alors des communications. On voit par là que cet ouvrage renferme comme un tableau complet de la civilisation chinoise pour les temps qui ont précédé son auteur.

3962. LI TAI TI WANG NIAN PIAO. Abrégé chronologique des rois et empereurs de la Chine, par Thsi Tchao-nan. 1 *pèn* in-8.

Cette chronologie commence à Fou-hi (*Taï-hao Fou-hi*), et se termine à la fin de la dynastie des Han.

3963. MANUSCRIT IMPORTANT ET INÉDIT DE J. KLAPROTH, relatif à l'histoire de la Chine. 2 volumes comprenant environ 500 pages in-folio d'une belle écriture, et préparés pour l'impression.

Chronologie de l'histoire Chinoise, d'après les cycles sexagénaires, c'est-à-dire depuis l'an 2637 av. J.-C. jusqu'en 1824. -- Introduction historique et géographique. — Dynastie de Hia. — Dynastie de Shang. — Dynastie de Tchéoo. — Dynastie de Thsin. — Dynastie de Han. — San kwe, ou les Trois Royaumes. — Dynastie de Tsin. — Nan Pe Tchhao, ou Empire du Nord et du Sud. — Dynastie de Thang. — Dynasties Heoo Liang. Heoo Thang, Heoo Tsin, Heoo Han et Heoo Tcheoo. — Dynastie de Soong. — Dynastie de Yuan ou des Mongols. — Dynastie des Ming. — Noms de la Chine. — Montagnes. — Rivières et lacs. — Gouvernement. — Classification des mandarins et employés du gouvernement. — Cérémonial. — Art militaire. — Statistique. — Topographie de Péking. — Ses quartiers. — Description de chacune des provinces, etc.

3964. INDEX-MONGOL-ALLEMAND, pour l'ouvrage de Pallas, intitulé : Recueil de documens historiques sur les peuplades mongoles. Manuscrit in-4, de 364 pages, dem.-rel., m. r.

Cet index, qui paraît fait avec le plus grand soin, peut être d'un grand secours pour la lecture, souvent difficile, de l'ouvrage de Pallas. On a rectifié, dans la transcription des mots, les incorrections que Jœrig, qui servait d'interprète au savant voyageur, a commises. C'est à la fois un vocabulaire assez étendu et une excellente table alphabétique, indispensable pour un livre aussi rempli de détails que l'est celui-là.
Inédit.

3965. Notes sur des noms chinois, littéraires, historiques et géographiques, de la main d'Abel Résumat. Ces notes sont classées alphabétiquement, et chacune indique l'ouvrage chinois ou autre, où se trouvent des renseignements sur les lieux ou les personnages. Environ 700 fiches en 6 cartons.
Inédit.

GÉOGRAPHIE

GÉNÉRALITÉS. — CHINE

3966. CHAN HAÏ KING TCHOU KIAÏ. Le Livre des montagnes et des mers, avec un commentaire. 3 *pèn* in-12, cart.

Jolie édition ponctuée, en deux parties (livres 1 à 4 seulement de la première partie). La seconde partie, datée du règne de Khang-hi et contenant les figures a pour titre : *Thou Siang Chan haï king tsiang tchou* et comprend les deux derniers volumes. Ces figures au nombre de plus de 100 sont extrêmement bizarres et représentent les prodiges et toutes les choses merveilleuses dont il est parlé dans l'ouvrage. Le *Chan hai king* est le plus ancien ouvrage de géographie que les Chinois possèdent. Il est rempli de fables souvent mentionnées dans leurs poésies. Il fut composé à une époque fort reculée, et remonterait, dit-on, à l'Empereur Yu, plus de 2000 ans avant J.-C. Ce qui est certain, c'est que, sous les Tsin, au IVᵉ siècle de notre ère, il avait été déjà commenté plusieurs fois et qu'au siècle suivant il avait été réduit de 32 livres à 18.

3967 THAÏ MING Y TOUNG TCHI. Description géographique de l'empire chinois pour le temps de la dynastie des Ming. 40 cahiers en 6 vol. in-4, dem.-rel., m. v.

Aucune nation ne possède, pour la description de son pays, des ouvrages renfermant un ensemble de connaissances aussi détaillées et aussi complètes que celles qui sont réunies dans les travaux exécutés par les Chinois sur leur géographie intérieure. Non seulement la situation des lieux, la division territoriale, les particularités et les accidents du sol y sont calculés et décrits avec la plus minutieuse attention : mais tous les faits que les sciences physiques et naturelles présentent à l'observation, toutes les circonstances dignes d'attention que l'antiquité, l'histoire et la littérature peuvent offrir, y sont notés avec soin. C'est sur ce plan que cet ouvrage a été exécuté, d'après les ordres de Thian chun, empereur de la dynastie des Ming, la 5ᵉ année de son règne (1461), par les soins de Li bian, qui en fut le rédacteur principal. Il contient la description des seize provinces de l'empire, en 90 livres, dont le premier renferme les cartes et le dernier est consacré à la description des royaumes étrangers.

3968. HAI KOUE THOU TCHI. Géographie historique et descriptive, avec cartes, des Etats maritimes (c'est-à-dire de tous les pays du globe, excepté la Chine), par Weï Youen. Edition récente, sur papier blanc. 100 *kiouan* en 24 *pèn* in-4, broch., contenant de nombreuses cartes et figures.

L'ouvrage commence par une préface où l'auteur cite les sources auxquelles il a puisé, parmi lesquelles se trouvent des travaux de missionnaires : Mat. Ricci, J Aléni, F. Verbiest, etc. — Puis vient la table des matières. — Les livres 3 et 4 sont occupés par les cartes au nombre de plus de soixante-quinze, dont 4 cartes historiques avec les noms anciens en *blanc* sur fond *noir*, et les noms modernes en noir sur fond blanc. Les livres suivants contiennent la description de tous les pays d'Asie, d'Europe, d'Afrique et d'Amérique. Le livre LXXI, un des plus curieux, comprend un aperçu des différentes religions du monde.

Les livres suivants sont consacrés à la chronologie, notamment à la chronologie bouddhique.

Les livres LXXIV et LXXV renferment des considérations générales sur la géographie ancienne et moderne des différents pays. Les autres livres ont rapport aux relations modernes de la Chine avec l'étranger, au caractère et aux entreprises envahissantes des étrangers. Les derniers traitent de la construction des vaisseaux de guerre, des bateaux à vapeur, des armes à feu, de l'astronomie, de la sphère, etc. (Cf. l'importante notice consacrée à cet ouvrage par M. Pauthier dans les *Annales de philosophie chrétienne*, juillet 1869)

3969. YING HOAN TCHI LIO. Grande géographie historique avec cartes. Publiée en 1848. 6 *pèn* in-4, papier blanc.

L'auteur de cette géographie, dit Pauthier. (Marco Polo, Introd. I. III.) est un ancien vice-roi de la province du Fo-Khien, nommé Siu.

3970. TSENG TING KOUANG IU KI. Description de la terre, revue et augmentée. 10 *pèn* en 3 vol. in-4, dem.-rel.

Sous ce titre, *Description de la terre* est comprise une géographie de l'empire de la Chine, composée, vers le milieu du XVIᵉ siècle par Lou ying yang, d'après la division territoriale qui existait de son temps. Mais les empereurs tartares ayant modifié la distribution et la circonscription des provinces, et reculé les limites de l'empire, un lettré nommé Thsaï fang ping reprit le travail de Lou ying yang, et, en 1686, il en publia une nouvelle édition revue et augmentée, et mise en rapport avec l'organisation introduite par la dynastie mandchoue. Depuis, cet ouvrage d'un usage journalier et d'une autorité irrécusable, a été réimprimé un grand nombre de fois. Cette édition, qui est d'une date assez récente (7ᵉ année Kia King, 1802) est entièrement conforme à l'état actuel de l'administration. Le premier cahier contient les cartes géographiques des 18 provinces, et le dernier, une notice sur la Tartarie, la Corée, le Japon et tous les pays limitrophes de la Chine.

3971. TI LI THSIOUAN TCHI. Traité complet de géographie, compilé en chinois, par les missionnaires. Imprimé la 3ᵉ année de Hien-foung (1853). 1 vol. in-8, fig., d. mar. rouge.

Ce volume comprend la géographie physique et politique des cinq parties du monde, la géologie, l'hydrographie, la météorologie, la botanique, la zoologie, l'ethnographie, etc., avec des cartes et des figures.

3972. TOUNG SI YANG KAO MEI YOUEI TOUNG KI TCHOUAN. Récits historiques mensuels relatifs à l'Asie et à l'Europe. 2 *pèn* gr. in-8, avec cartes color.

Premiers cahiers d'un recueil rédigé en chinois par les membres du collège anglo-chinois de Malacca, et publiés l'année Koueï sse de Tao Kouang (1833).

3973. Grande carte de Chine, en chinois, sur papier végétal. — Carte routière du Japon, grande feuille pliée entre cartons.

3974. Plan de Pékin, levé en 1817, en russe. 2 grandes feuilles col. (Déchirures.)

Légendes en russe et en français.

TARTARIE ET ASIE CENTRALE

3975. THAH-TSEU KI LIOH. Description abrégée des tribus tartares qui habitent au nord de la grande muraille, en 12 li-

vres. Très beau manuscrit, rédigé la 38ᵉ année Khien-loung
(1773). 1 *pèn* in-8 avec une carte.

> Le 1ᵉʳ livre comprend la description historique des établissements fondés
> dans cette partie de la Tartarie; dans le 2ᵉ, l'auteur en décrit les limites ;
> dans le 3ₑ il indique les places où se tiennent les marchés, dans le 4ᵉ les
> montagnes qui couvrent le territoire ; dans le 5ᵉ, les routes et les cours
> d'eau, dans le 6ᵉ, les vestiges d'antiquités, dans le 7ₑ, les monastères et
> pagodes bouddhiques, dans le 8ᵉ, les villes en ruines ; dans le 9ₑ, les pro-
> duits du sol; dans le 10ᵉ, les choses qui concernent les vers à soie ; dans
> le 11ₑ, celles de la littérature et des arts ; et enfin le 12ᵉ est comme un
> supplément aux précédents.

3976. Paquet de Cartes au nombre d'environ 1300, des noms
de lieux, villes, montagnes, fleuves et rivières, en *Mandchou*
et *Mongol*, accompagné de transcriptions, etc., avec les degrés de longitude et de latitude, rédigés par Klaproth, et
forment comme un Dictionnaire alphabétique de l'Asie centrale.

> Ces cartes avec leur index peuvent servir de complément très utiles à
> tous les ouvrages géographiques chinois relatifs au Si Yu ou Asie
> Centrale.

3977. K'IN TING SI YUH THOUNG WÊN TCHI. Dictionnaire descriptif des contrées centrales et occidentales de l'Asie, en
six langues ; rédigé et publié par ordre impérial 24 *kiouan*,
en 8 *pèn* ou vol. in-4, dans une enveloppe. Edition de la 28ᵉ
année *Khien-loung* (1766).

> Cet ouvrage, important et très rare, est un Dictionnaire systématique
> et géographique de l'Asie centrale, en *Mandchou, Chinois, Mongol, Tibé-
> tain, Oëlet* (ou Djongar-calmouk), et *Djagatéen-turki*, des noms de lieux,
> de territoires, de montagnes, de fleuves, lacs et rivières, ainsi que des
> noms d'hommes historiques de ces contrées de l'Asie, qui sont partagées
> en : « Marche située au nord de la chaîne des montagnes célestes (*Thién
> chân peh lou*); et en « Marche située au midi de la chaîne des mêmes mon-
> tagnes » (*Thién châ nân lou*). Le nombre de ces noms de lieux, de terri-
> toires, de montagnes, de fleuves, lacs et rivières, et d'hommes historiques,
> avec leur étymologies et leurs explications, données en chinois pour les
> différentes langues, s'élève à 3,111. L'Asie centrale ne peut être bien con-
> nue des Européens que par ce Dictionnaire.

3978. KIN TING HOANG YU SI YU THOU TCHI. Description des
contrées occidentales de l'Asie (Si-yu), avec des cartes géographiques, rédigée par ordre impérial. Très beau *manuscrit chinois* en 2 *pèn* reliés en 1 vol. in-4, dem.-mar. rouge.

> Ce beau manuscrit. qui renferme dans le IIₑ livre un petit Atlas de
> trente-trois cartes du *Si-Yu*, dessinées avec une netteté et une finesse ad-
> mirables, comprend : dans le 1ᵉʳ livre, un examen des cartes géographiques
> données dans le II°. Cet examen est divisé en trois parties. Dans la pre-
> mière, après quelques considérations générales, l'auteur donne un aperçu
> de la carte générale de l'empire chinois (la première) ; puis il passe à
> l'examen de la carte générale du *Si-yu*, puis à toutes les autres successi-
> vement, en commençant par celles des contrées situées au midi du *An-si*
> (An-si nân-lou) en dehors de la grande muraille ; puis de celles situées
> au nord du *An-si* (*An-si pa lou*, deux cartes) ; puis il passe aux contrées

situées au nord des monts Célestes (*Thiên chăn pe-lou*, trois cartes), et ensuite à celles situées au midi ds ces mêmes montagnes (*Thiên chăn ndn lou*, six cartes). Une carte, la quinzième, est destinée à présenter tout le système orographique du *Si-yu* ; la seizième, le système hydrographique et les grandes voies de communication. La dix-septième carte est celle des contrées qu'habitent les tribus ou hordes de Ha-sa-khe (les *khosakhs*) de gauche et de droite ; la dix-huitième est celle des Pourouts orientaux et occidentaux ; la dix-neuvième est celle du pays de Tachkand, etc.; la vingtième comprend les pays de Badackchan, de la Boukharie depuis Kachegar jusqu'à la mer Caspienne ; la vingt et unième comprend le Kaboul (*Yoï-ou-kan*), le Kachemire et la partie de l'Hindoustan jusqu'aux monts Vindhyâs. Viennent ensuite douze autres cartes formant un petit atlas historique représentant le *Si-yu* (l'Asie occidentale : 1° à l'époque des premiers Han (de 202 av. à 25 apr. J.-C.) ; 2° à l'époque des Han postérieurs (de 26 av. à 220 ap. J.-C.) ; 3° à l'époque des trois royaumes (221-264) ; 4° à celle des Tçin (265-419) ; 5° à celle des Weï du Nord, d'origine tartare (380-454 ; 6° à celle des Tchéou (556-581) ; 7° à celle des Souï (581-617) ; 8° à celle de la grande dynastie des Thâng (618-905) ; 9° à celle des cinq petites dynasties (907-954) ; 10° à celle de Soung (960-1119) ; 11° à celles des Youen ou Mongols (1260-1368) ; et enfin 12° à celle des Ming (1368-1575).

8679. Si iu wen Kian lou. Récit de ce qu'il y a de plus curieux dans les contrées occidentales. 1 *pèn* in-12, avec cartes.

Cette relation est divisée en huit livres.

3980. Sin kiang ai fan ki lio. Abrégé des mémoires sur les contrées extérieures qui forment les nouvelles frontières de l'ouest. 2 *pèn* en 1 vol. in-8, demi-maroq. violet. cartes.

Cet ouvrage, rédigé par Tchun-youen, à l'âge de soixante et onze ans, est précédé d'une carte générale du Si-yu ou des contrées occidentales de l'Asie qu'il décrit. Il est de la même date que le *Si-yu choui tao Ki* (Mémoires sur les routes et les fleuves du *Si-yu*, ou Asie centrale), et peut lui servir de complément.

3981. Si yeou ki tchen thsiouen. Relation d'un voyage dans l'Occident, rédigée par Kin ching tan. Avec un commentaire. 20 *pèn* in-12, ornés de figures bizarres.

Le *Si yeou* est un des quatre ouvrages connus sous le titre de *Sse ta y chou*, les quatre grands livres merveilleux. On le classe parmi les romans, mais il contient. en réalité, la relation des voyages exécutés au VIIe siècle par Hiouen Thsang, lequel employa vingt années à parcourir les pays qui sont compris entre la Chine et l'Inde. A côté de quelques traditions fabuleuses, on y trouve des détails historiques pleins d'intérêt, sur l'introduction et la propagation des doctrines bouddhiques à la Chine. Toutefois, ce n'est pas le récit original du voyageur; ce n'est qu'une sorte de traduction en *siao choue*, ou style familier, qui en a été faite par *Kia ching tan*, lequel vivait vers l'an 1650 et qui a recomposé ainsi plusieurs autres ouvrages en les accompagnant de notes explicatives. La relation de Hiouen thsang qu'il avait divisée en 100 livres, réduite par *Ou y tseu* à ce qu'elle offre de plus merveilleux, ne forme plus que 20 livres dans cet abrégé.

3982. Cartes chinoises de l'Asie centrale. Avec transcriptions manuscrites de la main de Klaproth. — Treize feuilles détachées de la grande carte de la Chine en 104 feuilles, levée par ordre de l'empereur Khang-hi, par les missionnaires Jésuites, en chinois, comprenant toute l'Asie centrale, plus deux grandes cartes des mêmes contrées, collées sur soie.

Les 13 cartes détachées sont, en moyenne, de 0,60 cent. de côté, avec bordures en soie verte. Elles sont accompagnées de *transcriptions manuscrites*, la plupart à l'encre rouge, de la main de Klaproth. Les treize cartes spéciales sont les suivantes :

1. Carte des sources du Hoang-ho, ou Fleuve Jaune ;
2. Carte du Hô-thào, ou territoire situé au-delà de la grande muraille, comprenant le pays des Ordos, ceux des Ouïrats, Mao-ming-an, Tcha-Kar Toumet, Dourbet, etc. ;
3. Carte de Jé-hol en Mandchourie ;
4. Carte des embouchures du HÉ-LOUNG-KIANG (Saghalien-oula) ;
5. 6. Cartes du cours moyen et des sources du même fleuve ;
7. Carte du Cours de la Selinga ;
8. 9. Cartes du pays de Ha-mi ;
10. Carte du TURKESTAN OCCIDENTAL ;
11. 12. Cartes du Tibet oriental et occidental ;
13 Carte du cours du grand fleuve YAROU-DZANG-BO.

Ces 13 cartes semblent provenir originairement de la Russie ; car elles portent au revers des titres mss. en gros caractères russes.

Les deux grandes cartes d'assemblage, collées sur soie portent, l'une 1 m. 85 c. de largeur, sur 1 m. 35 c. de hauteur, et embrassent l'espace compris entre le 18e de lat. N au 42e ; et entre le 18o long. O. de Pé-king au 65e ; l'autre carte porte 1 m. 35 c. de largeur, sur 0 m. 91 c. de hauteur, comprenant : du 42e de lat. N. au 58e, et du 18o de long. O. de Pé-king au 59e. Ces cartes portent aussi de nombreuses transcriptions en noir d'une écriture russe, et en rouge de la main de Klaproth.

3983. Map of chinese Turkestan (West). — Map of Hamil, or chinese Turkestan (East), 2 grandes feuilles sur pap. fort pliées entre cartons.

En anglais d'après des documents chinois.

JAPON

3984. Liste des noms se rencontrant dans une carte du Japon. Manuscrit de 104 ff. in-folio.

Cette liste divisée en 70 sections, d'après les divisions territoriales, comprend environ 5,000 noms. Elle provient du Dr H. C. Milliès, d'Utrecht.

3985. *Nipon yo tsi.* Carte du Japon, coloriée. Cart. à la japonaise.

3986. Carte du Japon, coloriée. 1779. Une grande feuille pliée entre cartons.

3987. GIYO YEDO DAI KOUVAI TO. Grand plan colorié d'Yédo. Édition impériale, gravée la 7me année Boun seï (1884). Très grande feuille pliée dans un double carton à la japonaise.

3988. Nouveau plan de la ville de Yédo, publié en 1825 (en japonais). 1 ff.. in-fol.

Plan colorié et contenant beaucoup de détails.

3989. Plan colorié de la ville d'Ohosaka (en japonais). 1 feuille in-plano.

> Publié vers 1820.

SCIENCES ET ARTS

3990. YOUEN THIEN THOU CHOUE. Explication du tableau de la sphère céleste, par Li ming tche. *Canton*, 1819, 3 *pèn* petit in-fol., br , fig.

> Cet ouvrage fut rédigé par Li ming tche, natif du district de Thsing lai. Quoique, depuis près de deux siècles, le tribunal des mathématiques eùt adopté le système de Copernic, Li ming tche se conforma à celui de Pto-lémée et suivit les règles données à ce sujet par Yang ma nao (le P. Em-manuel Diaz) dans son traité intitulé : *Thian wen lio* (courte explication du Ciel). — L'ouvrage est précédé d'une préface apologétique de Youan Youen, datée de 1819. La troisième partie contient une mappemonde fort curieuse, et les cartes des dix-huit provinces de la Chine. Ce livre, supé-rieurement exécuté, renferme en outre un grand nombre de figures. — Un exemplaire s'en est vendu 66 francs, vente Klaproth.

3991. FAN CHA TOU. Voyages pittoresques dans les parties les plus accidentées de la Chine, et biographies de grands per-sonnages de l'empire et d'auteurs célèbres. 6 *pèn*, gr. in-8, sur papier blanc superfin. Édition de 1839.

> L'auteur de cet ouvrage célèbre est Tchang pao. C'était un amateur et un artiste de la ville de Canton; ii fit faire l'édition de son livre dans son propre atelier, auquel il avait donné le nom de Chang-Kou-tchai, « Cabinet de la haute antiquité. » Son livre, commencé en 1819, fut terminé en 1831. C'est un beau spécimen de l'art chinois.
>
> Il reproduit cent des plus beaux paysages de la Chine et de la Tartarie, gravés à Nangking avec une netteté et une élégance remarquables. Les sites dessinés sont en général fort pittoresques: ce sont des paysages avec perspective éloignée, des pics de montagnes, des rivières, des ports, etc. De nombreux fac-simile, reproduisant fidèlement l'écriture des hommes les plus célèbres des deux derniers règnes, ont trouvé place dans cet ouvrage et en augmentent encore la valeur. Aussi, le livre du riche ama-teur chinois qui l'a fait exécuter pour lui-même, avec tout l'amour du bibliophile le plus délicat, est-il fort recherché des amateurs européens. Notre exemplaire est en excellente condition.

3992. KIAI TSEU YOUAN HOA TCHOUAN. Traité sur l'art de des-siner et de peindre les objets et les produits de la nature; par Li Li-oung. 16 *pèn*. in-4, ornés de nombreux dessins, entre deux planchettes.

> C'est la première édition de cet ouvrage, imprimée à Péking la dix-huitième année de Kang-hi (1679). L'ouvrage est divisé en quatre parties. La première (*pèn* 1 à 4 comprend le dessin de tous les objets qui peuvent entrer dans la composition d'un paysage. arbres, montagnes, person-nages, maisons, pagodes, barques, etc.; et une série de paysages, dont quelques uns coloriés.— La 2e partie (*pèn* 5 à 8) est consacrée à des études de feuil-lages, de roseaux, de fleurs, en parties coloriées ou lavées à l'encre. — La 3e partie (*pèn* 9 à 12) comprend des études d'arbrisseaux, de plantes à feuillage, de papillons, d'oiseaux, etc. — La 4e partie (*pèn* 13 à 16) est consacrée à l'étude de la figure humaine, des costumes, etc. Cet ouvrage, d'une belle exécution et d'une parfaite conservation, est fort curieux.

3293. *Fáng chi meh pou mouh louh*. Catalogue descriptif des antiquités reproduites sur des bâtons d'encre, par Fang-chi. 8 *pèn* pet. in-fol. reliés en 2 vol. demi-mar. La Vallière. Édition faite sur celle de 1588.

Tout le monde connaît des bâtons d'encre de Chine sur lesquels sont reproduits en relief différents sujets. Un ingénieux Chinois, Fang Yu-lou, eut l'idée, il y a quelques siècles, de conserver à la postérité les objets de curiosité qu'il avait pu recueillir, et de les mettre à la portée de tous les lettrés, en les reproduisant exactement avec leurs inscriptions, par des morceaux d'encre qui en représentaient la forme. Ce sont ces mêmes antiquités qui ont été reproduites par la gravure et décrites dans cet ouvrage. Un grand nombre représentent des sujets bouddhiques qui seraient d'un grand secours pour l'intelligence des livres et des croyances de cette religion. Tout le cinquième livre. entre autres, est consacré aux représentations bouddhiques, qui forment 53 sujets, dont toutes les différentes « roues », ou disques rotatifs (*lûn*, en sanskrit : *tchakra*) servant à réciter des prières, et portant des inscriptions en caractères sanskrits anciens, ou *randja*, au nombre de 14, parmi lesquels on remarque la « Roue des 62 Bouddhas », des livres bouddhiques. On y voit aussi figurée la feuille de l'arbre *pet-té*, sur laquelle on a écrit les livres bouddhiques.

BELLES-LETTRES

DICTIONNAIRES TOUT CHINOIS

3994. Lou chou kou. Les causes de la formation des six classes de caractères. 33 *kiouan* en 16 *pèn*. en 2 *tao*.

Ouvrage extrêmement important pour l'histoire de la langue chinoise, et que l'on peut regarder comme un véritable dictionnaire étymologique. Sa composition remonte à l'année *meou ou* de Yan yeou (1318). Taï-roûng, qui en est l'auteur, l'a disposé par ordre de matières, divisé en trente-trois livres et subdivisé en neuf grandes classes. — Grande édition sur papier jaune.

3995. Eul ya yan thou. Le *Eul-ya*, recueil des caractères chinois par ordre de matières, avec leur explication et la figure des objets et un commentaire rédigé par Kouo po, qui vivait sous les Tçin, dans le IIIe siècle de notre ère. 3 *pèn* grand in-4, sur papier blanc, illustrés. Édition de 1801.

Le *Eùl yd* est le plus ancien recueil méthodique des caractères chinois. avec leur sens expliqué, reproduits dans la forme qu'ils ont actuellement. Il a été mis au nombre des « *Treize King* », dans l'édition qui en fut publiée sous les Thâng, en 934 de notre ère. Selon les autorités rapportées dans le grand Catalogue de l'empereur Khien-loung, ce serait Tchéou-Koûng, frère de l'empereur Wên-vâng (1100 ans avant notre ère), qui l'aurait composé, formant alors 1 *pèn* ou livre. Il aurait été augmenté successivement par Confucius et son disciple Tseu-hia, et ensuite par d'autres auteurs. Le *Eùl yd* viendrait donc de loin, comme le disent les rédacteurs dudit catalogue. Notre édition, qui est parfaitement exécutée, a été faite, est-il dit, sur le titre, d'après celle qui avait paru sous la dynastie des Soung, (IIe siècle). Elle est divisée en dix-neuf sections, avec des gravures représentant les objets matériels décrits dans chacune de ces sections. C'est une véritable encyclopédie pittoresque de l'antiquité chinoise.

3996. CHOUE WEN TCHIN PEN. Dictionnpire étymologique des anciens caractères chinois, par Hiu-Chin. En 8 vol. in-folio, cart. à la chinoise.

Belle édition sur papier blanc. — Composé vers la fin du 1er siècle de notre ère, le *Choue wen* est encore à présent le plus important, comme il est le plus ancien des dictionnaires chinois proprement dits ; et, bien qu'il ait été en quelque sorte fondu dans des ouvrages plus récents, il n'en est pas moins demeuré la base sur laquelle repose la science des caractères, de leur orthographe et de leurs acceptions primitives. Indépendamment de l'explication des signes et de la définition des mots, il fournit sur les arts, les usages et les opinions de l'antiquité, des renseignements sans lesquels il est impossible de rien faire de solide en matière de littérature chinoise et dont l'autorité est décisive. L'époque où ce travail fut entrepris est celle du rétablissement des études. Le zèle des lettrés pour retrouver et rétablir les anciens monuments de leur histoire dispersés ou détruits, était continuellement stimulé par les plus importantes découvertes. Des écrits de toute espèce, dans leurs caractères antiques originaux, s'offraient en abondance à leurs recherches et à leurs lumières. Hiu chin dépouilla tous ces documents que plus d'un siècle venait d'accumuler, et en rédigea le précis le plus exact et le plus judicieux, lequel contient, sous 540 clefs ou radicaux, l'explication de 9,353 caractères, plus 1,163 autres qui y ont été ajoutés et qui, tous, sont considérés comme classiques et fondamentaux. — C'est de ce dictionnaire que Prémare a dit (*Notitia linguæ sinicæ*, p. 7) : Diu multumque terendns est ille liber omnibus qui veram litterarum analysim scire cupiunt sed a paucis intelligitur. »

3997. *Ou tché yün foù.* Dictionnaire chinois rédigé par ordre de tons et de consonnances-initiales et finales. 22 *pèn* ou vol. chinois in-4.

Magnifique copie « manuscrite », faite par un des plus habiles calligraphes de Pé-King, de ce Dictionnaire publié en 1708, et sur lequel Morrison dit avoir composé son Dictionnaire tonique. Les exemplaires imprimés en sont devenus si rares en Chine que l'on a douté en Europe qu'il eût jamais existé. Callery, dans une lettre datée de Macao, le 28 mai 1844, dit : « qu'il eut beaucoup de peine à s'en procurer un exemplaire qu'il « paya 750 fr. » La copie manuscrite ci-dessus, beaucoup plus belle que l'imprimé, en est la reproduction ligne pour ligne, et page pour page.

3998, TCHING TSEU TOUNG, ou explication des caractères réguliers. Dictionnaire dans l'ordre des 214 clefs. Belle édition en gros caractères. 32 *pèn* in-4, en 6 *tao.*

Les auteurs présumés de ce dictionnaire sont : Tchang tseu lie, surnommé Eul Koung, qui vivait sous les Ming, et qui, en 1634, était attaché à la grande bibliothèque de Nan tchang fou, et le savant Liao wen ying.

Le *Tching tseu toung*, plus riche que le dictionnaire de Khang hi, notamment sous le rapport de l'étymologie, est un des dictionnaires les plus estimés des Chinois, tant pour la clarté et l'élégance des définitions qu'à cause du choix et de l'abondance des exemples. Il est d'une richesse inestimable d'érudition, et donne les formes successives subies par chaque caractère, en signalant celles qui sont fautives. Les expressions employées par les bouddhistes chinois y sont ramenées à leurs étymologies sanscrites expliquées en chinois, et l'ouvrage peut ainsi être d'un très grand secours pour l'explication des livres bonddhiques traduits ou rédigés en chinois.

3999. TCHING TSEU TOUNG, Abrégé du Grand Dictionnaire de ce nom. 22 pèn. in-12, sur pap. jaune.

4000. HIOUAN KIN TSEU WEI. Collection des caractères de l'Or suspendu. 12 livres en 1 fort vol. in-4, dem-rel.

L'expression *Hiouan Kin* (*or suspendu*) se rapporte à un trait historique faisant allusion à l'excellence de cet ouvrage, qui est un des dictionnaires par clefs les plus estimés. Il fut composé l'année yi mao de Wan ly (1615), par Meï ying tso, surnommée Tan seng, lequel était originaire de Siouan ching, ville du 3me ordre dans la province de Kiang nan. Il contient l'explication de plus de 33,000 caractères.

4001. THSÈNG POU TSEU 'WÉï Le Dictionnaire *Tseú* '*weï* (assemblage de .tous les caractères) considérablement augmenté. 14 *pèn* ou vol. in-8. Édition de 1705.

Ce dictionnaire chinois, composé primitivement par Meï Tan-seng, en 1616, a été successivement augmenté dans les nombreuses éditions que l'on en a faites, parce qu'il est devenu le plus populaire, à cause de la simplicité et de la clarté de sa rédaction. Cette édition contient, en tête, un syllabaire de la langue mandchoue.

Le *Tseu-Weï* est le premier dictionnaire chinois dans lequel les caractères soient rangés selon l'ordre des 214 Radicaux. Il comprend les explications concises et nettes de 32,033 caractères. C'est un excellent Manuel.

4002. TCHOUAN TSEU WEI. Dictionnaire classique des anciens caractères en écriture *tchhouan*, suivant l'ordre des 214 clefs. 12 *pèn* en 6 vol in-4, cart. à la chinoise.

L'auteur de ce dictionnaire est *Toung-weï-fou*, qui le publia l'année *sin weï de Khang-hi* (1691), d'après l'ordre suivi dans le *Tseu-weï*. — L'écriture *tchhouan* est celle qu'on retrouve le plus habituellement sur les monnaies et les inscriptions antiques. Elle était en usage au temps de Confucius, et on s'en sert encore aujourd'hui pour la gravure des sceaux.

4003. YI WÊN THOUNG LAN, Examen général des caractères classiques, par Châ-Mouh. Étition de 1805. 8 vol. in-4, demi-reliure.

Dictionnaire chinois, classé selon l'ordre des 214 radicaux, présentant les formes anciennes et modernes des caractères expliqués. C'est un excellent Dictionnaire, d'une impression très belle et donnant, outre la figure exacte, les différentes formes anciennes, cursives et vulgaires de chaque caractère. Il a été rédigé l'année ting weï de Khien loung (1787) par Châ mouh, et il en a été fait, à peu d'années d'intervalle, plusieur éditions ; celle-ci est de la 8e année Kia-King (1798). — Il y manque le^s clefs 10 à 29, 147 à 153, 167 à 195. Le 1er volume contient les préfaces, ie^s différentes tables et l'explication des caractères compris sous les clefs 1 à 9.

4004. KHANG HI TSEU TIAN. La Loi des caractères, rédigée par ordre de l'empereur Khang hi. 34 *pèn*, gr. in-8, (édition sur papier jaune).

Ce dictionnaire, disposé suivant l'ordre des 214 radicaux, contient l'explication de 49,030 caractères. C'est le plus célèbre des ouvrages du même genre, et il n'en est aucun qui soit d'un usage plus général. Il porte le nom du règne de l'empereur Ching tsou Jin hoang ti (*Khang hi*), d'après les ordres et sous la direction duquel il a été rédigé. Ce prince choisit, parmi les lettrés les plus distingués de l'empire, trente docteurs qui employèrent six années à ce travail. L'ouvrage, commencé la 49e année de Khang hi (1710), ne vit le jour qu'en 1716.

4005, KHANG-HI-TSEU-TIEN. La « Loi des Caractères. » Dictionnaire impérial de Khanghi, classé dans l'ordre des 214 radicaux. Édition in-12 sur papier blanc, avec la préface en fac-simile de l'Empereur Khâng-hi, imprimé en rouge. 32 *pén* en 9 vol. in-12, d. r.

> Très belle et très correcte édition du célèbre dictionnaire de Khang-hî. Elle est la reproduction exacte dans un format plus petit de la grande édition impériale de 1716, exécutée sous les yeux même de l'empereur. Elle porte la même date.

4006, FEN YUN TSO YAO. Choix des mots les plus essentiels, rangés par ordre tonique. 4 *pèn* en 1 vol. in-12, d. mar. bleu.

> Petit dictionnaire de poche accompagné d'un manuel épistolaire, par Wou ki wen. C'est, dit Wylie, (*Notes on Chinese literature*) un dictionnaire du dialeccte de Canton.

DICTIONNAIRES CHINOIS–EUROPÉENS MANUSCRITS

4007. HAN-TSEU SI Y. Sinicorum characterum Europea expositio. Manuscrit copié à Péking dans les années 1714-15. 1 vol. in-folio, cuir de Russie, fil., fers à froid, tr. dor. (*Duplanil*).

> Copie très soignée du dictionnaire chinois–latin du P. Basile de Glemona. Ce dictionnaire est disposé selon l'ordre alphabétique européen, basé sur les initiales et finales phonétiques des caractères chinois expliqués au nombre de 9,520. C'est le même dictionnaire qui a été imprimé en 1813, sous le nom de De Guignes, d'après une *copie* dite du Vatican, avec une nouvelle disposition des caractères selon l'ordre des 214 radicaux.
>
> Ce manuscrit a appartenu à Rémusat (à la vente duquel il fut acheté 220 fr.), puis à Klaproth, et enfin à M. Pauthier. Il contient des notes de chacun de ces savants et des additions importantes.

4008. DICTIONARIUM SINICO-LATINUM R. P. Bazilii a Glemona mission., cum indice copioso, characteribus inveniendis accommodato, eorumque sinicis elementis ac linearum varie componentium elencho ; his accessere Sinensium antithetorum, particularum numeralium, vocum quibus additur particula *tà*, atque cognominum accurate (sic) collectiones, cum Cyclo sinico. *Macai*, 1733; pet. in-4, cuir de R., fil.

> Beau Ms. sur papier de Chine provenant de la congrégation de Saint-Lazare. — Copie extrêmement soignée. — Chaque page est réglée de rouge et encadrée. Les appendices signalés au titre occupent environ 220 pages, puis vient :
> GRAMMATICA SEU MANUDUCTIO AD LINGUAM SINICAM FACILIUS ADDISCENDAM, Grammaire du P. Horace de Castorano, fidèlement copiée sur le manuscrit original de 1732, ainsi que l'atteste l'auteur lui-même à la fin du volume. La Grammaire de Castorano occupe 41 feuillets.

4009, ÇU LUI (vel gœi) LA TING LIO KIAI. Dictionarii sinici latina brevis explicatio. — Dictionarium Sinico-Latinum, cum indice copioso characteribus inveniendis accommodato eorumque sinicis elementis linearumque varie componentium elenco. His accessere Sinensium antithetorum, particularum numeralium, vocum quibus additur particula *Tà*, atqne cognominum accuratæ collectiones, cum siclo Sinico. 2 vol. in-folio., demi-veau.

> Copie faite en Chine, au siècle dernier, sur papier européen, ou Dictionnaire du P. Basile de Glemona. — Environ 600 pages, d'une bonne écriture.

4010. Dictionarium Sinico-latinum. Beau manuscrit de plus de 550 pages, à 2 colonnes. In-fol., veau jaspé.

> Copie très soignée du Dictionnaire du P. Basile de Glemona dans son ordre original alphabétique, de la main de l'abbé Dufayel. Suivant une note de Klaproth, elle contient l'explication de 9. 520 caractères.

4011. HAN TSU SI FAN. Dictionarium sinico-latinum. Manuscrit d'environ 900 pages, d'une écriture serrée, copié en Chine eu 1698. Pet. in-4, vélin.

> Ce Dictionnaire qui est celui du P. Basile de Glemona, est suivi d'un appendice de 88 pages, contenant la liste des caractères chinois rangés d'après leur nombre de traits.

4012. Vocabulaire chinois, latin, comprenant les mots chinois avec leurs transcriptions, leurs identifications, leur traduction en latin, et leurs synonimes. Manuscrit exécuté en Chine; avec soin. In-4, 200 pages, d. r.

DICTIONNAIRES MONGOLS ET MANDCHOUX

4013 SZÈ THI HO PI WÊN KIAN. Miroir des langues mandchoue, mongole, tibétaine et chinoise, classé par ordre de matières, avec la prononciation du chinois en mandchou. 11 *pèn* in-4 en 2 *tao*.

> Ce Dictionnaire synoptique en quatre langues est classé dans le même ordre que le « Miroir de la langue mandchoue. » On trouve de plus, dans celui-ci, les équivalents des langues mongole et tibétaine.

4014. GRAND DICTIONNAIRE MANDCHOU-MONGOL. 21 *pèn* in-4, en 4 *tao*.

> Ce dictionnaire fort rare est d'une valeur capitale pour l'étude des langues mongole et mandchoue.

4015. MIROIR DE LA LANGUE MANDCHOUE INTERPRÉTÉ EN MONGOL. Dictionnaire par ordre de matières, distribué en 21 livres et 280 classes Manuscrit autographe de J. Klaproth. 4 vol. in folio, demi-rel. mar. rouge.

> Cet important manuscrit comprend la copie très soignée, à l'encre rouge et noire du *Chaghan-u bitchiksan mongghol ugen-u tolibitchik*, livre ou Miroir de la langue mongole écrit par l'empereur. (Cf. Rémusat. Recherches sur les langues Tartares, page 221). — Le titre chinois est : *Yu ling Mwan-*

chow Mung-Koo Han tszé san ho tsu yen Thsing wan Kun. Imperial Manchu-Mongolian Chinese dictionary, with explanations in Manchu (Cf. Translation ot the Tsing wan Ke-mung, by Wylie. Introd. page XLIX.— Klaproth avait commencé à mettre au manuscrit les interprétations en chinois et en français, et se préparait à le publier avec l'aide des encouragements que le gouvernement prussien lui accordait.

4016. DICTIONNAIRE MONGOL MANTCHOU. 2 vol. gr. in-folio, demi maroq, rouge, 1183 pages.

> Manuscrit de Klaproth. Les mots, sur de petits carrés de papier uniformes, sont collés sur le recto des ff. Le verso contient l'interprétation française de quelques mots seulement.

4017. Vocabulaire mongol-français suivi de notices et d'extraits sur divers sujets d'histoire et de littérature orientales, par J. Klàproth. In-4, cart. (*Manuscrit*).

> A la fin, un commencement de grammaire arménienne — et un extrait du Tarikh Haïderi, en arabe.

4018. Vocabulaire allemand-kalmouk, et kalmouk-allemand, manuscrit, (en caractères originaux). 2 vol. in-4, cart.

> Ce manuscrit forme environ 500 pages à 24 lignes, d'une très bonne écriture. Il donne la traduction Kalmouke d'environ 4.000 mots.

4019. Manuscrits de la main de Klaproth. 106 pp. en 1 vol. in-8, cart.

> Fragment d'un vocabulaire Tibétain. — Fragments mandchoux et chinois. — Notes en russe, etc.

4020. KHAN I ARAKA NONKGIME TOKTOBOUKHA MANDCHOU GISOUN I BOULEKOU BITKHE. Miroir de la langue mandchoue, augmente et revu par l'Empereur. 48 *pèn* gr. in-4. En 8 *tao*.

> Dans son catalogue des livres chinois de Berlin, M. Klaproth a donné une notice étendue de cet ouvrage, qui fut publié pour la première fois à Péking, en 1708. Il était alors tout en mandchon. L'empereur Khian loung le revit, l'augmenta et le fit imprimer de nouveau en 1772, en y joignant les interprétations chinoises. Il est divisé par ordre de matières, et la totalité des mots qui y sont expliqués est distribuée en 36 classes, formant 292 sections dont plusieurs contiennent un assez grand nombre de sous-divisions. Cette seconde édition est accompagnée d'un index syllabique en 8 livres et d'un supplément par ordre de matières également en 8 livres.

4021. Dicfionnaire mandchou, en mandchou. 16 *pén* in-4 en 2 *tao*.

> Contenu : Préface 1 *pèn*, — 20 sections, 10 *pèn*. — Tables, 1 *pèn*. — Supplément 4 *pèn*.

4022. MANDCHOU ISABOUKHA BITKHE. Dictionnaire mandchou-chinois. 12 *pèn* in 4.

> Ce Dictionnaire, moins considérable, moins détaillé que le grand *Miroir de la langue mandchoue* est néanmoins fort apprécié ; l'ordre alphabétique, dans lequel il est distribué, le rend d'un usage plus commode. Il fut publié la 16e année de Khian Loung (1751) par Si yen sse.

4023. NIKAN GHERGEN I UPALI YAMPUHA MANCHU GISUN I PULEKU

BITKHE. Miroir de la littérature mandchoue, avec explications en chinois. Dictionnaire mandchou-chinois, par ordre de matières. Publié en 1735. 4 *pën* in-4, en 1 *tao*.

4924. MANDCHOU GISOUN PE NIYETCHEME ISABOUKHA BITKHE (en chinois;) *Thsing wen pou ouëi*. Supplément au Dictionnaire alphabétique mandchou-chinois, 8 *pën* in-4, pap. jaune en un *tao*,

> Préface datée de 1786.

4025. THSING WEN KHI MENG. Principes de la langue mandchoue, en chinois et en mandchou. 4 *pën* en 1 vol. in-4, d. mar. vert.

> Cette grammaire publiée l'année *jën tseu* de Young tching (1732) fut composée pour l'usage des écoles par le docteur Cheou phing. Toutes les règles y sont écrites en chinois, et les exemples donnés en mandchou. Cf. l'importante analyse que fait de cet ouvrage Abel Rémusat dans les *Recherches sur les langues tartares*, tome I, p. 99.

4026. THSING WEN TIEN YAO. Choix de préceptes pour la langue mandchoue. 4 *pën* en 1 vol. in-4, d. rel. mar. vert. (Mouillures).

> Dictionnaire de phrases chinoises expliquées en mandchou, imprimé en 1739.

ENCYCLOPÉDIES. — MÉLANGES

4027. WEN HIAN THOUNG KHAO. Examen général des écrits et des sages. Grande encyclopédie historique et littéraire, par Ma Touan Lin. 348 *kiouan* en 96 *pën* en 12 *tao*. Gr, in-8.

> Cette vaste encyclopédie est le plus important recueil de la littérature chinoise. Rémusat, dans la notice qu'il a consacrée à Ma-touan lin, l'auteur de cet ouvrage, s'exprime ainsi : « On ne peut se lasser d'admirer l'immensité des recherches qu'il a fallu à l'auteur pour recueillir tous les matériaux, la sagacité qu'il a mise à les classer, la clarté et la précision avec lesquelles il a su présenter cette multitude d'objets dans tout leur jour. On peut dire que cet excellent ouvrage vaut à lui seul une bibliothèque, et que quand la littérature chinoise n'en offrirait pas d'autre, il vaudrait la peine qu'on apprît le chinois pour le lire. On n'a qu'à choisir le sujet qu'on veut étudier ; tous les faits sont rapportés et classés toutes les sources indiquées, toutes les autorités citées et discutées. Ce sont autant de dissertations toutes faites qu'il suffit de faire passer dans nos langues européennes, et avec lesquelles on peut s'épargner bien des recherches et se donner, si l'on veut, un grand air d'érudition. »
> L'encyclopédie de Ma-touan-lin parut pour la première fois en 1322, la 2e année de l'empereur Yng Tsoung, de la dynastie des *Youen*, qui la fit imprimer. On en a fait depuis plusieurs éditions ; celle-ci est de la 3e année *Kia-thsing*, ou 1524, sur la fin de la dynastie des Ming. — Un exemplaire de cet ouvrage s'est vendu 729 fr. 50 c. à la vente Klaproth. — Un autre, 400 fr. vente Pauthier.

4028. (THSÊNG POU). WAN PAO THSIOUAN CHOU. Encyclopédie, avec figures, de toutes les choses précieuses (les plus utiles à connaître), revue et augmentée. 4 *pèn* gr, in-8 en un *tao*.

Ce livre, très populaire en Chine, y a eu beaucoup d'éditions depuis plusieurs siècles. Celle-ci qui a été revue et corrigée, comme le porte le titre, est de 1828. Elle est ornée d'un très grand nombre de figures intercalées dans le texte. Dans le dernier volume on trouve un petit vocabulaire *chinois-mandchou*, par ordre de matières ; les caractères chinois sont d'abord donnés avec leur prononciation en mandchou, et au-dessous se trouve l'explication en mandchou avec la prononciation en chinois.

4029. Catalogue mannscrit, donnant les titres et l'indication du conteuu de 239 ouvaages chinois, et la table analytique de l'encyclopédie chinoise intitulée : *Loui chu san tsaï toû hoéï*. Mss. de la main de Klaproth. En feuilles.

4030. *Tsa chou.* mélanges. Manuscrit chinois. 8 *pèn.* gr. in-8.

Collection de dix opuscules dûs presque tous au pinceau de Hann Yu et traitant de sujets différents. Les plus intéressants sont : le premier, sorte d'instruction morale où l'empereur Yao et le célèbre Tcheou Kong sont proposés en exemple à tous ceux qui veulent devenir justes et humains ; le quatrième consacré à la description de l'animal fabuleux *ling* dont il est parlé dans le *Livre des Vers*, le *Tchouenn tsieou*, le *Tso tch'ouenn*, le *Che tci*, et le *Livre des cent familles* ; et enfin le dixième, qui raconte l'histoire de l'introduction et des progrès du Bouddhisme en Chine.

4031. *Tsa king.* Mélanges. Manuscrit chinois. 1 *pèn* gr. in-8.

Contenant deux opuscules bouddhiques appartenant l'un et l'autre à cette division de la littérature bouddhique qu'en sanscrit on appelle *dharani* et en chinois *tcheou* (formules magiques).

Le premier a été traduit du sanscrit par le religieux Indien *Vou neng cheng*.

L'autre traduit également du sanscrit se divise en deux parties dont la seconde portant le titre spécial de *Inn fa ti eurr* deuxième partie de la loi de l'Inde (Inn tou) renferme 19 figures symboliques répondant à autant de formules magiques.

4032. Sinica et Japonica. Fragments divers en chinois et japonais. Une liasse.

4033. Khan i Arakha Moukden i foutchouroun bitkhe. L'éloge de Moukden, poême de l'Emperenr Khien Loung en mandchou. Édition impériale, in-4, recouv. de soie jaune.

Cette édition est la première du texte mandchou. Khien loung après avoir fait imprimer son poëme en trente-deux sortes de caractères chinois dont on avait retrouvé des modèles sur les anciens monuments, voulut que le texte mandchou ne le cédât en rien à l'autre ; on imagina, en conséquence, trente-deux formes de lettres mandchoues, de telle façon que l'édition tartare fut multipliée autant de fois que la chinoise. Ce volume est la première de ces éditions, dont une s'est vendue 80 francs, vente Klaproth.

4034. Hymne Mantchou, chanté à l'occasion de la conquête du Kin tchouen. Manuscrit du P. Amyot, daté de Pékin, le 11 mai 1779. Un vol. in-fol., veau.

Cet intéressant manuscrit se compose de 4 feuillets pour le titre et la dédicace à monseigneur de Bertin, ministre et secrétaire d'Etat, et de 18 pages donnant le texte mantchou avec transcription juxtalinéaire, traduction française et remarques, par le P. Amyot. Le tout a été publié par Langlés (*Didot*, 1792).

Une note de Langlés dit : « Cet hymne est un des premiers essais poéti-« ques des Mantchoux. L'original d'après lequel il a été copié est extrê-« mement rare à la Chine. Il n'y a que M. Bertin en Europe qui en pos-« sède un exemplaire. La traduction de M. Amyot a été soigneusement « copiée, et j'ai moi-même transcrit les caractères mantchoux avec la « plus grande exactitude, j'ai découvert deux ou trois fautes dans les « sons des mots mantchoux que j'ai corrigées d'après le texte et mon « *Dictionnaire mantchou-français*. — L. Langlés.

4035. *Mergen Zamza*, the lost cattle, a mongolian episode. 7 pages manuscrites, 17 pp. imprimées sur feuilles oblongues.

En mongol.

4036. LOUNG WEI PI CHOU. Collection de ce que renferme le Loung wei. 36 *pén* in-12 en 5 *tao*,

Les mots Loung wei (majesté du dragon) désignent la cabinet particulier de l'empereur, proprement ses archives secrètes. Ce recueil, qui en est tiré, est extrêmement curieux et paraît fait avec beaucoup de soin. Il contient différents mémoires d'érudition, parmi lesquels plusieurs, consacrés à la géographie générale, renferment des notices sur les pays voisins de la Chine et les contrées de l'occident ; sur l'Inde, la Perse, l'Arabie, la Turquie, l'Europe, l'Afrique, la Malaisie, Formose, etc., le tout accompagné de figures de monnaies, de costumes et d'un spécimen de différentes langues et des caractères qui leur sont propres.

Malheureusement M. Thonnelier ne possède pas la collection complète de ces mémoires, qui se compose de 80 volumes, contenant chacun un ou plusieurs traités et formant ainsi, même pris isolément, un ouvrage complet. L'édition est de l'année Kia yen de Khian Loung (1794.)

4037. KIN TING SSE KOU CHOU KIEN MING LOU. Catalogue de la Bibliothèque de l'Empereur Khian Loung à Péking. Abrégé du grand catalogue de Khian Loung. 10 *pén* en 2 vol. in-12, demi-mar. vert.

L'empereur Khian Loung, ayant fait réunir tous les meilleurs écrits composés en chinois, en fit une collection qui reçut le titre de collection des *Quatre magasins ou Trésors* par allusion à la classification des ouvrages en quatre classes : Les *King*, les *Annales*, les *Tseu* ou philosophes, et les *collections*. Le catalogue de la collection fut imprimé, et il énumérait les titres de 10.202 ouvrages. Le présent abrégé comprend l'indication des ouvrages mais sans indiquer toutes les différentes éditions comme le grand catalogue, et sans donner toutes les notices qui rendent celui-là si précieux.

Catalogue de la Bibliothèque Chinoise de Feu M. le Marquis d'Hervey de Saint-Denys

已故德理文先生中国图书目录

CATALOGUE

DE LA

BIBLIOTHÈQUE CHINOISE

DE

Feu M. le Marquis d'Hervey de Saint-Denys

ORDRE DES VACATIONS

	Numéros.
PREMIÈRE VACATION	
Lundi 19 mars	99 à 228
— . . . . . . , ...	1 à 98
DEUXIÈME VACATION	
Mardi 20 mars	229 à 454

CONDITIONS DE LA VENTE

La vente se fait au comptant.

Les acquéreurs paieront cinq centimes par franc, en sus des enchères, applicables aux frais.

Les réclamations, pour être valables, devront être faites dans les vingt-quatre heures de l'adjudication.

M. Ernest Leroux se chargera des commissions des personnes qui ne pourront assister à la vente.

CATALOGUE

DE LA

BIBLIOTHÈQUE CHINOISE

DE

FEU M. LE MARQUIS D'HERVEY DE SAINT-DENYS

MEMBRE DE L'INSTITUT

PROFESSEUR AU COLLÈGE DE FRANCE

VENTE A L'HÔTEL DROUOT

Les lundi 19 et mardi 20 mars 1894

PARIS

ERNEST LEROUX, ÉDITEUR

28, RUE BONAPARTE, 28

1894

AVERTISSEMENT

La Bibliothèque chinoise de M. le marquis de Hervey de Saint-Denys est composée en grande partie des ouvrages et des textes provenant du legs de M. Stanislas Julien, le prédécesseur du marquis d'Hervey de Saint-Denys, au Collège de France et à l'Institut.

Cette belle collection a été classée dans ce Catalogue en trois sections : 1° les textes chinois ; 2° les ouvrages relatifs à la Chine ; 3° les ouvrages relatifs à l'archéologie, à la numismatique, à l'ethnographie, à l'Amérique.

Dans la première section, nous signalerons la série des Livres Canoniques, parmi lesquels : (N° 2), un charmant exemplaire des Cinq King, imprimé en 1742, dans le Palais impérial, par ordre de l'empereur Khien Long, pour l'*usage exclusif* des jeunes princes du sang. C'est un chef-d'œuvre d'impression et une rareté bibliographique, un livre unique en Europe et introuvable en Chine ;— (N° 34). Le Grand Code pénal de la Chine ; — N° 35. Les Rites et le Cérémonial de la dynastie des Ta-thsing, actuellement régnante, texte officiel des rites et cérémonies, rites nuptiaux et domestiques, rites hospitaliers, rites militaires, rites de deuil, etc.

Les ouvrages historiques et géographiques comprennent des ouvrages capitaux, tels que : (39) le *Thoung-kian-kang-mou*, la Grande Histoire de la Chine en 129 volumes ; (47) le *Chan-haï-king*, la plus ancienne géographie chinoise ;

(50) les Cartes générales de l'empire, en 32 volumes ;
Dans les sciences et les arts, trois ouvrages célèbres : (52),
Le Trésor de l'agriculture et de l'horticulture. — (53). Le
Pen-thsao, le grand Traité d'histoire naturelle et de bota-
nique, rédigé au XVI_e siècle. Édition de 1637. — 59. Le
Kin-che-souo, le Recueil des inscriptions sur pierre et sur
métal qui existent en Chine.

La littérature chinoise est représentée par des ouvrages
lexicographiques de premier ordre, tels que : 62. Le
Choue-wen, Dictionnaire étymologique des anciens caractères chinois. — 63. Le Répertoire des anciens caractères
en écriture *tchouan*. — 66. Le Grand Dictionnaire de
l'empereur Khang-hi, superbe édition impériale de 1716.
— 64. *King-ping-mei*, le fameux roman licencieux, si
connu et cependant non encore traduit. — 85. Les Poésies des Thang, l'ouvrage dont M. le marquis d'Hervey
de Saint-Denys a donné une traduction, accompagnée
d'une introduction fort intéressante. — 92. La Grande
Encyclopédie de Ma Touan-lin, dont les chapitres relatifs
à l'ethnographie ont également été traduits par M. le marquis d'Hervey de Saint-Denys.

Dans la seconde section, les livres intéressants et rares
sont en abondance ; nous n'en citerons que quelques-
uns :

118. *Astronomia europæa*. Précieux exemplaire de Rémusat et de Stanislas Julien qui ont annoté et augmenté
les listes de noms de Pères Jésuites ayant résidé à la
Chine.

142. Un curieux manuscrit grammatical de Fr. J. Rodriguez, de l'ordre des Augustins.

143. La *Noticia linguæ sinicæ* de Premare, copie de Stanislas Julien, d'après le manuscrit du P. Premare, avant sa publication, plus ou moins tronquée, à Malacca.

144 à 167. Une belle série d'ouvrages grammaticaux.

168. Dictionnaire chinois-espagnol, dictionnaire du dialecte de Tching-tcheou, contenant une immense quantité de mots composés qui appartiennent au *kouan-hoa*, ou langue commune; acheté 575 francs, à la vente Rémusat, par Stanislas Julien.

169. Le grand Dictionnaire chinois-français et latin de De Guignes. Exemplaire très précieux contenant les annotations de Stanislas Julien et celles du marquis d'Hervey de Saint-Denys.

170. Le même Dictionnaire. Exemplaire du travail de M. Stanislas Julien.

168 à 189. Riche collection de Dictionnaires.

185. *Cursus litteraturæ sinicæ*, auctore P. Zottoli.

195 à 200. Langue mandchoue.

200. Les Classiques chinois, publiés et traduits par James Legge.

208. Les Livres classiques, traduction rare du P. Noël.

273 à 275. D'importants travaux sur les voyages des pèlerins bouddhistes.

276 à 279. De curieux récits de voyageurs chinois.

280 à 281. Des ouvrages sur le Fou-Song, et la découverte de l'Amérique par les moines bouddhistes, au vᵉ siècle.

282 à 301. Voyages des Européens en Chine.

302. L'Histoire de la Chine, ainsi qu'un Itinéraire du

Nouveau-Monde et la découverte du Nouveau-Mexique, par le R. P. Juan Gonçalès de Mendoce. Édition de 1559.

305 et 306. Les Mémoires concernant les Chinois.

307 et 308. La Grande Histoire de la Chine, du P. de Mailla.

326 à 359. Une très importante série de Recueils de Mémoires sur la Chine, par les savants les plus autorisés.

360. Un Dictionnaire manuscrit par sons, rangé dans l'ordre alphabétique français.

361. Dictionnaire chinois. Manuscrit de Stanislas Julien, copié sur 8,000 fiches. Ouvrage inédit de la plus haute importance.

362 à 366. Manuscrits provenant de Stanislas Julien.

Nous nous bornerons à cette courte énumération des richesses que contient ce Catalogue. En le feuilletant, les curieux trouveront d'ailleurs toutes les indications nécessaires.

E. L.

前　言

德理文先生中文图书馆中的藏书和文本，大部分是由德理文先生的前辈、法兰西公学院和法兰西学术院的儒莲先生遗留下来的。

本目录将这些精致的收藏分为三个部分：第一部分是中文藏书；第二部分是与中国有关的作品；第三部分是与考古学、古币学、人类学和美洲有关的著作。

在第一部分中，我们会罗列一些儒家典籍，其中包括：（2）1742年乾隆钦定"五经"，专供皇子们使用。这是稀有书籍，在欧洲独一无二并且在中国已无处可寻。（34）《大清律例增订汇纂》（35）《钦定大清通礼》记录了官方的礼仪和仪式、民间婚礼、待客礼仪、军礼、丧礼等的文本。

历史和地理类中有一些重要著作，如：（39）129卷的中国历史丛书《御批通鉴纲目全书》、（47）中国最早的地理书籍《山海经》、（50）32卷的《皇朝中外一统舆图》（又称《大清一统舆图》）；在科技和艺术领域的三部名作：（52）《钦定授时通考》、（53）《本草纲目》（写于16世纪，1637年出版，是自然史和植物学方面的伟大专著）、（59）中国石刻和金文汇编《金石索》。

中国文学以一流的词典为代表，如：（62）中国古代汉字字源字典《说文》、（63）《篆字汇》、（66）1716年北京出版的《康熙字典》、（73）著名艳情小说《金瓶梅》（众所周知但尚未有译本）、（85）《唐诗》（德理文先生已经译出并附有精彩前言）、（92）马端临的《文献通考》（其中有关地方志的章节已被德理文先生翻译出来）。

在第二部分中，有很多精彩的珍本，以下列举若干：

（118）《欧洲天文学》（*Astronomia europaea*），雷慕莎和儒莲收藏的珍贵副本，他们在书上批注并附以在华耶稣会士的名单。

（142）奥古斯丁修会乔安·罗德里格斯（J.Rodriguez）神父编写的语法手稿。

（143）马若瑟的《汉语札记》（*Linguae Sinicae*），该副本是由儒莲在该书在马六甲出版以前根据马若瑟手稿抄录的，有删改。

（144–167）一系列不错的语法著作。

（168）汉西词典，荆州方言词典，包含有大量明朝官话里的复合词，由儒莲花费575法郎购得。

（169）德金的《汉法大词典》《汉拉大词典》，非常有价值的副本，其中有儒莲和德理文的批注。

（170）同上，儒莲研究时使用的版本，写有大量重要批注。

（168-189）均为中外词典。

（185）《中国文学教程》（*Cursus litteraturae sinicae*），晁德莅撰。

（195-200）满语语法和字典。

（202）理雅各翻译《中国经典》（*The Chinese classics*）。

（208）中国典籍的拉丁文译本（*Sinensis Imperii libri classici*），诺埃尔神父（Noël）翻译。

（273-275）佛家信徒的重要著作。

（276-279）中国旅行者的游记。

（280-281）关于扶桑国的书籍，以及公元5世纪佛教僧侣在美洲的发现。

（282-301）欧洲人在中国的游记。

（303）中国历史，新世界之路以及新墨西哥的发现，孟铎思（R.P.Juan Gonçalès de Mendoce）撰，1589年出版。

（305-306）《中国论丛》。

（307-308）《中国通史》，由冯秉正神父（P. de Mailla.）撰写。

（326-359）由最权威的学者撰写的一系列关于中国的纪要。

（360）按照法文字母顺序排列的注音字典手稿。

（361）儒莲在8000个卡片上的汉语单词手稿，这是一本至关重要的尚未发表的著作原稿。

（362-366）儒莲的手稿。

以上我们简要列举了这份藏书目录所包含的珍贵书籍。希望读者能在本目录里找到所有自己所需要的信息。

（王辉译，卢梦雅校）

BIBLIOTHÈQUE CHINOISE

DE

M. le Marquis D'HERVEY-SAINT-DENYS

TEXTES CHINOIS

LIVRES CLASSIQUES

Sous ce titre, les Chinois comprennent :

Les *Cinq King* et les *Quatre Sse chou.*

Les cinq *King*, ou *Livres canoniques*, sont : 1º le *Y-king*, Livre des Transformations, cosmogonie ; — 2º le *Chou-king*, Livre des Annales impériales ; — 3º le *Chi-king*, Livre des Vers, chants populaires ; — 4º le *Li-ki*, Livre des Rites, mémorial des cérémonies ; — 5º le *Tchun-thsieou*, le Printemps et l'Automne, chronique d'événements accomplis de 721 à 480.

Les *Sse chou* ou *Livres classiques*, sont : 1º le *Ta-hio*, ou Grande Étude ; — 2º le *Tchoung-young*, l'Invariable Milieu ; — 3º le *Lun-yu*, le Livre des Discussions. — 4º *Meng-tseu*, le Livre de Mencius.

Cette division des *Livres classiques* est celle généralement adoptée. Cependant certains compilateurs ont fait une division nouvelle en sept, en neuf et en treize *King*, par l'adjonction de quelques ouvrages de Confucius, des Rituels : *Tcheou-li* et *I-li*, et de l'*Eul-ya*, recueil des caractères chinois, classés par ordre de matières.

I. *Livres canoniques* (KING).

1. CHI SAN KING TCHOU SOU. Les *Treize King*, réimprimés sur l'édition faite sous la dynastie des Soùng, avec leurs com-

1

mentaires primitifs et les Suppléments des nouveaux éditeurs. 42 *pèn* in-4.

Magnifique édition publiée la vingtième année *kia-king* (1816), sous la
direction du savant mandarin Youan-Youen, de Yang-Tchêou, commandant
des forces militaires de la province du Kiâng-Si, gouverneur en second du
prince impérial, etc.

La première édition de ce précieux recueil fut publiée sous la dynastie
des Thâng, en 933 de notre ère; mais cette première édition ne comprenait
que *neuf des treize King* publiés sous les Soûng, reproduits dans la présente édition.

Nous possédons les ouvrages suivants : 1º le *Y-king* (10 kiouan, ou
livres), ou « Livre des Transformations », avec les commentaires de *Wâng-
pi*, qui vivait sous les Wêi (220-264 de notre ère) et de Koung Yng-ta, des-
cendant de Confucius, qui vivait sous les Thâng et dont le commentaire est
nommé *tching-i* « droit sens », 8 *pèn*; — 2º le *Chang-choù* (20 kiouan)
(Choû-king) avec le commentaire traditionnel de Koûng Gan-koue, descen-
dant de Confucius, et celui *tching-i* de Koûng Ying-ta, 8 *pèn*; — 3º le
Mâo-Chî ou « Livre des Vers » (Chî-king) (70 kiouan) (d'après l'ancienne ré-
cension de Mao), avec le commentaire traditionnel de Mao Koûng, qui vivait
sous les Han, celui de Tching-youen, de la même dynastie, et celui de
Koûng Ying-tà, des Thâng, 18 *pèn*; — 4º le *Meng-tseu* (14 k.), « Mencius »,
avec le commentaire de Tchao-ki, des Han, et celui de Sun-chi, des Soûng,
8 *pèn*.

Cette édition comprend en outre toutes les *Variantes,* y compris celles
des anciennes éditions gravées sur des tables de marbre à différentes
époques, lesquelles *Variantes,* accompagnées d'explications en petit texte,
sont placées à la suite de chaque *kiouan* ou livre, de chacun des *King*.

2. Ou king Ssé tsè chou. *Les Cinq King,* ou « Livres canoniques », et les Sse chou, ou « Quatre Livres ». 33 *pèn* in-12,
recouverts en soie rouge, en 8 boîtes doublées de soie.

Charmante édition *de poche,* ou *diamant,* imprimée sur papier blanc, dans
le palais impérial de Péking, par l'ordre de l'empereur Khien-long, la septième année de son règne (1742), pour l'*usage exclusif* des jeunes princes
du sang.

Elle comprend les commentaires suivants :

1º Pour le Y-king, le Tchou-hî pèn-î ,

2º Pour le Chou-king, celui de Tsaï-chin, Tsi-tchouan;

3º Pour le Chi-king, le Tchou-hi Tsi-tchouan;

4º Pour le Tchun-tsieou, le Hou-gan Koué-tchouan;

5º Pour le Li-ki, le Tchin Hao Tsi-tchouan;

6º Pour les Sse-chou, les Tchou-hi *tchang-kieou,* et *tsi-tchou.*

Cette édition, d'une beauté irréprochable, est extrêmement soignée; les *accents* et la *ponctuation* y sont partout indiqués avec toute l'exactitude possible.

Les commentaires qui accompagnent les textes sont imprimés à la suite de chaque paragraphe, en caractères de moitié plus petits.

Une note de la main du P. Amiot est jointe au volume. On y lit ceci : « Cette édition est, en fait de typographie chinoise, ce que sont les *elzévirs* en Europe. Elle a été faite par ordre de l'empereur dans le palais, décorée d'une préface de sa main, destinée aux études des princes de son sang, préparée et dirigée par les plus habiles lettrés de l'empire. Péking, ce 10 septembre 1767. »

Exemplaire ayant appartenu à De Guignes et à G. Pauthier.

3. KIAI TSEU YUAN TCH'ONG TING KIEN PEN. Édition des *King*, publiée à Nanking. Texte révisé, avec nombreux commentaires de Tchou-hi et autres.

Chou-king, 6 *kiouan* en 4 *pèn*. — *Chi-king*, 8 *kiouan* en 4 *pèn*. — *Li-ki*, 10 *kiouan* en 10 *pèn*.

4. CHE SAN KING TSI TSEU MO PEN. Recueil de tous les caractères figurant dans les treize Livres canoniques, donnés avec leurs formes anciennes et modernes. Modèles de calligraphie, accompagnés d'explications sur la prononciation, le sens des mots, la dérivation, etc. 8 *pèn* en un *tao*.

5. YU TSOUAN TCHEOU Y TCHE TCHONG. Le *Y-king* des Tcheou. Avec les commentaires. Édition impériale de 1715. Préface de l'empereur Khang-hi. 12 *pèn* in-4.

6. YU TCHI JI KIANG CHOU KING KIAI-I. Sens expliqué du *Chou-king*, en lectures journalières. 13 *kiouan* en 8 *pèn* gr. in-8, en deux *tao*.

Cette édition du *Chou-king*, avec de nombreux commentaires, a été faite par l'ordre de l'empereur Khang-hi, qui y a joint une Préface datée de la dix-neuvième année de son règne (1680).

7. TS'ENG TING P'ANG HIUN CHE KING T'I TCHOU YEN YI. Le *Chi-king*, avec commentaires, notes marginales, etc. Édition avec figures, publiée par Fan-ts'eu-teng. 4 *pèn* in-4.

8. CHI-KING. Texte de l'édition *Kiai tseu yuan tch'ong ting kien pen*. 8 *kiouan* en 4 *pèn*.

9. LI-KI TOU PEN. Texte du *Li-ki*, avec notes sur la prononciation. Édition très nette sur papier blanc. 5 *pèn* in-8.

10. Li-ki tsien pen. Texte vérifié et commentaires. Édition de 1838. 10 *pèn* in-8.

11. Tchun-thsieou tchoan chouo houi tsouan. Le Printemps et l'Automne, l'un des Livres canoniques. Édition impériale, avec Préface de Khang-hi, datée de 1721. 29 *pèn* en quatre *tao*.

Confucius y rapporte les événements de la principauté de Lou, sa patrie, depuis l'année 722 jusqu'à 484 (av. J.-C.), en les liant à ceux des vingt autres États qui composaient alors l'empire. Tso Kieou-ming, son disciple, y ajouta des développements et des éclaircissements dans le *Tso-tchouan*, (traditions de Tso).
Cf. Wylie, *Notes*, p. 5.

12. Kin ting tcheou kouan y sou. Les fonctionnaires des Tcheou. Texte et commentaires. Édition impériale sur papier fort. 30 *pèn* in-4.

Le *Tcheou-kouan* est un complément du *Tcheou-li*.
En 40 (av. J.-C.) Lieou Hiang et son fils Lieou Hin, en arrangeant les livres rares du palais impérial, découvrirent le *Tcheou-li*, moins la dernière section. Pour y suppléer, ils ajoutèrent le *Kaou Koung-ki* qui, sous les Han, prit le nom de *Tcheou kouan*.
Cf. Wylie, *Notes*, p. 4. La présente édition fut publiée par une Commission impériale, la dix-huitième année de Khien-long (1754).

13. Tso siou. Édition du *Tso-tchouan*, le célèbre commentaire de Tso Kieou-ming sur le *Tchun-thsieou*. Édition avec nombreux commentaires. 16 *pèn* gr. in-8, en deux *tao*.

14. Tso Tchouan. Récits de Tso. Commentaire du *Tchun-thsieou*, composé par Tso Kieou-ming, disciple de Confucius. 6 *pèn* in-8. Édition avec commentaires.

15. — Autre exemplaire. 6 *pèn*.

16. Kia-li. Manuel des *Rites domestiques*. 2 *pèn* en un volume in-8, d. rel. Édition illustrée.

Le *Kia-li*, ou *Manuel des Rites domestiques*, est un des ouvrages les plus connus du célèbre philosophe Tchou Hi, auquel la « philosophie naturelle » des Chinois dut sa consécration définitive. Il rédigea, dit M. de Harlez, un manuel abrégé des Rites de la maison, de la famille, qu'il destinait à son usage personnel, et ne pensait nullement à livrer au public. Mais, à ce que nous apprend un commentaire, un de ses serviteurs, instruit de la valeur du

manuscrit, le vola et le livra à un éditeur qui le répandit parmi les nombreux admirateurs du maître. Le petit livre reçut du public l'accueil le plus
enthousiaste et passa de mains en mains, d'âge en âge, en des éditions
diverses ... Le *Kia-li* a toujours été en grande faveur parmi les lettrés chinois.
Toutefois la partie laissée par Tchou Hi était plutôt une esquisse, un guide-
mémoire qu'un traité; il ne contient que les grandes lignes. Les commentaires que l'on y a joints sont nécessaires pour compléter et expliquer les
trop brèves sentences de l'auteur du livre. Le *Kia-li* ne comprend point les
règles de tous les actes de la vie privée; celle des repas, de la réception des
hôtes, entre autres, y manquent. Tchou Hi ne s'est attaché qu'aux règles d'une
application générale et d'un caractère plus ou moins religieux, aux grands
faits de l'existence humaine.

Cf. *Kia-li. Livre des Rites domestiques chinois*, traduit par C. de Harlez.
(*Paris, Leroux*, in-18.)

II. *Livres moraux* (Sse chou)

1. Le *Ta-hio*, ou l'*École des Adultes*.
2. Le *Tchoung-young*, ou le *Milieu immuable*.
3. Le *Lun-yu*, ou *Livre des Sentences*.
4. *Meng Tseu*, ou le *Livre de Mencius*.

17. Yin-houai-t'ang Sse chou tchen pen. Les Quatre Livres classiques. Édition « vérifiée », dite de la salle Yin-houai-
t'ang. 12 *pèn* in-8.

18. Les Sse chou. Édition avec commentaires. 6 *pèn* in-8.

19. Les Sse chou. Édition vérifiée. 6 *pèn* in-8.

20. Lun-yu, ou Livre des Sentences morales de Confucius, le
troisième des *Sse-chou*. Texte reproduit d'après l'édition du
Collège impérial. 2 vol. in-4 oblong, cart.

Exemplaire interfolié, et accompagné d'un fragment de traduction en al-
lemand.

LIVRES CLASSIQUES ÉLÉMENTAIRES

21. San-tseu-king. Le Livre (en phrases) de Trois caractères,
avec commentaires.

Thsian-tseu-wen. Le Livre des Mille caractères.

·Pe-kia-sin. Le Livre des Noms des *Cent familles*, compilé par
Wang Tsin-ching. 3 *pèn* in-8, en un *tao*.

Les deux premiers de ces livres sont bien connus par les travaux de leurs commentateurs ou éditeurs européens. Cf. Cordier, *Bibl. Sinica*, I, col. 670-678 : quant au troisième, on donne le nom de *Livre des Cent familles*, *Pe-kia-sin*, au Recueil des noms patronymiques des Chinois, dit M. Perny. Le *Pe-kia-sin* date des Song. Il est devenu tout à fait populaire et les jeunes écoliers l'apprennent par cœur; il est comme un des premiers livres élémentaires qu'on met entre leurs mains. L'ordre dans lequel ces noms sont rangés est celui des dignitaires vivants à l'époque où le premier Recueil fut composé, en suivant la hiérarchie des dignités. Pour l'euphonisme de la récitation de ces noms, les auteurs chinois ont assigné à chacun des noms l'un des cinq tons de leur gamme musicale. Beaucoup de familles ont pris pour nom le fief qu'elles avaient reçu par faveur ou par récompense; d'autres celui d'un ancêtre illustre. Celles-ci ont pris le nom de la charge qu'avait remplie un membre de la famille, ou de la dignité à laquelle il avait été élevé. Celles-là ont reçu leur nom par un pur privilège impérial. Chaque famille a donné naissance à un grand nombre d'autres, la famille Ky, par exemple, à plus de cent.

Cf. Perny, *Appendice au Dictionnaire chinois* où le *Pe-kia-sin* est publié, traduit et commenté.

22. SAN-TSEU-KING. Le Livre des Trois caractères.—YEOU-HIO-CHE. Règles de conduite pour les différentes conditions de la vie. — THSIAN-TSEU-WEN. Le Livre des Mille caractères, Trois Livres élémentaires. En 1 *pèn* in-8.

23. SAN-TSEU-KING HIUN-KOU. Le Livre (en phrases) de Trois caractères, avec commentaires explicatifs. 1 *pèn*.

24. THSIAN-TSEU-WEN. Le Livre des Mille caractères, avec commentaires. 1 *pèn*.

25. HIAO-KING. Le Livre de l'Obéissance filiale, d'après le texte des Song. Édition de 1815 avec nombreux commentaires. 1 *pèn* in-8.

On attribue généralement le *Hiao-king* à Confucius, qui aurait légué à son disciple favori, Tseng Ts'an, le soin de le publier; mais ce dernier pourrait bien en être seul l'auteur, car il n'a fait que résumer, dans la forme même du dialogue, ses entretiens avec son illustre maître au sujet de la piété filiale.

Cf. la traduction française de M. Léon de Rosny et la notice sur l'ouvrage dans Wylie, *Notes*, p. 7.

RELIGIONS DIVERSES

Taoïsme. — Bouddhisme. — Christianisme.

26. KAN ING PIEN. Livre des Récompenses et des Peines, suivi de commentaires, de recettes, etc. 2 *pèn* en un vol. in-12, d. rel.

Cet ouvrage, de la secte des Tao-sse, a été traduit en français par Rémusat, S. Julien, L. de Rosny. Cf. Cordier, *Bibl. Sin*, I, col. 304-305.

27. KAN ING PIÈN. Édition illustrée du Livre des Récompenses et des Peines. 10 *pèn* in-12.

28. KAN ING PIEN. Le Livre des Récompenses et des Peines. Textes chinois et mandchou publiés par ordre impérial. Édition illustrée et en partie ponctuée. 4 *pèn* in-4.

29. Livres bouddhiques. Avalokiteçvara, la déesse Kouan yin, etc. 3 *pèn*.

30. LING HOUAN PIEN. Traité de l'âme. Ouvrage chrétien (1796). 2 *pèn* in-8.

Exemplaire interfolié et accompagné d'une transcription et d'une traduction latine manuscrite.

31. Ouvrages chrétiens en chinois. 5 *pèn*.

Le *San-tseu-king* des protestants. (Voir le n° 217 de ce Catalogue). — L'Évangile de saint Jean expliqué en chinois. — Prières et offices, etc.

32. CHEN TSAO WAN WOU CHOU. Histoire sainte (chrétienne). In-8, d. rel. (gravé sur cuivre).

33. Chants sacrés (catholiques), gravés sur bois, avec la notation musicale, et imprimés par les orphelins de Chang-haï. 1862, in-4, oblong.

JURISPRUDENCE. — ADMINISTRATION. — RITES. — POLITIQUE.

34. TA THSING LIU LI TSENG TING HOEI TSOUAN THSIOUAN PIEN. Code pénal de la Chine. Recueil complet des lois pénales de

la dynastie des Thsing, revu et augmenté. 40 *kiouan* en 24 *pèn*.

Ce code des lois de la Chine est composé de deux séries bien distinctes qui sont imprimées en colonnes synoptiques superposées. La première, imprimée en gros caractères, comprend les anciennes lois fondamentales pénales en vigueur sous les précédentes dynasties, revisées, refondues et adaptées aux nouvelles formes du gouvernement, par ordre de Chun Tchi et publiées en 1647; la seconde, imprimée en caractères plus petits, contient toutes les lois supplémentaires, lesquelles sont revues et modifiées tous les cinq ans par une sorte de Conseil d'État. Chaque article des lois comprises dans la première série est accompagné d'un commentaire de l'empereur Young Tching.

L'ouvrage entier a été traduit en anglais par Sir G. Staunton, en 1810, sur l'édition de 1799, et de l'anglais en français, par Renouard de Sainte-Croix, en 1812.

Notre édition, qui est datée de 1830, renferme beaucoup de lois nouvellement promulguées, ainsi que de nombreuses et importantes additions.

35. KIN TING TA THSING THOUNG-LI. Rites et cérémonial complets de la dynastie des Ta thsing actuellement régnante. 54 *kiouan* en 16 *pèn* in-4 en deux *tao*. Édition impériale de 1743.

Cette édition fut rédigée et publiée par Lei Pao, grand mandarin des lettres, assisté de Tchîn Chî-kouan, de Wang Gan-koue et de Kao Chéou; modifiée, mise en ordre et surveillée par neuf autres mandarins; revue soigneusement dans toutes ses parties par quinze docteurs, membres du Ministère des Rites et Cérémonies, dont les noms sont inscrits, comme ceux des autres mandarins, en tête de l'ouvrage.

Cet ouvrage contient le *texte officiel* des rites et cérémonies prescrits par la dynastie actuellement régnante. Ces rites sont toujours de cinq sortes : 1° les rites heureux (*ki-li*), au nombre de 123; 2° les rites nuptiaux et domestiques (*kia-li*), au nombre de 74; 3° les rites militaires (*kiu-li*), au nombre de 18; 4° les rites hospitaliers (*kiun-li*), au nombre de 20; et enfin 5° les rites de deuil et funéraires (*hioung-li*), au nombre de 15.

36. Traité entre l'Angleterre et le Siam, 1856. Texte chinois. In-folio sur papier jaune doré.

37. Convention commerciale entre la France et la Chine (1858). Tarifs, règlements commerciaux et pièces complémentaires. 1 *pèn* in-folio. (Manuscrit.)

38. Recueil de pièces de correspondance officielle. En annamite, caractères chinois. Imprimé à Saïgon. 1 *pèn*.

— 9 —

HISTOIRE

39. Yu pi tse tchi Thoung kian kang mou thsiouan chou. Histoire complète et universelle de la Chine, dont l'auteur principal est Sze-ma Kouang, qui vivait au xiᵉ siècle de notre ère. 129 *pèn* in-8.

Ce grand ouvrage, auquel on a ajouté successivement d'excellents commentaires faits par ordre de l'empereur Khang-hi, et des suppléments, est ainsi composé : Partie antérieure, 8 *pèn*. — Partie principale, 90 *pèn*. — *Su pien* ou Supplément, 31 *pèn*.

Cf. Wylie. *Notes on Chinese Literature*, pp. 20 et 21 ; et l'importante notice donnée dans le Catalogue Pauthier, nᵒ 79.

C'est ce grand corps d'histoires qui est supposé avoir été traduit complètement par le P. de Mailla, et publié en 12 vol. in-4º. La traduction de Mailla, puisée à différentes sources, n'en est qu'un bien court abrégé.

Cf. Cordier, *Bibliotheca Sinica*, I, col. 236 à 238.

40. Tou che kouan kien. Coup d'œil sur l'histoire.

Extraits des grands ouvrages historiques, avec commentaires et développements, par Hou Yin, qui vivait sous les Song. Texte revu par Tchong P'ou. Préface des années *Yi-hai* du règne Tch'ong-tchen (1635) et *Kia-yin* du règne Pao-yeou (1254). 30 *kiouan* en 18 *pèn* in-4. Très belle édition sur papier fort.

41. Sao ye chan fang pié che. Recueil de cinq Mémoires historiques. 39 *pèn* gr. in-8.

1. Histoire de la capitale d'Orient. 10 *pèn*. — 2. *Nan-Song-chou*. Annales des Song méridionaux. 12 *pèn*. — 3. *Ki-tan-koue-tchi*. Histoire des Leao (Ki-tan). 2 *pèn*. — 4. *Ta-kin-koue-tchi*. Histoire de la dynastie des Kin. 2 *pèn*. — 5. *Youen-sse-loui-pien*. Annales de la dynastie Youen ou mongole. 13 *pèn*.

42. Tsing ni ki. Histoire de la pacification des rebelles, 1821. 2 *pèn* in-12.

Récit des différents mouvements insurrectionnels qui se produisirent, en 1813 et 1814, à Pékin et dans les provinces du Tche-li, du Chan-tong et du Ho-nan, suivi de la biographie des principaux chefs insurgés. On y trouve le compte rendu du coup de main tenté contre le palais impérial par les affiliés de la société secrète à la tête de laquelle s'était placé Lin Ts'ing.

43. — Autre exemplaire du même ouvrage. 2 *pèn*.

44. Sin tseng tche nang pou. Biographies des hommes célèbres depuis l'antiquité, par Fong Yeou-long. 10 *pèn* in-12.

45. Lié niu tchouan. Histoire des femmes célèbres de la Chine. Avec d'intéressantes illustrations, par Tcheou Che tcheou. 8 *pèn* in-4. Belle édition sur papier blanc.

Œuvre curieuse au point de vue artistique aussi bien que sous le rapport li ttéraire.

46. Koue tch'ao han hio che tching ki. Histoire des lettrés célèbres de la dynastie actuelle. Par Kiang Fan. Préface de Yuen Yuen. Suivi du *Ko tchao king che tsing y*. Notice sur les commentateurs des *King*. Par le même. 8 *kiouan* en 4 *pèn* gr. in-8.

GÉOGRAPHIE

47. Chan-haï-king kouang-tchou. Le Livre des Montagnes et des Eaux, publié avec d'amples commentaires. 2 vol. in-4, demi maroq. rouge, figures.

C'est le plus ancien ouvrage de géographie que les Chinois possèdent. Longtemps on l'a considéré comme un tissu de fables. Le *Chan-hai-king*, dit M. Landresse, est la description d'un monde imaginaire, qui est, pour les Chinois, ce que l'Olympe était pour les Grecs, une mine inépuisable d'où les poètes tirent leurs métaphores les plus recherchées. — Quelques savants de grand mérite, dit M. Wylie (*Notes*, p. 35), ayant étudié ce curieux ouvrage, sont arrivés à la conclusion qu'il remonte au temps de la dynastie des Tcheou (1134 ans avant notre ère) et probablement même, au delà. On le considère comme une relation descriptive de cartes gravées sur neuf vases appartenant à l'empereur Yu le Grand (2224 avant notre ère).

Les récits extravagants que contient le *Chan-hai-king*, dit M. de Rosny, dans la Préface de sa traduction, témoignent eux-mêmes de la haute antiquité de cette géographie, qui, si elle en était exempte, ne remonterait certainement pas à des âges si reculés.

On consultera, sur cet ouvrage, l'intéressante notice donnée par Bazin aîné dans le *Journal asiatique* (novembre 1839) : *Notice du Chan-hai-king, cosmographie fabuleuse attribuée au Grand Yu*, et le volume de M. de Rosny, *Chan-hai-king, antiquité géographique chinoise, traduite pour la première fois sur le texte original*. Tome I.

48. Tou che fang yu ki yao. Précis de géographie pour la lecture de l'histoire, par Kou Tsou-yu. 9 livres, en 60 *pèn*, en douze *tao*.

L'ouvrage est accompagné de cartes, notamment les anciennes cartes de la Chine et des pays tributaires.

« This work is a record of geographical changes which have taken place in China from the earliest times down to the 17th century, intended as a guide to the perusal of the native histories. It was published in 1667. (Wylie, *Notes on Chinese Literature*, p. 51.)

49. KIN TING SIN KIANG CHE LIO. Description géographique, historique, administrative de la province des Nouvelles Frontières (Turkestan chinois). Édition publiée par ordre impérial. 12 *kiouan* en 8 *pèn* in-4, en deux *tao*.

Belle édition sur papier blanc, avec cartes. — Rare.

50. HOUANG-TCH'AO-TCHONG-OUAI-I-T'ONG-YU-T'OU ou **TA-T'SING-I-T'ONG-YU-T'OU.** Carte générale de l'empire chinois, avec ses dépendances. *Ou-tch'ang-fou*, 1863. 32 *pèn* in-fol. de cartes et texte, papier blanc. Bel exemplaire, avec les cartes coloriées à la main.

Au célèbre Hou Lin-y (Hou Wèn-tchong-kong), l'un des plus habiles ministres de la dynastie tartare, vainqueur des T'aè-p'ing dans le centre de l'empire, est due l'idée première et l'entreprise de cette vaste publication, continuée après sa mort, par son successeur au gouvernement du Hou-péi, Yèn Chou-sen.

Ce travail, exécuté avec le plus grand soin et gravé dans le palais même du gouverneur, constitue la meilleure carte de Chine, comme la plus complète, qui existe. Aussi est-elle bien connue des résidents étrangers en Chine. Les cartes de cet atlas sont basées sur les travaux des missionnaires du XVIIIe siècle; toutefois, beaucoup plus riches de détails, elles sont dressées à une échelle du double environ de celle employée par d'Anville dans son Atlas publié à La Haye, en 1737. Les modifications survenues dans la topographie, le changement de cours du fleuve Jaune notamment, y ont été scrupuleusement portées. Entre toutes, les cartes des dix-huit provinces de la Chine propre sont précieuses par la quantité de détails qu'elles offrent, tant au point de vue physique qu'à celui des divisions administratives. Détail curieux, cette collection comprend toutes les cartes de l'Annam, de la Sibérie jusqu'à l'Oural et à la mer Glaciale. On remarque aussi, comme appendices, des plans détaillés de l'île de Formose, des cartes générales de l'Annam.

La préface de Yèn Chou-sen, véritable historique de la cartographie en Chine, est précédée d'un autre morceau sur le même sujet par le commissaire impérial, vice-roi du Hou-kouang. Suivent des tables relatives à la façon dont doivent se raccorder les cartes, et enfin un rapport sur la publication de l'ouvrage et les signes conventionnels y adoptés.

51. HOUANG TCH'AO TCHE CHENG TI YUTS'IUEN TOU. Cartes de toutes les provinces de l'Empire chinois. Publié en photolithographie à Shanghai, 1880. 1 *pèn* in-4.

SCIENCES

52. KIN-TING CHEOU CHE T'ONG K'AO. Le Trésor de l'agriculture et de l'horticulture. 78 *kiouan* en 8 volumes petit in-fol. demi-maroquin jaune, illustrés de nombreuses planches.

Ce grand ouvrage, qui renferme beaucoup de figures gravées sur bois, a été rédigé par cinquante mandarins et lettrés, dont quatorze étaient membres de l'Académie des Han-lin, sous la direction du prince du sang : Hoûng-tchao. Il est divisé en huit grandes sections, nommées portes (*mén*) La première comprend ce qui concerne le ciel, c'est-à-dire le temps et les saisons; la deuxième, ce qu'il convient de faire à la terre; la troisième embrasse la culture de toutes les plantes cultivables; la quatrième, les travaux agricoles; la cinquième, les soins que l'on doit donner aux produits de la terre; la sixième, les récoltes de toute nature; la septième, l'emploi des produits qui dépassent ceux de la consommation; la huitième, les vers à soie et la culture des mûriers.

Un livre entier, le VIIIᵉ, contient des cartes de chaque province de la Chine.

Cf. Wylie, *Notes*, p. 76.

Le *Cheou-che-t'ong-k'ao* a servi de base aux *Recherches sur l'Agriculture et l'Horticulture des Chinois* du Mⁱˢ d'Hervey-Saint-Denys, qui en a donné en Appendice un Syllabus dont Stanislas Julien a traduit les livres LXXII-LXXVI. (*Résumé des principaux traités sur la culture des mûriers.*) Ce qui est relatif à l'agriculture dans la *Chine moderne*, de Bazin, est également extrait de cet ouvrage.

Voy. Cordier, *Bibliotheca Sinica*, tome I, col. 701.

53. PEN THSAO KANG MOU. Traité général d'histoire naturelle, par Li-chi-tchin. Édition de 1637, 52 livres en 8 volumes petit in-fol. d. rel., dos de maroquin rouge. Très belle édition avec figures.

Cet ouvrage fameux fut commencé en 1552 et terminé en 1578. L'auteur, Li-chi-tchin, de la famille des Ming, y résuma, dit M. Wylie (*Notes*, p. 81), les travaux de plus de cent auteurs anciens. Il divisa son travail en 52 livres, contenant 16 classes, 60 ordres, 1,871 espèces naturelles et 8,160 compositions médicinales.

Les végétaux, dit M. Landresse (*Catalogue Klaproth*) formant, pour les Chinois, la classe la plus nombreuse des productions naturelles, on s'est accoutumé à désigner par les mots *Pen thsao, plantes principales*, des ou-

— 13 —

vrages où il est parlé non seulement des plantes, mais aussi des animaux et des minéraux. On connaît, sous le même titre, divers traités d'histoire naturelle, tant médicale que proprement dite, antérieurs à celui de Li-chi-tchin. Le premier est si ancien qu'on le fait remonter jusqu'à l'époque fabuleuse de l'empereur Chin-noung à qui on l'attribue.

Le travail de Li-chi-tchin, condensant tous ceux de ses devanciers, a servi de base à tous les traités qui ont été rédigés postérieurement.

Le D* Hanbury, dans sa *Materia medica*, p. 3, donne une *Synopsis of the Contents of the Chinese Herbal Pun-tsaou-kang-Mûh.* Le P. Du Halde en donne un extrait dans son tome III, pp. 437 et seq.

Cf. Cordier, *Bibliotheca Sinica*, tome I, col. 691, 692.

On pourra également consulter sur cet ouvrage capital les deux volumes du D* Bretschneider, *Botanicon Sinicum. Notes on Chinese Botany, from native and western sources*, et Perny, *Dictionnaire chinois. Appendice.* Histoire naturelle.

54. Pen thsao kang mou. 14 volumes dépareillés de cet ouvrage.

55. T'ong tien hiao. Recettes médicales. 18 livres en 5 *pèn*, en 2 vol. in-12, demi-rel.

56. Tan fang. Recueil de conseils médicaux, ordonnances, etc. 4 *pèn* en un vol. gr. in-8, demi-rel.

57. Tsiuen t'i sin louen. Traité d'anatomie. 2 *pèn* in-8, figures et planches.

58. Chin-siang tsiouen-pien. Physiognomonie, phrénologie, chiromancie, etc. 12 *pèn* en 2 vol. in-12, demi-rel., figures.

ARCHÉOLOGIE. — BEAUX-ARTS

59. Kin chè Souo. La Chaîne des métaux et des pierres. Recueil des inscriptions sur pierre et sur métal classées chronologiquement. 12 *pèn* in-4, imprimés sur papier blanc, illustrés de nombreuses figures.

Cet ouvrage important a été publié en 1822, sous le règne de Tao-kouong, par deux frères Fong Yun-p'ong (surnom Yen Haï), et Fong Yun-yuen (surnom Tsi-hiuen), originaires de T'ong-tcheou (ancien nom Tch'ong-tch'oan) dans la province de Kiang-sou. L'ouvrage comprend des préfaces en caractères anciens, *thsao, tchouan* et *li* . Les six premiers *pèn* sont consacrés aux pierres: pierre de Yu, inscriptions sur pierre du temps de Mou-wang, de la dynastie des Tcheou ; tambours de pierre de la dynastie des Tcheou ; pierres des dynasties des Yin et des Tsin ; la pierre de Tche-fou;

les bas-reliefs de l'époque des Han qui se trouvent dans la province de Chantong, et que M. Chavannes a publiés ; les pierres gravées du Wou-léang-ts'eu ; les inscriptions des Tsin, des Wei, des Soui, des Thang, des Song et autres dynasties anciennes, les inscriptions sur tuiles, sur briques, etc. Les six autres *pèn* sont consacrés aux inscriptions sur métaux, vases rituels, trépieds, cloches, pointes de lances, haches, arbalètes, sabres, clochettes, poids, mesures, plats, instruments de musique, monnaies, sceaux, miroirs.

Une longue préface manuscrite, en chinois, constate que l'ouvrage a été offert au marquis d'Hervey par S. E. Tcheou Meou-ki, directeur de la mission chinoise en France (actuellement Tao-taï de Y-tchang).

Cf. *La sculpture sur pierre en Chine, au temps des deux dynasties Han*, par Édouard Chavannes. (*Paris, Leroux*, 1893.)

60. CHOU CHE HOUEÏ YAO. Recueil de documents sur l'histoire de l'écriture. Extraits d'ouvrages sur l'histoire de l'écriture et des calligraphes, sur les écritures des peuples étrangers, sur les anciennes écritures des pays voisins de la Chine. 4 *pèn* in-4, en un *tao*.

61. WAN-SIAO-T'ANG TCHOU-TCHOUANG HOUA TCHOUAN. Recueil de portraits de personnages célèbres, par le lettré Tchou-tchouang sien-cheng, de la salle Wan-siao-t'ang (où l'on rit, le soir). — Suivi de *Ming-t'ai-tsou kong tch'en t'ou*, ou Portraits des personnages qui se sont illustrés au service du fondateur de la dynastie des Ming. 2 *pèn* in-4, sur papier blanc.

Portraits des personnages illustres des dynasties Han, Tsin, Thang, Song et Ming, accompagnés de notices biographiques.

LITTÉRATURE

I. *Dictionnaires*

62. CHOUE WEN TCHIN PEN. Dictionnaire étymologique des anciens caractères chinois, par Hiu-chin. 40 *kiouan* en 12 *pèn* reliés en 1 vol. in-4, demi-rel. dos, et coins de maroquin jaune.

Bel exemplaire sur papier blanc. — Composé vers la fin du 1er siècle de notre ère, le *Choue-wen* est encore à présent le plus important, comme il est le plus ancien des dictionnaires chinois proprement dits ; et bien qu'il ait été en quelque sorte fondu dans des ouvrages récents, il n'en est pas moins demeuré la base sur laquelle repose la science des caractères, de leur

orthographe et de leurs acceptions primitives. Indépendamment de l'explication des signes et de la définition des mots, il fournit sur les arts, les usages et les opinions de l'antiquité, des renseignements sans lesquels il est
impossible de rien faire de solide en matière de littérature chinoise et dont
l'autorité est décisive. L'époque où ce travail fut entrepris est celle du rétablissement des études. Le zèle des lettrés, pour retrouver et rétablir les anciens monuments de leur histoire dispersés ou détruits, était continuellement stimulé par les plus importantes découvertes. Des écrits de toute espèce, dans leurs caractères antiques originaux, s'offraient en abondance
à leurs recherches et à leurs lumières.

Hiu-chin dépouilla tous ces documents que plus d'un siècle venait d'accumuler, et en rédigea le précis le plus exact et le plus judicieux, lequel contient,
sous 540 clefs ou radicaux, l'explication de 9,353 caractères, plus 1,163
autres qui y ont été ajoutés et qui, tous, sont considérés comme classiques
et fondamentaux. — C'est de ce dictionnaire que Prémare a dit (*Notitia linguæ sinicæ*, p. 7) : « Diu multumque terendus est ille liber omnibus qui veram litterarum analysim scire cupiunt sed a paucis intelligitur. » — Bridgman
a consacré une notice à cet important ouvrage dans le *Chinese Repository*,
XIX, pp. 169-185.

63. Tchouan tseu hoei. Dictionnaire classique des anciens caractères en écriture *tchouan*, suivant l'ordre des 214 clefs.
12 *pèn* in-8, en un *tao*.

L'auteur de ce dictionnaire est *Toung-wei-fou*, qui le publia l'année *sin
wei* de *Khang-hi* (1691), d'après l'ordre suivi dans le *Tseu-wei*. — L'écriture
tchouan est celle qu'on retrouve le plus habituellement sur les monnaies et
les inscriptions antiques. Elle était en usage au temps de Confucius, et on
s'en sert encore aujourd'hui pour la gravure des sceaux. Elle fut remplacée
par l'écriture *li* vers l'époque de la dynastie des Han, 200 ans environ avant
J.-C. Celle-ci est fréquemment employée dans l'impression des Préfaces.

64. Yun fou che yi. Choses omises dans le Répertoire tonique.
Supplément au Grand Dictionnaire *Pei-wen-yun-fou*. 20 *pèn*
gr. in-8.

Le *Pei-wen-yun-fou* est un dictionnaire de phrases et de citations, offrant
des modèles tirés des meilleurs auteurs, et particulièrement destiné à l'explication des expressions métaphoriques usitées dans la poésie chinoise.

65. Yun-fou kiun-yu. Dictionnaire publié au temps de la
dynastie des Youen, par Yin Shé-fou, classé dans l'ordre
des 206 divisions finales. Relié en 4 volumes in-4, demi-maroq. rouge.

Wylie, dans ses *Notes on Chinese Literature*, cite cet ouvrage : « This seems to be the oldest work extant with Lew Yuen's system of final which are followed in the general classification. »

66. KHANG HI TSEU TIAN. La loi des caractères. Grand Dictionnaire rédigé par ordre de l'empereur Khang-hi. Publié à Péking en 1716. 8 volumes in-4, d. rel., dos de maroq. rouge. Grande et belle édition.

Ce dictionnaire, disposé suivant l'ordre des clefs, contient l'explication de 33,179 mots. C'est le plus célèbre des ouvrages lexicographiques chinois et celui dont l'usage est le plus général. Pour sa rédaction, l'empereur choisit, parmi les lettrés les plus distingués, trente docteurs qui employèrent six années à ce travail. L'ouvrage, commencé la 49e année de Khang-hi (1710), vit le jour en 1716. L'édition impériale que nous possédons est précédée d'une préface composée par l'empereur lui-même, et dont l'impression reproduit de la manière la plus exacte les caractères tombés de son pinceau.

67. KHANG HI TSEU TIAN. Le Dictionnaire de Khang-hi. Jolie édition en petit format sur papier blanc. 8 volumes in-12, demi-maroquin jaune.

Petite édition de 1716, finement gravée, reproduisant page pour page la grande édition précédente. La Préface impériale, donnée en fac-similé, est imprimée en rouge.

68. TSENG-POU YEOU-HIO KOU-CHE SIUN-YUEN TCHE-KIAI. Recherches sur l'origine des expressions métaphoriques, par Kieou K'iong-chan. Édition augmentée, avec les commentaires de Tchen Teng-ki. 5 *pèn* in-8, avec figures.

Ce recueil précieux pour l'étude de la rhétorique chinoise a été traduit en anglais par Stewart Lockhart, à Hong-kong, Cf. Catalogue Klaproth, n° 272.

69. Un second exemplaire du même ouvrage.

2. *Les Thsaï-tseu*

Il y a, dans la littérature chinoise dix ouvrages considérés comme des chefs-d'œuvre, et dont les auteurs sont appelés les dix *Thsaï-tseu,* les dix beaux esprits ou écrivains par excellence.

Ces ouvrages sont: 1° le *San-koué-tchi,* ou l'histoire des trois royaumes, par Lo-Kouan-Tchoung; — 2° *Iu-kiao-li,* ou les Deux Cousines; — 3° *Hao khieou tchouan,* ou la Femme accomplie; — 4° *Ping-chan-Ling-yen,* les deux Couleuvres fées; — 5° *Choui-Hou-Tchouan,* ou l'Histoire des insurgés, par Chi-naï-san; — 6° *Si-siang-ki,* ou l'Histoire du pavillon occidental; —

7º *Pi-pa-ki*, ou l'Histoire du luth, par Kao-Tong-Kia ; — 8º *Hou-tsien-ki*, ou l'Histoire du papier à fleurs d'or ; — 9º *Po-kouei-tai* ; — 10º *Ping-kouai-tchouen.*

70. Hao kieou tchouan. Histoire de l'épouse accomplie, œuvre du second Thsaï-tseu. 18 *houi* en 4 *pèn* in-4. Belle édition sur papier fort.

Roman célèbre, souvent traduit. Voir Cordier, *Bibliotheca Sinica*, I, col. 805, 806.

71. Ping-chan-ling-yen. Les deux jeunes filles lettrées. 4 *pèn* en 1 vol. in-8, d. rel. Exemplaire du fonds de Fourmont, ayant appartenu à Stanislas Julien.

Ce roman, le quatrième des *Thsai-tseu*, a été traduit en français par Stanislas Julien.

72. — Le même ouvrage. Autre édition. 4 *pèn* in-12.

3. *Romans et contes*

73. Kin ping mei. Roman fameux en cent livres. 21 *pèn* in-12, dont un orné de figures.

L'ouvrage est attribué à Wang Ché-king, des Ming. Il donne une peinture des mœurs dissolues de cette époque. Au point de vue artistique, dit Wylie (*Notes*, p. 162), c'est une des œuvres les plus remarquables de la littérature chinoise. Mais le double sens qui s'attache à la plupart des termes, comme phonétiques, fit prohiber l'ouvrage pour cause d'immoralité par le second empereur de la dynastie actuelle, ce qui n'empêcha pas d'ailleurs le frère du même empereur d'en publier une élégante traduction en mandchou, en 1708.

Le titre est formé de l'assemblage des noms des trois héroïnes du roman qui, réunis, donnent le sens : *Le Prunier au flacon d'or*, sous lequel on désigne quelquefois cet ouvrage.

Le roman raconte la jeunesse orageuse d'un riche droguiste. « L'auteur, dit Jametel (*La Chine inconnue*), tire admirablement parti du *document humain*. On voit, en lisant son ouvrage, que ses types sont vécus ; il nous raconte leurs actions, et même leurs paroles, sans y rien changer ou arranger, ce qui fait que, comme son arrière-petit-neveu Zola, son œuvre est remplie d'expressions fort grasses... Les renseignements qu'il nous donne sur les mœurs privées de son temps sont bien sûrement encore d'une parfaite exactitude, et la traduction du livre rendrait superflu tout autre ouvrage sur les habitudes et la vie intime des Chinois. Mais la réputation d'immoralité de l'ouvrage a toujours fait reculer les savants. »

2

74. Soui T'ang yen y. Histoire des dynasties des Soui et des Thang. Roman historique. 32 *pèn* in-12 (il manque les huit premiers *pèn*).

75. King hoa youen. Les Fleurs du miroir. Roman. 22 *pèn* in-12, papier jaune.

Jolie édition avec préfaces en caractères *li* et *thsao*. Les deux premiers *pèn* sont ornés de fines gravures.

76. Fen tchouang leou. Le Cabinet de toilette au premier étage. Roman illustré. 80 *houï* (chapitres); en 2 vol. in-12, demi-rel.

77. Loui-fong Ta. Histoire merveilleuse de la Pagode du Pic des Vents. Roman illustré. 3 *pèn* in-12.

Une traduction anglaise de cet ouvrage a été publiée sous le titre : *Lüi-fung Ta* « Thunder Peak Pagoda », or « The Story of Han-wan and the White Serpent » (translated from the Chinese by H. C.). 1864.

78. Kin kou ki kouan. Recueil célèbre de quarante contes, dont beaucoup ont été traduits dans les langues européennes. 4 vol. gr. in-8, d. rel. (inter foliés).

78 *bis*. — Le même ouvrage. Édition in-12. En 2 vol. demi-maroq.

Pour la liste des Contes du *Kin-kou-ki-kouan* et de toutes les traductions qui en ont été faites, nous renvoyons à Cordier, *Bibliotheca Sinica*, tome I, col. 809 à 813.

79. Kin kou ki kouan. Autre édition. 12 *pèn* in-8 en deux *tao*. Édition avec illustrations.

80. Kin kou ki kouan. Petite édition illustrée. 10 *pèn* in-12.

La préface est en caractères *thsao*, avec transcription manuscrite en caractères carrés.

81. Loung tou koung ngan. Causes célèbres de la Chine. Recueil de cent contes et nouvelles. 5 *pèn* in-12.

Sept de ces Nouvelles ont été traduites par Carlo Puini : *Novelle Cinesi*, 1872. D'autres ont été traduites par L. de Rosny, Pavie, etc. Cf. Cordier. *Bibl. Sinica*, I, col. 814, 815.

82. Kiun siao tao kouëï. Anecdotes plaisantes, et autres pièces, comédies, etc. Onze opuscules en 1 vol. in-12, demi-rel.

4. *Pièces de théâtre. — Poésie*

83. Youen jin tchong kiu. Répertoire de cent pièces de théâtre composées sous la dynastie mongole des Youen. 35 *pèn* gr. in-8.

Beaucoup de ces pièces ont été traduites. On trouvera la liste de ces tra_ductions dans Cordier, *Bibliotheca Sinica*, col. 820-825. — Bazin, dans son *Siècle des Youen*, donne des détails intéressants sur cette collection, le titre des cent pièces et une analyse des plus importantes.

84. Yu ming t'ang hoan houen ki. Histoire de l'âme restituée, ou : Le Kiosque des pivoines. Drame en 55 scènes. Édition du *Yu ming t'ang* (salle du Thé de jade). Belle édition sur papier blanc, avec jolies gravures d'une fine exécution. 2 *pèn* in-4.

85. Thang chi ho siouan tsiang kiai. Choix de poésies des Thang (viie, viiie et ixe siècles de notre ère), avec des explications et commentaires historiques. 10 *kiouan* en 5 *pèn*.

Les poésies qui composent ce recueil ont été choisies et commentées par le maître Weï Pao-kiun. Il y en a de chaque espèce de mètres et de rythmes, en cinq et sept caractères. C'est un choix très varié, avec d'amples explications de toute nature. On y trouve des poésies d'auteurs bouddhiques qui étaient en grande faveur sous la dynastie des Thâng. — Cf. la traduction de cet ouvrage publiée par le marquis d'Hervey-Saint-Denys. *Paris*, 1862, in-8, avec les portraits des poètes Li-thaï-pé et Tou-fou.

86. Tai-ping kieou che ko. Chansons sur la délivrance du monde. Publication faite par les rebelles Tai-ping. 1 *pèn*.

Avec le sceau impérial du Prince, chef des rebelles.

RECUEILS ET CHRESTOMATHIES

87. Tchou che Pa-ming-chou tch'ao. Recueil des compositions les plus célèbres du Pa-ming-chou (Collège de Canton). Deux recueils en 10 *pèn* in-8.

88. — Autre exemplaire du même ouvrage.

89. Kou-wen-ping-tchou. Chrestomathie chinoise. Recueil des compositions antiques en style *kou-wèn*, ou relevé, avec commentaires. Édition de 1823. 10 *pèn* gr. in-8.

— 20 —

Ce recueil comprend les chefs-d'œuvre de la littérature chinoise (style antique), composés sous les Tcheou, les Han, les Thang, les Soung, etc., jusqu'à nos jours (pendant un espace de 2400 ans), avec un commentaire perpétuel. Il a été rédigé par plusieurs lettrés, et revu par L'eou Yu-ngan.

89 *bis*. — Le même ouvrage. Autre exemplaire.

90. Ts'iu sieou t'ang kou wen. Recueil de textes en style antique. 5 *pèn* in-8.

91. Pé-mei-kou-ssé. Recueil de citations, d'expressions métaphoriques, d'adages des anciens auteurs. Dix chapitres en 1 vol. gr. in-8, demi-maroq. rouge.

ENCYCLOPÉDIES

92. Wen hian thoung khao. Examen général des écrits et des sages. Grande encyclopédie historique et littéraire, par Ma Touan-lin. 348 *kiouan* en 96 *pèn*. Exemplaire ponctué. En vingt-quatre *tao*.

Cette vaste encyclopédie est le plus important recueil de la littérature chinoise. Rémusat, dans la notice qu'il a consacrée à Ma Touan-lin, l'auteur de cet ouvrage, s'exprime ainsi : « On ne peut se lasser d'admirer l'immensité des recherches qu'il a fallu à l'auteur pour recueillir tous les matériaux, la sagacité qu'il a mise à les classer, la clarté et la précision avec lesquelles il a su présenter cette multitude d'objets dans tout leur jour. On peut dire que cet excellent ouvrage vaut à lui seul une bibliothèque, et que quand la littérature chinoise n'en offrirait pas d'autre, il vaudrait la peine qu'on apprît le chinois pour le lire. On n'a qu'à choisir le sujet qu'on veut étudier ; tous les faits sont rapportés et classés, toutes les sources indiquées, toutes les autorités citées et discutées. Ce sont autant de dissertations toutes faites qu'il suffit de traduire dans nos langues européennes, et avec lesquelles on peut s'épargner bien des recherches et se donner, si l'on veut, un grand air d'érudition. »

L'encyclopédie de Ma Touan-lin parut pour la première fois en 1322, la 2e année de l'empereur Yng Tsoung, de la dynastie des *Youen*, qui la fit imprimer. On en a fait depuis plusieurs éditions ; celle-ci est de la 3e année *Kia-thsing*, ou 1524, sur la fin de la dynastie des Ming. — Cf. Wylie, *Notes on Chinese Literature*, pp. 55, 56.

La section relative à l'ethnographie des peuples étrangers à la Chine a été traduite en français par M. le marquis d'Hervey Saint-Denys.

93. — Le même ouvrage. Autre édition. En 88 *pèn* gr. in-8.

— 21 —

94. SAN TSAÏ TOU HOEI. Grande encyclopédie des arts et des sciences, compilée par Wang Kié. Cent six livres, avec de nombreuses illustrations, en 9 vol. gr. in-8, demi-rel. dos de maroq. rouge.

Cf. Wylie, *Notes on Chinese Literature*, p. 150. Cet ouvrage, qui a été composé d'après un grand nombre de travaux antérieurs sur les arts et les sciences, renferme une masse de documents curieux, concernant les mœurs, les usages et les arts de la dynastie des Ming.

95. T'ONG YE LOU. Encyclopédie des arts, des sciences et des métiers, contenant vingt ouvrages différents, par Tcheng Yao-t'ien. 23 *pèn* in-4. Édition sur papier blanc, figures d'une fine exécution.

Les différentes sections embrassent les sujets les plus divers : littérature, rites, palais, travaux publics, géographie, écritures, musique, céréales, plantes, mathémathiques, astronomie, histoire naturelle, etc.

MÉLANGES

96. CATALOGUE DE LA LIBRAIRIE WEI SAN T'ANG DE NAN-KING. 1 *pèn*. — Catalogue des livres chinois que le Département asiatique de Saint-Pétersbourg a reçus de Pékin en juin 1846. 1 *pèn* (envoyé par Séniavine à Stanislas Julien). — Catalogue manuscrit de 495 ouvrages chinois (1837), en chinois.

97. KING PAO. Gazette de Péking. 12 numéros.

98. Lot de 86 volumes chinois dépareillés.

OUVRAGES RELATIFS A LA CHINE

RELIGIONS DE LA CHINE

COMPARÉES AVEC LE CHRISTIANISME

99. The religious condition of the Chinese : with observations on the prospects of Christian conversion amongst that people, by Rev. Joseph Edkins. *London*, 1859, in-18, perc.

100. The origin of the Chinese, an attempt to trace the connection of the Chinese with Western nations in their religion, superstitions, arts, language, and traditions, by John Chalmers. *Hongkong*, 1866, in-8, br.

101. The religions of China, Confucianism and Tâoism described and compared with Christianity, by James Legge. *London*, 1880, in-12, perc.

102. China : its state and prospects, with especial reference to the spread of the Gospel, by W. H. Medhurst. *London*, 1840, in-8, planches noires et en couleurs, perc.

103. Les religions de la Chine, aperçu historique et critique, par C. de Harlez. *Leipzig*, 1891, in-8, br.

104. Le traité sur les sacrifices Fong et Chan de Se-ma T'sien, traduit en français par Édouard Chavannes. *Péking*, 1890, in-8, br.

105. Conformité des cérémonies chinoises avec l'idolâtrie grecque et romaine, pour servir de confirmation à l'apologie des Dominicains missionnaires de la Chine, par un Religieux, docteur. *A Cologne*, 1700, in-12, veau.

Cet ouvrage est du P. Noël Alexandre, dominicain.

106. Vestiges des principaux dogmes chrétiens tirés des an-

ciens livres chinois, avec reproduction des textes chinois,
par le P. de Prémare, traduits du latin par Bonnetty et P.
Perny. *Paris*, 1878, in-8, br.

107. L'inscription syro-chinoise de Si-ngan-fou, monument
nestorien élevé en Chine l'an 781 de notre ère et découvert
en 1625. Texte chinois accompagné de la prononciation figurée, d'une version latine verbale, d'une traduction française
de l'inscription et des commentaires chinois auxquel elle a
donné lieu, ainsi que de notes philologiques et historiques
par G. Pauthier. *Paris*, 1858, in-8, br., planche.
— De l'authenticité de l'inscription nestorienne de Si-ngan-
fou, par G. Pauthier. *Paris*, 1857, in-8, br.

108. A dissertation on the Theology of the Chinese with a
view to the elucidation of the most appropriate term for
expressing the deity, in the Chinese language, by W. H.
Medhurst. *Shanghae*, 1847, in-8, br.

109. An inquiry into the proper mode of translating *ruach* and
pneuma, in the Chinese version of the Scriptures, by W.
H. Medhurst. *Shanghae*. 1850, in-8, br.

110. Lettres des Nouvelles Missions de la Chine. 1 à 48
(23 avril 1841 à 8 avril 1846); 63 à 151 (16 février 1847 à
28 décembre 1853). In-4, autographié.

Taoïsme et Bouddhisme

111. Le Livre des Récompenses et des Peines, traduit du chinois, avec des notes et des éclaircissements, par M. Abel Rémusat. *Paris*, 1816, in-8, br.

112. Le Livre des Récompenses et des Peines, en chinois et
en français, accompagné de quatre cents légendes, anecdotes
et histoires, qui font connaître les doctrines, les croyances
et les mœurs de la secte des Tao-ssé. Traduit du chinois par
Stanislas Julien. *Paris*, 1841, in-8, d. maroq. rouge.

113. LAO-TSEU TAO TE-KING. Le Livre de la Voie et de la Vertu,
composé dans le vi° siècle avant l'ère chrétienne par le
philosophe Lao-tseu, traduit en français, et publié avec le

texte chinois et un commentaire perpétuel, par Stanislas Julien. *Paris*, 1842, in-8, d. mar. rouge.

114. Textes taoïstes, traduits des originaux chinois et commentés par C. de Harlez. *Paris, Leroux*, 1891, in-4, br. (*Annales du Musée Guimet*, tome XX).

115. Ueber den Buddhaismus in Hochasien und in China, von W. Schott. *Berlin*, 1846, in-4, br.

116. Avalokiteçvara Sutra, traduction italienne de la version chinoise avec introduction et notes par Carlo Puini. Texte chinois et transcription japonaise, par François Turrettini. *Genève*, 1873, in-4, pap. vergé, planche, perc.

117. Zoroastre, Confucius et Mahomet, comparés comme Sectaires, Législateurs et Moralistes ; avec le Tableau de leurs Dogmes, de leurs Lois et de leur Morale. Par M. de Pastoret. *Paris*, 1787, in-8, veau.

SCIENCES

118. Astronomia europaea, sub imperatore tartaro sinico Cám-Hy appellato, ex umbra in lucem revocata a R. P. Ferd. Verbiest. *Dilingae*, 1687, in-4, d. rel., planche.

A la fin : Catalogus Patrum Societatis Jesu qui, post obitum S. Francisci Xavierii, ab anno 1581 usque ad annum 1681, in impe rio Sinarum Jesu Christi fidem propugnarunt, ubi singulorum nomina, ingressus, predicatio, mors, sepultura, libri sinice editi recensentur, e sinico latine redditus, a P. Ph. Couplet.

EXEMPLAIRE PRÉCIEUX de Rémusat et de Stanislas Julien. Le Catalogue du P. Couplet est interfolié ; on y a ajouté une partie du texte chinois et un index. M. Julien a donné : 1° une liste de quelques missionnaires jésuites omis dans l'index ; 2° un Supplément au Catalogue, offrant les noms des missionnaires jésuites qui ont résidé en Chine depuis 1681 jusqu'en 1701 (tiré des archives du *Gesù* à Rome); 3° une liste des missionnaires lazaristes français qui sont actuellement en Chine (mai 1846).

119. Numération par huit, anciennement en usage par toute la terre, prouvée par les Koua des Chinois, par la Bible, par les livres d'Hésiode, d'Homère, d'Hérodote, etc., par Aimé Mariage. *Paris*, 1857, in-8, planche, br.

120. On chronology and the construction of the Calendar with special regard to the Chinese computation of time compared with the European, by Dr. H. Fritsche. *Saint-Pétersbourg*, 1886, in-8, br.

121. Early European researches into the Flora of China, by E. Bretschneider. *Shanghaï*, 1881, in-8, br.

122. Noms indigènes d'un choix de plantes du Japon et de la Chine, déterminés d'après les échantillons de l'herbier des Pays-Bas, par J. Hoffmann et H. Schultes. *Paris*, 1853, in-8, br.

123. — Le même ouvrage. Seconde édition. *Leyde*, 1864, in-8, br.

124. Botanicon Sinicum, notes on Chinese Botany from native and western sources, by E. Bretschneider. *London and Shanghai*, 1882-92, 2 vol. in-8, br.

125. Notes on Chinese materia medica, by Daniel Hanbury. *London*, 1862, in-8, fig., perc.

126. La médecine chez les Chinois, par le capitaine P. Dabry. Préface par Léon Soubeiran. *Paris*, 1863, in-8, planches, d. rel.

NUMISMATIQUE, ARTS ET INDUSTRIES

127. Catalogue des monnaies de cuivre chinoises, japonaises, coréennes, d'Annam, et incertaines, à trous carrés, ronds, etc.; des lingots d'or et d'argent et des papiers-monnaie, comme aussi des médailles des temples ou amulettes de la Chine et du Japon, des sectes de Fo et des Tao-ssé. 61 pl. in-fol., br., sans titre ni texte.

C'est le recueil publié à Saint-Pétersbourg, en 1842, par le baron S. de Chaudoir.

128. A descriptive catalogue of the Chinese collection now exhibiting at St. George's place, Hyde Park Corner, by William B. Langdon. *London*, 1863, in-8, fig., perc.

129. L'art chinois, par M. Paléologue. *Paris*, *Quantin*, in-18, fig., cart. (de la *Bibliothèque de l'Enseignement des Beaux-Arts*).

130. Industries anciennes et modernes de l'Empire chinois, d'après des notices traduites du chinois par Stanislas Julien, et accompagnées de notices industrielles et scientifiques par Paul Champion. *Paris*, 1869, in-8, 13 planches, br.

131. Voyage agricole et horticole en Chine, extrait des publications de M. Robert Fortune, traduit de l'anglais par le baron de Lagarde-Montlezun. *Paris*, 1853, in-8, br.

132. A glance at the interior of China, obtained during a journey through the silk and green tea districts (by Joseph Turner). (*London*), 1845, in-8, perc., plantes chinoises reproduites en fac-similé.

133. Résumé des principaux traités chinois sur la culture des mûriers et l'éducation des vers à soie, traduit par Stanislas Julien. *Paris*, 1837, in-8, 10 planches, d. r.

134. Tableau servant à la transmission télégraphiques des dépêches écrites en chinois, et contenant tous les caractères usuellement employés dans les correspondances officielles, commerciales et particulières de la Chine, et leur représentation en nombres, dressé par S.-A. Viguier, *Shanghai*, 1871, in-folio, cart.

PHILOLOGIE CHINOISE

135. A view of China, for philological purposes, containing a sketch of Chinese chronology, geography, government, religion and customs, by R. Morrison. *Macao*, 1817, in-4, cart.

136. A dissertation on the nature and character of the Chinese system of writing, by P. S. Du Ponceau. To which are subjoined, a vocabulary of the Cochinchinese language by J. Morrone and a Cochinchinese and Latin dictionary. *Philadelphia*, 1838, in-8, d. r.

137. The evolution of the Chinese language as exemplifying the origin and growth of human speech, by J. Edkins. *London*, 1887, in-8, br.

138. The languages of China before the Chinese. Researches on the languages spoken by the Pre-Chinese races of China proper previously to the Chinese occupation. By Terrien de Lacouperie. *London*, 1887, in-8, perc.

139. Les langues de la Chine avant les Chinois, par Terrien de Lacouperie. Édition française. *Paris, Leroux*, 1888, in-8, perc.

140. Orientalia antiqua, or documents and researches relating to the history of the writings, languages and arts of the East. Edited by Terrien de Lacouperie. Vol. I, part first. *London*, 1882, in-4, br. (autographié).

141. Méthode pour déchiffrer et transcrire les noms sanscrits qui se rencontrent dans les livres chinois, à l'aide de règles, d'exercices, et d'un répertoire de onze cents caractères chinois idéographiques employés alphabétiquement, inventée et démontrée par Stanislas Julien. *Paris,* 1861, in-8, d. r.

OUVRAGES GRAMMATICAUX

142. Manuscrit de Fr. Joannes Rodriguez, de l'ordre des Augustins.

Ce manuscrit est composé de trois parties, précédées d'une Dédicace : Illustrissimo Domino Gallois, Christianissimi Regis consiliario.

I. Disceptatio inter Talpam, gentilem, literatum de schola Confucii, — Hypocentaurum, Christianum, literatum de schola Confucii, — Idiotam, Christianum, — Boncium, idolorum sacrificulum, — Azorum, missionarium, — Michaelem, missionarium, — ac Confucium, principem philosophorum (en chinois et en latin).

II. Grammatica Sinica, seu Ars methodica addiscendi linguam Sinicam praetoriam *Kuon Hoa*, in omnium Sinae missionarium utilitatem. Cum promptuario sacramenti Poenitentiae, dialogis diversis et totius linguae optimo vocabulario. Opus sane utile omnibus Sinorum Imperii missionariis, ... quod Ill... Abbati Gallois, Maltae equite, Christianissimique Regis a consiliis D. O. C. Q. F. Joannes Rodriguez, ordinis Eremitarum S. P. Augustini... Anno D. 1768. (Inachevé.)

III. Dialogus inter Sinensem et Missionarium.

143. PREMARI NOTITIA LINGUAE SINICAE. Ex Apographo ipsius Premari manu emendato, quod in Bibliotheca Regia Parisiensi servatur accurate descripsit Stanislaus Julien. Un volume in-folio, cart.

PRÉCIEUX MANUSCRIT, d'une écriture très soignée.

Sur cette copie de Stanislas Julien et sur les autres copies de l'ouvrage du P. Prémare, antérieures à sa publication, voir l'intéressante notice donnée par M. H. Cordier (*Bibliotheca Sinica*, I, col. 764 à 768 et Supplément, fasc. 2).

144. Notitia linguae sinicae, auctore P. Premare. *Malacca*, 1831, in-4, cart.

145. Elémens de la grammaire chinoise, ou principes généraux du *Kou-wen* ou style antique et du *Kouan-hoa*, c'est-à-dire de la langue commune généralement usitée dans l'empire chinois, par Abel Rémusat. *Paris*, 1822, in-8, cart. (Exemplaire de travail.)

146. Arte china, constante de alphabeto e grammatica, composta por J. A. Gonçalvez. *Macao*, 1829, petit in-4, demimar. vert.

147. ILAN TSEU THSO-YAO. Sinensium litterarum compendium. Exercices progressifs sur les clefs et les phonétiques de la langue chinoise, suivis de phrases familières et de dialogues. Texte autographié. *Paris*, 1845, in-8, br.

148. Mémoire sur les principes généraux du chinois vulgaire, par M. Bazin. *Paris*, 1845, in-8, br.

149. Manuel pratique de la langue chinoise vulgaire, par Louis Rochet. *Paris*, 1846, in-8, d. r.

On a relié dans ce volume : Premiers rudiments de la langue chinoise à l'usage des élèves de l'École des langues orientales. *Paris*, 1844, in-18. — Tableau des 214 clefs chinoises.

150. **A grammar of colloquial Chinese as exhibited in the Shanghai dialect, by J. Edkins.** *Shanghai*, 1853, in-8, br.

151. **Grammaire mandarine ou principes généraux de la langue chinoise parlée, par M. A. Bazin.** *Paris*, 1856, in-8, br.

152. **Élémens de la grammaire chinoise, ou principes généraux du *kou-wen*, ou style antique, et du *kouan-hoa*, c'est-à-dire de langue commune, par Abel Rémusat. Nouvelle édition publiée par Léon de Rosny.** *Paris*, 1857, gr. in-8, d. r.

153. **HSIN CHING LU, or book of experiments, being the first of a series of contributions to the study of Chinese, by Thomas Francis Wade.** *Hongkong*, 1859, in-folio, veau.

Ouvrage rare qui n'a été tiré qu'à 250 exemplaires. Cf. Cordier, *Bibl. Sinica*, tome I, col. 776.

154. **YU-YEN TZU-ERH CHI, a progressive course designed to assist the student of colloquial Chinese, as spoken in the Capital and the metropolitan department. In eight parts. By Thomas Francis Wade,** *London*, 1867, in-4, cart. — **Key to the *Tzu-erh Chi*. Colloquial series.** *London*, 1867, in-4, cart. — **P'ing-Tsé-Pien, a new edition of the Peking syllabary designed to accompany the colloquial series... With an Appendix. In-4, cart. Ens. 3 volumes.**

155. **Emmanuelis Alvarez Institutio grammatica ad sinenses alumnos accommodata, auctore P. Angelo Zottoli.** *Changhai*, 1869, in-8, br.

156. **Syntaxe nouvelle de la langue chinoise, fondée sur la position des mots, suivie de deux traités sur les particules et les principaux termes de grammaire, d'une table des idiotismes, de fables, de légendes et d'apologues, traduits mot à mot par Stanislas Julien.** *Paris*, 1869-70, 2 tomes en 1 vol. in-8, d. r.

157. The Chinese mandarin language, after Ollendorff's new method of learning languages, by Charles Rudy. Volume I. *Genève*, 1874, in-8, br.

158. Cours graduel et complet de chinois parlé et écrit, par le comte Kleczkowski. Volume I (seul publié). Phrases de la langue parlée. *Paris*, 1876, in-8, br.

159. Premier livre de lecture chinoise, à l'usage des écoles publiques à Hongkong, par Ch. Piton. 3ᵉ édition, *Hongkong*, 1878, 1 *pèn* gr. in-8.

160. Anfangsgruende der chinesischen Grammatik, mit Uebungsstuecken, von Georg von der Gabelentz. *Leipzig*, 1883, in-8, perc.

161. Manuel de la langue chinoise parlée à l'usage des Français comprenant : I. Une introduction grammaticale. II. Des phrases et dialogues faciles. III. Un recueil de mots les plus usités, par Camille Imbault-Huart. *Péking*, 1885, in-18, br.

162. Progressive lessons in the Chinese spoken language with lists of common words and phrases. By J. Edkins. *Shanghai*, 1886, in-8, br.

163. KUNG-YU-SO-T'AN. Leçons progressives pour l'étude du chinois parlé et écrit, par A. Mouillesaux de Bernières. *Péking*, 1886, in-4, br.

164. KOAN-HOA-TCHE-NAN. Boussole du langage mandarin traduite et annotée par H. Boucher, S. J. *Zi-ka-wei*, 1887, 2 vol. in-8, br.

165. Manuel de la langue chinoise écrite, destiné à faciliter la rédaction des pièces dans cette langue, par Abel Des Michels. *Paris, Leroux*, 1888, in-8, br.

166. Cours éclectique, graduel et pratique de langue chinoise parlée, par C. Imbault-Huart. *Péking et Paris, Leroux*, 1887-89, 4 vol. in-4, br.

167. Méthode pour apprendre les principes généraux de la

langue chinoise, à l'usage des élèves européens, par Richard Laming. *Paris*, *Leroux*, 1889, in-18, br.

DICTIONNAIRES ET VOCABULAIRES

168. DICTIONNAIRE CHINOIS-ESPAGNOL. Manuscrit.
Diccionario de la lengua chincheo, que contiene los vocablos tambien simples que compuestos, con los caracteres generales y peculiares a questo dialecto, segun l'orden de l'alfabeto español y las cinco tonadas chinesas. In-4°, demi-rel. en maroquin noir.

Manuscrit original de 872 pages sur papier chinois fort. Un passage de la préface indique que ce dictionnaire, extrêmement curieux, a été composé en 1609.

« Ce Dictionnaire du dialecte de Tching-tcheou, dit M. Stanislas Julien, contient une immense quantité de mots composés qui appartiennent au kouan-hoa, ou langue commune, appelée à tort langue mandarine (voir le dictionnaire *Pin-tseu-tsien* au mot *kouan*) et qui manquent dans les dictionnaires publiés jusqu'à ce jour. On pourrait s'en servir utilement pour enrichir un nouveau Dictionnaire chinois, pourvu qu'on sût assez à fond la langue dite kouan-hoa pour ne pas y mêler des mots simples ou dissyllabiques du dialecte de Tching-tcheou.

« Ce précieux dictionnaire m'a coûté 575 fr., à la vente de Rémusat.
« Stanislas JULIEN. 12 février 1862. »

169. Dictionnaire chinois, français et latin, par M. de Guignes. *Paris*, 1813, in-folio, d. r.

PRÉCIEUX EXEMPLAIRE de travail avec les annotations de M. Stanislas Julien et de M. le marquis d'Hervey de Saint-Denys. « Ce Dictionnaire renferme des annotations de moi, à l'encre rouge, et des annotations à l'encre noire, copiées par Ly-chao-pé sur un exemplaire en papier fort qui avait appartenu à M. Stanislas Julien, et que je cédai à M. Turrettini. » Note du Mⁱˢ d'Hervey-Saint-Denys.

170. Dictionnaire chinois, français et latin, par M. de Guignes. *Paris*, 1813, in-folio, veau.

Exemplaire de travail de M. STANISLAS JULIEN, avec d'importantes et nombreuses annotations de sa main.

171. Supplément au Dictionnaire chinois-latin, du P. Basile de Glemona, publié par J. Klaproth. *Paris*, 1819, in-folio, cart.

172. A dictionary of the Chinese language in three parts. By

the Rev. Robert Morrison. Part I. Chinese and English, arranged according to the radicals. *Macao*, 1815-23, 3 vol. in-4, demi-mar. rouge. — Part II. Chinese and English arranged alphabetically. *Macao*, 1819-20, 2 vol. in-4, d. r. — Part III. English and Chinese. *Macao*, 1822, 1 vol. in-4, d. mar. rouge. Ensemble, 6 volumes.

Voy. Cordier, *Bibliotheca Sinica*, tome I, col. 732. — Exemplaire annoté par St. Julien.

173. — Le même Dictionnaire, 2ᵉ partie. Chinese and English arranged alphabetically. 2 parties en 1 vol. in-4, veau.

Exemplaire de travail de St. Julien, fatigué et raccommodé.

174. Vocabulary of the Canton dialect. By R. Morrison. *Macao*, 1828, 3 parties en 1 vol. in-8, d. rel.

I. English and Chinese. — II. Chinese and English. — III. Chinese words and phrases.

175. Diccionario portuguez-china no estilo vulgar mandarim e classico geral, composto por J. A. Gonçalvez, *Macao*, 1831, petit in-4, demi-maroq. vert.

176. Diccionario china-portuguez, composto por J. A. Gonçalves. *Macao*, 1833, in-4, pages 1028 et 128, d. r.

177. Chinese and English dictionary, containing all the words in the Chinese Imperial Dictionary, arranged according to the radicals. By W. H. Medhurst. *Batavia*, 1842-43, 2 vol. pet. in-4, demi-maroq. rouge.

178. Vocabularium sinicum, concinnavit Guilelmus Schott. *Berolini*, 1844, in-4, br.

179. Yɪɴɢ Hwa Yun-fu Lih-kia'ɪ. An English and Chinese vocabulary, in the court dialect. By S. Wells Williams. *Macao*, 1844, in-8, d. r.

180. Dictionnaire encyclopédique de la langue chinoise, par J.-M. Callery. Tome Iᵉʳ (seul paru). *Macao*, 1845, in-8, d. r.

On a relié ensemble le prospectus de ce dictionnaire. *Paris, Didot*, 1842.

181. English and Chinese dictionary, by W. H. Medhurst. *Shanghae*, 1847-48, 2 vol. in-8, d. r.

182. YING WA FAN WAN' TS' UT IU. A tonic dictionary of the chinese language in the Canton dialect. By S. Wells Williams. *Canton*, 1856, petit in-8, pp. XXXVI, 832, d. r.

On a joint une lettre d'envoi de l'auteur à Stanislas Julien.

183. A Chinese and English dictionary, by the Rev. W. Lobscheid. *Hongkong*, 1871, in-4, cart.

184. A syllabic dictionary of the Chinese language, arranged according to the WU-FANG YUEN YIN, with the pronunciation, by S. Wells Williams. *Shanghai*, 1874, in-4, demi-maroq. rouge.

185. Cursus litteraturae sinicae, neo-missionariis accommodatus, auctore P. Angelo Zottoli. *Changhai*, 1879-82, 5 vol. in-8, demi-maroq. rouge, tête dorée.

I. Lingua familiaris. — II. Studium classicorum. — III. Studium canonicorum. — IV. Stylus rhetoricus. — V. Pars oratoria et poetica.

186. Dictionnaire français-chinois, contenant les expressions les plus usitées de la langue mandarine, par le P. Séraphin Couvreur. *Ho-kien-fou*, 1884, in-8 de 1012 pages, demi-maroq. rouge.

On a joint au volume une lettre du P. Couvreur.

187. Dictionnaire chinois-français, par le P. Séraphin Couvreur. *Ho-kien-fou*, 1890, un fort volume in-4, de 1100 pages, d. r., dos et coins maroq. rouge du Levant.

188. Dictionnaire français-chinois, contenant tous les mots d'un usage général dans la langue parlée et écrite, les termes techniques et consacrés, relatifs aux sciences, à la religion, à la diplomatie, au droit public et international, à l'économie politique, au commerce, à l'industrie, etc., une synonymie très étendue des termes géographiques concernant les pays ayant eu, à un degré quelconque, des relations avec la Chine, un catalogue des noms des contrées et des villes, avec exemples choisis dans les meilleurs auteurs, et propres à fixer et à faire connaître la valeur des caractères et leur règles de position, la construction des phrases, les

3

proverbes, etc., par A. Billequin. *Péking et Paris*, 1891, in-4, br.

189. Dictionarium sinicum et latinum, ex radicum ordine dispositum, selectis variorum scriptorum sententiis firmatum ac illustratum, auct. P. S. Couvreur, S. J. *Ho-kien-fou*, 1892, un fort volume in-8, de 1200 pages, br.

DIALOGUES ET MANUELS DE CONVERSATION

190. A guide to conversation in the English and Chinese languages, by Stanislas Hernisz. *Boston*, 1854, in-8 oblong, br.

191. OUEN-TA-PIEN. Dialogues en chinois, par Thomas Wade, 1860, un *pèn*, in-4.

192. JI-TCH'ANG-K'EOU-T'EOU-HOA. Dialogues chinois à l'usage de l'École spéciale des langues orientales vivantes, publiés par Stanislas Julien. 1863, in-8, br. (autographié).

193. Dialogues chinois-latins, traduits mot à mot avec la prononciation accentuée, publiés par Paul Perny. *Paris, Leroux*, 1872, in-8, br.

194. P. S. Couvreur, S. J. Guide de la conversation français-anglais-chinois contenant un vocabulaire et des dialogues. Langue mandarine. *Ho-kien-fou*, 1886, in-8, br.

MANDCHOU

195. Elémens de la grammaire mandchoue, par Conon de la Gabelentz. *Altenbourg*, 1832, in-8, d. r., planches.

196. Grammaire de la langue mandchou, par Lucien Adam. *Paris*, 1873, in-8, br.

197. Dictionnaire tartare-mantchou-françois, composé d'après un Dictionnaire mantchou-chinois, par M. Amyot, rédigé et publié par L. Langlès. *Paris*, 1789-90, 3 tomes en 1 volume in-4, demi-maroq., tranches dorées.

198. Chrestomathie mandchou, par J. Klaproth. *Paris*, 1828,

in-8, br. (interfolié). Le mandchou est en partie transcrit en caractères chinois. — Alphabet mantchou, par Langlès. *Paris*, 1807, in-8, br. Ensemble 2 volumes.

199. Translations from the Manchu, with the original texts, prefaced by an essay on the language, by T. Meadows. *Canton*, 1849, in-8, br.

200. Sse-schu, Schu-king, Schi-king, in mandschuischer Uebersetzung mit einem mandschu-deutschen Wœrterbuch, herausgegeben von H. C. von der Gabelentz. *Leipzig*, 1864, in-8, d. r.

LITTÉRATURE CHINOISE

TRADUCTIONS

1. *Livres canoniques. — Livres moraux. — Livres élémentaires.*

201. Les Livres sacrés de l'Orient, comprenant le Chou-king ou le Livre par excellence, les Sse-chou ou les Quatre Livres moraux de Confucius et de ses disciples, les Lois de Manou, premier législateur de l'Inde, le Koran de Mahomet, traduits ou revus et publiés par G. Pauthier. *Paris*, *Panthéon littéraire*, gr. in-8, perc.

202. The Chinese classics, with a translation, critical and exegetical notes, prolegomena, and copious indexes, by James Legge. *Hongkong*, 1861, 7 vol. en 8 tomes gr. in-8, 4 en demi-reliure, 4 en percaline.

Vol. I. Confucian analects, the great learning, and the doctrine of the mean. — Vol. II. The works of Mencius. — Vol. III, part 1. The first parts of the Shoo-king, or the books of T'ang; the books of Yu, the books Hea, the books of Shang, and the Prolegomena. — part 2. The fifth part of the Shoo-king, or the books of Chow, and the indexes — Vol. IV, part 1. The first part of the She-king, or the lessons from the states, and the prolegomena. — Part 2. The second, third and fourth parts of the She-king, or the minor odes of the kingdom, the greater odes of the kingdom, the sacrificial odes and praise — songs, and the indexes. — Vol. V, part 1. The Ch'un Ts'ew, with the Tso Chuen. Dukes Yin, Hwan, Chwang, Min, He, Wan, Seuen and Ch'ing, and the prolegomena. — Part 2. Dukes Seang, Ch'aou, Ting, and Gae, with Tso's appendix and the indexes.

203. The Yi-king, translated by James Legge. *Oxford*, 1882, in-8, perc. (*The Sacred Books of the East*, vol. XVI).

204. Le Chou-king, un des livres sacrés des Chinois, qui renferme les fondements de leur ancienne histoire, les principes de leur gouvernement et de leur morale. Ouvrage recueilli par Confucius, traduit par le P. Gaubil, revu et corrigé par de Guignes. *Paris*, 1770, in-4, d. r., planches.

205. The Shoo-king, or the historical classic, being the most ancient authentic record of the Annals of the Chinese Empire, illustrated by later commentators. Translated by W. H. Medhurst. *Shanghae*, 1846, in-8, d. r., cartes en fac-similé.

A propos de cette traduction du *Chou-king*, Bridgman gratifie Medhurst du titre de : « The Prince of Sinologues » (*China Mail*, du 3 novembre 1853).

206. Confucii Chi-king, sive Liber carminum, ex latina P. Lacharme interpretatione, edidit J. Mohl. *Stuttgart*, 1830, petit in-8, d. r.

207. Poésie lyrique. Inde, — Perse, — Égypte, — Assyrie, — Chine. *Paris*, 1870, gr. in-8, demi-vélin.

Ce volume contient la traduction du *Chi-king*, par Pauthier.

208. Sinensis Imperii libri classici sex, nimirum adultorum schola, immutabile medium, liber sententiarum, Mencius, filialis observantia, parvulorum schola, e sinico idiomate in latinum traducti a P. Fr. Noel. *Pragæ*, 1711, in-4, veau.

Volume rare. Cf. Cordier, *Bibl. Sinica*, I, col. 655. Exemplaire d'Abel Rémusat et de Stanislas Julien, auquel on a joint l'épreuve d'une notice biographique du P. Noël.

209. Notice sur les quatre livres moraux attribués communément à Confucius, par Abel Rémusat, et autres Mémoires par divers savants. In-4, br.

Tome X des *Notices et Extraits des manuscrits de la Bibliothèque du Roi. Paris*, 1818.

210. Meng tseu, vel Mencium, inter sinenses philosophos, ingenio, doctrina, nominisque claritate Confucio proximum,

edidit, latina interpretatione, ad interpretationem tartari-
cam utramque recensita, instruxit et perpetuo commentario e Sinicis deprompto, illustravit S. Julien. *Lutetiæ
Parisiorum*, 1824-29, quatre parties en un volume in-8,
demi-maroq. — Le même, texte chinois autographié. 1 vol.
in-8, demi-maroq. Ens. 2 vol.

211. — Le même ouvrage, traduction latine. In-8, d. r. —
Texte chinois en 2 fasc. in-8, br.

212. — Le même ouvrage, texte chinois seul. 2 fasc. in-8, br.

213. — Le même ouvrage. 1re partie du texte et de la traduction. 2 vol. in-8, cart.

Exemplaire annoté et corrigé.

214. The life and works of Mencius. With essays and notes.
By James Legge, D.D., LL. D. *London*, 1875, in-8, perc.

215. Le Tcheou-li, ou rites des Tcheou, traduit pour la première fois du chinois par Édouard Biot. *Paris*, 1851, 2 vol.
et une table analytique. Ens. 3 vol. in-8, demi-mar. rouge.

216. THAI-KIH-THU, des Tscheu-tsé. Tafel des Urprinzipes mit
Tschuhi's Commentar, nach dem *Hoh-pih-sing-li*, chine-
sisch mit mandschuischer und deutscher Uebersetzung.
Herausg. von Georg von der Gabelentz. *Dresden*, 1876,
in-8, br.

217. The three-fold San-Tsze-king, or the triliteral classic
of China, as issued : I, by Wang-Po-keou ; II, by protestant
missionaries ; III, by the rebel chief, Tae-ping-wang, put
in English with notes, by the Rev. S. C. Malan. *London*,
1856, in-12, perc.

218. SAN-ZE-KING. Les phrases de trois caractères, en chinois;
avec les versions japonaise, mandchoue et mongole suivies
de l'explication de tous leurs mots par François Turrettini.
(Suivi de la traduction de Stanislas Julien), avec un grand
commentaire et un petit dictionnaire chinois-français du
San-tseu-king et du *Livre des Mille mots*. *Genève*, 1876,
in-8, br.

219. Le HIAO-KING, livre sacré de la Piété filiale, publié en chinois, avec une traduction française et un commentaire perpétuel emprunté aux sources originales, par Léon de Rosny. *Paris*, 1889, in-8, pap. vergé, br.

220. La Siao-hio, ou morale de la jeunesse, avec le commentaire de Tchen-siuen, traduite du chinois, par C. de Harlez. *Paris, Leroux*, 1889, in-4, br. (*Annales du Musée Guimet*, t. XV).

2. *Jurisprudence. — Politique. — Administration. — Morale.*

221. TA-TSING-LEU-LÉE, ou les lois fondamentales du Code pénal de la Chine, avec le choix des statuts complémentaires, traduit du chinois, par G. Th. Staunton, mis en français, avec des notes, par Félix Renouard de Sainte-Croix, *Paris*, 1812, 2 vol. in-8. demi-maroq.

222. The Sacred Edict containing sixteen maxims of the emperor Kang-he. Translated by W. Milne. *London*, 1817, in-8, d. r.

223. Le Saint Édit. Étude de littérature chinoise, préparée par A.-Th. Piry. *Shanghai*, 1879, in-4, perc.

224. Chinese courtship, in verse. To which is added an appendix treating of the revenue of China. By Peter Perring Thoms, *London*, 1824, in-8, cart.

225. — Le même ouvrage. Autre exemplaire.

226. HIEN WUN SHOO. Chinese moral maxims, with a free and verbal translation, affording examples of the grammatical structure of the language. Compiled by J. F. Davis. *Macao*, 1823, in-8, cart.

Exemplaire de travail, annoté.

227. — Le même ouvrage. In-8, d. r.

228. Les instructions familières du Dr Tchou Pô-lou. Traité de morale pratique publié pour la première fois, avec deux traductions françaises, par Camille Imbault-Huart. *Péking*, 1881, in-8, br.

3. *Poésie. — Romans. — Contes*

229. On the poetry of the Chinese, to which are added translations and detached pieces. By J. F. Davis. *Macao*, 1834, pet. in-8, br.

230. The poetry of the Chinese, by Sir John Francis Davis. *London*, 1870, in-4, perc.

231. The fortunate union, a romance translated from the Chinese original, with notes and illustrations, to which is added a Chinese tragedy. By J. F. Davis. *London*, 1829, 2 tomes en 1 vol. in-8, d. r.

232. HAO-KHIEOU-TCHOUAN, ou la Femme accomplie, roman chinois, traduit sur le texte original, par M. Guillard d'Arcy. *Paris*, 1842, in-8, d. r.

233. IU-KIAO-LI, ou les Deux Cousines, roman chinois, traduit par M. Abel Rémusat. *Paris, Moutardier*, 1826, 4 vol. in-18, fig., demi-maroq. rouge.

234. YU KIAO LI. Les Deux Cousines, roman chinois. Traduction nouvelle accompagnée d'un commentaire philologique et historique, par Stanislas Julien. *Paris, Didier*, 1864, 2 vol. in-18, d. r.

235. Blanche et Bleue ou les Deux Couleuvres-fées; roman chinois, traduit par Stanislas Julien. *Paris*, 1834, in-8, d. r.

236. P'ING-CHAN-LING-YEN. Les Deux jeunes filles lettrées, roman chinois, traduit par Stanislas Julien. *Paris*, 1860, 2 vol. in-18, d. rel.

237. SAN-KOUÉ-TCHY [ILAN KOUROUN-I PITHÉ]. Histoire des trois royaumes, roman historique traduit sur les textes chinois et mandchou de la Bibliothèque royale, par Théodore Pavie. *Paris, Duprat*, 1845, 2 vol. in-8, d. r.

238. MAI YU LANG TOU TCHEN HOA KOUEÏ. Le Vendeur d'huile qui seul possède la Reine de beauté, ou Splendeurs et misères des courtisanes chinoises, roman chinois traduit par Gustave Schlegel. *Leyde*, 1877, pet. in-8, br.

239. The rambles of the emperor Ching Tih in **Keang Nan**, **a** Chinese tale, translated by T'kin Shen, with a Preface by James Legge. *London*, 1843, 2 vol. in-12, perc.

240. Contes chinois, traduits par Davis, Thoms, le P. d'Entre-colles, etc., et publiés par Abel Rémusat. *Paris, Moutardier*, 1827, 3 vol. in-18, d. mar.

241. The affectionate pair, or the history of Sung-kin, **a** chinese tale, translated from the chinese by **P. P. Thoms**. *London,* 1820, in-12, cart.

Un des contes du *Kin-kou-ki-kouan*.

242. Choix de contes et nouvelles, traduits du chinois **par** Théodore Pavie. *Paris*, 1839, in-8, d. mar. rouge.

243. Les Avadanas, contes et apologues indiens, inconnus jus-qu'à ce jour, suivis de fables, de poésies et de nouvelles chinoises, traduits par Stanislas Julien. *Paris, Duprat*, 1859, 3 vol. in-18, d. r.

244. The chinese widow. Translated from the chinese, by Samuel Birch. *London*, 1872, in-12, br.

245. La Tunique de perles, un serviteur méritant et **Tang Le Kiai-youen**, trois nouvelles chinoises traduites pour la pre-mière fois par le marquis d'Hervey-Saint-Denys. *Paris*, 1889, in-18, d. mar.

Nouvelles tirées du *Kin-kou-ki-kouan*.

4. *Théâtre*

246. Le Siècle des Youên, ou tableau historique de la littéra-ture chinoise, depuis l'avènement des empereurs mongols jusqu'à la restauration des Ming, par M. Bazin. *Paris*, 1850, in-8, d. r.

247. LAO-SENG-EUL, comédie chinoise, suivie de San-iu-leou, ou les trois étages consacrés, conte moral, traduit du chi-nois en anglais par J. F. Davis, et de l'anglais en français par A. Bruguière de Sorsum. *Paris*, 1819, in-8, d. r.

C'est une des pièces composées du temps de la dynastie des Youen.

248. HOEI-LAN-KI, ou l'Histoire du cercle de craie, drame en prose et en vers, traduit du chinois et accompagné de notes, par Stanislas Julien. *London*, 1832, in-8, br.

249. TCHAO-KI-KOU-EUL, ou l'Orphelin de la Chine, drame en prose et en vers, accompagné des pièces historiques qui en ont fourni le sujet, de nouvelles et de poésies chinoises. Traduit du chinois par Stanislas Julien. *Paris*, 1834, in-8, d. r.

250. Le PI-PA-KI, ou l'Histoire du luth, drame chinois de Kao-tong-kia, traduit sur le texte original par M. Bazin aîné. *Paris*, 1841, in-8, d. r.

251. SI-SIANG-KI, ou l'Histoire du Pavillon d'Occident, comédie en seize actes, traduite du chinois par Stanislas Julien. *Genève*, 1872-80, in-4, br.

5. *Chrestomathies. — Divers*

252. Chrestomathie chinoise, publiée aux frais de la Société asiatique. *Paris*, 1833, in-4, d. r.

253. A chinese chrestomathy in the Canton dialect, by E. C. Bridgman. *Macao*, 1841, in-4, d. mar.

254. TCHOUNG-HOA KOU-KIN-TSAI. Textes chinois, anciens et modernes, traduits pour la première fois dans une langue européenne, par Léon de Rosny. *Paris*, 1874, in-8, br.

255. Esop's fables written in chinese, by the learned Mun Mooy Seen-Shang and compiled in their present form (with a free and a literal translation), by his pupil Sloth (Robert Thom). *Canton*, 1840, in-4, demi-vélin.

256. Le Livre de jade, par Judith Walter. *Paris*, *Lemerre*, 1867, petit in-8, d. r.

257. Général Tcheng-ki-tong. Les plaisirs en Chine. *Paris*, 1890, in-18, d. r.

Dédicace : « Au marquis d'Hervey de Saint-Denys, au Han-ling français et lettré chinois. »

258. Les Chinois peints par eux-mêmes, par le colonel Tcheng-ki-tong. *Paris*, 1884. — Contes chinois par le général Tcheng-ki-tong. *Paris*, 1889. Ensemble 2 vol. in-18, br. (avec dédicaces).

HISTOIRE LITTÉRAIRE. — BIBLIOGRAPHIE

259. Wylie (A.). Notes on chinese literature, with introductory remarks. *Shanghae*, 1867, in-4, perc.

260. Bibliotheca Sinica. Dictionnaire bibliographique des ouvrages relatifs à l'Empire chinois, par Henri Cordier. *Paris*, 1878-85, 2 vol. in-8, demi-maroq. rouge.

261. Verzeichniss der chinesischen und mandshuischen Bücher und Handschriften der kön. Bibliothek zu Berlin, von J. Klaproth. *Paris*, 1822, in-folio, demi-rel.

262. Catalogue des livres chinois, mandchoux, mongols, tibétains et sanscrits du Département asiatique de Saint-Pétersbourg. Rédigé par Léon Séniavine. *Saint-Pétersbourg*, 1843-44, 2 fasc. in-8, cart. Le premier donne les titres en chinois, mandchou, etc. (lithogr.) ; le second, la traduction en russe.

263. — Le même catalogue, texte russe seul, avec nombreuses annotations de Stanislas Julien.

264. Bibliographie chinoise. 6 vol. in-8, br.

Bibliotheca Sinologica, von Andreae und Geiger. — Rémusat. Mém. sur les livres chinois de la Bibliothèque du Roi. — Catalogue of the Chinese library of the Royal Asiatic Society. — Catalogue des signes chinois de l'Imprimerie nationale. — Catalogues des bibliothèques Klaproth et Thon_nelier.

GÉOGRAPHIE

Géographie chinoise

265. CHAN-HAÏ-KING. Antique géographie chinoise, traduite pour la première fois sur le texte original, par Léon de Rosny. Tome I. *Paris*, 1891, in-8, pap. vergé, br.

266. Mélanges de géographie asiatique et de philologie sinico-

indienne, extraits des livres chinois, par M. Stanislas Julien. Tome I (seul publié). *Paris*, 1864, in-8, br.

267. Notices sur les pays et les peuples étrangers tirées des géographies et des annales chinoises. — Description de la province d'Ili, extraite du *Thaï-thsing-i-tong-tchi*, ou Géographie universelle de la Chine (par Stanislas Julien). In-8, cart. (sans titre).

268. Dictionnaire des noms anciens et modernes des villes et arrondissements de premier, deuxième et troisième ordre, compris dans l'Empire chinois, par Édouard Biot. *Paris*, 1842, in-8, d. r. (La carte manque.)

269. Ethnographie des peuples étrangers à la Chine, ouvrage composé au xiiie siècle de notre ère, par Ma-touan-lin, traduit pour la première fois du chinois, avec un commentaire perpétuel, par le marquis d'Hervey-Saint-Denys. Peuples orientaux. *Genève*, 1876, in-4, cart.

Exemplaire annoté par l'auteur.

270. Ethnographie des peuples étrangers à la Chine, ouvrage composé au xiiie siècle de notre ère par Ma-touan-lin, traduit pour la première fois du chinois avec un commentaire perpétuel par le marquis d'Hervey-Saint-Denys. Peuples méridionaux. *Genève*, 1883, in-4, cart.

271. Les peuples orientaux connus des anciens Chinois, d'après les ouvrages originaux, par Léon de Rosny. *Paris*, 1881, in-8, 9 planches, br.

272. Études asiatiques de géographie et d'histoire. par Léon de Rosny. *Paris*, 1864, in-8, d. r.

Pèlerins bouddhistes.

273. Travels of Fah-hian and Sung-Yun buddhist pilgrims, from China to India. Translated from the chinese by Samuel Beal. *London*, 1869, carte, perc.

274. Foe Koue Ki, ou Relation des royaumes bouddhiques : voyage dans la Tartarie, dans l'Afghanistan et dans l'Inde,

— 44 —

exécuté à la fin du ɪᵛᵉ siècle, par Chy Fa Hian. **Traduit du chinois et commenté par M. Abel Rémusat, publié par Klaproth et Landresse.** *Paris*, 1836, in-4, planches, d. r.

275. Mémoires sur les contrées occidentales, traduits du sanscrit en chinois en l'an 648, par Hiouen-Thsang, et du chinois en français par Stanislas Julien. *Paris,* 1857-58, 2 vol. — Histoire de la vie de Hiouen-Thsang et de ses voyages dans l'Inde, depuis l'an 629 jusqu'en 645, par Hoeï-li et Yen-thsong, suivie de documents et d'éclaircissements géographiques, traduite du chinois par Stanislas Julien. *Paris*, 1853, 1 vol. Ensemble 3 vol. in-8, demi-mar. rouge.

Voyageurs du moyen âge

276. Notes on chinese mediaeval travellers to the West, by E. Bretschneider. *Shanghai*, 1875, in-8, br.

277. Notices of the mediaeval geography and history of Central and Western Asia, drawn from Chinese and Mongol writings. By E. Bretschneider. *London*, 1876, in-8, br.

278. Mediaeval researches from Eastern Asiatic sources, fragments towards the knowledge of the geography and history of Central and Western Asia, from the 13th to the 17th century. By E. Bretschneider. *London*, 1888, 2 vol. in-8, carte, perc.

279. Narrative of the Chinese embassy to the Khan of the Tourgouth Tartars, in the years 1712-15. Translated from the chinese, by Sir George Thomas Staunton. *London*, 1821, in-8, carte, cart.

« Ce volume qui m'a été envoyé par l'auteur n'a été tiré qu'à 150 exemplaires. On ne le trouve plus à Londres (avril 1822).» *Note d'Abel Rémusat.*

Le Fou-Sang

280. Fusang, or the discovery of America by Chinese Buddhist priests in the fifth century, by Charles G. Leland. *London*, 1875, in-8, perc.

281. An inglorious Columbus, or evidence that Hwui Shan and a party of Buddhist monks from Afghanistan discovered

America in the fifth century, by Edward P. Vining. *New-York*, 1885, in-8, fig., perc.

Voyages européens. — Ambassades. — Cartes, etc.

282. Relation des Mongols ou Tartares par le frère Jean du Plan de Carpin, de l'ordre des Frères Mineurs. Première édition complète, précédée d'une Notice sur les anciens voyages de Tartarie, par d'Avezac. *Paris*, 1838, in-4, carte, br.

283. La Chine mieux connue, ou les Chinois tels qu'il faut les voir, ... précédé d'un Voyage à la Chine (fait en 1698 par le chevalier de la Roque). *Paris*, an V, 2 tom. en 1 vol. in-18, d. r.

284. Voyage aux Indes orientales et à la Chine, fait par ordre du Roi, depuis 1774 jusqu'en 1781, dans lequel on traite des mœurs, de la religion, des sciences et des arts des Indiens, des Chinois, des Pégouins et des Madégasses, etc... Par M. Sonnerat. *Paris*, 1782, 3 vol. in-8, planches, cart.

285. Voyage à Canton, capitale de la province de ce nom, à la Chine, par Gorée, le Cap de Bonne-Espérance, etc., par le C. Charpentier Cossigny. *Paris*, an VII, in-8, cart.

286. Voyage en Chine, formant le complément du Voyage de Lord Macartney contenant des observations et des descriptions faites pendant le séjour de l'auteur dans le Palais impérial de Yuen-min-Yuen, et en traversant l'Empire chinois, de Péking à Canton, par John Barrow. Traduit de l'anglais avec des notes, par J. Castéra. *Paris*, 1805, 3 vol. in-8, et atlas in-4 de 22 planches, d. r.

287. Voyages à Péking, Manille et l'île de France, faits dans l'intervalle des années 1784 à 1801 par M. de Guignes. *Paris*, 1808, 3 vol. in-8, demi-mar. (sans l'atlas).

288. Notes of proceedings and occurences, during the British embassy to Pekin, in 1816. *Havant Press* (for private circulation only), 1824, in-8, cart.

Ouvrage fort rare de Sir George Thomas Staunton. Exemplaire de Rémusat. Une note indique que cet ouvrage n'a été tiré qu'à 70 exemplaires.

289. Narrative of a voyage, in His Majesty's late ship « Alceste » to the Yellow sea, along the coast of Corea, to the island of Lewchew. By J. Mac Leod, surgeon. *London*, 1817, in-8, portrait, cart.

290. Journal of the proceedings of the late embassy to China, by Henry Ellis. *London*, 1817, in-4, veau fauve, cartes et belles planches en couleur.

291. Narrative of a journey in the interior of China, and of a voyage in the years 1816 and 1817. By Clarke Abel. *London*, 1818, in-4, cart., planches en couleur et cartes.

292. Étude pratique du commerce d'exportation de la Chine par J. Hedde, Ed. Renard, A. Haussmann, et M. Rondot, revue et complétée par Natalis Rondot. *Paris*, 1849, in-8, br.

293. Souvenirs d'un voyage dans la Tartarie, le Thibet et la Chine, pendant les années 1844, 1845 et 1846, par M. Huc. *Paris*, 1850, 2 vol. in-8, cartes, d. r.

294. Three weeks on the west river of Canton, compiled from the journals of Rev. Dr Legge, Dr Palmer and Mr. Tsang Kwei-Hwan. *Hongkong*, 1866, in-12, br.

295. Journal de mon troisième voyage d'exploration dans l'Empire chinois, par l'abbé Armand David. *Paris, Hachette*, 1875, 2 vol. in-18, cartes, br.

296. A travers la Chine, par Léon Rousset. *Paris*, 1878. — La cité chinoise, par G.-Eug. Simon. *Paris*, 1885. — Seconde campagne de Chine, par Mackenzie. Plans, 1842, Ens. 3 vol. in-18, br.

297. Fragmens d'un voyage dans l'intérieur de la Chine, par C. Imbault-Huart. *Changhai*, 1884, in-8, fig. et carte, br.

298. La province chinoise du Yün-nan, par Em. Rocher. *Paris. Leroux*, 1879, 2 vol. in-8, br., fig., planches et cartes.

299. La frontière sino-annamite. Description géographique et ethnographique, d'après des documents officiels chinois tra-

duits pour la première fois, par G. Devéria. *Paris, Leroux,* 1886, in-8, br., fig., planches et cartes.

300. Formosa notes on mss., languages and races, by Terrien de Lacouperie. *Hertford,* 1887, in-8, 3 planches, br.

301. Cartes diverses de la Chine, de l'Inde et de l'Asie centrale. 13 pièces, 1 liasse.

HISTOIRE

Histoire de la Chine

302. Histoire des tems anté-diluviens, ou antérieurs au déluge d'Yao, arrivé l'an 2298 avant notre ère (par le marquis Fortia d'Urban). *Paris,* 1837. in-18, d. r.

On a relié ensemble, du même auteur : Chronologie de Jésus-Christ. — Histoire anté-diluvienne de la Chine.

303. Histoire du grand royaume de la Chine, situé aux Indes orientales, divisée en deux parties, contenant la première, la situation, antiquité, fertilité, religion, cérémonies, etc., et, en la seconde, trois voyages faits vers iceluy en l'an 1577, 1579 et 1581, avec les singularitez plus remarquables y veues et entendues, ensemble un Itinéraire du nouveau monde et le Descouvrement du Nouveau Mexique en l'an 1583, faite en espagnol par le R. P. Iuan Gonçalés de Mendoce, et mise en françois par Luc De la Porte, Parisien. *A Paris, chez Nicolas Du Fossé,* 1589, in-8, veau.

304. Athanasii Kircheri China monumentis, quà sacris quà profanis, illustrata. *Amstelodami,* 1667, in-folio, vélin, planches.

305. Mémoires concernant l'histoire, les sciences, les arts, les mœurs, les usages, etc., des Chinois, par les missionnaires de Pékin. *Paris,* 1766-1814, 16 vol. in-4, veau, planches.

306. — Le même ouvrage. Tomes I à XIV, in-4, veau. (Tache d'encre au Tome I.)

307. Histoire générale de la Chine, ou Annales de cet empire, traduites du *Tong-kien-kang-mou*, par le P. de Mailla, publiées par l'abbé Grosier. *Paris*. 1777-85, 13 volumes in-4, d. r., planches et cartes. (Exemplaire de Stan. Julien.) Le Tome XIII porte le titre : *Description générale de la Chine*.

308. — Un autre exemplaire. 13 vol. in-4, cart.

309. Table chronologique de tous les souverains qui ont régné en Chine, rangée par ordre des cycles, depuis la soixante-unième année du règne de Hoang Ty jusqu'au règne présent. Manuscrit du P. Amyot. In-folio, d. rel.

310. Description de la Chine et des États tributaires de l'empereur, par M. le marquis de Fortia d'Urban. *Paris*, 1840, 3 vol. in-18, d. rel. (Sans la carte annoncée au titre).

311. Chine, ou Description historique, géographie et littéraire de ce vaste empire, d'après des documents chinois. I. Chine ancienne, par G. Pauthier. II. Chine moderne, par Bazin. *Paris, Didot*, 1844-53, 2 vol. in-8, planches, d. r.

312. Desultory notes on the government and people of China and on the chinese language, by Thomas Taylor Meadows. *London*, 1847, in-8, planches en couleur, perc.

313. Recherches sur les institutions administratives et municipales de la Chine, par M. Bazin. *Paris*, 1854, in-8, br.

314. L'Empire chinois, par M. Huc. Deuxième édition. *Paris*, 1854, 2 vol. in-8, carte, d. r.

315. China, a general description of that empire and its inhabitants... By J. F. Davis. *London*, 1857, 2 vol. in-18, fig., perc.

316. Thian ti hwui, the Hung-league, or Heaven-earth-league, a secret Society with the Chinese in China and India. By G. Schlegel. *Batavia*, 1866, in-4, d. vélin, 16 planches.

317. The Chinese reader's Manual, a handbook of biographical, historical, mythological, and general literary reference, by W. F. Mayers. *Shanghai*, 1874, in-8, perc.

Relations de la Chine avec les peuples étrangers

318. La France en Chine au XVIIIᵉ siècle. Documents inédits publiés sur les manuscrits conservés au Dépôt des Affaires étrangères, avec une introduction et des notes, par Henri Cordier. Tome Iᵉʳ (seul publié). *Paris, Leroux.* 1883, in-8, br.

319. Baron Charles Dupin. Documents sur la Chine. In-8, d. rel.

Ce volume forme l'Introduction aux Travaux de la Commission française de l'Exposition universelle de 1851. Il comprend le Nord et l'Extrême-Orient de l'Asie, depuis les monts Himâlayas jusqu'au pôle.

320. Relations avec la Chine. Question chinoise en 1859. Un volume in-8, d. r.

Histoire des relations politiques de la Chine avec les puissances occidentales, par G. Pauthier. *Paris*, 1859. — La Chine devant l'Europe, par le Marquis d'Hervey-Saint-Denys. *Ibid.* — L'Europe devant la Chine, par Charles Gay. *Ibid.* — De la Chine, considérée en elle-même et dans ses rapports avec l'Europe, par le chanoine de Haerne. *Bruxelles*, 1860.

321. La Chine et les puissances chrétiennes, par D. Sinibaldo de Mas. *Paris*, 1861, 2 vol. in-18, br.

322. Les expédions de Chine et de Cochinchine, d'après les documents officiels, par le baron de Bazancourt. *Paris*, 1861-62, 2 vol. in-8, d. m.

323. Relation de l'expédition de Chine en 1860, rédigée par le lieutenant de vaisseau Pallu, d'après les documents officiels. *Paris*, 1863, in-4, br.

324. — Le même ouvrage. In-4, d. r.

325. La Chine et l'Europe, leur histoire et leurs traditions comparées, par Joseph Ferrari, membre du Parlement italien. *Paris*, 1867, in-8, d. r.

MÉLANGES SUR LA CHINE

326. Recueil de pièces rares sur la Chine. En un volume in-12, demi-rel.

Die russische Gesandschaft nach China im Jahre 1805 (von Golowin). *Saint-Pétersbourg*, 1809. — Notice sur Klaproth. — Eberhardi Fischeri quaestiones Petropolitanae. I. De origine Ungrorum; II. De origine Tartarorum; III. De diversis Shinarum imperatoris nominibus titulisque; IV. De Hyperboreis, edidit A. L. Schlœzer. *Gottingae*, 1770. — Relation de la Grande Tartarie, dressée sur les Mémoires originaux des Suédois prisonniers en Sibérie, pendant la guerre de la Suède avec la Russie. *Amsterdam*, 1737. — Alphabetum tangutanum sive tibetanum. *Romae*, 1773. — Relation de l'établissement du christianisme dans le royaume de Corée, rédigée en latin par Monseigneur de Govea, traduction française. *Londres*, 1800.

327. JESUITICA.

De Religione Tao Su Bonziorum. Manuscrit du P. Visdelou (copie). 48 feuillets. — Mémoire sur le papier de Chine. Copie d'un manuscrit du P. d'Entrecolles. — Autre manuscrit sur la fabrication du papier en Chine. — Notice sur le papier de Corée.

328. JESUITICA.

Un volume manuscrit (xviiie siècle) contenant : 1° Diverses recettes : vertu de *lo-kiao*, pour faire le vin de *chun-lien*, coquille de poussa, graine de thé, arbre de suif, arbre de cire, du jinsim, etc. — 2° Une longue dissertation sur un travail de M. Needham et la comparaison des hyérogliphes (*sic*) égyptiens avec les caractères chinois; suivie d'une étude de l'écriture chinoise. Signé ***, de la Compagnie de Jésus. (Lettre envoyée par le P. François, supérieur de la résidance de Jésus à Pékin).

Dans un Appendice, on trouve des observations curieuses sur la religion des Chinois : « J'en suis fâché pour ceux qui parlent si hardiment sur l'athéisme prétendu des Chinois anciens et modernes, mais je crois facile à prouver historiquement que les anciens Chinois ont connu longtemps et adoré le vrai Dieu, ont eu connaissance même du Messie à venir; pour les modernes, il peut y avoir des athées et des matérialistes de cœur et de conduite. Les *jou-kiao,* ou vrais lettrés, sont théistes dans la spéculation et peu dans

— 51 —

la pratique, à en juger par ce qui paroist. Pour le peuple, il est clair qu'il n'est pas athée. »

Ce manuscrit se rapporte à une célèbre discussion qu'on trouvera décrite dans Cordier, *Bibl. Sinica*, I, col. 703, 704.

Needham étant à Turin, avait cru trouver une ressemblance entre certains caractères marqués sur la figure et la poitrine d'un ancien buste d'Isis et les caractères chinois. Il publia ses vues dans un travail imprimé à Rome en 1761.

329. Biot (Édouard). Mélanges sur la Chine. En un volume in-8, d. r.

Tchou-chou-ki-nien ou tablettes chronologiques du livre écrit sur bambou. — Mémoire sur les colonies militaires et agricoles des Chinois. — Sur quelques anciens monuments de l'Asie, analogues aux pierres druidiques. — Organisation politique et gouvernement de la Chine. — Recherches sur les mœurs des anciens Chinois. — S. Julien. San-tsze-king. — Biot. Condition de la race servile au Mexique.

330. Mémoires d'Édouard Biot sur la Chine. 7 vol. et brochures.

Institutions administratives et municipales de la Chine. — Manuscrits du Père Gaubil. — Constitution politique de la Chine au XIIe siècle avant notre ère. — Mœurs des anciens Chinois. — Direction de l'aiguille aimantée en Chine, etc.

331. Mémoires d'Édouard Biot sur la Chine. En un vol., in-8, demi-rel.

Population de la Chine et ses variations. — Condition des esclaves. — Recensement des terres. — Condition de la propriété territoriale en Chine. — Système monétaire des Chinois, etc.

332. Bretschneider. Mémoires sur la Chine. 3 br.

Archaeological and historical researches on Peking and its environs. — Chinese intercourse with the countries of Central and Western Asia during the fifteenth century. — On the study and value of Chinese botanical works.

333. Henri Cordier. Mémoires sur la Chine. 3 brochures in-8.

Le conflit entre la France et la Chine. 1883. — A narrative of the recent events in Tong-king, 1875. — The life and labours of Alexander Wylie.

334. Mémoires divers du Révérend Joseph Edkins sur la Chine. 16 brochures.

Chinese Buddhism. — The Nirvana of Northern Buddhists. — Ancient navigation on the Indian Ocean. — The Yi-king. — Chinese roots, etc.

335. **Jametel (Maurice). Mémoires divers sur la Chine. 8 volumes et brochures, in-8 et in-18.**

Pékin, souvenir de l'empire du Milieu. — L'encre de Chine (sur papier de Chine). — La Corée avant les traités. — Émailleurs pékinois. — Épigraphie chinoise au Thibet. — Documents commerciaux chinois, etc.

336. **Œuvres diverses de Stanislas Julien. 48 brochures in-8, et in·4.**

Brochures en nombre.

337. **Discussions philologiques et polémiques entre Stanislas
Julien et G. Pauthier. En un volume in-8, demi-maroq.**

Examen critique de quelques pages de chinois relatives à l'Inde, par S. Julien. — Réponse de Pauthier. — Exercices pratiques d'analyse, de syntaxe, et lexicographie chinoise, par S. Julien. — *Vindiciae sinicae*, dernière réponse à Julien, par Pauthier. — Simple exposé d'un fait honorable, par Julien. — Supplément aux *Vindiciae sinicae*, par Pauthier. — Note sur le commerce des livres en Chine, et sur leur prix de revient en Europe.

338. **Mémoires divers sur la Chine, par J. H. Plath. 13 brochures
in-8 et in·4.**

Die Religion und der Cultus der alten Chinesen. — Verfassung und Verwaltung China's. — Confucius. — Chinesische Texte. — Recht im alten China. — Die Tonsprache der alten Chinesen. — Chinesische Weisheit, etc.

339. **Abel Rémusat. Mélanges asiatiques, ou choix de morceaux de critique et de mémoires relatifs aux religions, aux
sciences, aux coutumes, à l'histoire et à la géographie des
nations orientales. *Paris*, 1825-26, 2 vol. — Nouveaux mélanges asiatiques. *Paris*, 1829, 2 vol. — Mélanges posthumes. *Paris*, 1843, un vol. Ens. 5 vol. in-8, d. chag. rouge,
planches.**

340. **De Rosny. Mémoires sur la Chine. 7 brochures.**

Dictionnaire des signes idéographiques de la Chine, fasc. 1, 2. — Table des phonétiques chinoises. — Un mari sous cloche. — L'épouse d'outre-tombe. — Fatsien, poème cantonais. — La France et l'Espagne. — De Rosny, Mémoires sur le Japon.

341. **Léon de Rosny. Mémoires sur la Corée, la Chine, l'Annam, le Siam et l'Inde. En un volume in-8, d. rel.**

Aperçu de la langue coréenne. 1864. — Vocabulaire chinois-coréen-aïno, expliqué en français et précédé d'une introduction sur les écritures de la Chine, de la Corée et du Yézo, 1861. — Sur la géographie et l'histoire de la Corée, 1868. — Le livre de la Récompense des bienfaits secrets, trad. du chinois, 1856. — Mœurs des Aïno. 1857. — Notice sur la langue annamique. 1855. — Sur la langue siamoise et son écriture. 1855. — Recueil de textes japonais. 1863. — La bibliothèque tamoule de M. Ariel, de Pondichéry. — Brasseur de Bourbourg. Découverte de documents relatifs à la langue maya. — De la condition de la femme au Japon, par Kouri-moto Tei-ziro. — Observations sur le gouzerati et le maharatti, par Th. Pavie, etc.

342. Variétés orientales, historiques, géographiques, scientifiques, bibliographiques et littéraires, par Léon de Rosny. *Paris*, 1868, in-8, d. r.

343. G. Schlegel. Mémoires divers sur la Chine. 8 broch. in-8 et in-4.

Siamesische und chinesisch-siamesische Münzen (planche). — A Singapore street scene (planche). — Les Kongsi chinoises à Bornéo. — Un labyrinthe chinois. — Sur l'importance de la langue hollandaise pour l'interprétation de la langue chinoise. — Réponse aux critiques de l'uranographie chinoise, etc.

344. Terrien de Lacouperie. Mémoires divers sur la Chine. 35 brochures in-8 et in-4.

345. A. Wylie. Mémoires sur la Chine. 3 broch. in-8.

Notes on the Western Regions. — The Mongol astronomical instruments in Peking. — Eclipses recorded in Chinese works.

346. Recueil de pièces sur la Chine. Un volume in-8, d. rel.

S. Julien. De quibusdam litteris sinicis. 1830. (Annotations manuscrites. — Réponse obligée à un prétendu ami de la justice. 1871. — Ampère. De la Chine et des travaux d'Abel Rémusat. — Ad. Barrot. Un voyage en Chine. — Biot. Critique de : Julien. Principaux traités sur les mûriers et vers à soie. — Mission commerciale de Chine. Catalogue des produits chinois. — L. Donnat. Paysans en communauté du Ning-po-fou. — Ed. Biot. Catalogue des comètes observées en Chine. — Catalogue des étoiles extraordinaires observées en Chine. — Recherches faites dans la grande collection des historiens de la Chine sur les anciennes apparitions de la comète de Halley. — Lamartine. Entretien sur la Chine.

347. Recueil de pièces rares relatives à la Tartarie. Un vol. in-8, d. r.

Relation d'un voyage aux monts d'Altaïce en Sibérie, fait en 1781, par M. Patrin. *Saint-Pétersbourg*, 1783. — Klaproth. Identité des Ossètes, peuplade du Caucase, avec les Alains du moyen âge. *Paris*, 1822. — Klaproth. Examen de l'Histoire des Khans mongols, par J. J. Schmidt. — Klaproth. Sur les Boukhares. — Klaproth. Ueber die Sprache und Schrift der Uiguren. *Berlin*, 1812. — Recherches historiques sur les principales nations établies en Sibérie, trad. du russe par Stollenwerck. — Sur les Tatars. — Lettre de M. Abel Rémusat sur l'existence de deux volcans brûlans dans la Tartarie centrale.

348. Mélanges sur la Chine. 2 volumes in-8, cart.

Recueil intéressant de mémoires publiés à la fin du xviie siècle et au commencement du xviiie siècle. — D'Anville. Sur la Chine. — Langlès. Ambassades d'un roi des Indes et d'un empereur de la Chine. — Buchoz. Histoire naturelle du thé. — Rémusat. De l'étude des langues étrangères chez les Chinois. — Le Printemps, premier chant du poème chinois des Saisons, traduit en vers français par Mathieu. — Azuni. Dissertation sur l'origine de la boussole. — Grande exécution d'automne, par Klaproth. 1. Weston. 2. Langlès. — Rémusat. Sur l'état et les progrès de la littérature chinoise en Europe. — Cancielleri. Carte cinesi del palazzo Sciarra, etc., etc.

349. Mélanges sur la Chine. En un volume in-8, d. r.

Agriculture de la Chine, par Isidore Hedde. *Paris*, 1850, avec dessins et planches. — Noms indigènes d'un choix de plantes du Japon et de la Chine, par Hoffmann et H. Schultes (épreuves). — La Chine, l'opium et les Anglais, par M. Saurin. *Paris*, 1840, fig.

350. Recueil de pièces sur la Chine. Un vol. in-8, d. r.

Buddhist inscription at Keu-yung-kwan, by A. Wylie. — Le Livre des Récompenses et des Peines, traduit du chinois par A. Rémusat. — English and Chinese calendar. — Chinese numismatics, by John Williams. — On Chinese botanical works, by E. Bretschneider.

351. Mémoires divers (en anglais) sur la Chine. 12 broch.

Thomas Francis Wade. Japan, a translation of the 12th chapter of the *Hia-kwoh Tu Chi.* — Wells Williams. Notices of Fu-sang. — Legge. Principles of composition in Chinese as deduced from the written characters. — B. Hobson. A general report of the Hospital at Kum-le-fau, in Canton. — Howorth. The Northern frontagers of China.

352. Mémoires divers relatifs à la Chine. En un vol. in-8, demi-mar.

Jardot. La Chine ancienne et moderne. — Pauthier. Documents statistiques officiels chinois. — L'inscription de Si-ngan-fou. — Le premier livre du

Tao-te-king. — Cérémonial à la cour de Khoubilaï-Khan. — Mémoire secret. — De Paravey. Documents hiéroglyphiques sur le déluge de Noé, etc.

353. Mémoires divers relatifs à la Chine et à l'ethnographie. En un volume in-8, demi-rel.

Des Michels. Système des intonations chinoises. — Les six intonations annamites. — Notice de Jomard sur la carte de Formose. — Sur la valeur du *li*. — Lucien de Rosny. Étude d'archéologie américaine. — C. de Labarthe. Précis de la langue Nouka-hiva, etc.

354. Mémoires divers relatifs à la Chine. En un volume in-8, demi-vélin.

Pauthier. Lettre du P. Prémare sur le monothéisme des Chinois. — Sur la poésie chinoise. — De Paravey. De quelques faits bibliques retrouvés dans les hiéroglyphes chinois. — Colonel Sykes. The Taeping rebellion in China. — P. Laffitte. De la civilisation chinoise. — Eug. Simon. Récit d'un voyage en Chine.

355. Bibliothèque orientale elzévirienne. *Paris, Leroux*, 1878-89, 5 vol. in-18, br.

De Rosny. Les peuples orientaux connus des anciens Chinois. — Devéria. Un mariage impérial chinois. — Imbault-Huart. La poésie chinoise. — C. de Harlez. Kia-li, livre des Rites domestiques. — Scherzer. La puissance paternelle en Chine.

356. Atsume gusa et Ban zai sau, publications de M. Turrettini, de Genève. Une forte liasse.

Fragments de: *L'Empire japonais* de Metchnikoff, du *San-tseu-king*, de la Grammaire chinoise de Rudy, etc.

357. Lot de 12 volumes dépareillés relatifs à la Chine.

Wells Williams. The Middle Kingdom, tome II. — Gonzalez de Mendoza. The history of the great kingdom of China. Vol. I (Hakluyt Society). — Prinsep. Useful tables, part I. — Reinaud. Voyages des Arabes à la Chine, tome II, etc.

358. Lot important de 130 brochures relatives à la Chine et à l'Orient.

359. Journal of the Peking Oriental Society. Vol. I, n° 1 à 4. Vol. II, n° 1, 2 et 5. Vol. III, n° 2. *Péking*, 1885-92, 7 numéros. (Les premiers sont épuisés.) — Transactions of the

China Branch of the Royal Asiatic Society. Parties 3, 4 et 5. 1851, 1855, 3 vol.

MANUSCRITS

360. MANUSCRIT D'ABEL RÉMUSAT (?).

Éléments d'un dictionnaire chinois par sons, rangés dans l'ordre alphabétique français. Suite complète d'environ huit mille fiches, avec explications en anglais, en français et en latin. En une boîte.

361. DICTIONNAIRE MANUSCRIT DE STANISLAS JULIEN.

Éléments d'un dictionnaire des expressions composées, en chinois, avec traduction française. Environ 8000 fiches classées par ordre de clefs. — On y a joint des fiches (environ 1500) de noms propres, de termes bouddhiques, et des fiches du marquis d'Hervey pour l'index de Ma-touan-lin. En 3 boîtes.

MANUSCRITS DE STANISLAS JULIEN.

362. Première liasse.

Commencement d'une traduction du *Chi-king*. — Tableau général des particules qui servent à former des idiotismes particuliers et des propositions et adverbes les plus usités. — Essai de grammaire chinoise, fondé sur la position des mots. — Commencement de la traduction de Khieou-fa-ko-seng-tchouen. — Ho-lang-tan, ou la Chanteuse. — L'Avare, et autres fragments de comédies. — Traduction de la Chronique du royaume de Lou. Fragment. — Commencement du *Li-ki*, traduction avec notes. — Livres des Mille mots et des Trois mots. — Chronologie bouddhique traduite de l'Encyclopédie *Fo-tsou-tong-ki*. — Notes de polémiques.

363. Deuxième liasse.

Vocabulaire du Livre des Mille mots. — Notice sur les habitants du Turkestan oriental ou Petite Boukharie. — Notes lexicographiques. — Supplément à la méthode de transcription. — Monographie de quelques caractères qui jouent un rôle important dans la syntaxe chinoise. — Extraits de divers livres bouddhiques. — Liste des traductions publiées en Russie des langues chinoise et manchoue. — De la canne à sucre. — Fragments de traductions de romans chinois. — Dialogues chinois. — Papiers divers. — Noms de médicaments dont on fait usage en Chine et au Japon. — Commencement de la traduction du *Tong-kien-kang-mou*. — Manuscrit de la traduction, avec textes de *Tchao-chi-koueul*, l'Orphelin de la Chine.

364. Troisième liasse.

Traduction littérale du *Chou-king*, 5 cahiers. — Index de Morrison, Thoms, Premare. — Ce cahier contient une copie d'après l'original appartenant à Abel Rémusat de l'ouvrage suivant : Nobilis filia Ça (Thsa) *Siao-kie* (Ssie) passa verecundiam ad vindicandum postea. Cette nouvelle chinoise, dit une note, la 26ᵉ du *Kin-kou-ki-kouan*, a été traduite en latin par un Chinois nommé Abel Yen. En la transcrivant ici, on a conservé les fautes de latin et les mots mal écrits ; on s'est contenté de corriger la prononciation.

365. Papiers divers provenant de Stanislas Julien.
Une forte liasse.

Textes chinois accompagnés d'une traduction juxtalinéaire. — Almanach chinois pour 1825. — Lettres. — Listes de livres chinois et manchoux. — Estampages. — *Tao-ngan-ouen-tsi*. Recueil de textes par le lettré T'ao-ngan. Reproduction d'un texte gravé en Chine, imprimé sur papier européen. (Fragments). — Tabellen der sanskrit Grammatik, etc.

366. Recueil manuscrit de divers ouvrages chinois, concernant les expressions du style élégant et les expressions métaphoriques usitées en Chine. Extraits d'encyclopédies chinoises. Texte et traduction en regard. Manuscrit d'une écriture soignée. Un vol. in-fol., cart.

Doctrine de Fo et du Tao, démons et esprits. — Le corps et les membres. — Fleurs et plantes. — Le mariage. — Arts, talents et professions.— Pauvreté et richesse. — Meubles, ustensiles, instruments. — Palais et maisons. — Femmes et filles. — Amis et hôtes. — L'année et le temps. — La cour et le palais. — Le globe. — Les fonctionnaires civils et militaires. — Traité de la politesse chinoise, où se trouvent réunies toutes les expressions nécessaires pour désigner à la 1ʳᵉ, 2ᵉ et 3ᵉ personne les différends degrés de parenté, etc.

367. Vocabulaire tartare-mandchou contenant la traduction de tous les mots tartares-mandchoux employés dans la version de Meng-tseu par l'empereur Khien-loung. Manuscrit sans nom d'auteur. Un cahier cartonné. (*Ex libris* Stanislas Julien.)

368. Le San-Tzzy-Tzzin ou Trilogie. Traduit du chinois, **par** le moine Hyacinthe. Manuscrit de 57 pages sur papier de format in-4.

369. Extraits du Dictionnaire sanskrit-thibétain de la Bibliothèque impériale copié par M. Foucaux sur l'exemplaire du Département asiatique de Saint-Pétersbourg. Un cahier. — Vindiciæ sinicæ novæ. Manuscrit de G. Pauthier. Un cahier.

INDO-CHINE

370. Histoire des relations de la Chine avec l'Annam-Viêtnam, du xvɪᵉ au xɪxᵉ siècle, d'après des documents chinois traduits pour la première fois et annotés par G. Devéria. *Paris, Leroux*, 1880, in-8, carte, br.

371. Histoire géographique des Seize Royaumes, ouvrage traduit du chinois par Abel des Michels, fasc. 1. *Paris*, 1891. — Les Annales impériales de l'Annam, traduit du chinois par A. des Michels, fasc. 2. *Paris*, 1892, in-8. Ensemble 2 vol. br.

372. Voyage à la Cochinchine, par les îles de Madère, de Ténériffe et du Cap Verd, le Brésil et l'île de Java, accompagné de la Relation officielle d'un voyage au pays des Boushouanas, dans l'intérieur de l'Afrique australe, par John Barrow. Traduit de l'anglais, par Malte-Brun. *Paris*, 1807, 2 vol. in-8, et atlas in-4, cart.

373. The Indo-Chinese gleaner, containing extracts of the

occasional correspondence of the missionaries in the East, together with miscellaneous notices relative to the philosophy, mythology, literature and history of the Indo-Chinese nations, drawn chiefly from the native languages .... *Malacca*, 1817-1822, 3 tomes en 1 vol. in-8, demi-reliure, dos de maroq. rouge à nerfs (*Duplanil*).

Vol. I, n° I, May 1817 à n° VI, October 1818. — Vol. II, n° VII, January 1819 à n° XIV, October 1820. — Vol. III, n° XV, January 1821 à XX, April 1822.

Série fort rare.

Exemplaire de Rémusat.

374. Tableau de la Cochinchine rédigé par E. Cortambert et Léon de Rosny. *Paris*, 1862, in-8, cartes et planches, d. r.

375. Le royaume de Siam, par M. A. Gréhan. *Paris*, 1868, in-8, planches, br.

376. L'ouverture du fleuve Rouge au commerce et les événements du Tong-kin, 1872-1873. Journal de voyage et d'expédition de J. Dupuis, avec préface de M. le marquis de Croizier. *Paris*, 1879, in-4, portrait et carte, br.

377. Bulletin de la Société académique indo-chinoise, publié sous la direction de M. le marquis de Croizier. Deuxième série. Tomes I, II, III. *Paris*, 1882-90, 3 vol. in-8, cartes et planches, br.

378. Excursions et reconnaissances, publiées par le gouvernement de la Cochinchine française. N°ˢ 17 à 27, 31, 33. *Saigon*, 1884-90. 13 vol. in-8, cartes et planches, br.

379. Chuyén do'i xu'a. Contes plaisants annamites, traduits en français pour la première fois par Abel des Michels. *Paris*, 1888, in-8, br.

380. Recueil de formules annamites, par G. Jollivet. *Saigon*, 1888, in-8, br.

381. Au pays d'Annam, par Paul Antonini. *Paris*, s. d., in-8, br.

JAPON

382. Kami yo-no maki. Histoire des dynasties divines, publiée en japonais, traduite pour la première fois sur le texte original, accompagnée d'une glose inédite composée en chinois et d'un commentaire perpétuel rédigé en français, par Léon de Rosny. I. La Genèse. II. Le Règne du soleil. III. L'Exil. *Paris, Leroux,* 1884-87, 2 vol. in-8, br.

383. Zitu-go kyau-do-zi kyau. L'enseignement de la vérité, ouvrage du philosophe Kôbaudaïsi, et l'enseignement de la jeunesse, publiés avec une transcription européenne du texte original, et traduits pour la première fois du japonais, par Léon de Rosny. *Paris,* 1876, in-8, br.

384. Notizie di astrologia giapponese raccolte da libri originali, per opera di Antelmo Severini. *Genève,* s. d., 5 fasc. in-4.

385. Yô-san-sin-sets. Traité de l'éducation des vers à soie au Japon, par Sira-kawa de Sendaï (Osyou), traduit pour la première fois du japonais, par Léon de Rosny. *Paris,* 1868, fig. et 24 planches en couleur, in-8, demi-maroq.

386. Index to the second edition of Jinuma Yokusai's Somoku-dusets (illustrated Flora of Japan), by Tanaka Yoshio et Ono Motoyoshi. 2534 (ère japonaise). In-8, d. r.

Le volume est entièrement xylographié, le caractère latin aussi bien que le katakana.

387. Heike monogatari. Récits de l'histoire du Japon au xiie siècle, traduits du japonais par François Turrettini. Partie I. *Genève,* s. d., in-4, br. — Tami-no-nigivai. L'activité humaine. Contes moraux. Texte japonais transcrit et traduit par François Turrettini. *Genève,* s. d., in-4, br.

388. Histoire des Taïra, tirée du Nit-pon Gwai-si, traduit du chinois, par François Turrettini. *Genève,* in-4, papier fort, cart.

589. Komats et Sakitsi, ou la rencontre de deux nobles cœurs dans une pauvre existence. Nouvelles scènes de ce monde périssable, exposées sur six feuilles de paravent, par Riutei Tanefico, romancier japonais, et traduites, avec le texte en regard, par F. Turrettini. *Genève*, 1875, in-8, planches, br.

390. Notes sur le Japon, la Chine et l'Inde, par le baron Ch. de Chassiron. 1858, 1859, 1860. *Paris*, 1861, in-8, d. rel., planches et cartes facsimilé en couleurs.

Parmi les planches reproduites, nous signalerons les Aveugles d'Hokusai et quelques pages de la *Mangwa* de ce grand artiste.

391. Mémoires divers sur le Japon, par Léon de Rosny. Un vol. in-8, demi-maroquin.

L'empire japonais et les archives du Siebold. — Chronologie japonaise. — La civilisation japonaise. — La grande encyclopédie japonaise. — Affinités du japonais avec certaines langues du continent asiatique. — Sur quelques dictionnaires japonais. — Sur la composition d'un dictionnaire français-anglais. — Principales connaissances nécessaires pour l'étude de la langue japonaise. — Spécimen de caractères japonais kata-kana. — Sur l'archipel Japonais et la Tartarie orientale.

392. Léon de Rosny. Mémoires sur le Japon. 6 volumes et brochures.

Recueil de textes japonais. — Thèmes japonais. — Chronologie japonaise. — Guide de conversation japonaise. — Sur les Aïno. — Lettres du Père Furet sur l'archipel Japonais.

393. Annuaire de la Société des études japonaises. 1873, 1874-75, 1876, 1882. — Annuaire de la Société d'ethnographie. 1881, 1882, 1884, 1886, 1891. — Ensemble 9 vol.

TIBET ET ASIE CENTRALE

394. Magasin asiatique, ou revue géographique et historique de l'Asie centrale et septentrionale, publiée par J. Klaproth. *Paris*, 1825, 2 tomes en un vol. in-8, d. r.

Voyage à Khokand. — Voyage à Gouldja, et autres documents, traduits du russe. — Voyage dans l'Asie centrale par Mir Izzet ullah. Itinéraires et descriptions du Tubet, etc.

395. Mémoires relatifs à l'Asie, contenant des recherches

historiques, géographiques et philologiques sur les peuples de l'Orient, par M. J. Klaproth. *Paris*, 1824-28, 3 vol. in-8, d. r., planches et cartes.

396. Tableaux historiques de l'Asie, depuis la monarchie de Cyrus jusqu'à nos jours; accompagnés de recherches historiques et ethnographiques sur cette partie du monde, par J. Klaproth. *Paris*, 1826, un vol. et un atlas in-4, d. r.

397. Histoire de la ville de Khotan, tirée des Annales de la Chine et traduites du chinois, suivie de recherches sur la substance minérale appelée par les Chinois *pierre de Iu*, et sur le jaspe des anciens, par Abel Rémusat. *Paris*, 1820, in-8, br.

398. Recueil de documents sur l'Asie centrale. — 1. Histoire de l'Insurrection des Tounganes sous le règne de Tao-kouang (1820-1828), d'après les documents chinois. — 2. Description orographique du Turkestan chinois, traduite du *Si-yu-t'ou-tché*. — 3. Notices géographiques et historiques sur les peuples de l'Asie centrale, traduite du *Si-yu-t'ou-tché*, par Imbault-Huart. *Paris, Leroux*, 1881, in-8, br., cartes.

399. Recueil d'itinéraires et de voyages dans l'Asie centrale et l'Extrême-Orient. *Paris, Leroux*, 1878, in-8, carte, br.

Journal d'une mission en Corée (par F. Scherzer). — Mémoires d'un voyageur chinois dans l'empire d'Annam (trad. du russe par L. Leger). — Itinéraires de l'Asie centrale, de la vallée du Moyen Zerefchan, de Pichaver à Kaboul, de Kaboul à Qandahar, de Qandahar à Hérat (par Ch. Schefer).

400. Mémoire géographique sur le Thibet oriental, par Dutreuil de Rhins. *Paris*, 1887, in-8, cartes, br.

401. Dutreuil de Rhins. L'Asie centrale. Thibet et Régions limitrophes. *Paris, Leroux*, 1889, in-4, br., et atlas in-folio, en un carton.

INDE

402. Essai sur la légende du Buddha, son caractère et ses origines, par E. Senart. Seconde édition, *Paris, Leroux*, 1882, in-8, br.

403. Le Lalita Vistara, développement des jeux, contenant l'histoire du Bouddha Çakya-mouni, depuis sa naissance jusqu'à sa prédication, par Ph.-Ed. Foucaux. Seconde partie. Notes, variantes et index. *Paris, Leroux,* 1892, in-4, br. (*Annales du Musée Guimet,* tome XIX).

404. Le Rig-Véda et les origines de la mythologie indo-européenne, par Paul Regnaud. Première partie (seule parue). *Paris, Leroux,* 1892, in-8, br.

405. Avadâna-Çataka, Cent légendes (bouddhiques), traduites du sanscrit, par Léon Feer. *Paris, Leroux,* 1891, in-4, br. (*Annales du Musée Guimet,* tome XVIII).

406. Étude sur la géographie et les populations primitives du nord-ouest de l'Inde, d'après les hymnes védiques, par Vivien de Saint-Martin. *Paris,* 1859, in-8, br.

407. Mémoire géographique sur la mer des Indes, par J. Codine. *Paris,* 1868, in-8, br.

LANGUES ORIENTALES

408. TEZKEREH-I-EVLIA. Manuscrit ouïgour de la Bibliothèque nationale, reproduit par l'héliogravure typographique, et traduit par A. Pavet de Courteille. *Paris,* 1889-90, 2 vol. in-4, cart.

409. A. Marre. Traductions du malais. 5 vol. et brochures.

Makôta radja-radja ou la couronne des rois. — Une idylle à Java. — Code malais. Des successions. — Notes de philologie malaise. — Affinités de la langue malgache avec le malais et le javanais.

410. Bibliothèque orientale elzévirienne. *Paris, Leroux,* 1874-90, 7 vol. in-18, br.

Clermont-Ganneau. Les fraudes archéologiques en Palestine. — Les antiquités sémitiques. — Mary Summer. Histoire du Bouddha Sakya-Mouni. — Contes et légendes de l'Inde. — Decourdemanche. Les plaisanteries de Nasr eddin Hodja. — Devéria. Un mariage impérial chinois. — Derenbourg. La science des religions et l'islamisme.

411. Publications relatives à l'Orient latin. 3 vol. in-8, br.

La prise d'Alexandrie, par Guillaume de Machaut, publiée par L. de Mas Latrie. — Inventaire critique des Lettres historiques des Croisades, par le comte Riant. — Alexii Comneni ad Robertum epistola spuria.

412. Léon de Rosny. Mémoires divers sur l'Orient et l'ethnographie. En 1 vol. in-8, demi-rel.

De l'origine du langage. — Le poème de Job et le scepticisme sémitique. — Les Parsis. — Inscriptions cunéiformes anariennes. — Le thuya de Barbarie. — Le cactus d'Algérie. — La constitution de Tunis. — Rapports divers.

413. Congrès international des Orientalistes. Compte-rendu de la première sesssion. *Paris,* 1873, 1874-76, 2 vol. in-8 ; planches noires et en couleurs, brochés.

Exemplaire sur papier rose.

— Le même. Tome I, in-8, cart. (papier vergé).

414. Transactions of the second session of the international Congress of Orientalists held in London in September 1874, edited by Rob. K. Douglas. *London,* 1876, in-8, perc.

415. Mémoires de l'Athénée oriental. Tomes 1, II. *Paris,* 1871-72, 2 vol. in-4, fig. et planches, cart.

416. Le Lotus. — Revue orientale et américaine. — Mémoires de la Société d'ethnographie. — Bulletin de l'Athénée Oriental. — Actes de la Société sinico-japonaise. 58 fascicules in-8.

AMÉRIQUE

417. Marquis de Nadaillac. L'Amérique préhistorique. *Paris,* 1883, in-8, fig., d. r.

418. F. A. de la Rochefoucauld. Palenqué et la civilisation maya, avec des croquis et indications à la plume par l'auteur. *Paris, Leroux,* 1888, in-8, figures et planches, br.

419. Codex Cortesianus. Manuscrit hiératique des anciens Indiens de l'Amérique centrale, conservé au Musée archéo-

logique de Madrid, photographié et publié pour la première fois, avec une introduction et un vocabulaire de l'écriture hiératique yucatèque, par Léon de Rosny. *Paris*, 1883, in-4, planches en noir, en un carton. (Tiré à 85 exemplaires numérotés.)

420. Annales de Domingo Francisco de San Anton Muñon. Chimalpahin Quauhtlehuanitzin. Sixième et septième relations (1258-1612), publiées et traduites sur le manuscrit original, par M. Rémi Siméon. *Paris*, 1889, in-8, br.

421. Cartas de Indias, publicalas por primera vez el Ministerio de Fomento. *Madrid*, 1877, un fort volume gr. in-4, cart. A la fin, de nombreuses planches de fac-similés, reproductions en couleur de portulans, etc.

422. Mémoires du Dr Hamy sur l'Amérique et la cartographie. 8 brochures in-8.

Exposition coloniale et indienne de Londres. — Mappemonde d'Angelino Dulcert. — Mappemonde de Diego Ribero. — Mappemonde portugaise de 1502. — Carte marine de 1557. — Monuments de Copan. — Decades americanæ.

423. Mémoires sur l'Amérique et l'Océanie. 14 brochures in-8 et in-4.

Mutilations ethniques des Tarasques pré-colombiens, par Nicolas Léon. — Magitot. Mutilations ethniques. — Les Français dans l'Amérique du Nord. — Les Indiens des États-Unis. — La Carie américaine. — De Nadaillac. La poterie de la vallée du Mississipi. — Taylor. Iles Philippines. — De Charencey. Du système de numération chez les peuples de la famille Maya-Quiché. — J. Remy. Récits d'un vieux sauvage. — Nicaise. Les terres disparues. — Sommerville. Talismans.

424. Les Cannibales et leur temps, souvenir de la campagne de l'Océanie, sous le commandant Marceau, capitaine de frégate, par Eugène Alcan. *Paris*, 1887, in-8, br.

425. Mémoires ethnographiques, par Ch. de Labarthe, Oppert, Texier, Feer, Castaing. En un vol. in-8, d. r.

Aperçu général de la science ethnographique. — De l'industrie des Chinois. — Sacrifices humains au Mexique (Planche en couleur). — État social et politique du Mexique. — Documents inédits sur l'empire des Incas. —

Des grandes chasses d'Afrique. — La Syrie. — Les Druzes et les Maronites.—Études bouddhiques.—Inscriptions commerciales en caractères cunéiformes. — Éléments de la grammaire Othomi.

OCCIDENT

ARCHÉOLOGIE ET NUMISMATIQUE

426. **Daremberg et Saglio.** Dictionnaire des antiquités grecques et romaines. Fascicules 1 à 12, 15 à 18. *Paris, Hachette*, 1873-93, 16 fascicules in-4, illustrés.

427. **Œuvres de A. de Longpérier,** membre de l'Institut, réunies et mises en ordre par G. Schlumberger. *Paris, Leroux*, 1883-87, 7 volumes in-8, brochés, nombr. planches et illustrations.

428. **Recueil d'archéologie orientale,** par Clermont-Ganneau. Tome I, en 5 fascicules. *Paris, Leroux*, 1885-88, in-8, avec figures et planches.

429. **Casati (Charles).** Mémoires divers. 7 volumes in-8, reliés et brochés.

Fortis Etruria, trois études (1re et 2e édit.). — La gens. — Lettres royaux. — Petits Musées de Hollande.

430. **Ed. Drouin.** Observations sur les monnaies à légendes en pehlvi et pehlvi-arabe, avec planches. *Paris*, 1886, in-8, br.

Ce mémoire est extrait de la *Revue archéologique*, avec addition de six planches qui n'ont pas été publiées dans la *Revue*.

431. **Introduction à l'étude des monnaies de l'Italie antique,** par Michel C. Soutzo. *Paris*, 1887-89, 2 parties, in-8, br.

432. **Description générale des monnaies antiques de l'Espagne,** par Aloïss Heiss. *Paris*, 1870, in-4, br., 68 planches.

433. **Description générale des monnaies des rois wisigoths d'Espagne,** par Aloïss Heiss. *Paris*, 1872, in-4, br., 13 planches.

434. **Alexandre Lenoir,** son journal et le Musée des monu-

ments français, par Louis Courajod. *Paris*, 1878-87, 3 vol.
in-8, br., fig.

OUVRAGES HISTORIQUES

435. Études critiques sur l'histoire du droit romain au moyen
âge, avec textes inédits, par Jacques Flach. *Paris*, 1890, in-8,
br.

436. Atlas historique de la France depuis César jusqu'à nos
jours par Auguste Longnon. Texte et planches. Livraisons
I, II, III. *Paris, Hachette*, 1883-89, 3 fasc. in-4 et in-folio.

437. Catalogue des Actes de François Ier. Tomes I à III. *Paris*,
1887-89, 3 vol. in-4, br.

438. Antoine de Bourbon et Jeanne d'Albret, par A. de Ruble.
Tomes III et IV. *Paris*, 1885-86, 2 vol. in-8, br.

439. Notice sur le château, les anciens seigneurs et la
paroisse de Maubezin (près de Marmande) par l'abbé R.-L.
Alis, précédée d'une description archéologique et accompagnée de nombreux dessins, par Charles Bouillet. *Agen*,
1887, in-8, planches, br.

440. Les La Trémoille pendant cinq siècles. Tome I. Guy VI
et Georges. *Nantes*, 1890. — Livre de comptes (1395-1406).
Guy de La Trémoille et Marie de Sully. Publié par Louis de
La Trémoille. *Nantes*, 1887. — Inventaire de François de La
Trémoille (1542) et comptes d'Anne de Laval. *Nantes*, 1887.
Ens. 3 vol. in-4, br.

441. Histoire généalogique des Courtin, par le vicomte Oscar
de Poli. *Paris*, 1887, in-4, br., planches.

442. La famille de Salverte et ses alliances. *Paris*, 1887, in-8,
br.

443. Mémoires et caravanes de J.-B. de Luppé du Garrané,
suivis des mémoires de son neveu J.-B. de Larrocan d'Ai-
guebère. Publiés pour la première fois par le comte de
Luppé. *Paris, Auguste Aubry*, 1865, in-8, br., planche.

444. Mémoires de Mme la duchesse de Gontaut, gouvernante des enfants de France pendant la Restauration, 1773-1836. *Paris*, 1892, in-8, portrait, br.

445. Duc d'Orléans. Lettres, 1825-1842, publiées par ses fils le comte de Paris et le duc de Chartres. Avec un portrait, d'après Alfred de Dreux. *Paris*, 1889, in-8, br.

446. Souvenir du régiment des zouaves pontificaux : Rome, 1860-1870. — France, 1870-1871. Notes et récits réunis par le baron de Charette. *Paris*, s. d., in-4, planches, br.

447. Exposition universelle de 1889. Rapport général de M. Alfred Picard. *Paris*, 1891-92, 7 volumes gr. in-8, brochés, illustrés de nombreuses planches en héliogravure.

448. Taureaux et mantilles. Souvenirs du voyage en Espagne et en Portugal de MM. Lesouëf et de Rosny, par Léon Prunol (de Rosny). Tome I et tome II, liv. 1. *Paris, se donne mais ne se vend pas*, 1882-1883, in-4, br., planches.

Ouvrage tiré à cent exemplaires numérotés. — N° 78, exemplaire exceptionnel, avec planches sur japon.

449. Confecion rimada, por Jernan Perez de Guzman. Manuscrit espagnol de 119 feuillets, cart.

450. L'Institut de France, Lois, statuts et règlements concernant les anciennes Académies et l'Institut, de 1635 à 1889. Tableau des fondations, par Léon Aucoc. *Paris*, 1889, in-8, br.

451. Éloges académiques, par H. Wallon. *Paris, Hachette*, 1882, 2 vol., in-18, br.

OUVRAGES EN LOTS

452. Lot important de 350 brochures d'archéologie, de numismatique, d'épigraphie, d'histoire, de linguistique, etc.

453. Publications de l'Institut. Mémoires présentés à l'Académie des sciences. Tome XXX, 2e série (nombr. planches). — Mémoires de l'Académie des inscriptions. Tome XXXII, 2e partie, et plus de 100 volumes et brochures ; Comptes-rendus de l'Académie des inscriptions, Discours, Annuaires, Notices et Extraits des manuscrits. Tome XI (1827).

454. Lot d'environ 500 volumes d'histoire et de littérature.

TABLE

—

TEXTES CHINOIS

OUVRAGES RELATIFS A LA CHINE

— 72 —

OCCIDENT

ANGERS, IMPRIMERIE ORIENTALE A. BURDIN ET Cⁱᵒ, 4, RUE GARNIER

Catalogue des Livres, Imprimés et Manuscrits, Composant la Bibliothèque de Feu M.J.-P. Abel-Rémusat

已故雷慕沙先生藏印本与写本图书目录

CATALOGUE

DES LIVRES,

IMPRIMÉS ET MANUSCRITS,

COMPOSANT LA BIBLIOTHÈQUE

DE

Feu M. J.-P. ABEL-RÉMUSAT,

Professeur de langue et de littérature chinoise et tartare mandchoue au Collége royal de France, Membre de l'Académie des Inscriptions et Belles-Lettres, Président de la Société asiatique de Paris, etc.

Dont la vente se fera, le lundi, 27 mai 1833 et jours suivans, 6 heures de relevée, MAISON SILVESTRE, *rue Bons-Enfans, n° 30.*

Les adjudications auront lieu par le ministère de Me POLLE, commissaire-priseur, boulevart Saint-Denis, n° 19.

PRIX : 2 francs.

A PARIS,

CHEZ J.-S. MERLIN, LIBRAIRE,
QUAI DES AUGUSTINS, N° 7.

1833.

AVIS.

Il y aura chaque jour de vente, d'une heure à trois heures, exposition des livres, qui devront être vendus le soir. Les adjudicataires sont invités à examiner leurs livres et à les collationner sur place dans les vingt-quatre heures de l'adjudication, parce que, ce délai passé, ou les livres une fois emportés, on ne sera admis à aucun rapport, pour quelque cause que ce soit.

Les articles de 12 francs et au dessous ne seront repris que dans le seul cas où ils seraient incomplets.

Nota. Le libraire chargé de la vente remplira les commissions qui lui seront adressées.

En distribution chez le même Libraire :

Catalogue du beau cabinet de feu M. le marquis de Bruyères-Chalabre, remarquable par le choix et la condition des livres, la beauté des manuscrits, et par une suite curieuse d'autographes.

IMPRIMERIE DE Mme HUZARD (née VALLAT LA CHAPELLE). Rue de l'Éperon, n° 7.

AVERTISSEMENT.

C'est une bonne fortune pour les littérateurs et pour les curieux, lorsque de loin en loin viennent s'offrir en vente publique quelques grandes collections d'ouvrages savans et rares, où les uns peuvent trouver d'amples matériaux pour leurs travaux, les autres, de précieuses curiosités pour leurs cabinets.

La bibliothèque de M. Abel-Rémusat est certainement une source féconde où ces deux désirs trouveront à se satisfaire : les raretés n'y manquent pas, les livres savans et utiles y abondent.

Mais c'est surtout dans la spécialité qui faisait l'objet des travaux de ce sinologue que sa collection est riche et précieuse. Sa persévérance à se procurer tout ce qui avait quelque rapport même éloigné avec ses études favorites, ses relations si étendues avec toutes les notabilités du monde littéraire lui ont fourni, pour enrichir sa bibliothèque, des occasions que peu de personnes pourront retrouver.

Si quelques séries de sa collection paraissent moins complètes qu'elles ne devraient l'être, c'est qu'une grande partie de classiques grecs, latins et français qui les composaient ont été réservés par une clause du testament de M. Rémusat, qui aurait sans doute enrichi sa bibliothèque des ouvrages qu'on pourrait encore y regretter, si une mort prématurée n'était venue l'arrêter au milieu de sa carrière.

Nous ne craignons donc pas de recommander à l'attention des hommes de lettres et des amateurs cette belle collection, et nous leur ferons remarquer, entr'autres :

DANS LA THÉOLOGIE, le n° 8, Evangelium de circulo anni, beau manuscrit du ix° au x° siècle, dont la feuille de diptyque qui y est attachée est elle seule déjà une haute

2 AVERTISSEMENT.

curiosité; les Bibles et portions de Bibles en langues orientales et autres, qu'on trouvera du n° 1 au n° 73; les jolies Heures découpées de Henri III (n° 80); le Catéchisme siamois, manuscrit de M. Laurent (n° 98).

DANS LES SCIENCES, le rare ouvrage du P. Noël, Sinensis imperii libri classici (n° 170); les curieuses figures d'anatomie du Specimen medicinæ sinicæ de Cleyer (n° 271); le Blume, Flore de l'Inde hollandaise et Orchidées de Java (n° 293 et 294.); le Flora sinensis de Boym (296).

DANS LES BELLES-LETTRES, Pallas, totius orbis Vocabularia (n° 400); Grammaires et Dictionnaires des diverses langues de l'Inde, de Bopp, Carey, Yates, Chater, etc. (n° 445 à 460); le rare et précieux Dictionnaire sanscrit de Wilson (450); les Dictionnaires boutan et birman, de Carey, Hough et Judson (n° 462, 463, 464); la Grammaire chinoise, qu'on croit avoir été destinée à la collection de Thévenot (n° 475); les grammaires chinoises manuscrites du P. Varo et du P. Prémare (n° 476, 477); les Observations de Gigue sur la grammaire de Fourmont, copie de la main de M. A.-Rémusat (n° 480); les précieux Dictionnaires chinois manuscrits, compris sous les n° 487 à 494; celui de de Guignes, enrichi des nombreuses additions de M. A.-Rémusat (n° 496), et enfin celui de Morrison (n° 499); la rare Grammaire de la langue des Grisons du P. La Sale (n° 535); la réunion curieuse d'ouvrages sur les hiéroglyphes (n° 574 à 588); la Grammaire et le Manuel tagala, rarissimes productions des presses des jésuites à Manille (n° 606); le Gulistan de Sâdi, imprimé par les presses égyptiennes de Boulak (n° 616), et le même, beau manuscrit, avec traduction turque interlinéaire (n° 617); les Poésies des troubadours, publiées par M. Raynouard (n° 661), et les autres monumens de notre ancienne littérature française, sous les n° 662 à 668; l'Hitopadesa, en sanscrit (n° 726); l'Histoire de Barlaam et de Josaphat, en tagala (n° 740), imprimée à Manille comme le n° 606, et plus rare peut-être encore; les jolis romans de Mme de Duras (Ourika et Édouard, n°s 749 et 750), des éditions originales tirées à petit nombre pour les seuls amis de l'auteur.

Dans l'Histoire, le Recueil manuscrit des dissertations géographiques de Delisle, Robert, etc. (n° 895); les Voyages de Thévenot (n° 909); le Voyage de M. de Freycinet (n° 923); l'Art de vérifier les dates (n° 1025); les différens recueils de Lettres édifiantes, de relations de missions orientales, etc., dont l'Innocentia victrix, imprimé à Canton (n° 1071); Brevis Relatio et Relatio sepulturæ S. Fr. Xaverii, tous deux aussi imprimés à la Chine (n°s 1075 et 1076); le joli volume de Sextus Rufus, imprimé à Bude, chef-d'œuvre de stéréotypie microscopique (n° 1113); le Stritteri memoriæ populorum..... (n° 1190), et le Jordan de originibus slavicis (n° 1193); l'ouvrage manuscrit du colonel Gentil sur l'Indoustan (n° 1224); le Tchoun-Thsieou, copie du manuscrit de la Bibliothèque du Roi (1302); la grande Description de l'Égypte, édition du gouvernement (1332); l'Histoire des Philippines du P. Velarde, imprimée à Manille (1346); les mémoires de sociétés savantes et les divers journaux littéraires, indiqués depuis le n° 1442 jusqu'au n° 1466, dont les mines de l'Orient (1465); le n° 1488, Remarques sur ce qu'a dit Fourmont, composées et écrites en Chine par un jésuite; les différens recueils des n°s 1537 à 1562.

Dans les ouvrages chinois, tartares, japonais, indiens en caractères originaux, c'est la série tout entière qu'il faudrait citer; toutefois nous nous bornerons à indiquer les principaux, tels que les n°s 1568 et 1569, Séou Chin Ki, ou Histoire des divinités de la Chine, avec 127 fig.; le n° 1570, Rituel des Tibétains, imprimé dans le pays; 24 peintures représentant les supplices des Chinois (n° 1571); toute la philosophie et les sciences chinoises, comprises depuis le n° 1582 jusqu'au n° 1611, où l'on remarquera les deux ouvrages de Confucius publiés par le P. Intorcetta, à Canton et à Goa, rarissimes (n°s 1596 et

4 AVERTISSEMENT.

1597); le Tahio , texte et traduction latine, manuscrit autographe de M. A.-Rémusat (n° 1598) ; l'Histoire naturelle de Li-Chi-Tehni, 9 vol., fig. (n° 1601) ; la Botanique japonaise (n° 1604) ; l'Uranographie chinoise, manuscrit autographe de M. A.-Rémusat (n° 1607) ; la belle série de Dictionnaires chinois (n° 1612-1620), dont plusieurs sont de la main de M. A.-Rémusat; les différens romans chinois et le beau manuscrit Tamoul sur feuilles de palmier, contenant un fragment du Pantchatantra (n° 1650 *bis*) ; les suppliques en langue ouigoure copiées par M. Abel-Rémusat, et suivies de deux vocabulaires destinés à leur interprétation (n° 1670); le Vocabulaire comparatif polyglotte, tout entier de la main de MM. Abel-Rémusat et Saint-Martin (n° 1677) , et enfin le curieux Dictionnaire de la langue Chincheo (n° 1680), et la Nouvelle chinoise , traduite en latin par le Chinois Abel-yen, manuscrit autographe (n° 1681).

Les bibliographes trouveront peut-être que nous nous sommes quelquefois éloigné du classement habituellement reçu ; nous leur ferons observer que la spécialité de cette bibliothèque nous a fait une loi de mettre surtout en évidence les séries qui s'y rattachent. Nous avons du reste suivi généralement dans nos divisions le classement ethnographique et géographique adopté aujourd'hui et consigné dans les ouvrages de M. Balbi.

C'est à MM. Klaproth et Landresse que nous devons les renseignemens relatifs aux livres chinois, japonais, etc. M. Landresse nous a été aussi d'un grand secours dans la levée des titres et la lecture des épreuves.

前　　言

对于学术界和求知者来说，来自遥远国度的大量罕见的学术著作被公之于众是一件幸运的事情，人们可以从中找到用于研究的材料或者进行收藏。

雷慕沙先生的藏书便是这样一种丰富的资源，能够满足上述两类期待：既不乏稀缺书籍，又尽是益于学术研究的收藏。

尤其是涉及到这位汉学家的研究领域的收藏更为珍贵和丰富。他坚持不懈地收购与他所热爱的研究有着一丝一缕联系的书籍，而且他与文献界知名人士的广泛交往为他提供了便利条件，能够找到常人无法获取的老旧书籍。

如果他的一些系列作品看起来不够完整，是因为据雷慕沙先生遗嘱的其中一项条款，其藏书的很大一部分古希腊语、拉丁语和法语经典被封存。若非正值壮年的先生过早离世，他一定会继续扩充这些藏书。

在此谨向学者和藏书爱好者们推介这批珍贵的收藏：

神学方面，8号《福音手册》是9至10世纪手稿，附有精美的象牙雕版，价值巨大；从1号到73号是一些东方语言版本的《圣经》或部分内容；80号是由亨利三世选取的一些日课经（拉丁文和法文祷文）；98号是劳伦先生手稿《暹罗教理问答》。

科学方面，有卫方济神父的珍稀著作《中华帝国经典》（170号）、人们所好奇的解剖学著作《中国医学》的针灸图示（271号）、布卢姆撰写的荷属东印度群岛植物志（293—294号）、卜弥格的《中国植物志》（296号）等。

语言学方面，有《完整语言词汇》（400号）、印度各种方言的语法和词典（445号—460号）、珍稀的梵语词典（450号）、不丹语和缅甸语词典（462、463、464号）；拉丁语的《中国语法》（475号）；瓦罗神父和马若瑟神父的汉语语法手稿（476、477号）；吉格关于傅尔蒙语法书的报告，由雷慕沙手抄（480号）；从487号到494号，都是珍贵的汉语词典原稿；德经的手稿（496号）以及马礼逊的手稿（499号）都被雷慕沙收入到自己的藏书中；拉萨尔神父关于格里松语的语法（535号）；令人好奇的象形文字作品（574号至588号）；马尼拉传教士编写的罕见的印刷品《他加禄语语法和教材》，（606号）；印刷于埃及报纸上的萨迪《真镜花园》（616号）以及写在字行间的突厥语翻译手稿（617号）；行吟诗歌（661号）；在662号至668号是其他一些法国古代文学的不朽作品；梵文出版的《海棠》（726号）；用他加禄语写的贝尔拉姆和约瑟伐特的故事（740号），与606号类似，是印刷于马尼拉的珍稀版本；杜拉斯夫人的小说（749号和750号），来自于作者的朋友们所收藏的少数原始版本。

历史方面，有德利尔、罗伯特等的地理论文手稿集（895号）；德维诺的游记（909号）；

德弗雷西内先生游记（923号）；《确定事件、文献、古迹日期的艺术》（1025号）；远东特派使团的通信集等，包括在广东出版的《无辜必胜》（1071号）；沙勿略的简短介绍及其葬礼描述，二者皆在中国出版（1075号和1076号）；在比德发行的几卷微型铅版浇铸的著作（1113号）；Stritteri人民回忆录……（1190号），以及古斯拉夫语的Jordan（1193号）；让提埃上校在印度斯坦的手稿（1224号）；《春秋》王家图书馆的手稿副本（1302号）；官方发行《埃及全志》（1332号）；维拉德神父在马尼拉出版的《菲律宾历史》（1346号）；从1442号到1466号是学者文人的回忆录和文学刊物，其中1465号关于东方文学；1488号是一位耶稣会士对博尔蒙注释其藏书目录的批评；1537号至1562号是各种汇编。

在中国、鞑靼、日本、印度的原文著作方面，限于种种，我们在此仅对主要著作进行介绍。例如，1578、1579号是《搜神记》，附图127幅；1580号是在国内出版的《西藏仪礼》；1581号是描述中国人刑罚方式的24幅画；从1582号至1611号是关于哲学和科学：其中有两部罕见的著作分别是殷铎泽神父在广东和果阿翻译出版的《中庸》和《论语》（1596号和1597号）；雷慕沙先生的手稿拉丁语译本《大学》（1598号）；李时珍的自然史著作《本草纲目》（1601）；关于日本植物学的著作（1604号）；雷慕沙翻译的《天文》手稿（1607号）；雷慕沙先生留存的一些精良的汉语字典（1612号至1620号）；各种中国小说及优美的写在棕榈叶上的泰米尔文手稿，包含古印度《五卷书》的片段（1650号乙）；雷慕沙先生抄写的维吾尔语请愿书，附以两个词汇表进行解释（1670号）；雷慕沙先生和圣马丁先生编写的多语言词汇比较手稿（1677号）；接下来还有漳州话词典（1680号），由中国人Abelyen翻译成拉丁文并署名的中国小说手稿（1681号）。

图书研究者们可能会发现我们有时偏离了常规的分类，特在此解释一下，为了凸显本藏书的特色我们有必要强调与之关联的作品。我们在书目中也借鉴并采用了在巴勒比先生著作中所使用的民族志和地理学分类方法。

感谢克拉普罗特先生和朗德雷斯先生与我们分享了汉语、日语等书籍的相关信息，朗德雷斯先生在解读书籍标题和内容方面也为我们提供了很大帮助。

（王辉译，卢梦雅校）

OUVRAGES CHINOIS,

TARTARES, JAPONAIS, INDIENS, ETC.,

EN CARACTÈRES ORIGINAUX.

THÉOLOGIE ET JURISPRUDENCE.

1564. *Chin thian ching king,* c. à d. les Livres saints du ciel spirituel. Traduction de la Bible en chinois faite par M. Morrison, et imprimée au collége anglo-chinois de Malacca, en 1823. 21 cahiers in-12 renfermés dans 5 cartons, d.-rel., dos de mar r.

1565. *Chin thsao wan we chou,* ou le Livre de la Genèse, trad. en chinois par le Rev. J. Marshman. *Serampore,* 1815, 1 vol. gr. in-8.

> Imprimé avec des types de métal mobiles.

1566. The second edition of the Pentateuch to Lev. I, carefully compared with preceding versions, and with the original text. *Printed at Serampore, with metallic moveable characters,* 1825-26, 1 vol. gr. in-8.

1567. *Yesu-Khilistou ngo tchu khieou tche sin kuei tchao chu,* ou Nouveau Testament de Notre Seigneur J.-C., traduit mot à mot en chinois par Morrison. 1813, imprimé sur papier blanc, 8 cahiers gr. in-8, dans une enveloppe de carton à la chinoise.

> On y a joint l'extrait imprimé d'une lettre en anglais de M. Morrison, relative à l'impression de cet ouvrage.

1568. Nouveau Testament traduit en chinois par M. Morrison. *Malacca,* 1823, 8 cahiers chinois pet. in-8, dans un étui recouvert en satin bleu.

1569. *Ching king kouang y,* Évangiles pour les fêtes de l'année, publiés en chinois par les missionnaires de Péking. 2 cahiers chinois, gr. in-8.

1570. L'Évangile de saint Marc, trad. en chinois par les missionnaires de Serampore. *Serampore*, 1 vol. in-8.

1571. L'Évangile de saint Mathieu, trad. en mandchou par M. Lipovtsov. *St.-Pétersbourg*, 1822, 1 vol. in-4 br. à la chinoise.

1572. The Gospel of the apostle John, translated into chinese. *Serampore, Mission press*, 1813, pet. in-fol., d.-rel., dos de mar. vert.

1573. Epître de saint Paul aux Éphésiens, avec commentaire, traduite en chinois par M. Morrison. 1825, 2 cahiers gr. in-8, brochés à la chinoise.

1574. Paul's Epistles to the Romans. I to the Corinthians. II to the Corinthians (en chinois). *Serampore*, 1 vol. gr. in-8.

1575. *Thian chin hoei ko*, Entretien des Anges. *Imprimé à Péking*, 1 vol. gr. in-8, br. à la chinoise.

> Catéchisme en chinois, extrait d'un autre plus considérable, qui porte le même titre, et qui fut rédigé par le jésuite sicilien Francisco Brancato. Cet abrégé a été fait par l'Archimandrite Russe Hyacinthe Bitchourin et adapté au rit grec.

1576. Abrégé de la doctrine chrétienne; catéchisme; discours sur la justice; discours sur l'idolâtrie et autres traités sur la religion, publiés par les missionnaires anglais à Malacca et Serampore, en chinois. 17 cahiers chinois in-8 et in-12.

1577. Manuscrit chinois relatif aux sectes de Tonquin et à la religion chrétienne dans ce pays. Cahier gr. in-8, br. à la chinoise.

1578. *Seou chin ki*, ou Mémoire sur l'origine de plusieurs divinités chinoises, en chinois. Édition de 1819, 4 cahiers reliés en 1 vol., pet. in-8, d.-rel., dos de mar. r.

> Cet ouvrage fut primitivement composé par Yu pao, qui vivait sous la dynastie des Tsin, au iv° siècle de notre ère; mais il a été refait plusieurs fois et augmenté d'un grand nombre de Divinités et de Génies imaginés depuis sa composition primitive, de sorte que les dernières éditions n'ont plus que le titre de commun avec l'ouvrage original. Celle-ci a été revue et augmentée sous la dynastie actuelle, par Ju Lin de Kou Tchhu; elle contient l'histoire de 132 Divinités et 127 figures qui les représentent.

1579. Le même ouvrage que le précédent, mais d'une édition différente. 1 vol. gr. in-8, d.-rel., dos de mar. r.

1580. Formule religieuse à l'usage des Tibétains (*en caractères tibétains*).

> Livre extrêmement rare et curieux, imprimé au Tibet sur un rouleau de papier de coton portant 54 pieds 6 pouces de long.

1581. Supplices et punitions en usage à la Chine, représentés en 24 peintures chinoises. 1 vol. gr. in-4 oblong, cartonné, recouvert en étoffe chinoise.

On y joindra quelques autres estampes ou peintures chinoises et japonaises.

PHILOSOPHIE. — SCIENCES ET ARTS.

1582. *Kin mou tsou i,* ou, selon la prononciation chinoise, *Hiun mung thou weï,* c. à d. Collection d'images avec une courte explication à l'usage des commençans. 8 cahiers in-4, réunis en 1 vol., d.-rel., dos de cuir de Russie.

Cette petite Encyclopédie a été publiée au Japon par le docteur Tsio saï, en 1666, sous le règne du 113ᵉ Daïri, Reï ghen ten o. L'ouvrage est disposé par ordre de matières en 20 livres; il commence par l'astronomie et finit aux herbes et aux fleurs. Dans les éditions postérieures, et nommément dans celle de 1695, on a ajouté un xxiᵉ livre, qui donne les images de 62 divinités japonaises, avec une courte notice sur chacune. Les 20 livres de cette édition contiennent environ 2,300 figures avec leur explication et la synonymie des termes japonais et chinois.

1583. *Chi szu thoung khao,* ou Connaissance universelle sur toutes sortes de choses. Petit ouvrage encyclopédique pour les enfans, par Siu sang sing. Cahier in-8.

On lit en tête la note suivante de la main de M. Abel-Rémusat: « La traduction de ce petit ouvrage serait curieuse et utile, parce qu'il contient une description abrégée de quantité de choses qui regardent la Chine, etc., etc. »

1584. *Wan pao thsiuan chou,* Encyclopédie chinoise pour les enfans, rédigée par le docteur Li ly oung; nouvelle édit. imprimée sous le règne de Khang-hi, en 1686, avec fig. 1 vol., in-8, d.-rel., dos de v. f.

1585. *Sing li tchin thsiuan ti kang.* Exposé de la philosophie naturelle, en chinois. 1753, 1 cahier chinois, gr. in-8.

1586. *Tao te king kiaï,* Livre de la raison et de la vertu, avec commentaire. 1 vol., gr. in-8, d.-rel., dos de mar. r.

L'auteur de ce livre est le célèbre philosophe Lao tseu, contemporain de Confucius et fondateur de la secte philosophique des Tao-sse ou docteurs de la Raison, qui a donné naissance à une des trois croyances religieuses qui règnent à présent en Chine.

1587. *Thoung pan Szu chou kian pen.* Les quatre Livres de Confucius et de Meng-Tseu, avec le commentaire de Tchu-hi, gravés sur planches de cuivre, et publiés en 1809, à la Chine. 2 vol. in-8, d.-rel., dos de mar. bl.

1588. Les mêmes, avec le même commentaire. *Canton*, 1814, 2 vol., gr. in-8, d.-rel., dos de m. r.

1589. *Tchhin young men Szu chou tchang kiu tsy tchu.* Les quatre Livres de Confucius et de Meng-Tseu, avec les commentaires de Tchu-hi, 2 vol., gr. in-8, d.-rel., dos de m. r.

    Superbe édition.

1590. *Szu chou tchin pen.* Les quatre Livres de Confucius et de Meng-Tseu, 4 cahiers chinois in-8, dans une enveloppe couverte en satin r.

1591. *Ta hio*, premier livre de Confucius, publié à St.-Pétersbourg par M. le baron Schilling de Canstadt. 1 cahier chinois in-fol., exemplaire sur pap. anglais.

1592. Un autre exemplaire sur pap. chinois, in-fol.

1593. *Ta hio*, premier livre de Confucius en chinois, gravé en taille-douce par les soins de l'abbé Dufayel. 1 vol. in-4, d.-rel., dos de m. r.

    Cet ouvrage n'a jamais été mis dans le commerce.

1594. *Tchoung young*, ou l'Invariable milieu publié à St.-Pétersbourg par M. le baron Schilling de Canstadt. 1 cahier chinois in-fol.

1595. *Tchoung young*, ou l'Invariable milieu, second livre de Confucius, lithographié à Paris par M. Levasseur, en chinois. 1 vol. in-18 à la chinoise.

1596. *Tchoung young*, ou l'Invariable milieu, publié sous le titre de *Sinarum Scientia politico-moralis*, en chinois et en latin, par le P. Prosper Intorcetta de la Société de Jésus, en 1669 (sans titre). 1 vol. in-fol., d.-rel., mar. r., fil.

    Cet ouvrage et le suivant sont de la plus excessive rareté. Celui-ci a été imprimé, moitié à la chinoise, dans la ville de Canton, moitié à Goa, sur papier et suivant les procédés européens.

1597. Libri *Lun yu* Pars 1ª, sinicè et latinè, auctore P. Prospero Intorcettâ, Soc. Jes. *Sans indic. de date ni de lieu d'impression* (édition de Goa). 1 vol. in-fol., d.-rel., dos de mar. olive, fil., imprimé sur papier de Chine en feuillets doubles.

    Voy. la note précédente.

    L'exemplaire complet, seul connu en Europe, des ouvrages de Confucius publiés en chinois et en latin par le P. Intorcetta, édition de Goa, existe à la Bibliothèque impériale de Vienne.

1598. Le *Tahio*, le *Tchoung young* et le *Lun yu*, en chinois et en latin, par M. Abel-Rémusat, in-fol., rel. en carton.

> Ms. autographe de plus de 300 pages. A côté de chaque caractère chinois se trouvent la prononciation et l'interprétation latine.

1599. Œuvres de Meng tseu (Mencius), texte chinois. 1 cahier chinois, gr. in-8.

1600. *Hiao king* et *Siao hio*, deux ouvrages chinois qui traitent des devoirs des enfans envers leurs parens : les deux réunis en un vol. in-4, d.-rel., dos de mar. bl.

> Le Hiao king est imprimé en 1778, et le Siao hio en 1763.

1601. *Pen thsao kang mou*. Traité général d'Histoire naturelle, par Li-chi-tchin. Édit. de 1637, 9 vol., gr. in-8, d.-rel., dos de mar. r., très belle édit., avec figures.

> Cet ouvrage, commencé en 1552, fut terminé en 1578. Il est divisé en 52 livres, et traite des productions des trois règnes distribuées en 16 classes, 60 ordres, 1,871 espèces naturelles et 8,160 compositions médicinales. Cette belle collection a été réimprimée un grand nombre de fois, soit en entier, soit par extrait; et elle a servi de base à tous les traités qui ont été rédigés postérieurement.
>
> 1er Vol., Index et Planches. On y a ajouté une centaine de feuilles de papier blanc; 2e vol., liv. 1-4 : Généralités, Thérapeutique; 3e vol., liv. 5-11 : Eaux, Minéraux; 4e vol., liv. 12-16 : Herbes; 5e vol., liv. 17-21 : Herbes; 6e vol., liv. 22-33 : Céréales; 7e vol., liv. 34-38 : Arbres, Objets manufacturés; 8e vol., liv. 39-46 : Insectes, Poissons; 9e vol., liv. 47-52 : Oiseaux, Quadrupèdes.

1602. Le même ouvrage, édition de 1765. 13 cahiers, pet. in-8, fig.

> Ces treize cahiers ne forment que le quart de l'ouvrage environ.

1603. Chinese treatise of the vaccine, originally printed at Canton in 1805, now lithographied in *London*, in 1828, by W. Day (en chinois), in-8, br.

1604. *Kwaye*, Traité de botanique en japonais, avec fig. 5 cahiers in-4, cartonnés à la japonaise, dans un portefeuille, d.-rel., dos de mar. r.

> L'ouvrage complet se compose de 8 cahiers, dont 4 sont consacrés aux arbres et quatre aux herbes.

1605. *Houan thian thou choue*. Explication du tableau de la Sphère céleste, en chinois. *Canton*, 1820, 3 cahiers, gr. in-8, dans un carton, d.-rel., dos de mar. r.

> L'auteur de cet ouvrage est un Tao szu nommé Li ming tchhe, natif de Tbsing laï. Il le publia aux frais de Yuan-Yuan, qui, à l'époque de la publication, était vice-roi de Canton. Ce haut fonctionnaire y ajouta une préface, dans laquelle il dit avoir revu et corrigé le travail de son protégé, et où il nous apprend que l'on a suivi, dans la composition de cet ouvrage, les règles du *Traité de la Sphère*, de

OUVRAGES CHINOIS.

Yang ma nao. Cet Yang ma nao est le jésuite portugais Emmanuel Diaz, qui arriva à la Chine en 1618, et y mourut en 1659. Dans son Traité, il avait suivi le système de Ptolémée, qu'on trouve ici reproduit par Li ming tchhe, quoique depuis plus d'un siècle et demi, le tribunal des mathématiques de Peking ait adopté celui de Copernic.

Le troisième vol. de l'ouvrage de Li ming tchhe contient une mappemonde fort curieuse, et des cartes des 18 prov. de la Chine. Ce livre, supérieurement exécuté, et imprimé sur papier très beau et très blanc, renferme un grand nombre de figures.

1606. *Fang sing thou kiai.* Cartes célestes en chinois, publiées par le P. Grimaldi, qui signe la préface de son nom chinois *Min-ming-ngo*, 1711, 1 vol., gr. in-8, sur papier fort, plié en forme de paravent, contenu entre deux cartons chinois recouverts en crêpe de Chine.

Très belle édition, avec une note de M. Abel-Rémusat.

1607. *Thian wen*, ou Uranographie chinoise, trad. et rédigée par M. Abel-Rémusat. In-fol., rel. en cart.

Ms. autographe d'un travail inédit.

1608. Typus eclipsis lunæ, anno Christi 1671, Imperatoris Cam Hy decimo, die xv[o] lunæ 11e, id est, die xxv[o] martii, ad meridianum pekinensem; nec non imago adumbrata diversorum digitorum in horizonte obscuratorum, in singulis Imperii sinensis provinciis, tempore quo luna in singulis oritur, auctore P. Ferdinando Verbiest, S. J., in regiâ pekinensi astronomiæ præfecto. Cahier in-8, allongé, plié en paravent, fig.

En chinois et en mandchou, le titre imprimé en caractères latins.

1609. Volume contenant des essais de diverses écritures chinoises et quelques peintures. 1 vol. gr. in-4, cartonné à à la chinoise.

1610. Livre de figures pour le jeu du casse-tête chinois (en chinois). 1 cah. pet. in-8.

1611. A grand eastern puzzle. *London, Davenporte*, in-12, br. en carton.

Copie figurée du livre imprimé en Chine, pour le jeu du Casse-Tête.

BELLES-LETTRES.

1612. *Choue wen tchin pen.* 2 vol. pet. in-fol., d.-rel., dos de mar. r.

Édition de la plus belle exécution et imprimée sur papier blanc.

Cet ouvrage est le plus célèbre et le plus ancien des dictionnaires chinois proprement dits. Il fut rédigé par Hiu-chi, qui vivait sous la dynastie des Han orientaux. L'auteur qui, d'après sa propre préface, a terminé ce travail important, l'an 121 de J.-C., avait rassemblé tous les monumens écrits qui subsistaient de son temps, et qui pouvaient jeter du jour sur la forme et l'origine des anciens caractères. Il fit choix d'un certain nombre de ceux qu'il jugea les plus exacts, les mieux conservés et les plus conformes aux règles de l'antiquité ; il s'attacha à en retrouver l'étymologie et à en développer le sens. Son ouvrage renferme, sous 540 clefs ou radicaux, 9353 caractères, auxquels on en ajouta depuis 1163 autres. Il l'écrivit en caractères *Tchouan*, qui était l'écriture usitée de son temps ; dans les éditions modernes, on a transcrit les explications en caractères modernes, en ne laissant subsister le *Tchouan* que pour le mot expliqué.

Le frontispice de cette édition indique qu'elle est un *fac-simile* de celle qui a été rédigée et publiée sous la dynastie des Soung, en 986.

Le *Choue wen* est une autorité imposante dans la littérature chinoise ; c'est le premier témoignage qu'on invoque, et la dernière source à laquelle on recourt dans toutes les questions qui ont rapport à l'origine, à l'étymologie, à l'orthographe des anciens caractères, à la force et aux différentes acceptions des mots : on y trouve aussi un assez grand nombre de traditions curieuses sur les arts, les usages et les opinions de l'antiquité.

1613. *Eulya*, ancien dictionnaire par ordre de matières, très belle édit. de 1801, en 3 vol., royal in-4, cartonnés à la chinoise.

Le *Eulya* est aussi un dictionnaire très ancien : c'est une espèce d'*Indiculus universalis* fort concis, et dont l'auteur est incertain. Quelques uns prétendent que cet ouvrage a été d'abord rédigé par le fameux Tcheou koung, frère de Wou wang, fondateur de la dynastie des Tcheou, que Tse-ya, disciple de Confucius, l'augmenta dans la suite, et qu'après lui Liang wen le mit en ordre. Sous la dynastie des Tsin, vers le commencement du ive siècle de notre ère, Kuo po y ajouta une courte explication des mots, et le rédigea dans la forme actuelle. Cette édition, qui est parfaitement exécutée, contient les figures de tous les objets mentionnés dans le texte.

1614. *Tchouan tse weï*, dictionnaire des anciens caractères chinois, nommés *Tchouan*. 1 vol. gr. in-8, d.-rel., dos de m. r.

Les caractères *Tchouan* furent en usage à la Chine depuis l'an 800 avant J.-C., jusqu'au iiie siècle de notre ère ; on s'en sert encore aujourd'hui pour les inscriptions, les sceaux et les cachets. L'auteur de ce dictionnaire est Thoung weï fou, qui le publia en 1691 : il se compose, comme le *Tse-weï*, de 12 parties, et suit le même ordre de radicaux ; seulement, il y en a deux de plus, ainsi en tout 216. Pour faire usage de ce livre, il faut chercher le caractère moderne, qui est placé dans un carré, et suivi d'un ou de plusieurs caractères anciens et d'une courte explication.

1615. *Khang hi tsu tian*, ou Lois des caractères rédigées dans les années nommées *Khang hi*. Dictionnaire chinois imprimé à *Péking* en 1716, 7 vol., gr. in-8, d.-rel., dos de m. r.

> C'est le plus célèbre et le plus complet des dictionnaires chinois par clefs : on en avait annoncé, en Chine, une nouvelle édition revue et augmentée ; elle vient de paraître, mais elle est entièrement conforme à la première : on n'y a changé ou omis que quelques caractères qui sont employés pour écrire le petit nom de l'empereur actuellement régnant, et qui, selon l'usage, ne doivent pas être imprimés tels qu'ils sont, mais avec quelque altération dans les traits qui les composent.

1616. Le même, autre édition de 1716, d'un format plus petit. 9 vol. gr. in-12, v. f., fil.

1617. *Thseng pou tsze weï*, Dictionnaire chinois composé en 1616 par Meï yan seng, et augmenté par Han mou lou, en 1685. 2 vol. gr. in-8, d.-rel., dos de v. f.

> Cette édition a été publiée en 1786, sous le règne de Khian-loung : elle contient un syllabaire mandchou divisé en XII classes, suivant les terminaisons des syllabes. Le nombre des caractères expliqués dans ce Dictionnaire est d'environ 34,000.

1618. Un autre exemplaire de la même édition, mais non relié. 14 cahiers in-8.

1619. *Thsao tsu weï*, Dictionnaire des caractères chinois cursifs et tronqués. 1786, 6 cahiers gr. in-8, dans une enveloppe en carton.

1620. *Tszu goei pian hi*, Abrégé du Dictionnaire chinois *Tszu goei*. 1725, 2 cahiers pet. in-8.

> Cet ouvrage se compose de 4 cahiers. Il n'y a ici que le 1er et le 3e.

1621. Index par ordre de clefs pour le Dictionnaire chinois *Phin tsu thsian*. 1677, 3 cahiers gr. in-8, cartonnés en 1 vol.

> Ce vol. porte les notes suivantes : « Fr. Antonius Diaz scripsit europæis litteris voces sinicas quæ videntur in hoc dictionario ; » et, « J'ai marqué d'un point rouge les caractères que j'ai fait graver pour mon Confucius ; ils sont à l'imprimerie royale. » Cette dernière note est de la main de M. A.-Rémusat.

1622. Recueil contenant des mots chinois disposés par ordre de matières, pour former un vocabulaire. Le tout sans interprétation. In-fol., rel. en cart.

> Ms. de la main de M. Abel-Rémusat.

1623. Vocabularium sinico - latinum characteres circiter 1700 explicatos præbens. 1810, in-4.

> Ms. de la main de M. Abel-Rémusat.

1624. *Khan ni arakha nongghime toktoboukha mandchou*

ghisoun-ni boulekou bitkhe, ou, en chinois, *Yu tchi thseng ting Thsing wen kian*, c'est à dire Miroir de la langue mandchoue, augmenté et revu par l'empereur. *Péking*, 1772, 6 vol. pet. in-fol., riche d.-rel., dos de m. v. charnières en mar.

Magnifique exemplaire du plus célèbre des Dictionnaires mand-chous.

La 1re édition de cet ouvrage fut faite sous Khang hi, et publiée à Péking, en 1708; elle était tout en mandchou. Khian-loung s'occupa lui-même de l'augmenter, et y fit ajouter les termes chinois à côté des mots mandchous : il le classa par ordre de matières, et le fit publier sous ses auspices. On trouve une analyse complète de ce livre et les tables indispensables à son usage dans le *Catalogue des livres chinois de la bibliothèque royale de Berlin*, par M. Klaproth. (Paris, 1822, in-fol., page 68 et suiv.) *Voyez* le n° 1489.

1625. Dictionnaire mandchou-chinois (le 8e cahier seulement). 1 cahier chinois in-8.

1626. *Si tsu khi tsy*, ou admirable procédé des caractères de l'occident, par le P. Matthieu Ricci. 1605, cahier chinois gr. in-8.

En caractères chinois avec leur prononciation en lettres latines à côté, petit ouvrage curieux et très rare, imprimé à la Chine.

1627. *San tseu king*, ouvrage élémentaire pour les enfans, en phrases de trois caractères; édition publiée à Saint-Pétersbourg par M. le baron Schilling de Canstadt. 1 cahier chinois gr. in-8.

1628. Le même ouvrage, édition chinoise, cahier in-8.

1629. *Ou king*, ou les cinq livres classiques de la Chine, avec un commentaire. 26 cahiers gr. in-8, renfermés dans deux étuis de carton à la chinoise.

1630. *Ou king kiu kiaï*, les cinq *King*, ou livres classiques des Chinois; le texte divisé d'après ses phrases et acccompagné de notes explicatives; édition nouvellement revue par Tchang chi de Ou kiun, et publiée en 1817. 6 vol. in-8, d.-rel., dos de vél. blanc.

Dans cette édition, le texte est accompagné de notes dans le genre de celles que Minellius a ajoutées à plusieurs auteurs latins. Le 1er vol. contient le *Y ying*, le 2e le *Chou king*, le 3e le *Chi king*, le 4e le *Tchhun thsiou*, les 5e et 6e le *Li ki*. Jolie édition fort correcte.

1631. *Khoueï-Pi-Chi king*, hoc est Liber carminum, quem recensuit et commentario illustravit *Tchu hi* (en chinois). 4 cahiers gr. in-8, dans un étui de carton à la chinoise.

Ce précieux exemplaire est interfolié de papier blanc sur lequel sont des notes nombreuses de la main du P. Fouquet, et de celle de

M. Rémusat, qui, en 1823, avait commencé à y transcrire la traduction et les commentaires du P. de la Charme.

1632. *Foû riou si ki no yeï*, ou, selon la prononciation chinoise, *Fung lieou szu ki young,* c'est à dire chansons à l'occasion des nobles divertissemens qui ont lieu pendant les quatre saisons de l'année. Pet. in-4, cartonné à la japonaise, avec des peintures sur la couverture.

Il n'y a de ce livre que le 1er cahier qui contient les six premiers mois.

L'ouvrage se compose d'une suite de figures joliment imprimées en couleur : celles qui ont rapport au second mois représentent une espèce de mascarade.

1633. *Pe mei thou tchhuan,* ou images et histoire de cent belles femmes, publiées par Yan hi de Ngao tqung en 1786. 4 vol. gr. in-8, cart. à la chinoise.

Deux des cahiers de cet ouvrage célèbre contiennent des pièces de poésie en l'honneur de ces cent héroïnes ; dans les deux autres on trouve leurs images et une courte biographie de chacune. M. Thoms a donné quelques extraits de cet ouvrage, dans son *Chinese Courtship.* (London, 1824, in-8, page 249 à 280.) *Voyez* le n° 638.
Édition fort belle, sur papier blanc et ornée de cent figures.

1634. *Seï rô bi nin kafk si kio,* ou, selon la prononciation chinoise, *Tsing leou mei jin ho thsu kian,* c'est à dire Miroir de la réunion des Belles du pavillon vert. 2 vol. in-4, cartonnés à la japonaise.

Cet ouvrage, qui doit se composer de plusieurs volumes, a paru à Yédo en 1766. Un de cès deux volumes contient, sur les sept premières pages, des portraits de femmes imprimés en couleur, et le reste est rempli de vers en l'honneur des princes pour les quatre saisons de l'année. L'autre volume, qui a rapport à l'automne, est sans aucun texte : il se compose de vingt-quatre feuillets, dont la plupart représentent des groupes de femmes.

1635. *Sieou khe yn ky chy pen,* ou édition élégante de dix collections de drames, avec cet autre titre général en tête du 1er cahier : *Lo chy tchoung khiu.* 60 pièces dramatiques (sans indication d'année). 102 cahiers gr. in-8, renfermés dans 12 enveloppes de carton à la chinoise.

1636. *Tchoui pe khieou,* Recueil contenant douze collections de pièces dialoguées, et dont les sujets sont, pour la plupart, tirés des romans les plus célèbres. Nouvelle édition de 1781, 6 vol. pet. in-8, d.-rel., dos de mar. r.

1637. *Kin phing meï,* roman chinois, 21 cahiers, gr. in-12, br., fig.

Ce célèbre ouvrage, qui parut pour la première fois en 1695, jouit de la plus haute réputation en Chine, à tel point que l'un des frères de l'empereur Kang hi ne dédaigna pas d'en faire une traduction mandchoue, qui pour la beauté du style ne le cède en rien, assure-t-on, à l'original. Ce roman contient, en cent livres, l'histoire d'un riche droguiste nommé Si men khing, et les détails de ses nombreuses amours. Ce titre de *Kin phing meï* fait allusion aux noms des trois principales héroïnes de l'ouvrage.

Il n'y a aucun livre qui puisse mieux que celui-ci faire connaître la vie, les mœurs et les usages des Chinois; malheureusement il est rempli de narrations obscènes, qui en rendent impossible la traduction dans une langue européenne, et une version latine offrirait de grandes difficultés, à cause du nombre considérable d'expressions chinoises pour lesquelles on ne pourrait pas trouver de termes équivalens en latin.

1638. *Sieou siang tiy thsai tsu chou*, ou le Livre du premier des beaux esprits, plus connu sous le titre de *San koue tchi*, c. à d. les Entreprises des trois royaumes : Édition de 1820, 20 cahiers en 4 vol. in-8, d.-rel., dos de mar. r.

Après la chute de la dynastie des Han, la Chine fut divisée en trois royaumes, Chu han, Weï et Ou. Cet état de choses dura depuis l'an 212 jusqu'en 280 de notre ère, époque où la dynastie des Tsin parvint à réunir l'empire sous sa domination. L'histoire de ces trois États fut rédigée, vers la fin du III° siècle, par Tchhin cheou, et sous le règne de la dynastie mongole, au XIV° siècle, son ouvrage, tout historique, fut pris pour base d'un roman qui est particulièrement estimé pour l'excellence du style; l'auteur est Lo kouang tchoung. Pour le faire mieux goûter d'un plus grand nombre de personnes, un auteur inconnu, qui vivait sous les Ming, le traduisit en *siao choue* ou style familier. Le célèbre Kin ching than en a publié une nouvelle rédaction, en 1644, beaucoup plus estimée que la première : c'est celle que nous avons ici dans cette édition de 1820.

1639. Le même ouvrage. 10 cahiers chinois, in-12; le 9° est en mauvais état.

Exemplaire incomplet.

1640. *Iu kiao li*, ou Histoire de Houng-iu et de Meng-li (les deux Cousines), en chinois. 1 vol. pet. in-8, riche reliûre, mar. r., fil., dent.

C'est l'original du roman traduit par M. Abel-Rémusat. (Voy. n° 737 du Catalogue.)

1641. *Iu-kiao li*, roman chinois traduit par M. Abel-Rémusat, texte autographié et publié par J.-C.-V. Levasseur. *Paris*, 1829 (1ʳᵉ livr.). In-8, br. à la chinoise.

1642. *Hao khieou tchhuan*, ou l'Histoire de la belle union, roman chinois très célèbre : édition de 1819. 1 vol. pet. in-8, d.-rel., dos de mar. r.

C'est le premier roman chinois qui ait été traduit dans une langue européenne. Cette traduction fut publiée par l'évêque Hugh Percy, d'après un manuscrit écrit partie en portugais, partie en anglais, sous le titre de *Pleasing history*; elle fut mise en français par Eidous (voy. nᵒˢ 731 et 732 du Catalogue). M. Davis en a donné une nouvelle traduction complète en anglais, qui a paru à Londres en 1829, en 2 vol. in-8 (nᵒ 734).

1643. *Houa thou yuan*, un des plus célèbres romans chinois. 1 vol. in-8, d.-rel., dos de mar. r.

> Cet ouvrage est principalement estimé en Chine pour la beauté du style (voy. *Notitia linguæ sinicæ* du P. Prémare, page 36). M. Fresnel a traduit le premier chapitre et une autre scène de ce roman dans le *Journal asiatique*, tome Iᵉʳ, p. 128, et tome III, p. 202.

1644. Un autre exemplaire incomplet du même roman, contenant seulement les 5 premiers chapitres des 15 qui le composent. 2 cahiers in-8.

1645. *Phing chan leng yan*, roman chinois célèbre. 4 cahiers in-8, dans leur enveloppe de carton couverte de satin bleu.

1646. *Pe ngan king ko*, roman chinois. 6 cahiers pet. in-8, dans leur étui couvert de satin bleu.

1647. *Si siang ki*, ou Histoire de l'aile occidentale de la maison, roman chinois célèbre. 6 cahiers pet. in-8, dans leur enveloppe de carton couverte de satin bleu.

1648. *Pi pha ki*, roman chinois avec fig. 6 cahiers pet. in-12, dans leur étui couvert de satin bleu.

1649. Fragment d'un roman japonais écrit en lettres cursives, avec fig. 1 vol. in-12, parch. vert.

1650. *Mittirabedam*, fragment du *Pantchatantra*, en tamoul.

> Beau ms., sur feuilles de palmier, d'un ouvrage qui a été trad. en français par M. l'abbé Dubois (V. nᵒ 727 du Cat.). Il se compose de 60 feuillets ayant 17 pouces de long.

1651. Dialogues mandchous-chinois, formant le 2ᵉ vol. de la grammaire mandchoue *Thsing wen ki mung*. 1 cahier in-8, en mauvais état.

1652. Recueil d'anecdotes (en chinois). 1 cahier in-12.

1653. Recueil de textes chinois extraits de divers ouvrages, lithographiés par M. Molinier. Gr. in-4, br. en cart.

1654. Lot de fragmens et pièces détachées en chinois.

1655. *Kouang iu ki*, Description géographique de l'empire chinois. 12 cahiers reliés en 2 vol., gr. in-8, d.-rel., dos de mar. r.

Cette géographie, qui est la plus répandue en Chine, fut originairement composée par Lo ing yang, qui vivait sous la dynastie des Ming. Thsai fang ping en publia, en 1686, une nouvelle édition revue et corrigée, dans laquelle il a fait entrer tous les changemens qui ont eu lieu sous la dynastie mandchoue, actuellement régnante. Cette édition, contenant le même texte, mais de nouvelles cartes, a été imprimée en 1802.

1656. *San kokf tsou ran to sets*, ou, selon la prononciation chinoise, *San koue thoung lan thou choue*, ou Aperçu général des trois royaumes, accompagné de cartes et de figures. 1 vol. pet. in-fol., cartonné à la japonaise, et contenant, outre le texte, cinq cartes collées entre deux cartons; le tout dans un double étui, d.-rel., dos de mar. r.

Cet ouvrage, composé par le docteur japonais Rin-Si-Fée, et aussi curieux que bien exécuté, fut publié à Yédo en 1786, avec une préface de Fo-Sio-Kokseui de Katsoura gawa, médecin de l'empereur. M. Klaproth a publié, en 1832, une traduction française de cet ouvrage, qui contient la description de la Corée, des îles Lieou-khieou, de Yeso et de l'archipel Mouuin-Sima : il a reproduit les cinq cartes en *fac-simile* et traduites, mais il n'a donné ni les costumes ni les images des ustensiles et meubles des habitans de Yeso, qui se trouvent dans l'original.

1657. *Thsiuan ti wan koue ki lio*; Abrégé de toute la terre et des dix mille royaumes (en chinois), géographie publiée par les missionnaires anglais, à Malacca en 1821. 1 cahier chinois, in-8, br.

Ce petit volume se compose de plusieurs cahiers du journal chinois de M. Milne.

1658. Planisphère occidental du Monde, dressé en chinois par le P. Verbiest. Très grande feuille collée sur toile. — Grande carte manuscrite de la Chine, traduite du chinois en latin. Très grande feuille, papier de Chine.

Cette carte est de la main du P. de Mailla.

1659. Grande carte du Japon, dressée en 1710 dans le pays même. Nouvelle édition de 1774. Gr. in-8 cartonné à la chinoise.

C'est la même carte dont une copie réduite a été publiée à Amsterdam en 1728 par Hadr. Reland.

1660. *Ching kiao si ly*, Calendrier chrétien en chinois, manuscrit contenant tous les jours de l'année avec les noms des saints. 1 cahier chinois, pet. in-8, br.

> L'année n'est pas indiquée : elle est intercalaire, parce qu'elle a un 29 février, et le papier qui sert de couverture au volume est un fragment d'une pièce officielle datée du dix-neuvième mois de la dix-neuvième année du règne de Khang hi (1680). L'Almanach pourrait se rapporter à cette année, qui en effet était intercalaire, ou à l'an 1684, qui l'était également.

1661. Almanach impérial du Japon, pour l'année 1731. Imprimé à Yedo, pet. in-8, v. f., fil., tr. dor.

> C'est le dernier des quatre volumes dont se compose cet Almanach.

1662. *Kang kien kia tseu tou*, ou Table chronologique disposée d'après l'ordre des années du cycle de 60 ans (en chinois), une grande feuille.

> Cette table contient, outre le nom des Empereurs et l'indication du temps qu'ils ont passé sur le trône, la liste des *Nien hao*, ou désignations honorifiques appliquées aux années de leur règne. M. Abel-Rémusat y a joint une concordance manuscrite des années chinoises avec les années européennes.

1663. Collection historique et biographique de la Chine jusqu'à la dynastie des Han. 1806, en chinois, 5 vol. gr. in-8, d.-rel., dos de v. f.

1664. Un second exemplaire du même ouvrage, non relié. 24 cahiers in-4.

1665. *Tchhun thsieou ta thsiuan*, le Printemps et l'Automne, ou Annales du royaume de Lou, patrie de Confucius, rédigées par ce philosophe, avec commentaires et éclaircissemens. 1711, 2 cahiers gr. in-8, dans leur enveloppe chinoise.

1666. *Toung houa lou*, ou Miroir de la porte fleurie de l'Orient. 16 cahiers chinois in-8, contenus dans quatre cartons, d.-rel., dos de mar. r.

> Cet ouvrage contient l'histoire de la dynastie mandchoue, depuis son origine jusqu'au règne de l'avant-dernier empereur Kia khing. Les 16 vol. de cet exemplaire finissent à l'an 1736. L'ouvrage complet doit conduire jusqu'à l'abdication de Khian lang, en 1795.

1667. Annales des Daïris, ou Chronologie des empereurs du Japon, depuis le 1er jusqu'au 108e, ou de 660 avant J.-C. jusqu'en 1586 de notre ère. 1 vol. pet. in-fol., d.-rel., dos de cuir de Russie.

1668. 1°. *Ta hing houang ti kouei tchao*, c'est-à-dire Testament laissé par le grand empereur auguste, à présent en chemin pour un autre état d'existence. 1 cahier sur papier jaune, 6 feuilles pet. in-fol.

C'est le testament de l'empereur Kia king, mort le 2 septembre 1820. Une traduction française de cette pièce a été donnée par M. Landresse, dans le *Journal asiatique*, vol. 1, p. 175 et suiv.

2°. *Tchang tchi kia ho piao chy*, lettre de félicitation adressée à la nouvelle Impératrice mère pour le solstice d'hiver 1820, en chinois.

3°. La même pièce, en mandchou.

4°. 2 feuilles d'écriture cursive japonaise.

Le tout contenu dans le même carton.

1669. *Hao tchhang kuan laï wen*, suppliques en langues ouigoure et chinoise, publiées à Saint-Pétersbourg par le baron Schilling de Canstadt. 1 vol. in-fol., broché à la chinoise.

1670. Scripta ouigourica ex urbibus Kamoul, Tourfan, Kotcho, et cæteris, ad Sinarum imperatorem missa : cum versione sinicâ. Sequitur vocabularium duplex : alterum cum transcriptione et explicatione vocum ouigouricarum sinicâ, atque versione latinâ, auctore Amiot : alterum ex scriptis et vocabulario priori, nec non ex cæteris libris Turcarum orientalium contextum, cum transcriptione justâ et genuinâ. In-fol., rel. en cart.

Ce travail important de M. Abel-Rémusat est tout entier de sa main.

1671. Lettera scritta dalla cristianità di Malabaro alla Santità di N. S. Pio VI. L'anno 1780, en Malabar (caractères grantam).

Autographe sur deux longues feuilles de palmier.

1672. *Thsaï chi sou mei yue thoung ki tchhouan*, ou récits mensuels destinés à faire connaître le monde; publiés sous la direction de M. Milne, à Malacca, dans les années 1820, 1821 et 1822. 14 cahiers chinois in-8.

1673. Une trentaine de *Touï-tseu*, ou Inscriptions chinoises en grands rouleaux, seront divisés sous ce numéro.